любовная драма жизни

В главных ролях:
Андрей Миронов и Татьяна Егорова

Мария Миронова:

— Таня, что это я у вас на карандаше? Почему вы все за мной записываете?

— Перлы, перлы записываю, чтобы не забыть, а то все улетучивается!

— А зачем вам это?

— Произведение буду писать.

— О чем?

— О жизни.

— А что вы там напишете?

— Правду!

— Тогда уж пишите обо всех!

ТАТЬЯНА ЕГОРОВА

Андрей Миронов и я

любовная драма жизни

ЗАХАРОВ
Москва 2000

УДК 882-94
ББК 84 П
Е 30

*Мнения, оценки и факты, изложенные в этой книге,
целиком принадлежат автору и издательство не несет
за них ответственности.*

ISBN 5-8159-0101-6

Глава 1

РЕПЕТИЦИЯ ЛЮБВИ

«Егорова, Егорова... Татьяна Егорова... приготовьтесь — ваш выход... Татьяна Егорова... ваш выход... на сцену с Андреем Мироновым. Не опоздайте», — произнесла Судьба голосом помощника режиссера Елизаветы Абрамовны Забелиной по трансляции. Я не вздрогнула. Динамик висел наверху в углу гримерной. Посмотрела на него и загадочно улыбнулась. В последний раз оценив себя в зеркале, резко встала, вышла из гримерной и смело пошла по коридору в сторону сцены.

Это произошло на гастролях в Риге 5 июля 1966 года в спектакле «Над пропастью во ржи» Сэлинджера. Андрей Миронов играл Холдена Колфилда, а меня, неделю назад покинувшую стены Щукинского театрального училища, за два часа до начала действия — в театре случилось ЧП — ввел своей талантливой рукой режиссер Шатрин. В роль Салли Хейс.

Коридор, по которому я шла, был длинный и темный. Текст я знаю назубок, выгляжу прелестно, глаза блестят, и мне очень идет «американское» пальто с капюшоном, отороченным пышным белым песцом. И белые перчатки, и ноги, и каблуки...

Подошла тихо к кулисе и встала как вкопанная. На освещенной сцене — Холден-Андрей... совсем рядом.

— Алло, Салли Хейс, пожалуйста... Это ты, Салли? Как живешь? Ты не могла бы сейчас повидаться со мной? — умолял меня со сцены Холден Колфилд и Андрей Миронов. Именно меня, а не Салли Хейс. Салли была уже ни при чем.

За два часа до спектакля, на репетиции, мы впервые познакомились. Репетировали нашу сцену. Обстановка деловая — мой срочный ввод, обязательное знание текста, траектория роли, атмосфера, состояние, действие. Артисты, играющие в этом спектакле, репетировали год, а я должна была все усвоить за два часа. Режиссер Шатрин был неожиданно ласков и в мягкой и игривой манере ввинтил в меня суть моей роли. Как положено по сцене в спектакле, мы сидим на скамейке с Андреем — он уже в десятый раз проговаривает свой текст, я — свой.

— До начала спектакля — час. Думаю, все пройдет хорошо,— сказал Шатрин, давая понять, что репетиция окончена. Посмотрел на нас. Мы сидим и не двигаемся, прижавшись друг к другу.

— До вечера! — опять откуда-то донесся его голос. А мы сидим на скамейке, прижавшись друг к другу, и не двигаемся.

— Ну, пока... — сказал режиссер, уходя. Вдруг повернулся — мы сидим на скамейке, прижавшись друг к другу, и не двигаемся! Смотрим на него в четыре глаза. Он на нас в два и внезапно весь озарился улыбкой. По его лицу мы прочли все, что не осознали еще сами. Смутившись, встали, деловито поблагодарили друг друга, простились до вечера, до свидания на сцене. И разошлись.

Я все еще стою в кулисе. Внезапно на подмостках погас свет. Начались перестановки для следующей картины.

Через минуту мой первый выход на профессиональную сцену. Машинально плотнее натягиваю белые перчатки. В сознании — шлейф вдохновения после репетиции, нетерпение — скорей, скорей к нему, с которым знакома всего два часа, и как ёж под череп — мысль: почему мое первое свидание с ним, которое так перевернет всю нашу жизнь, должно состояться именно на сцене? На сцене театра оперы и балета в Риге? Почему?

— Иди! — громким шепотом опять сказала Судьба голосом Елизаветы Абрамовны Забелиной. И толкнула меня в спину.

Я как будто выпала из темного небытия в свет и наткнулась на одержимого американского мальчика в красной кепке с большим козырьком, с глазами цвета синьки. Холден бросился мне навстречу: «Салли, как хорошо, что ты пришла! Ты великолепна, Салли... Если б ты знала, как я ждал тебя!»

Он был так возбужден, что последнюю фразу повторил три раза, давая мне понять, что ждал не Салли Хейс, не актрису, исполняющую роль Салли, а меня, существо, которое ему вдруг стало близким и необходимым.

— Салли, Салли, я влюблен в тебя как ненормальный! — упорно повторял он, несколько раз до боли сжав мои руки. Это было уже совсем не по пьесе. Тут я должна была встать — он меня не отпускал.

— Салли, Салли, ты единственное, из-за чего я торчу здесь!

Сколько скорби было в его голосе, скорби, которая таилась где-то глубоко внутри. И вот конец сцены, моя реплика:

— Скажи, наконец, что ты хочешь?

— Вот какая у меня мысль... У меня есть немного денег. Будем жить где-нибудь у ручья... я сам буду рубить дрова. А потом когда-нибудь мы с тобой поженимся. И будет все как надо. Ты поедешь со мной? Ты поедешь?

«Куда угодно, закрыв глаза, за тридевять земель», — молнией пронеслось в моем сознании, а Салли Хейс ответила:

— Да как же можно, мы с тобой в сущности еще дети!

Это по пьесе, а в жизни мы были в самом расцвете. Ему было 25, а мне 22 года.

— Ты поедешь со мной? — умоляюще спросил Холден и уткнулся головой в мою грудь.

Через 21 год на этой же сцене за кулисами он будет умирать на моих руках, бормоча в бессознании: «Голова... голова...» И в последний раз закинув голову, голову, в которой беспощадно рвался сосуд, увидит мое лицо и два глаза, в которых мольба о любви, о спасении его, меня, нас всех. Увидит, запечатлеет и возьмет меня с собой. А здесь, на земле, останется совсем другая «Танечка». Она покинет театр, построит дом, станет жить у ручья и рубить дрова. Все как он просил.

Ах, Сэлинджер, Сэлинджер, как вы врезались в нашу жизнь!

Наше свидание в Централ-парке кончалось конфликтом.

— И вообще, катись ты знаешь куда...— чуть не плакал Холден.

— Ни один мальчик за всю мою жизнь так со мной не обращался. Оставь меня! — отчеканила я.

Конец сцены, мне надо уходить, а я стою как в сказочном саду с жар-птицей, осиянная волшебным ее светом. Очнулась от аплодисментов, как от пощечины. И так не хотелось покидать сцену и... Холдена. За кулисами артисты, реквизиторы, рабочие сцены поздравляли с первой ролью, с удачей, со «сногсшибательным» вводом в спектакль. Приближается финал. Холден на сцене кричит, как будто рыдает: «Я буду ждать тебя в парке у пруда, где плавают утки!» И еще больнее:

> Если кто-то звал кого-то
> Сквозь густую рожь,
> И кого-то обнял кто-то,
> Что с него возьмешь,
> И какая нам забота,
> Если у межи
> Целовался с кем-то кто-то
> Вечером во ржи.

«Господи, это же мои любимые стихи, Бёрнс,— думаю я.— «Дженни вымокла до нитки...»

Конец спектакля. Аплодисменты. Занавес. Улыбаясь, обращаюсь ко всем артистам: если кто хочет, заходите к нам в номер в гостиницу «Саулите». Отметим немножко. А что отметим, думаю я... роль? Первую роль? Успех? Нет. Духовное потрясение, которое мы с ним сегодня испытали, таинственную и почему-то горькую близость, уже обреченную невозможность находиться друг без друга всю оставшуюся жизнь.

Через 25 лет в Нью-Йорке буду бродить по окраинам Централ-парка, искать пруд, где плавают утки, где мы так нечаянно влюбились друг в друга в минуты нашей первой встречи.

Глава 2

БОЛЬШАЯ МЕДВЕДИЦА

В номере, на четвертом этаже гостиницы «Саулите», толпились артисты. Гостиница была третьего разряда — на этаже общий туалет, душ и телефон. В моей комнате, окна которой выходили в каменную серую кишку, называемую двором, где круглые сутки орали кошки, как подарок судьбы торчала в стене облупленная старая раковина с краном, из которого текла только холодная вода.

Наташа... мы были едва знакомы. Она закончила вечернее отделение нашего училища, волею судьбы неделю назад, как и я, оказалась в театре Сатиры и моей соседкой по номеру. Жена Льва Круглого, известного эфросовского артиста. За четыре года учебы мы встречались на лестнице, в коридорах, в буфете, и она всегда привлекала к себе внимание — плоская фигура, на редкость со вкусом одета, с нестандартным лицом и занятным вытянутым носом. Она очень ярко играла в выпускном спектакле по пьесе Леонида Андреева «Дни нашей жизни» и надрывно и смешно пела романс «Когда всему конец...».

Рига поразила нас своей чистотой и готической романтикой северной архитектуры. Это был наш первый выезд на Запад. Первая встреча с Балтийским морем. Рынок удивил изобилием цветов и круглыми аквариумами для рыб, в которых плавали малосольные огурцы. Наташа купила розы, а я совершенно неожиданно для себя — георгины, к которым всегда была равнодушна и которые впоследствии невольно всегда будут сопровождать меня в самые главные минуты моей жизни.

Каждый день в близлежащем кафе мы поглощали по нескольку порций взбитых сливок, пили коньяк с молоком — по-рижски — и загорали на песчаном побережье темно-синего моря.

Собираясь на гастроли, я купила на Арбате в магазине «Галантерея» небольшой бежевый чемоданчик.

Легкая промышленность в те годы хромала на обе ноги и была уродлива. «Вхожу в советский магазин — теряю весь гемоглобин!»

Социализм без друзей, что капитализм — без денег. И я купила у подруги туфли. Белые, на маленьком каблучке с перепонкой в виде буквы «Т». Самым популярным в то время был польский журнал мод «Кобета». На дно чемодана я аккуратно положила вырванные из «Кобеты» страницы, на которых демонстрировались подвенечные платья. Я была невестой и на осень была назначена свадьба. Свадьба громко сказано, просто регистрация брака, так как при нашей студенческой нищете в такой важный день мы могли себе позволить только столик на четверых в каком-нибудь кафе. Так вот в этом чемоданчике оказались — зубная паста, зубная щетка, немного белья, книжечка стихов Блока и розовое платье, холодного тона с белыми цветочками, нашитыми на груди. Цветочки были обвязаны белой шелковой ниткой с бледно-голубыми глазами посредине. Из того же журнала «Кобета» я слизала прическу — короткая стрижка «под мальчика», с густой челкой на лоб, пышный верх. По бокам волосы уходили за ушки и завитком возвращались обратно к щеке. Почему «ушки»? Потому, что это были ушки, а не уши.

Народные, заслуженные артисты и вся верхняя ступенька социальной лестницы театра Сатиры расположилась в гостинице «Рига». Там же остановился Андрей со своим приятелем Червяком.

Они приехали из Москвы на машине Червяка. Тот не имел прав и оформил доверенность на Андрея. Червяк, сын известного драматурга, после Архитектурного института окончил сценарные курсы и считался сценаристом. Гастроли, театр, артистки — на этот пароль клевала любая рыба мужского пола.

Итак, поздний вечер, пятое июля, мы отмечаем премьеру. В нашем номере банкет а-ля фуршет. Бутерброды, водка, вино... Дверь то и дело хлопает — кто-то входит, кто-то выходит. На рюмочку все летят.

Я в розовом платье с завитком на щеке и без надежды сегодня вечером увидеть его. Его нет. А есть мои сокурсники — подруга Пепита, длинная с красивым лицом, как у куклы, и психопатический наш товарищ Бодя. Мы все одновременно влились в театр как молодое вино в старые мехи. Пепита сегодня впервые сыграла Пегги в «Над пропастью во ржи», получила одобрение режиссуры и, с удовольствием разложив длинные ноги на кровати, курила сигарету. Бодя еще ничего не сыграл, пил водку и сосредоточенно, в привычной ему манере грыз ногти, прикрыв глаза и нервно щелкая зубами. Уже дошли до кондиции, когда можно начинать читать стихи. Наташа встала у окна и начала Пастернака, «Марбург»:

> Я вздрагивал. Я загорался и гас.
> Я трясся. Я сделал сейчас предложенье.

Потом я выскочила на середину и в радостном отчаянии (наверное, он не придет) почти запела Блока:

> Гармоника, гармоника,
> Эй, пой, визжи и жги!
> Эй, желтенькие лютики,
> Весенние цветки!

И когда я дошла до строчек «...там с посвистом, да с присвистом гуляют до зари!», внезапно открылась дверь и вошел он. Мы смотрели друг на друга с изумлением. Я — от неожиданности, что он все-таки пришел, а он от того, что попал как раз в момент, когда меня крутило в воронке поэзии:

> С ума сойду, сойду с ума,
> Безумствуя, люблю,
> Что вся ты — ночь, и вся ты — тьма,
> И вся ты — во хмелю...

Выплеснув канистру эмоций, я смущенно посмотрела на него. «Пришел, увидел, победил!» — стоял он с таким видом. Самоуверенный, веселый, знающий себе цену. В нем не было и тени того Холдена со скорбными нотами в голосе, которого я видела на сцене два часа назад. Червяк просочился в дверь мягко и вкрадчиво с двумя пакетами в руках. В пакетах — вино, печенье, конфеты. Наташа быстро сочинила новую партию бутербродов, и пошло второе дыхание. Андрей все время стучал ногой, отбивая только ему известный ритм, наливали, смеялись, наливали... Кошки на «дне кишки» орали таким душераздирающим криком, что Андрей спросил:

— Как вы здесь спите?

— Это они на тебя так реагируют, — пошутил психопатический Бодя. — Когда тебя нет, здесь тихо.

— Так... — встал Андрей. — Вы видели, как читает косой? Нет? Не видели?

Он взял с тумбочки книгу в правую руку, раскрыл ее и завел руку с книгой за ухо, скосил глаза к носу и через небольшие интервалы левой рукой переворачивал страницы.

У Пепиты от смеха свалились с грохотом на пол ноги. Бодя смеялся, как будто икал. Уже светало. Андрей встал и тихо сказал мне: «Пойдем!». И мы пошли. Вдвоем пулей спустились с лестницы, открыли двери гостиницы — вставало солнце. Мы бросились бежать вверх по гулкому переулку. Червяк пытался нас догнать, что-то кричал, потом махнул рукой и свернул в сторону своей гостиницы. Мы добежали до театра и выскочили на бульвар. Кругом цветы. Четыре часа утра. Пустая Рига. И ивы плавно покачивались своими длинными ветвями. Мы прыгали по клумбам, схватившись за руки в экстазе вдохновения, и он кричал на всю Ригу: «Господи, как она похожа на мою мать!»

Утренняя заря как с картины эпохи Возрождения. Аврора розовая с факелом и двумя амурами стояла перед нами. Мы обвились длинными ветками ивы и застенчиво поцеловались.

Глава 3

ВИКТÓР

Начались репетиции. Худрук — будем называть его Чек — был напоминанием о том, что за все надо платить... и желательно чеком на очень большую сумму. Ему было 57 лет. Нам он казался глубоким стариком. Чек занял меня в новом спектакле по пьесе Фриша «Дон Жуан, или Любовь к геометрии».

Роль небольшая, где я постоянно повторяла одну и ту же фразу: «Как кричат павлины!». В черной юбке я скользила по паркету репетиционного зала, якобы испанской ночью, настороженно глядя то в одну, то в другую сторону, повторяя с разной интонацией: «Как кричат павлины!». Чек проходил эту сцену со мной много раз. Я ему нравилась, и он продлевал минуты удовольствия. Кончилась репетиция, стоим у дверей театра с актрисой, проходит в одежде цвета салата корпулентная дама, пышная блондинка, переваливаясь, как утка, с одной ноги на другую. Это заведующая литературной частью Марта Линецкая. Прошла мимо. Мелкой трусцой с чуть согнутыми коленями, мысленно во что-то устремленный, прошел бледный Патриций с римским профилем. «Магистр», — подумала я.

— Наш новый молодой режиссер, — шепотом объяснила актриса. — Хотел жить честно, поставил на эту тему спектакль, Чек пригласил его в наш театр... — и добавила: — Он был в больнице, что-то с сердцем, говорят, жена, поэтому позже приехал, но он уже очень известный!

А это — Папанов с женой, Менглет... Появилась Пепита. Мы купили клубнику в маленьких кульках из газеты и, взяв друг друга под ручки, пошли в кино смотреть «Любовь под вязами» с Софи Лорен. Любовь под вязами и под ивами воодушевляла на подвиги — я стала мечтать о белых брюках. В те времена эта мечта казалась больной фантазией. Но любовь под ивами вызвала непреодолимое желание прикрыть свое «голое» тело белыми и только белыми брюками. Они мне мерещились на каждом углу. И на углу в комиссионке мечта материализовалась. Случайно сняла вешалку, ни ней — они! Американские брюки в рубчик и верхушечка без рукавов, сзади на пуговицах — сшита так, что виден голый живот. И стоит 11 рублей! Под этот наряд я добыла белую майку в синюю полоску, у Наташи выпросила пушистую в петельках черную кофту с открытым воротом, влезла в белые брюки и с облегчением вздохнула. Унижение от бедности сплеталось с самолюбием, которое ныло как больной зуб, ночами врывалось в сны, показывая свои страшные когти. Теперь я почувствовала себя королевой, и когти в снах уступили место воздушным шарам и полетам над пересеченной местностью. Я летала над латышским ландшафтом в своем новом обмундировании, которое досталось мне в трудном бою и которое пополнило мой бежевый небольшой чемоданчик и чувство уверенности в себе.

Мой старый друг! Бежевый чемоданчик! Ты жив и по сей день. Каждую весну я встречаюсь с тобой на своей даче в глубинке России, открываю и недоуменно смотрю на аккуратно лежащие на дне листки, 32 года назад вырванные из журнала «Кобета», на которых красивые польские женщины демонстрируют подвенечные платья.

От экстаза, который охватил нас при первой встрече, невозможно было отделаться, а наоборот...

Стук в дверь — Таня, Егорова, к телефону! Вышла в коридор гостиницы, взяла трубку, слышу: «Але, через тридцать минут спускайся вниз, я за тобой заеду». И гудки. Господи, а у меня голова... не готова к встрече. Бросилась в душ — занято. В номере, перевернув все и не найдя шампунь, высыпала в ладонь горсть стирального порошка и под краном ледяной водой вымыла голову. Через тридцать минут в белых брюках, в черной пушистой кофте и в белых туфлях, с накрашенными глазами, с прической — завиток к щеке, в жемчужных серьгах в виде слезы — конечно, бижутерия — я стояла у дверей гостиницы. Он подъехал, открыл дверь, я села в машину и спросила:

— Куда мы едем?

— В «Лидо».

— А что это такое «Лидо»?

— Это ресторан на взморье. — И засмеялся.

Ему нравилось, что я — совершенно не искушенная в этих вопросах. Проехали Даугаву и выскочили на шоссе в сторону побережья. Я сидела и крутила носком в туфле с перепонкой в виде буквы «Т». Меня переполняли эмоции.

— Хочешь анекдот? Приходит грузин в магазин: «Дэвушка, у вас есть мило?» — «Нет». Грузин отвечает: «Очень мыло». — И первый залился смехом.

— Тебе очень идет черный цвет.

Я довольно улыбнулась и закачала ногой в белой туфле в такт рифмам, которые крутились у меня в голове. С детства я пропадала на страницах поэзии — Пушкин, Блок, Ахматова, Цветаева, Есенин, Кольцов... В эти дни я вся цвела стихами и на его комплимент ответила:

— А тебе идет скорость, на которой мы сейчас едем... «Мой милый, будь смелым и будешь со мной, я вишеньем белым качнусь над тобой. Зеленой звездою с востока блесну, студеной водою...» Кстати, какая звезда на востоке? Зеленая?

— Мне нравится, что ты стихи читаешь.

— Андрюш, когда ты играешь Присыпкина ...очень смешно... Нос долго отклеиваешь? Ты играй без носа... у тебя в этой роли нос в характере.

— Да, может быть, — сказал он, задумавшись. — Я видел тебя в Москве на показе в театре... вы дуэтом пели французскую песенку...

— Да, «Шоша ля мароша» — жареные каштаны, — ответила я.

— Твой партнер... он тоже с вашего курса?

— Да, — сказала я, быстро пропуская эту тему. — А я тебя видела в «Проделках Скапена», когда ты упал в оркестр.

— Ты была на этом спектакле?!

— Да! И опять выпрыгнул на сцену, как мячик. Под аплодисменты.

— А что такое — космополит? — вдруг спросила я.

— Это тот, кто космы палит.

— Кос-инус, кос-мополит. Что это за частица «кос»?

Подъехали к «Лидо», вошли в ресторан — он был полон людей и музыки. Нас посадили за столик возле эстрады с оркестром. Мы что-то заказали, пытались говорить, но оркестр гремел так, что, глотнув шампанского и посмотрев друг на друга, мы засмеялись до слез. В паузе мы быстро условились, что, мол, когда музыка опять грянет, наперегонки будем сочинять слова с первым слогом «кос». Оркестр грянул — ударник по нашим головам, тарелки, труба — по барабанным перепонкам. И чтобы прорваться сквозь конницу диких звуков, я первая закричала:

— Кос-метика!

Он за мной:

— Кос-халва!

— Кос-мос!

— Кос-тыль!

— Кос-тюмчик!

— Кос-тер!

И уже совсем охрипшим голосом «кос-шмар!» крикнул он и вытащил меня из-за стола. В «музыке» наступила пауза, вышла певица в блестках и, изгибаясь, как змея, запела: «Отыщи мне лунный камень, талисман моей любви».

Мы впервые, никого не стесняясь, крепко обнялись, под «просьбу» певицы влились в танец. Было душно — или мы задыхались от счастья, тесно — или нам все мешали...

— Я люблю тебя! — вырвалось у меня совершенно неожиданно.

— Я тебя люблю! — вдохновенно повторила я.

Он сжал меня до боли в ребрах и в ухо прокричал:

— Салли, я влюблен в тебя как ненормальный! Ты единственное, из-за чего я здесь торчу.

Через несколько минут мы неслись в машине по шоссе. Была темная ночь, он жал на газ, а я читала: «Я ехал к вам, живые сны за мной вились толпой игривой, и месяц с правой стороны сопровождал мой бег ретивый...»

— Это кто? — спросил Андрей.

— Пушкин.

Свернули в лес. Проехали некоторое время в глубину и встали. Вышли из машины. Вокруг темные очертания сосен. Я сняла туфли. Ноги ступали по теплой хвое, лежавшей на земле, потом они утонули в прохладном мху, и я почувствовала запах воды. Перед нами тихо лежало ночное озеро. Мы разделись и пошли в воду, как будто совершая древний обряд. Потом лежали на берегу и смотрели в небо.

— «О край небес — звезда Омега. Весь в искрах — Сириус цветной, над головой — немая Вега», — шептала я.

— Видишь Большую Медведицу? Ковшик? — сказал таинственно Андрей. Запомни это на всю жизнь. Может быть, у нас более счастливой минуты не будет. — Засмеялся и добавил: — Сейчас я мысленно наполню для тебя этот ковш шампанским, и, когда я умру, ты, глядя на этот ковш, будешь пьянеть от шампанского и плакать обо мне.

Была полная луна и такая тишина, что в тот

миг тишина казалась самой великолепной из всех творений Бога.

— Обними меня, — как-то жалостливо попросил меня Андрюша. — Луна высасывает душу.

Я обняла его, он меня, и, укрывшись какой-то попоной, мы погрузились в сон.

Проснулись одновременно — нос к носу. Улыбнулись. В глазах его таился вопрос — как мы теперь будем... и какую октаву взять после сегодняшней ночи. Светало. Было холодно. Из-за озера вставало солнце. Чтоб определить «октаву» я вскочила, побежала голая к озеру и бросилась в воду! Он за мной.

— Кос-шмар! — кричал он обрушивая на меня ливни воды. Я смеялась, падала навзничь, выныривала с мокрой головой, опять ныряла... Мы были совсем не те, что вчера, — мы стали сильнее и счастливее Мы играли, толкая друг друга в воду, так, что сверкали одни только пятки, но я заметила, что в его жестах появился новый оттенок — чувство собственности.

Въехали в Ригу розовым ранним утром. Я вышла на углу своей гостиницы, помахала ему рукой, открыла дверь и стала на цыпочках подниматься на четвертый этаж.

Однажды утром сговорились ехать на пляж в Лиелупе. Червяк ходил вокруг Пепиты. И вот мы на пляже. Белый песок, над головой кричат чайки, и широкая и вольная река Лиелупе торжественно впадает в море. Мы — загорелые, красивые, в купальниках нежимся на горячем песке. Червяк болтает с Пепитой, пересыпая из своего кулачка песок в ее ладонь. Андрей ходит вдоль кромки моря и смотрит вдаль. Я смотрю на него. Недалеко от нас сидит на песке женщина — в трусах, без лифчика, с пергидрольными волосами, на руке мужские часы. Встала и, качаясь, видать под градусом, пошла в море. А море — по колено. Поплыла... Теперь уже Пепита из своего кулака пересыпает песок в ладонь Червяка, Андрей впился в горизонт, а я... полна грез. Лежу и рисую в своем воображении его выгоревшие волосы, брови, глаза, нос и так мне полюбившиеся широкие и крепкие запястья.

— Червяк, куда это отдыхающая с голой грудью

исчезла? — нервно, с повышенной интонацией заметила Пепита. — Уже минут двадцать как ее нет ни в воде, ни на пляже.

Мы встали, осмотрели вокруг себя пляж, искали ее глазами в воде, окликнули Андрея и все вместе пошли к морю. Ее тело легкой волной прибило к берегу.

— Утопленница! — закричала Пепита.

Андрей почему-то надел носки и бросился бежать — искать телефон, вызвать «скорую». Мы вытащили ее из воды. Червяк и подбежавший Андрей стали делать ей искусственное дыхание. Мы с Пепитой стояли поодаль и смотрели на все это с ужасом. Приехала «скорая». Засвидетельствовали смерть, положили на носилки, накрыли брезентом и увезли. Мы молча сидели и смотрели на носки Андрея — они были в огромных дырах от истовой беготни по асфальту. В дурном настроении сели в машину и поехали обедать. В дороге, открывая свой пухленький ротик, Пепита вспоминала подробности случившегося.

— Нет, ну помните, она же без лифчика пошла в море... а выплыла... уже вся синяя... Андрюш, ты видел, какая она синяя была? Синяя-пресиняя... глаза выпученные... и всего за двадцать минут...

— Пепита, прошу тебя, перестань, — с боязливым отвращением остановил ее Андрей.

А я вспомнила Пушкина: «Тятя, тятя, наши сети притащили мертвеца».

— Нет, ну, Червяк... Тань... утопленница на наших глазах в пяти метрах, а там по колено... ой, рот открыт, и оттуда вода идет.

— Прекрати сеанс садизма — оборвал ее Червяк. Но кукольное личико продолжало ввергать всех в мучительные воспоминания, так внезапно ворвавшиеся в нашу жизнь, воспоминания некрасивой и пугающей смерти. А я, уверенная в приметах, все задавала себе вопросы — что это? Это не просто так, это знак... Господи, что ты хочешь этим сказать?

Рига, Рига! Рядом с гостиницей на углу улицы Баха было маленькое кафе самообслуживания. Там мы с Андреем всегда ели рисовую кашу, котлеты и пили кофе с молоком из огромного котла. Кафе было жалкое — столики с пластмассовым верхом на тоненьких ножках из алюминия. Уборщица ходила с рваной сырой тряпкой, агрессивно вытирала стол перед нашим носом, невзначай попадая кончиком своего орудия производства в тарелку. Нам этот тридцатикопеечный обед казался сказочной трапезой — мы были вдвоем, и маленькие знаки внимания — он разламывал кусок хлеба и половину давал мне — придавали этой трапезе особый мистический смысл.

Теперь на месте этого кафе — роскошный отель «Монтес». В отеле журчат по камням ручьи, плавают рыбы, переговариваются между собой разноцветные попугаи, благоухают цветы, вышколенные официанты спрашивают: эспрессо или капуччино?

Как-то сидим с Андрюшей в его номере в гостинице «Рига». Пьем кофе.

— Хочешь чего-нибудь сладенького? Пирожные?

— Хочу... пожалуйста... — И он побежал в буфет на своем этаже за сладким. Только он закрыл за собой дверь, я поднялась со стула, оглянулась вокруг — в голове мелькнула идея. Я вскочила на подоконник и плотно задвинула перед собой шелковые золотые занавески. Качающейся походкой вошел Андрей, положил пирожные... заглянул в ванную...

— Таня! — крикнул он. — Ты где? Танечка! — звал он меня с отчаянием. — Ты где, Танечка? Где ты?

Он метался по номеру, а я стояла не шелохнувшись на подоконнике за занавеской и подглядывала за ним в щелку. Он выскочил в коридор, как дятел повторяя: «Танечка, Танечка, где ты?» Вернулся. Сел. Положил голову на руку. Тут я резко раздвинула занавески, застыла в позе Ники Самофракийской. На его лице было такое смешение отчаяния и счастья, что мне стало немножко стыдно от того, что я заставила его мучиться. Он поднял меня с окна, усадил на стул и срывающимся голосом вперемежку с поцелуями говорил: «Я так испугался... вдруг... где ты? сумасшедшенькая... пропала... мне так стало страшно, что я тебя потерял... и пирожные, дурак, зачем-то купил... главное, что ты здесь... ешь...»

После этого мы тихо пили кофе с пирожными.

Я качала ногой, положив ее на другую ногу, он открыл кран в ванной — ему нравился звук текущей воды, — и мы попали в какое-то другое измерение, где не было ни материи, ни женского пола, ни мужского, только мелодия, напоминающая музыку Баха, нисходила на нас, вскрывала какую-то боль в недрах души, залечивала ее и так же внезапно, как снизошла, исчезала.

Панорамное зеркало. Оно висело в машине так, чтобы мы, а я всегда сидела за спиной водителя — Андрея, могли встречаться глазами в этом зеркале и передавать друг другу сигналы о том, что... да, да! Люблю! Эти сигналы улавливали только мы, среди всех тех, кто набивался в машину. Это были и Червяк, и Пепита, и Бодя. В свободное время, когда у нас не было репетиций, мы колесили по красивым маленьким латышским городкам. В Тукумсе пили кофе и ели творожники с корицей. В Талси ели суп с тмином, чечевицу и кисель со взбитыми сливками. Вечерами после спектаклей мчались на взморье. У шлагбаума Бодя открывал окно машины и, высунув голову, страстно кричал стоявшему перед ним латышу, думая, что он не понимает по-русски: «Мимо тещиного дома я без шуток не хожу, то вдруг хрен в окно просуну, то вдруг жопу покажу!». На слове «жопа» шлагбаум поднимался, машина трогалась, а Бодя, вывернув шею, докрикивал в окно регулировщику в исступлении: «Жопу покажу, жопу покажу!»

Через десять лет Бодя будет стоять перед судом за «валютные операции». Он обменяет советские рубли на семьдесят итальянских лир, отсидит в застенке, будет рубить деревья в глуши на лесоповале и потом опять вернется на сцену.

А пока мы резвимся на берегу моря, бегаем по песку, темнеет, пьем вино с печеньем, чья-то рука волнующе касается другой руки, поцелуи в кустах и небезобидная игра в салочки... Кто кого догонит, тот и не выпускает....

По дороге в Тукумс остановились в поле с только что сложенными небольшими стожками сена. Бросились к ним. Андрей толкнул меня в стог — лежу как будто мертвая. Притворяюсь.

— Танечка, ты умерла? — спросил он меня, хватая за ноги.

Я открыла глаза — надо мной синее небо. Он меня тащит со стога за ноги, а я ору:

> И лишь в редчайшие мгновенья
> Вдруг заглядишься в синеву
> И повторяешь в изумленьи,
> Я существую, я — живу!

Стали нырять в стога. Андрей разгреб середину, захватил меня с собой на дно, закрылся сверху охапкой сена, и началась такая возня — писк, крик, щекотки... Стог прошел с нами два шага, развалился, и мы вышли из него обвешанные сеном, как оперившиеся птенцы. Я с одной серьгой. По обочине дороги пылали маки и васильки.

Но, как известно, природа требует баланса. И маятник качнулся в другую сторону. В середине июля в дверь постучали Я открыла. На пороге стоял Виктор.

— Приехал на машине с друзьями... золотой загар у тебя... как хорошо ты выглядишь... наконец-то мы вместе.

Я слушала эти слова и не понимала, ни кто их говорит, ни к кому они относятся. Смутно в голове мелькнул бежевый чемоданчик с картинками, на которых изображены подвенечные платья. Руки обнимают меня словно статую. Все сквозь туман.

— Поедем на дачу... на взморье. Они ждут нас, — сказал Виктор.

— Сегодня нет, завтра... — сказала я сухо.

Вечером на спектакле подхожу к Андрею и говорю: приехал мой жених. Завтра с ним уезжаю на взморье к друзьям. Тогда я еще не знала, что именно «неправильность» поведения служит самым верным средством вызвать сильную любовь.

Три дня прошли как три года. Я не сказала Виктору «нет» и уехала с ним на взморье. Это была экзекуция и для него, и для меня. Эта встреча вызвала у меня сотрясение мозга, сердца, печени, легких и всех остальных органов, фигурально выражаясь. Андрей в бешеном состоянии открывал и закрывал двери машины перед всеми девочками Риги и Рижского взморья на глазах у любопытной труппы. Через три дня я поняла, что моя прежняя «такая большая любовь» превратилась в пепел. Жених и девочки как появились, так и исчезли. Нас непреодолимо тянуло друг к другу. И опять я сидела на заднем сиденье машины, и опять мы встречались глазами на территории панорамного зеркала, и эта маленькая территория панорамного зеркала заполнялась в дороге картиной несказанного сада любви, где порхали и трепетали ресницами два голубых и два карих глаза.

Кончались гастроли. Спектакль «Над пропастью во ржи» поехал дальше на неделю в Вильнюс, а остальная труппа — в Москву! В Вильнюсе мы опять гуляли вчетвером, и, проходя мимо собора Святой Анны, я сломала каблук... и заплакала. Я рыдала так, как будто у меня стряслось большое горе. И себе я тогда не могла объяснить, что горе-то было в том, что мы возвращаемся в Москву! И там все будет по-другому! И никогда, никогда, никогда в жизни не вернется это неправдоподобное лето.

Глава 4

«ПОЕДЕМ, КРАСОТКА, КАТАТЬСЯ!»

Москва! У Рижского вокзала сажусь в такси и говорю: «На Арбат, пожалуйста, Трубниковский переулок, дом 6, квартира 25. Третий этаж».

Таксист настороженно посмотрел на меня, но поехал. Открыла дверь. Вошла в коридор коммунальной квартиры. Паркет, как всегда, натерт до блеска, на стенах висят два, с пальцами во рту, гипсовых амура, а на старинной вешалке наверху стоит кудрявая голова античного героя. Одна соседка терпеть его не могла, назвала Пушкин-отец и всегда бросала ему «в лицо» едкие реплики матерного свойства.

Вошла в свою комнату, поставила на пол бежевый чемоданчик. Грустно осмотрелась. Был сильный ветер — в окно бились листья тополя, легла на диван и почувствовала себя изгнанной из рая. В сознании появилась какая-то зыбкость, я умалялась в своих глазах — становилась все меньше, меньше и меньше... и неинтересней. Мать на даче со своим мужем «Димочкой», и слава Богу! Неприятный толчок от этой мысли... С трудом остановила надвигающийся globus-isterikus и стала разбирать чемодан. Позвонил Виктор — с дружественным чувством, пропуская историю с Ригой, рассказал, что достал новые пластинки Шарля Азнавура и что можно послушать... Позвонил Андрюша. «Але, как ты доехала? Родители на гастролях, мне надо съездить на дачу. Поедешь со мной?» Тут мое сознание обрело прежнюю крепость, я тут же выросла в своих глазах, крутанулась у зеркала и во все горло запела:

> Окрасился месяц багрянцем,
> Где волны шумели у скал,
> Поедем, красотка, кататься,
> Давно я тебя поджидал!
> Я еду с тобою охотно,
> Я волны морские люблю,
> Дай парусу полную волю,
> Сама же я сяду к рулю!

И пошла в ванную.

Дача. Пахра. Писательский поселок. Здесь живут все знаменитости Москвы. Приехали на машине Червяка, но уже с другим другом. Варшавским. Варшавский — врач, скромный, в очках и совсем не того психического строя, как мы — артисты. Открываем калитку, входим в сад. В глубине сада виднеется небольшой одноэтажный дом. Он напоминает дом из сказки «Синяя птица». Оконные рамы, выкрашенные в красный цвет, фонарики, красиво уложенные камни на месте фундамента. Дверь на террасу тоже красная. Перед домом благоухают «плантации» розовых и белых флоксов, среди которых, как сторожевые, стоят маленькие голубые елки. Я понимаю, что Андрей показывает мне свои владения, а меня — своему другу Варшавскому, и поэтому стараюсь вести себя прилично и сдержанно. А в доме?!! Все стены кухни в разноцветных досках. Смешная доска — солдат в царской форме с ружьем, рядом жена с большой поварешкой в руке. За хвост они держат большой репчатый лук, и надпись: «Лук добро в бою и в щах», тут и птица Сирин, приносящая счастье, и дед и баба у самовара пьют чай, и везде пары, пары, застолья, расписные самовары, доски с яркими цветами и спелыми вишнями. Часы-кукушка. Занавески в клетку — синюю с белым. На диване — вверх углом атласные красные и синие подушки. Деревянные столы и стулья с резными спинками. На каждом стуле — вязаная подушечка. Камин. На нем — стая черных котов, собачки, розовые свиньи, павлины. В спальне у родителей иконы, расписные деревянные коробочки, крашеные петухи и матрешки. Онемев от этой густой прелестной игрушечности, я подумала: «Однако какой кудрявый ум у его мамочки».

У нас на дача в Кратове все было по-другому. Дача в два этажа — бестолковая, неуютные комнаты, некоторые без окон. Туда, на дачу, как все москвичи, родители везли все, что приходило в негодность — прогнутые матрасы, ржавые кровати, сломанные стулья, старые одеяла, негодную посуду и обязательно недоношенные предками, проеденные молью драповые пальто с меховыми воротниками.

А здесь был другой уклад, другой мир, и двери для меня в этот мир еще не были открыты. Здесь я впервые почувствовала, что мы с Андрюшей сидим на разных социальных веточках.

Было жарко, пять часов вечера. Из комнаты вынесли стол на открытую веранду, где из одного корня неразлучно росли две сосны. Андрей принес из дома пятилитровую бутыль настойки.

— Рябиновая! Только мама умеет так классически настаивать ее!

Я нарвала розовых и белых флоксов и опустила в желтый керамический кувшин с водой. Закуска была «сдержанная», а настроение — наоборот.

— Танечка, станцуй что-нибудь из капиталистического мира! — попросил Андрей, предвкушая удовольствие. Он знал, что во мне жили духи танца и что я была жертвой ритма. Я ускользнула в комнату, переоделась в купальник — обещал, что будем купаться в Десне, — туфли на каблуках... и где-то подсознательно созрело решение поколебать это буржуазное гнездо, тихонько вышла на веранду, села на стул, сказала, что, мол, жарко уж очень, поэтому переоделась... Съела четверть помидора, прозаически процитировала Пастернака:

> Я дал разъехаться домашним,
> Все близкие давно в разброде...

Пожевала огурчик, продолжая:

> Я так же сбрасываю платье,
> как роща сбрасывает листья —

перефразировала я, выпила рюмку водки, вскочила на стол и стала самозабвенно отбивать чечеткой дробь, да так, что затряслись все листья в саду.

Мужчины изумленно смотрели на меня... со стола что-то падало и звякало об пол, слетела тарелка с овощами — вдребезги, а я продолжала отстукивать каблуками, стоя на столе, изображая, как нам тогда казалось, сцену из незнакомого капиталистического мира. Потом пили чай. На столе из опавших лепестков розовых флоксов я выкладывала своими наманикюренными пальчиками заветное имя — Андрей. Он сидел напротив, поэтому буквы ложились по отношению к нему вверх ногами. Когда я положила последний лепесток на букву «й» — Андрей доверчиво улыбнулся, вдруг заморгал грустными глазами и неожиданно порывисто поцеловал мне руку.

Решили остаться на даче до завтра. Варшавского проводили по дороге к автобусу. Понравилась я в этот день Варшавскому или нет — не знаю, но Андрею понравилась очень. Мы легли спать в его маленькой комнате на желтом диване, как всегда обнявшись лицом друг к другу... и, потеряв контроль, он наговорил мне столько нежных и пылких слов, что я, естественно, как сосуд, заполнилась этими пылкими нежностями и тут же принялась возвращать это чудесное содержание обратно с оттенком невыразимой благодарности. Тикали часы, в темном окне шевелились ветки сирени, и его «я люблю тебя» повторялось столько раз, что длину этих слов можно было уже мерить километрами. Проснулась на рассвете от ощущения счастья... и пыталась удержать в сознании, в памяти аромат ощущений... слова... прикосновения... но они расползались, рассеивались, как туман, оставляя только древо памяти, как разобранную после Рождества елку. Две розовые сойки сидели в кустах сирени и с болезненным женским любопытством заглядывали в наше окно. Пошли гулять в лес. Андрей сказал, что через неделю уезжает в Крым, на Золотой берег — отдыхать. Приедет к открытию сезона. Идем тропинкой, вдруг он останавливается у березы, закрывает глаза и говорит, жестикулируя руками:

— У меня был такой роман... страшно вспомнить... такая любовь... я весь дрожал... с киноартисткой... ее все знают... с Синеглазкой. Вот у этой березы мы так целовались... У нее такая фигура! Я ей чистил белые туфли молоком.

У меня от такого поворота набухли глаза от слез, я сорвала тростинку и стала нервно ее жевать.

— Что с тобой, Танечка, ты ревнуешь? Что с глазками, ты нервничаешь? — пытал он меня, довольно улыбаясь.

— Я не ревную...

— Ревнуешь, ревнуешь... тебе больно? — и засмеялся.

Да, думаю, не переставая жевать тростинку, интересное свойство у моего... тут мысль прервалась, сделала пропуск и продолжила — свойство жалить и причинять боль. Совсем не в ответ на эту причиненную боль я заметила: «Андрюша, ты сутулишься, у тебя как-то голова уходит в плечи... выпрямись-ка!»

Через неделю на Петровке в квартире родителей я помогала собирать ему чемодан на юг. Квартира опять изумила меня — немосковским стилем, изобилием безделушек, фигурок, статуэток, коллекционных тарелок на стене. Библиотекой! И, конечно, я с уважением смотрела на рояль, который подарил Дунаевский отцу Андрея Александру Семеновичу Менакеру. Это был 1961 год. Все помойки вбирали в себя антикварные вещи, безжалостно выбрасываемые нерадивыми хозяевами, — старинные люстры, красного дерева столики, стулья, кресла... И все это с большим ажиотажем заменялось лампами-рожками, бухгалтерскими стульями и полированными шкафами.

Здесь, на Петровке, царил разум и антиквариат — хрустальная люстра с синим кобальтовым стеклом — «Александр», круглый стол красного дерева, стулья

«Павел», бесценные литографии и гравюры с видами старого Петербурга. На диване лежали журналы «Америка» и «Новый мир». Для меня это действительно был мир новый.

Включив кран в кухне, чтобы текла вода, Андрюша складывал вещи, постоянно спрашивая меня: надо ему это взять или не надо? А я тайком писала на маленьких клочках бумаги напоминание в южные края: «Не сутулься!» и незаметно вкладывала эти записочки в каждую вещь, которая ложилась в чемодан — в рубашки, майки, трусы, носки и носовые платки. Я была спокойна — он едет вместе со мной. Вышли на улицу, он поймал такси, поцеловались. «Я тебе позвоню!» — и уехал.

Через несколько дней я слушала пластинки в исполнении Шарля Азнавура. Сосед по квартире, Балбес, то и дело трубил мне:

— Танька, тебе тут звонят каждый день по междугороднему, я сказал, что ты с Витькой ушла.

— Идиот! — швырнула я ему в лицо и хлопнула перед его носом дверью.

— Поздравляем... поздравляем... поздравляем... Чмок, чмок... чмок... При-и-иве-ет! Ты?! Ну и цвет волос? Как отдохнули? Мы работали... Не подходите к Аросевой... Купим шампанского? А-а-а... Жорик... здравствуйте! Целуйте! Все в зал, все в зал!

Это открытие сезона в театре Сатиры называется Иудин день. Нарядная масса перемещается в зрительный зал. Худрук Чек и несколько его фаворитов во главе с директором — на сцене. Вступительная речь Чека что-то вроде: «Я — ученик Мейерхольда... мы несем знамя культуры, интеллигентность, порядочность... К новому году мы должны сдать новый спектакль «Дон Жуан»... я буду строг... буду требовать от вас культового отношения к делу... и потом повторяющаяся уже все остальные годы поговорка «лошадь можно подвести к водопою, но заставить ее напиться, если она не хочет, невозможно».

Для меня это первое открытие сезона, и я все воспринимаю трепетно и серьезно. Кручу головой вокруг... Андрей! Прошел мимо меня, небрежно поздоровался, глядя поверх головы. «Ну и пожалуйста!» — сказала я про себя.

Меня внимательно рассматривала артистка — маленькая, с пышной головкой и правильными чертами лица. Инженю. Она не была на гастролях — кормила ребенка грудью. И тут я услышала доносящийся из кучки артисток вопрос этой инженю: «Ну-ка, где эта самая Егорова? Хочу посмотреть!» Меня передернуло. Я поняла, что тут не без амурных дел с Андрюшей. Но и представить себе тогда не могла, сколько больших неприятностей устроит мне эта маленькая женщина.

Начались репетиции. Дон Жуана — главную роль — репетировал Андрей, Миранду — хорошенькая фаворитка Чека. Почти каждый день мы встречались в БРЗ — большом репетиционном зале. Продолжалась холодная война. Он делал вид, что не замечает меня, а я не замечала его. Иногда в голову закрадывались дезертирские мысли: а что, если он встретил другую — на юге или где-нибудь в гостях, и я ему больше не нужна. Но внутри какой-то тенор пел — нет! Этого не может быть! Этого не может быть! Это все — Шарль Азнавур!

Однажды на репетиции «Дон Жуана» Андрей в черных бархатных брюках, в белой рубашке «апаш» со шпагой в руке произнес последние слова монолога... Актеры собрались было расходиться, и вдруг без объявления, без перехода, без единого движения — стихи! Пастернак! «Во всем мне хочется дойти до самой сути. В работе, в поисках пути, в сердечной смуте...» Ритм нарастал... «О, если бы я только мог, хотя отчасти, я написал бы восемь строк о свойстве страсти...» как credo: «жить, думать, чувствовать, любить, свершать открытья». И весь он был вдохновение, купался в своем выходе «за границу» условленного. В зале все замерли, а он продолжал полет в «другую сферу» — «Февраль. Достать чернил и плакать», «Я дал разъехаться домашним...», «Не плачь, не морщь опухших губ...» Закончил и повернул лицо в мою сторону — как я реагирую? Я сидела с широко открытыми глазами и с комом в горле. Все захлопали. Худрук изрек несколько слов похвалы в его адрес... провел рукой по лысине — излюбленный жест — и удалился в буфет.

В этот день я летала. Я возвращалась домой из театра пешком, шла подпрыгивающей походкой по Садовому кольцу и улыбалась таинственным мыслям... Я знала — этот поэтический выплеск был для меня! Сколько же ему пришлось выучить стихов, чтобы меня сразить, поразить, чтобы я кусала себе локти, прозрев, наконец, какую невиданную птицу я променяла на какого-то там Витьку. Я улыбалась, хоть и шел дождь, и была вся насквозь мокрая, но я улыбалась, потому что появилась надежда, что, может быть... может быть...

Тут я вошла в двери магазина «Галантерея», встряхнулась от воды как курица, воткнулась глазами в витрину... и купила себе модные тогда польские духи «Быть может!».

Буду душиться этими духами и ждать, пока он «в своей сердечной смуте дойдет до самой сути» — резюмировала я и опять вышла под проливной дождь.

Глава 5

МАТЬ АНДРЕЯ — МАРИЯ МИРОНОВА

Мария Владимировна Миронова любила дождь. Шум дождя. Запах дождя. Она была москвичкой в первом поколении. Ее дедушка и бабушка — Иван да Марья Фирсовы род свой вели из Тамбовской губернии, деревни Старое Березово, неподалеку от бойкого и торгового села Сасово. На выцветшей желтой фотографии выше всех в середине восседает Марья (бабушка) — молодая, независимо и уверенно, как Наполеон, скрестив руки на груди, и с рукавов нисподают воланы, воланы, воланы, оборки. Она любила принарядиться! Глаза как и у внучки — чуть навыкате — пучком. Видать, что характер дерзкий, своенравный и энергичный. Справа стоит Иван — муж Марьи — тяжелый взгляд исподлобья. Обстоятельный, с выдержкой, но не приведи Господь вывести его из себя — излупит как сидорову козу и бровью не поведет. Слева — две дочери, хотя их три: третья в этот момент куда-то делась. Две дочери в платьях с бантами, оборками, воланами. Иван да Марья сколотили капитал, и три сестры (в Москву! в Москву!), получив провинциальное образование, уехали в Москву и поступили в университет. Анна, старшая, вернулась в Тамбовскую губернию, учительствовала в Сасове до 85 лет и выучила не одно поколение детей. Мария и Елизавета остались в Москве. Елизавета Ивановна Фирсова на 26-м году жизни встретила (по тем временам поздновато) Владимира Николаевича Миронова. Это было в 1900 году. Владимиру Николаевичу исполнилось 22 года. Разница — четыре года, но в эту маленькую разницу уже просунул свой нос — с его стороны — комплекс матери, с ее — комплекс власти. Как говорит статистика, эта история может повторяться тридцать семь поколений. И глаза — чуть навыкате — сообщали миру о неполадках со щитовидной железой, которой занимается наука эндокринология. А гипофиз, щитовидная железа, кишечник и половые органы связаны между собой, а главная связь и прямая — гипофиз и половые органы. Поэтому главный девиз эндокринологов двадцатого века: «Что в штанах — то и в голове!».

Итак, Елизавета Ивановна встретила Владимира Николаевича. Родом он был из мещанской небогатой семьи, детей много, приходилось подчас туго. Как же он влюбился в Елизавету Ивановну! Ухаживал за ней с выдумкой, был остроумным и очень веселым, но... в коротких штанах. Первые длинные брюки перешили из дедушкиных. Владимир Николаевич был выше дедушки, брюки оказались коротки, и жениху приходилось опускать их намного ниже пупа, что не помешало ему пронзить сердце Елизаветы Ивановны — гордой и стройной учительницы. Елизавета Ивановна была не глупа и с хваткой и смотрела своими красивыми глазами не на отсутствие брюк, а на присутствие крепкого молодого парня с очень богатой головой на плечах. Они венчались. Жена вдохновляла своего молодого мужа на подвиги — он в очень короткое время овладел тайнами финансовых операций и всеми сложностями профессии товароведа. Гнездо вилось на Земляном валу, в небольшом флигеле недалеко от Таганки. В доме появились дорогие вещи и знаменитые люди. Серебро марки Фаберже, красивые люстры, мебель красного дерева соседствовали с лубочным стилем, вывезенным из Тамбовской губернии, и придавали дому особое очарование. Родился первенец — сын Николай. Прошло десять счастливых лет. В доме Мироновых появились две кухарки — черная и белая, дедушкины перешитые штаны заменили дорогие сюртуки, шубы... Елизавета Ивановна в бежевом, из тонкого шерстяного сукна костюме, с соболями, в маленькой собольей шапочке, в лайковых перчатках более темного оттенка, в драгоценностях выезжала в коляске и осторожно спускалась с подножки... Она ждала второго ребенка. 6 января, в сочельник, родилась девочка. Ее нарекли Мария. По случаю рождения Маруси (так ее звали дома и все близкие) был устроен прием, на Святки приехало много гостей, стол ломился от угощений, упивались шампанским на рябиновой... Владимир Николаевич пел и даже, несмотря на свою полноту, плясал. Но рождение Маруси принесло с собой горе. Через два месяца на одиннадцатом году жизни умер Коля от дифтерита. Ах, какой это был мальчик. Знал в десять лет три языка, рисовал, занимался музыкой. В матроске и матросской шапочке с лентами был похож на цесаревича Алексея, как говорила Елизавета Ивановна.

Потрясение от потери сына длилось годы, принимая различные психологические формы. У бедной матери в 37 лет стала трястись голова, она с повышенной болезненностью стала дрожать над единственной Марусей, панически боялась всех болезней и постоянно заставляла маленькую девочку полоскать горло чистым керосином. Марусю для оздоровления летом вывозили в Крым. На одной из фотографий стоит в белом платье и белой шляпе крупная Елизавета Ивановна — в горах. Рядом полный и высокий с прической «бобрик» Владимир Николаевич. А посредине — маленькая девочка в пышненьком беленьком платьице с крепкими толстенькими ножками и недетским, очень собранным выражением лица. Маленькая ручка легла на утес. Ощущение от этой ручки такое мощное, что утес вот-вот двинется в пропасть.

А эти поездки летом в Тамбовскую губернию — к тете и бабушке! Бабушка к тому времени овдовела и жила со своей дочкой Анной Ивановной. Ей было

106 лет — целы все зубы и почти не было седых волос. Умерла она через несколько лет — оступилась, когда спускалась в погреб за солеными огурцами, и сломала позвоночник. До последних дней она работала в огороде — копала землю, рыхлила, полола и все сама делала по дому. Вот они, выпученные глаза, какую дают жизненную энергию.

Марусю привозили каждый год к тете Ане — к земле, к первозданной природе, к самобытным людям. Вкусы, привычки, свойства ума сформировались здесь, на земле, с простыми и мудрыми людьми.

Деревня обдавала новыми запахами — запахом свежего хлеба, который пекли на поду на капустных листьях, запахом топленого молока, запахом зарослей конопли. Из конопли делали масло и в пост перед Пасхой поливали овсяный кисель. Запах кузни, где ковали лошадей, запах ромашек, которые скрывали маленькую Марусю с головой. Люди были приветливы. Старики с огромными бородами прикладывали весной землю к щеке и говорили: «Рано ишшо, рано ишшо сеять». И помнила Маша раннее утро, когда запрягали лошадей, чтобы ехать в поле на покос или жатву. Набегавшись, пила кислый квас и засыпала около копны пшеницы или гречихи. Уж с этими запахами ничто не могло сравниться!

Через 30 лет я буду рассказывать ей о своей деревне, где у меня «поместье», о деревенских, об их обычаях, о цветах, о запахах, о распаханной земле, и Мария Владимировна будет слушать меня с таким интересом, не пропуская ни единого слова, как будто важнее и слаще этой темы нет на всем свете. Потом, у нее на даче, в коробе, в мешке, обнаружу запас черных сухарей и со смехом спрошу: «На какой случай вы их прячете?» Она очень серьезно глянет на меня своими выпуклыми с большими веками глазами, тихо скажет: «На случай кваса». И у меня сдавливает горло от того, что из нее в эту минуту выглянет маленькая девочка — Маруся, которая, набегавшись, пила кислый квас из черного хлеба и засыпала около копны гречихи или пшеницы. Черные сухари в мешке! В коробе! Для кваса! Они жили в ее памяти 80 лет и прошли испытания временем — и царского достатка и изобилия, и сатанинской революции, и садистской советской власти, и... оранжадами и пепси-колами демократии. Где бы она ни бывала за всю свою длинную жизнь — в Париже, в Нью-Йорке, в Тель-Авиве, — всюду возила с собой в памяти запахи топленого молока, конопли, кузни, ромашек. И вкус кислого кваса.

Помнила Маруся и городские запахи. Это запах рождественского гуся, окорока, запеченного в тесте, запах махровых гиацинтов на пасхальном столе. Ах, этот пасхальный стол! Ароматные куличи и пасхи — фисташковые, шоколадные, заварные, ванильные. В доме свято соблюдали традиции и обычаи: какие на праздники пекла мама пироги — мазурки, бабки, распакушки! Запах разрезанного арбуза и тонкий хрустящий лед, когда ходили всей семьей к заутрене в храм Христа Спасителя.

Разразилась первая мировая война. «Прощай, мой родной, иди на смертный бой. Пусть знает грозный враг, как бьются за российский флаг», — пели уходящие на фронт в марше «Прощание славянки».

В Сокольниках по аллеям парка весной 1916 года императрица Александра Федоровна с дочерьми в простых холстинных платьях, в таких же шляпах, в перчатках, с медными кру́жками на груди, висевшими на репсовых лентах, совершали прогулки в благотворительных целях — сбор денег для раненых русских солдат. Сокольники — это излюбленное место москвичей, и не случайно там оказалась маленькая Маруся Миронова с родителями. Увидев императрицу, она замерла. Отец дал ей золотой, и она подбежала к Александре Федоровне. Держа в ручке с крепким запястьем золотой, она приподнялась на цыпочки, пытаясь дотянуться до кружки, но увы! Кружка висела намного выше ее головы. Императрица улыбнулась, наклонилась перед шестилетней Марусей, и золотой с коротким стуком упал в кружку. Это было первое «прикосновение» к царской семье, к роду Романовых.

Потом, уже в пятидесятые годы, когда Ленинград станет ее вторым домом, щеки будут рдеть от одного взгляда на памятник Петру I, Медному Всаднику, и она будет в восторге повторять: «Петро прима — Катерина секундо», «Петро прима — Катерина секундо»! А через восемьдесят лет, уже опять в Петербурге, а не в Ленинграде (чехарда какая-то), лично перед

Марией Владимировной в последний раз откроются двери Павловского дворца: «Бедный, несчастный Павел, мне его так жалко»,— скажет она, и мы втроем с экскурсоводом Наташей проскользим по прекраснейшим залам дворца, услышим имена Кваренги, Воронихина, Гонзаго, дойдем до тронного зала, а там стоит бездарный ящик для пожертвований, и Мария Владимировна, уже 86 лет от роду, опустит в этот ящик уж не меньше, чем золотой на восстановление дворца «такого несчастного, такого несчастного» царя Павла.

Один из организаторов «холода и голода», господин Парвус, агент немецкой разведки, в то время разъезжал по Берлину в роскошных автомобилях с девками и сигарой во рту. Он-то и набивает карманы русскому большевизму в лице одержимого, уже с усыхающими мозгами Ленина. Ильича везут в Россию в запломбированном вагоне, чтобы он на эти деньжонки высекал «Искру», «Искру», «Искру»! А потом пламя, пламя, пламя... «Мы на горе всем буржуям мировой пожар раздуем»! В те страшные дни член Государственной думы господин Пуришкевич в отчаянии напишет: «С красным знаменем вперед оголтелый прет народ. Нет ни совести, ни чести. Все смешалось с говном вместе. И одно могу сказать — дождались, ебёна мать!» Напишет и эмигрирует заграницу.

Начался 17-й год. Только одним словом — катастрофа — называла Мария Владимировна революцию. Дом перестали топить. Страшный холод — остывали ноги, руки, тело отказывалось двигаться. У Владимира Николаевича была шуба на лировом меху. Это зверек коричневого цвета, на спине которого изображена белая лира. Маруся начинала дрожать — отец садился в кресло, устраивал ее на коленях и застегивал вместе с шубой. С холодом пришел голод. Елизавета Ивановна бегала в ломбард, что-то постоянно продавала, чтобы выжить. Стакан морковного чая и кусочек клейкого хлеба — это все, что входило в прейскурант того времени. Поэт писал: «С Россией кончено... На последях ее мы проглядели, проболтали, пролузгали, пропили, проплевали, замызгали на грязных площадях, распродали на улицах... И родину народ сам выволок на гноище, как падаль».

Пока происходят эти страшные метаисторические события, Маруся Миронова изучает азбуку и таблицу умножения в школе Фритьофа Нансена... Школа опытно-показательная, но далеко, у Никитских ворот, ехать надо холодным темным утром тремя трамваями. Первый школьный день оказался горьким и обидным. Из-за болезни Маша пришла в школу через месяц после начала занятий. Смутилась, когда вошла в класс,— непривычная обстановка и все дети кричат: новенькая, новенькая! У нее был красивый красный чемоданчик, в котором лежало все, что нужно для школы. Она его положила на свободную парту. Вошла рыжая девочка в веснушках, с зелеными глазами и противным голосом спросила: «Кто занял мою парту?» И схватив Машину гордость — красивый красный чемоданчик,— выкинула его в окно! В окно! Маша побежала на улицу, чемоданчик разбился, тетради, ручки, карандаши — все рассыпалось! В грязь!

Когда она вошла в класс, кто-то уже отвечал у доски. Учительница, не зная, что произошло, сказала: «Новенькая, а опаздываешь, выйди из класса». Маша стояла в углу коридора и рыдала от обиды. Никому ничего не сказала и на зеленоглазую девочку, которую звали Ритка Ямайкер, не пожаловалась. Но запомнила это на всю жизнь: у нее была злая память. В конце ее жизни, когда мы останемся совсем одни — она и я — и когда она будет в невменяемом состоянии хлестать меня словами и поступками, я всегда буду спокойно отвечать ей одной и той же фразой: «Ну вот, Мария Владимировна, опять... Вы сейчас как Ритка Ямайкер!» И она утихнет, поставит чай и скажет: «Танечка, вы относитесь ко мне так же снисходительно, как Дума к Жириновскому!».

Интерес к театру возник не случайно. Родители были театралами, и в доме часто бывали актеры. Когда Машу повели на «Синюю птицу», она руками впилась в ручки кресла, едва усидев на месте — так ей хотелось бежать на сцену и играть всех: Тильтиль, Митиль, Сахар, Хлеб, Воду, Пса... Самое сильное

2*

впечатление было уже в отроческом возрасте от «Царя Эдипа» Софокла. Когда хор трубным голосом произносил: «Пусть будет счастлив царь Эдип со своей супругой Иокастой», Маша всегда рыдала... Царь Эдип не будет счастлив со своей супругой Иокастой, а выколет себе глаза заколкой ее пряжки и уже в обработке господина Фрейда поселится в душе знаменитой артистки Марии Мироновой в виде психического комплекса. И раздастся трубный глас — разверзнется земля под ногами, и уже не только рыдать, а когтями рвать стены будет 77-летняя мать.

А пока это только театр... и знаки, которые впоследствии развернутся в мистерию жизни.

Центральный техникум имени Луначарского на Сретенке. Там началась настоящая театральная жизнь. Маша стала бывать в доме Вахтангова, перезнакомилась и передружилась со всеми вахтанговскими актерами. Ею очень заинтересовались Щукин и его жена Шухмина. Они поставили рассказ Чехова «Случай с классиком». Сущность рассказа — скандал, конфликт, которые коренились в самой природе Маши Мироновой. У Маши внутри жил замечательный механизм — психокомпас, и стрелочка этого психокомпаса всегда выводила на людей, которые оказывались ей полезны.

10 февраля 1927 года в Колонном зале Дома Союзов, где десять лет назад, до революции — тогда этот дом назывался Благородным собранием,— Маша в белом кисейном платье, с распущенными волосами, в венке из роз, танцевала седьмой вальс Шопена,— семнадцатилетняя, она стояла теперь здесь, на подмостках сцены, за кулисами, и слушала, как впервые ее представляет известный конферансье Михаил Гаркави. «У нас долгое время существовала вредная теория: считали, что юмор — достояние мужского творчества. Полагали — мужчина может вызвать смех, а женщина нет, только слезы... Но теперь, в годы первой пятилетки, мы убедились, что появляются женщины, от которых насмеешься, и мужчины, от которых наплачешься. Вот почему я с особым удовольствием впервые приглашаю на эту сцену представительницу женского юмора. Это молодая актриса Мария Миронова. Маша, прошу!» Это был настоящий успех. На следующее

утро она проснулась знаменитой, и «Машу просили» семьдесят лет подряд.

В характере начинающей артистки жил дух здорового хулиганства. В детстве, в школе она постоянно съезжала вниз по перилам, а в юности со своим товарищем Ростиславом Пляттом вывинчивала лампочки во всех подъездах на улице Сретенка. Входили, она, маленькая, ловко взбиралась ему на плечи — и подъезд оставался без света, а они при лампочке. Потом меняли это наворованное акробатическим способом добро на пирожки с мясом, повидлом, капустой.

После окончания театрального техникума Марию Миронову пригласили во второй МХАТ. Там она сыграла несколько ролей, потом в театре Транспорта сыграла Лидию Чебоксарову в «Бешеных деньгах» Островского, потом — Мюзик-холл, где в роли Бонни она пела так, что зрители приходили в театр только, чтобы послушать ее пение. Но ее тянуло на эстраду. Она умела подмечать, наблюдать, любила копировать, подражать, и однажды она выступила с номером, который придумала и записала сама — телефонный разговор некой Капы. Это был бешеный успех, и «Некая Капа» открыла ей звездный путь на эстраду. Молодую актрису стали приглашать сниматься в кино. Она познакомилась с Игорем Ильинским. Он назначал ей свидания у памятника Пушкину под часами, и они шли в кино. Тогда перед началом сеанса в кинотеатрах играл оркестр, и зрители прогуливались парами по фойе. Ильинский был уже известный и любимый артист, да Мария Миронова — это имя уже печаталось в афишах. И вот они разгуливают по фойе, играет оркестр — все глаза устремлены на них. Маша в белой кофточке, поверх которой надет жакет-троакар — темно-синий в белый горох, темно-синяя юбка, из-под которой торчат белые кружевные оборки, нашитые на нижнюю белую юбку. Они гуляют по фойе под руку. Вдруг — хлопок! У Маши лопнула резинка на талии... и юбка уже лежит на полу. Обладательница этого продуманного наряда, оказавшись в нижней юбчонке с оборками и в жакете-троакар, невозмутимо переступила через юбку, молниеносно ее подняла, свернула, положила под мышку и с улыбкой продолжала гулять по фойе. Свидетели этого неожиданного стриптиза стали аплодировать ей за находчивость, виртуозность и невозмутимость. Игорь Ильинский так ничего и не понял.

Советская власть продолжала свое разрушительное шествие. Семья Мироновых потеряла квартиру, и они втроем ютились в одной комнате. Появился новый вид коммунистического быта — коммунальные квартиры. Квартира кишела тараканами, клопами, Шариковыми и Швондерами. Только у Елизаветы Ивановны блестело все как прежде, и вся эта насекомая сволочь знала свое место и не переступала границы несвоей зоны. Владимир Николаевич, выходя в коридор, всегда укорял соседа: «Петьк, что ж у тебя такая грязь? Ты бы с тараканами расправился! Развели тут... Ведь у нас же с Елизаветой Ивановной нет тараканов!»

Петька чесал в голове и изрекал сильнейший аргумент: «Владим Николаич, нам бы мебель такую, как у вас, тогда бы и тараканы все ушли».

Однажды нагрянули, видать по доносу, из банды реквизировать ценные вещи. Маша была дома одна. В секунду ссыпала в грелку все драгоценности (а их было много), залила кипятком из чайника, который, на счастье, оказался в комнате, и легла «умирать» и охать в постель, положив грелку на живот. Так и ушли ни с чем.

Кончался НЭП — начинались тридцатые годы. «На шестнадцатом партсъезде были слышны голоса — кто последний, я за вами брить на жопе волоса!» Встали в очередь, известно за чем, и тут товарищ Каганович, в очереди, ехидно засмеялся: «Задерем подол России-матушке!» И задрал — в 1931 году взорвали храм Христа Спасителя.

Маша Миронова вышла замуж за Михаила Слуцкого. Тогда это был молодой известный оператор-кинодокументалист. Его родители жили в Киеве, но даже и на таком расстоянии отношения невестки и свекрови были напряженными. Что говорить, Маша была крайне избалованна и всегда чувствовала себя центром вселенной» была властной и жила под девизом: «Все для меня!» Брать все — интересные и полезные знакомства, душу, зарплату у мужа, его остроумные мысли, время, здоровье... Миша Слуцкий стал болеть. Началась полоса больниц. Его жена с присущим ей чувством долга постоянно навещала свою жертву с сумками продуктов, пытаясь поставить его на ноги. Времена пошли сталинские, кровавые. Сажали и убивали невинных и лучших людей России. «Огурчики да помидорчики — Сталин Кирова убил в коридорчике». Вечерами вся страна дрожала одной многомиллионной дрожью. Сажали за Есенина, Бунина, за меховой воротник, за очки на глазах, за елки... «Если ты пошел на елку — значит ты не пионер!» Росли ряды отцеубийц и доносчиков — Павликов Морозовых. Эпоха исторического ужаса. Черчилля спросили: можно ли построить социализм в одной отдельно взятой стране? Он ответил: можно, если страну не жалко...

В 1935 году позвонили в дверь и увели Владимира Николаевича. Маша рыдала до сотрясения всего своего организма и вонзила свои ногти в подушечки ладоней так, что из них текли ручьи крови. Она очень любила своего отца, до обожания, — с матерью отношения были очень натянутые. Мать не одобряла образ жизни, замужество и профессию дочери. Елизавета Ивановна от горя не могла ходить: поругано все — Бог, традиции, вечные ценности — честность, порядочность, все отнято и разграблено, и муж в тюрьме.

Случилось чудо — через год Владимира Николаевича выпустили. Он ослеп на один глаз и постарел на 20 лет. В 1937 году родители Маши умирали в одной больнице на разных этажах — не от старости, они умирали от горя. Маша сутками просиживала возле них, скрывая от отца, что умирает мать, а от матери, что умирает отец. В марте 1937 года она их похоронила. И еще много-много лет ей будут сниться душераздирающие сны, как она бежит по темным лабиринтам, зовет и ищет мать и отца. Год болела. Не могла работать. А через год была приглашена в новый Московский театр эстрады и миниатюр.

Глава 6

ОТЕЦ АНДРЕЯ — АЛЕКСАНДР МЕНАКЕР

Это было в Петербурге весной. По прямым проспектам свистел ветер и приносил с Финского залива запах моря.

> По оживленным берегам
> Громады стройные теснятся
> Дворцов и башен; корабли
> Толпой со всех концов земли
> К богатым пристаням стремятся;
> В гранит оделася Нева;
> Мосты повисли над водами...

На Невском продавали подснежники и фиалки. Молодая пара — Анна Осиповна и Семен Исаакович — с друзьями-юристами ранним весенним вечером ужинала в модном ресторане «Медведь» в отдельном кабинете. Подавали лососину, икру, рябчиков. Тихо звучал блюз. Говорили о юридических тайнах, тревожных слухах, светских новостях из Зимнего дворца. Вдруг Анна Осиповна с силой, глубоко вдохнула воздух, глаза расширились, брови поднялись.

— Ах! — вскрикнула она.

Начались схватки: Нюта была на сносях, ее быстро отвезли домой, вызвали акушерку, и она приняла в мир мальчика.

— Мальчик, мальчик! У вас мальчик! — радостно повторяла она, ловко делая свое дело. Подняла его вверх — он закричал на весь дом так, что у Нюты от счастья покатились слезы. Семен Исаакович находился в другой комнате, он был растроган: жена подарила ему сына, он слышал его крик, сердце отца взволнованно стучало, растроганность плавно переходила в счастье и — скачком — в восторг. Так, 8 апреля 1913 года в Петербурге появился на свет Алик, Александр Менакер, будущий муж и партнер Марии Мироновой, отец двух сыновей — Кирилла Ласкари и Андрея Миронова.

Отец новорожденного Алика, Семен Исаакович, был сыном потомственного ювелира, принявшего крещение и осевшего в Петербурге. До самой старости

Исаак был поставщиком драгоценностей двора его величества. Сын, Семен Исаакович, ювелирным делом не интересовался и посвятил свою молодость Анне Осиповне и юриспруденции. Сын Алик подрастал, был живым и веселым мальчиком, родители не чаяли в нем души. В трехлетнем возрасте его определили в детское музыкальное общество, своеобразный детский сад, где давали театральное и музыкальное образование. В 1916 году в Аничковом дворце группа детей из детского сада выступала перед царской фамилией. Они пели, играли сценки. Алику, как самому маленькому, была поручена роль мышки. Он был одет в серое трико с хвостиком и ушками. Выступление было ответственным, все волновались, и исполнитель мышки описался. В то же самое время, когда в Сокольниках Маша предстанет перед императрицей с золотым, ее будущий муж перед государем императором сделает лужу. Так по-разному они впервые выступят перед самой высокой царственной публикой.

Мальчика стали пичкать образованием. В семь лет его определили в немецкую школу, бывшую «Аннешуле», где все предметы преподавались на немецком языке. Родители, как и все люди, принадлежавшие к их классу, увлекались театром и даже были заядлыми театралами. Театр, театр... Это территория, где собираются дамы и господа, показывают свои драгоценности, демонстрируют моды, жен, любовниц, мужей, завязывают знакомства и главное — получают бессознательное удовлетворение от того, что артисты на сцене работают в поте лица специально для них. Тут, конечно, иногда совпадают и удовольствия и катарсис, но — главное — бессознательное превосходство, которое рождает и восторг, и бурю аплодисментов.

Алик полностью повторял стиль жизни своих родителей. Он просто не вылезал из театра. Жанр был не важен — балет, эстрада, опера, драма. Он даже пишет, что после спектакля в Александринке «Горе от ума» заболел — всерьез, хронически и на всю жизнь. В этой фразе настораживают два слова — «заболел» и «хронически». Нервная система балансировала, была тонка и не готова к восприятию и отпору сильных эмоциональных натисков.

В жизнь ворвалась революция. Семен Исаакович

вывозит семью на юг, в Кисловодск, к сестре Анны Осиповны. Существует легенда, что перед отъездом Семен закопал в Гатчине, где жил его отец, ящик с драгоценностями. Но семья быстро вернулась назад, а ящик Семен никак не мог найти. Через сорок лет два веселых внука Кирилл и Андрей будут в Гатчине с лопатой в руках искать этот злополучный ящик, но увы! Он, наверное, и по сей день прячется от людей.

Революция уступила место нэпу. Страх и голод сменились бесконечно разнообразными зрелищами. Анна Осиповна вечерами, придерживаясь классического стиля, ходила с сыном на симфонические концерты в филармонию. В это время входили в моду фокстроты, чарльстоны и синкопированные ритмы. Алику Бетховен и Моцарт становились неинтересными, но мама была властная женщина и из ее рук трудно было вырваться. Вся молодежь буквально с ума сходила от «Таити Трот» и «Джона Грея». Алик Менакер стал популярен и незаменим. Он виртуозно играл на рояле любую модную мелодию, под которую можно было и танцевать, и курить, и выпивать, и просто отбивать ногой ритм, приходя в состояние обалдения. Мальчик был легкий и талантливо-музыкальный, с невероятной выдумкой. В школе он организовал шумовой оркестр. Там играли на гребенках, на дудочках, кастрюлях и бутылках. Шумовой оркестр, «Живая газета», беготня в театры... Родители были в растерянности. Семен блестяще закончил юридический факультет и надеялся, что сын получит если и не юридическое образование, то хотя бы экономическое. Но увы! Речи не могло быть ни о каком экономическом образовании. Только музыка и театр! Молодые люди плыли вместе с новым течением, чувство нового мира, новизны опьяняло, ввергало в экстаз. Алик познавал жизнь, метался из театра в театр — то в Московский Художественный, то в вахтанговский на «Принцессу Турандот», то в Камерный во главе с Таировым и Коонен. Мейерхольд! Из дома стали исчезать серебряные чайные ложки: ведь надо было иметь средства для капельдинеров. Однажды юный неофит простоял всю ночь, чтобы попасть на выступление негритянского джаза «Шоколадные ребята». «Шоколадные ребята» сделали свое черное дело. Алик влюбился в джаз.

«Мы кузнецы, и дух наш молод», — пело в груди нового поколения. Началось поголовное увлечение живыми газетами. В Москве это была «Синяя блуза», в Ленинграде — «Станок», куда пятнадцатилетнего Алика пригласили музоформителем. Как же он оформлял живую газету? Он сидел на сцене за роялем, вокруг стояли разные трубки, дудки и набор шумовых инструментов — и во все это он бил, ударял, одновременно играя на рояле сложные пассажи. Ну просто человек-оркестр. В программе, конечно, были «Мы — кузнецы», «Смело, товарищи, в ногу». Оказалось, что за это еще и платят, и молодой пижон заказал себе на первую зарплату костюм у самого знаменитого ленинградского портного. В нем и покорил всех девочек на выпускном вечере.

Как известно, ни один труд не проходит даром. В «Живой газете» молодого Менакера заметил артист музыкальной эстрады Борис Крупышев. Как раз в это время он создавал свой «Голубой джаз». В нем были скрипки, виолончели и только входящие в моду гавайские гитары, от которых публика молодой Страны Советов визжала. Солировали в этом «Голубом джазе» сам Крупышев и Менакер. Крупышев играл на вытягивающей душу гавайской гитаре, на банджо и саксофоне, Менакер — на рояле в окружении уже знакомых нам трубок и дудок. Это называлось «Гавайским дуэтом».

17 февраля 1930 года состоялось первое выступление Алика Менакера на профессиональной сцене. Ему минуло семнадцать лет. Решили: раз джаз — голубой, то... И жена Крупышева выкрасила белые рубашки в голубой цвет, который после концерта отпечатался на обнаженных телах одержимых джазистов. «Голубой джаз» имел успех, и даже нашелся администратор, который с неутомимым рвением стал возить его по всей стране.

Но в душу молодого джазиста, как брошенный искусно нож, врезалась рецензия некоего Полякова:

«Шура Менакер, мальчик из халтурного «Голубого джаза».

Менакер был оскорблен! Но со свойственным ему трезвым умом сделал вывод — надо учиться! И поступил в Ленинградский техникум сценических искусств. На режиссерское отделение. Так оскорбление пробудило здоровое тщеславие. Но какие сценические искусства и вообще искусства могут быть без влюбленностей!

На Финском заливе, под Ленинградом, в Сестрорецке, на модном тогда курорте собиралось все украшение Северной Пальмиры. Тогда как в музыке все визжали от экзотической гавайской гитары, в моде раздавался свой «визг». После фильма «Шахматная горячка» начался массовый психоз — носили клетчатые кепи, женщины в модной одежде были похожи на шахматные доски, носили шахматные шарфы, майки, трусы, носки! Все, что можно было надеть, разбивали на черные и белые квадраты.

Вернемся на летний курорт в Сестрорецке. Три прекрасно сложенные девушки-статуэтки в купальных костюмах с юбочками. И юбочкам досталось — они тоже были все в квадратах. Девочки оказались ученицами хореографического училища. Начались ухаживания, прогулки, дансинги... Мальчики очень гордились тем, что рядом с ними ходят стройные, почти что по первой позиции балетные ножки. Однажды «балетные ножки» пригласили своих кавалеров на выпускной спектакль хореографического училища, где были показаны «Шопениана» и «Арлекинада», в которых участвовали тогда никому не известные «балетные девочки» Галина Уланова, Татьяна Вячеслова и Лидочка Бродская, ставшая впоследствии выдающейся художницей.

Однажды на студенческом вечере Менакер как всегда прилип к роялю, пел песенки и в восторге от происходящего подпрыгивал на стуле. К нему подошел режиссер — известный Соколов Владимир Николаевич и предложил ему поставить номер для эстрады. Надо сказать, что, учась в техникуме, Менакер постоянно выступал на эстраде, придумывал себе номера, постоянно их менял. Но все это было несовершенно — не хватало хорошего материала и руки́ мастера. Теперь он пригласил на встречу с Соколовым известного сатирика Флита и заявил: Смирнов-Сокольский выходит на сцену с бантом, Образцов с куклой, а я хочу выходить с... роялем! Через десять дней текст был готов. Он назывался «Слово имеет товарищ Беккер!»

Репетиции подходили к концу, когда Алику в голову пришла парадоксальная идея.

— А что, если я лягу на рояль и сыграю что-нибудь, лежа на крышке?

И сыграл, лежа на крышке, сверху, еще и напевая: «За милых женщин, прелестных женщин!» Не сомневаюсь, что на этот «подвиг» его вдохновила одна из маленьких «балетных ножек» — Лидочка Бродская.

В мае 1932 года Менакер со своим «Беккером» вышел на сцену. В зале был весь цвет ленинградской эстрады. Он имел ошеломляющий успех и в этот день перестал быть дилетантом Аликом, а стал профессиональным артистом Александром Менакером.

В 1933 году он окончил театральный техникум, режиссерское отделение.

— Ах, как я хотел стать оперным режиссером, а стал эстрадным артистом! — с удивлением скажет Алик Менакер и начнет создавать новый эстрадный репертуар.

В те годы на эстраде стали появляться произведения Людмилы Давидович. Она-то и придумала уже очень известному Менакеру трепещущую в те времена тему «Патефон». Это были времена, когда в жизнь врывалась конница открытий — радио, которое, как дикари, держали в руках и со страхом и восторгом слушали исходящие из него звуки, телефон, аэроплан, воздушные шары... Земляне радостно поднимались на новый виток технических возможностей, духовные ресурсы отступали на задний план и тихо исчезали.

Обезумевшая масса «товарищей» в молодой Стране Советов выпускает модную тогда газету «Безбожник». Бога нет! Нет никакого бога! И все можно, товарищи, все! Все, под наркотическую музыку патефона!

Менакер подготовил номер «Патефономания», и его пригласили в Харьковский джаз-театр в качестве режиссера и актера. Менакер соглашается и уезжает в большую гастрольную поездку от Горького до Владивостока.

— Это была удивительная пора моей жизни — молодость, успех, увлечения, романы, влюбленности.

Одна из влюбленностей закончилась женитьбой,

прямо в Свердловске, на балерине Ирине Ласкари. Менакер не только на сцене был «человек-оркестр», он успевал все и в жизни. В 1936 году на свет явился сын — Кирилл Ласкари. Тогда молодой отец и не мог вообразить, какой крутой поворот ждет его в жизни через три года.

Новый, 1938 год встречали в доме, где жили Алик, Ирина и маленький Кирочка. Это рядом с Исаакиевской площадью, улица Герцена, дом 53. Квартира из двух комнат, мансарда, напоминала мастерские парижских художников. Тогда, в 1938 году, эта мансарда такая уютная и такая необычная, и не предполагала, какая шаровая молния влетит в нее в моем лице через 30 лет и сколько мы, участники всей этой мистерии, наломаем дров.

Для встречи Нового года из театра привезли пять столиков (как в ресторане), в углу поставили стол с закусками, но ни одной бутылки вина на столе не было. Гости недоумевали и ерзали на стульях, вопрошая глазами. И только в 12 часов ночи вынесли из кухни детскую ванночку, в которой купали Киру, наполненную снегом. А из снега торчали бутылки шампанского и водки.

15 декабря 1938 года в Москве открылся театр эстрады и миниатюр. Менакер получает приглашение от директора театра сыграть в Москве хотя бы один раз. Ленинградская эстрада Менакера не отпустила, и он с легкостью подал заявление об уходе.

В номере гостиницы «Москва» артист долго стоял перед зеркалом, примеряя галстуки. Наконец вышел на улицу Горького, перешел улицу и оказался в театре. Директор Гутман представил его административному товарищу: «Это Менакер, сегодня вечером он у нас выступает». Менакер опешил от такой стремительности, но без колебаний согласился. В 7 часов вечера был на «передовой». Выступал он в тот вечер со знаменитым номером «Эстрада до рождества Христова». Все артисты собрались в кулисах, так что торчали носы, и ревностно и с любопытством слушали нового исполнителя. Зрительный зал принял ленинградца резвыми аплодисментами.

— Ну, что я говорил? — сказал директор Гутман. Рядом с ним стояла миловидная актриса в театральном костюме.

— Вы разве незнакомы?

— Нет,— сказал Менакер. На что актриса снисходительно бросила:

— Миронова.

Актер не менее небрежно кивнул:

— Менакер.

Так в широком коридоре Московского театра эстрады впервые прозвучали рядом две фамилии — Миронова и Менакер. Гутман на ходу сообщил, что с завтрашнего дня Менакер выступает ежедневно.

Глава 7

ВОЙНА... РОДИЛСЯ СЫН!

За кулисами театра эстрады и миниатюр актеры страстно увлекались игрой в «Балду». Директор Гутман острил, что все его артисты обалдели, опаздывали на сцену и за кулисами «балдежный» азарт был ярче и порой громче, чем выступления на подмостках. Бралась какая-нибудь буква, и к ней каждый по очереди должен был приставить либо вперед, либо сзади другую буквы, но так, чтобы слово не окончилось. А кто слово кончает, тот и становится «балдой». В тесных кучках артистов за кулисами часами обалдевали Миронова и Менакер. Маша Миронова поражала своей находчивостью и почти никогда не проигрывала.

39-й год! Какое это было время! Снимались фильмы с Любовью Орловой, Беломорско-Балтийский канал, расцвет отечественной индустрии... А главное — товарищ Берия «заступил в свою смену», и закомплексованный коротышка одним взмахом пера, как черный колдун, уничтожил половину России, с удовольствием купая свои белые руки в алой крови. Поэтому и играли в «Балду» — жизнь выдавала знаковую систему времени: ты не человек, а балда, потому что, пока ты беспечно играешь в буковки, смотри, и до тебя дойдет очередь.

За Машей каждый вечер заходил муж — Миша Слуцкий, известный оператор-документалист, который создал много фильмов вместе с Романом Карменом. Однажды и, наверное, не случайно артистка Миронова пошла домой одна, а Менакер, которому уже запал в душу голубой взгляд искоса, предложил себя в провожатые. Маша не отказалась.

Говорили только о театре! Только! Через несколько дней все еще «обалдевшие» Миронова и Менакер, чтобы продолжить «театральную тему», назначили свидание у памятника Островскому. Выбор был не случаен: с памятника драматурга началась драматургия их жизни. У Маши было замечательное и удобное для нее самой качество — если рядом оказывался интересный для нее человек, то она мгновенно вовлекала его в свою жизнь. И Алик вовлекся. Он ходил с ней к портнихе, ждал, пока она примеряет платье, в магазины — то за сыром, то за чайником для заварки, то за кружевами для очередного наряда. Иногда сидели просто так в Александровском саду, и тогда она вовлекала его в свою жизнь — острым языком и не менее острым глазом, смотрящим из-под резко поднятых веселых и клоунских бровей.

Пришла весна, и вместе с ней влечение к Маше Мироновой приняло угрожающие жизни размеры. Чтобы скрыть свои чувства от чужих глаз, они большую часть времени проводили под сценой или в закулисных темных закоулках. Один артист почему-то постоянно натыкался на них и, внимательно вглядываясь в «фреску» тревожного и сладкого поцелуя, патетически изрекал: «Весна! Щепка на щепку лезет!» Но разнять их никакими изречениями было невозможно, тем более впереди маячило жаркое будущее: летом театр выезжал на гастроли в Ростов-на-Дону. Гастроли состояли из двух программ. Менакер участвовал во второй и поэтому явился в Ростов позже Маши Мироновой. Он то и дело шлет ей телеграммы: «Тоскую, изнываю!», «Страдаю, мучаюсь безумно!». На эти стоны приходил окрыляющий ответ: «Мужайтесь, счастье не за горами». Стрелка психокомпаса Мироновой четко указывала на Менакера, и она продолжала «вовлекать», отдавая ему распоряжения: пойдите к портнихе, возьмите платье, которое я не успела дошить до отъезда, зайдите в «Подарки», купите крем «Улыбка» — здесь такого нет, привезите хорошего чаю и чего-нибудь вкусненького. Перед отъездом Менакер накупил сыров всех сортов, крекеры, чай, сухое вино, только

что появившиеся ананасы, все упаковал в большую
корзину с высокой ручкой, у самого модного мастера
сшил костюм розово-песочного цвета с огромными
плечами — модный галстук, дорогие рубашки, в цвет
башмаки. Теперь горящий в огне любви молодой человек в костюме, делавшем его похожим на бежевый
легковой автомобиль, с корзиной, полной сыров и экзотических ананасов, был готов к приступу и взятию
объекта своей страсти. Он не сомневался в победе,
хотя внутренняя дрожь разоблачала внешний эпатаж
и сообщала обладателю дорогой декорации и экстра-
вагантного реквизита, что, мол, не такой ты и уверен-
ный парень: твоя нервная система сигнализирует —
Машка Миронова тот еще орех! И смотри, не окажись
перед ней той мышкой и не сделай лужу, как в три года
на представлении перед царской фамилией. Но рит-
мичный стук колес поезда, мчавшегося в Ростов, усы-
пил бдительность и открыл перед Менакером двор-
цовые двери сна. А во дворце она бежала ему навстречу в нижней короткой рубашечке, прижимая к груди
ананас и приговаривая — я так мечтала об этом, я так
мечтала об этом... я тебя съем! Менакер во сне не
понял, кого она хотела съесть? Его или ананас? Двери
дворца захлопнулись, и перед ними вдруг выросло
огромное дерево, на котором росли ананасы и сыры
разных сортов. Кто-то его раздел — ему было так
жаль свой бежевый костюм, он остался почти голый,
и они вдвоем взлетели и оказались на ветке дерева.
Она в нижней рубашечке, а он в трусах. Голос знакомого артиста из театра, который, как назло, всегда
констатировал «фреску» с поцелуем «Весна! Щепка на
щепку лезет!» — вдруг объявил: «Миронова и Менакер! Ваш выход!» «А мы почти голые сидим на дереве»,— с ужасом подумал Менакер и проснулся в поту.

— Товарищи пассажиры! Через тридцать минут
поезд прибывает к городу Ростов-на-Дону. Прошу
сдать белье, заплатить за чай и не забывать свой
багаж.

Только что вынырнувший из сна артист с облегчением вздохнул, увидев на вешалке качающийся бежевый костюм. Трусы на месте. Корзина тоже.

20 июля в 10 часов утра он вошел в номер лучшей
гостиницы «Интурист». Узнав, что Маша Миронова

живет на этом же этаже, только в другом конце коридора, он вызвал горничную и попросил передать корзину в ее номер. Горничная передала. В этот момент в номере Мироновой сидела Рина Зеленая. Корзина была немедленно вскрыта, и Рина многозначительно произнесла:

— Да, Марья, это тебе даром не пройдет!

Менакер нервно метался из угла в угол, ожидая каких-нибудь знаков, вестей из противоположной стороны коридора! Напрасно метался, поскольку еще не выучил характер артистки Мироновой.

«Конечно, что для нее какая-то корзина!» — с обидой воскликнул он. Взятие объекта уже было под вопросом и, чтобы компенсировать свое поцарапанное самолюбие, он громко, на весь номер сам себе заявил: «А что для меня какая-то Миронова!»

Стояла неподвижная жара. И он на полдня положил себя в прохладную ванну — купать горькое разочарование, поцарапанное самолюбие и заодно выдержать характер. К вечеру не выдержал, облекся в бежевый с огромными плечами костюм и постучал в номер к «ведьме с голубыми глазами» — так Миронову звали в театре. Увидев его в громоздком костюме в 30-градусную жару, она посмотрела на него как Ленин на буржуазию, поблагодарила за дары и между прочим заметила, что терпеть не может сухого вина. Герой-любовник был уничтожен и пал духом, чего и добивалась голубоглазая ведьма.

Однако вечером после спектакля как-то неожиданно все собрались у Мироновой. Пили сухое вино, болтали, смеялись — Маша была остроумна, весела и прелестна. Стали расходиться. Алик и Маша остались вдвоем, и тут объект страсти был взят. Не выходили из номера ровно три дня. На четвертый день от яркого солнца рано утром победитель открыл глаза. Сладость и нега струились из всего его существа. Сначала он почувствовал, что Маши нет рядом, потом услышал скрип пера, потом увидел ее сидящую за письменным столом: она что-то сосредоточенно писала.

— Маша, что ты делаешь? — с недоумением спросил Менакер.

Не отрываясь от своей работы, Маша ответила:

— Пишу письмо Мише Слуцкому! (Уже не мужу, а Мише Слуцкому!)

— А что за срочность? — спросил наивный Менакер.

— Я сообщаю Слуцкому о том, что мы должны расстаться. Разводимся!

У голубоглазой Маши был стратегический ум, о котором Менакер и не подозревал, и мгновенно победитель вдруг оказался побежденным. Ошарашенный Алик приподнялся в постели, что-то хотел сказать, но не успел.

— И ты садись и пиши то же самое своей жене.

В Ростове-на-Дону цвели акации душистыми гроздьями, и в чудной головке Маши крутился романс на эту тему и зрели хозяйственные ассоциации по поводу ее с Менакером будущей жизни.

— Да, да! Все правильно. Он — крышечка от моей кастрюлечки. Мы подходим друг к другу. Это то, что мне надо.

А чтобы крышечка была уже точно от кастрюлечки, Маша переименовала Алика в Сашу, тем самым отрывая его с корнями от прошлой жизни. Маше Мироновой было тогда 29 лет, а Менакеру — 26. Для того этапа жизни это была огромная разница — женщина в 29 лет, да еще такая, как Мария Миронова, одним «щелчком по лбу» могла управиться с 26-летним самоуверенным артистом. Она, как животное, нюхом улавливала все слабые и сильные стороны партнера, мысленно пробегала по клавиатуре его психики, нащупывала нужную ей ноту и начинала играть. И Саша (теперь уже Саша), вдохновленный любовью, находил невероятные способы поразить воображение артистки Мироновой. Каким-то образом он достал напрокат «Линкольн», и они, как в американских фильмах, с открытым верхом шуршали шинами по благоухающему акациями Ростову, ездили купаться на левый берег Дона, ели клубнику и черную икру. Вечерами перед спектаклем сидели на скамеечке под развесистым кленом и мечтали о совместном номере. Тогда они и знать не могли, что «совместный номер» развернется в самую популярную в стране эстрадную пару, их будет узнавать на улице каждый третий — Миронова и Менакер! И спустя много лет в тихие часы они будут напевать: «Улица Садовая, скамеечка кленовая», «Ростов-город, Ростов-Дон». И на протяжении сорока с лишним лет каждый год 20 июля Менакер будет посылать телеграммы: «Дорогая Маша, поздравляю с нашим днем. Саша».

Директор Гутман вез в Москву письмо Маши Мироновой для Миши Слуцкого. Дорога длинная, делать нечего, и он как-то невзначай сунул свой любопытный нос в конверт. Театр, как и все театры, жил, нет, не жил — купался в такого рода событиях.

В Москве в кафе «Националь» — тогда самое модное место — собирались поэты, писатели, художники. Гутман завтракал и всем, кого встречал, разбалтывал роковую тайну: Машка Миронова сошлась с Аликом Менакером и расходится с Мишей Слуцким. В этот день содержание письма знала вся Москва, и, естественно, оно дошло до Миши Слуцкого. Слуцкий дозвонился Гутману и потребовал письмо. Факт был оскорбительный, и Миша в приступе бешенства полностью встал на сторону своей киевской мамы и «палил снарядами» из Москвы в Ростов-Дон: «сука, самая настоящая потаскуха, кобра ползучая, ведьма бесстыжая, свинья на каблуках!» Все это «огнестрелье» происходило в комнате в Нижнем Кисельном переулке, поэтому «снаряды» не долетали, и Маша с Сашей продолжали колесить в «Линкольне» с открытым верхом по крутым улицам Ростова.

Во время гастролей Менакер получил предложение, вступить в труппу Московского театра эстрады и миниатюр. Предложение он принял и круг замкнулся. Сезон начинался 15 сентября в Ленинграде. Кончились гастроли, и Маша с Сашей решили не расставаться и провести отпуск вместе. Они сели на теплоход «Чехов» и поплыли по Дону, через Азовское море — к Черному, в Батуми. В Азовском море с ними вместе плыла в небе стая цапель с болтающимися длинными ногами. Саша на палубе принимал бравые позы и по-мальчишески отдавал приказания «пустить торпеду» — реплика, застрявшая у него из какого-то фильма. Маша была по характеру строгая и сначала конфузилась на мальчишеский «идиотизм», а потом включилась в игру и на очередную реплику «пустить торпеду» озорно косила в сторону свои голубые глаза и смеялась так заразительно, что собирались вместе обаятельные морщинки посредине ее бойцовского носа.

Счастливые дни были на излете, свадебное путешествие окончено. 14 сентября Миронова уехала на гастроли в Ленинград, на родину Менакера, а он остановился в гостинице «Москва» и ждал жену с сыном: они возвращались после летнего отдыха на Волге. Произошел неприятный и трудный разговор с женой, но он оказался тихим. Ирина все поняла и отпустила... Менакер проводил их с Кирочкой в Ленинград, а сам на следующий день отправился туда же на гастроли. Остановился он в гостинице «Европейская» и ходил в недоумении, что в своем родном городе живет не у себя дома, а в какой-то гостинице...

Развод был оформлен быстро, и на следующий же день, 26 сентября, Миронова и Менакер заштемпелевали свою любовь.

Встреча с Машей, гастроли, с неба свалившееся сильное чувство, развод с Ириной, брак, поступление в московский театр — все произошло так стремительно, что, оказавшись после гастролей в «Красной стреле», летящей в Москву, Менакер не был так счастлив, как казался другим. Он расставался с родным, самым прекрасным для него городом на свете... С детством, юностью, пляжем у Петропавловской крепости, куда ходили мальчишками купаться в ледяной невской воде. Расставался с улицами, площадями, с Сестрорецком, в котором встретил «балетных девочек» в шахматных юбочках... тайные встречи и первые поцелуи... расставание с любимой мансардой, с сыном и Ириной...

«Прощай, Ленинград! Что ждет меня в Москве?» — думал Менакер, втягивая в себя дым папиросы и безразлично глядя на мелькавшие в окне поезда темные пейзажи. Актеры были взбудоражены, долго не ложились, а неугомонный Смирнов-Сокольский, заглядывая в каждое купе, громко произносил одну и ту же фразу: «Но Менакер-то!!!» — ставя в конце три восклицательных знака.

Молодожены приехали в Нижний Кисельный переулок. Лифт поднимался на шестой этаж. Оба волновались. У Маши тогда были две маленькие комнатки в четырехкомнатной квартире — столовая и спальня. Миша Слуцкий покинул этот дом, взяв только официальный подарок студии — холодильник. У Мироновой в доме царил идеальный порядок: накрахмаленные салфеточки, полотенца, скатерти, очень много безделушек в русском духе, часы-кукушка и главное место занимал самовар на специальном самоварном столике с мраморным верхом. Менакеру потребовался рабочий уголок для «литературных трудов», и на место, освободившееся от холодильника, Маша поставила мраморный столик из-под самовара. Менакер с самой юности вел записные книжки и теперь, устроившись за самоварным столиком, с тоской вспоминал свое дивное бюро «Маркетри», оставленное в Ленинграде. В записной книжке он пометил: «2 октября 1939 г. Приезд в Москву. Остановился у Мироновой».

Утром Маша Миронова заметила, вероятно не случайно, эту запись, и произошел взрыв. Она так кричала, голос стал грубым, каркающим, как у вороны. Оскорблениям, казалось, никогда не будет конца. Она выкрикивала, что у нее не гостиница, где останавливаются, не постоялый двор, что только последняя сволочь, такая как Менакер, мог выдумать и написать такую подлость и если он привык «останавливаться», то пусть остановится где-нибудь, и катится отсюда вон — прямо с шестого этажа! Менакер был напуган. До этого он никогда не видел ее в таком состоянии. Это был первый приступ гнева и, увы, не последний.

Машин четкий ум всегда сигнализировал, когда можно вспыхивать, а когда — нет. Медовый месяц прошел, развелись, расписались — деваться некуда. Можно уже по закону контраста начинать показывать свой крутой нрав и поставить партнера на второе после себя место. Самолюбие Маши было обожжено и раздуто как волдырь, и любое прикосновение к волдырю вызывало вспышку гнева, потому что было больно. А за боль надо было ответить тоже болью. А тут Менакер, не желая того, нажал на это больное место, нанес оскорбление. Ведь надо было добавить всего одно слово: «Остановился у Мироновой — навсегда». Но Миронова была по характеру — конфликтер и даже на пустом месте раскопала бы причину для гнева, взрыва и оскорблений. Всем большой привет от науки эндокринологии! Комплекс власти с начинкой садизма. Но светлая сторона души Маши к вечеру спохватилась и: «Саша, прости, прости меня, прости...» — звучало так же естественно, как «катись с шестого этажа». Саша не только простил, но и сам повинился, а ночные объятия и страсти навсегда скрепили модель поведения в новой семье.

Сезон в театре эстрады и миниатюр 1940—1941 годов.

Перед началом представления Менакер появлялся во фраке в оркестре и дирижировал увертюрой, которую сочинил сам. Затем пел куплеты, обратившись к публике. После куплетов он поворачивался к занавесу, в разрезах которого появлялись головы актеров, в том числе и Маши Мироновой. 7 марта, после увертюры и куплетов повернувшись лицом к занавесу, Менакер голову своей жены не увидел. Потом ему все рассказали: у Марьи начались схватки, отошли воды, и ее немедленно транспортировали в родильный дом имени Грауэрмана. Поздно вечером 7 марта родился Андрей Миронов. Как все шутили и восторгались!

— Нет, вы только подумайте, он родился... ну просто на сцене!

Все девять месяцев артистка носила в себе малютку, и все девять месяцев он выходил с мамой на сцену, не пропуская ни одного спектакля.

Образ матери, в которой зарождается жизнь, рисуется мне таким прекрасным. Этот образ возникает из дебрей прапамяти: окно, белая шелковая занавеска, дуновение ветра, цветы, прекрасное умиротворенное лицо, звуки рояля, все — каждая мысль, каждое движение, каждая клеточка, — все посвящено маленькому пришельцу в этот мир... «Ибо Ты устроил внутренности мои и соткал меня во чреве матери моей. Славлю Тебя потому, что я дивно устроен. Не сокрыты были от Тебя кости мои, когда я созидаем был в тайне, образуем был в глубине утробы. Зародыш мой видели очи Твои; в Твоей книге записаны все дни для меня назначенные... Дивны дела Твои и душа моя вполне сознает это! Когда я созидаем был в тайне...» Но какая тайна? Какой Бог? И обезбоженные системой несчастные матери таскали свой живот, не ведая, что «Бог соткал его во чреве...» Таскали на сцену, в рестораны, слушали и говорили нечестивые речи, не предполагая, что бумеранг уже запущен! Запущен и летит! Ребенок, которого девять месяцев пытали безобразной жизнью, уже в утробе облился горючими слезами и не получил необходимой духовной силы. Выйдя на этот свет, он может с ним не справиться и погибнуть!

Андрюша родился 7 марта, но остроумные и веселые родители сами перевели стрелки часов и на тему рождения сына выдали репризу: «Андрей — подарок женщинам в Женский день 8 Марта!» И поменяли ему судьбу. С цифрами шутить опасно. Но они были всего лишь актеры в обезглавленной стране с поврежденным механизмом жизни и не могли этого знать. Они знали только одно — работа продолжается, сцена ждет Миронову, и ребенку нужна няня. И няня нашлась. С «визитной карточкой» — много лет служила у старейшей артистки МХАТа и воспитывала ее внуков. Анна Сергеевна Старостина, семидесяти лет, была весьма колоритной фигурой. Зарплату обзывала жалованьем и поставила непременное условие — помимо жалованья ежемесячно два килограмма «конфетов по выбору» и полтора литра водки. Родители вздрогнули, но водка оказалась лечением и, настоянная на полыни, принималась по стопке перед обедом. Анна Сергеевна была родом из Нижегородской губернии, окала и говорила «утойди», «офторник», «яичня», «скоровода». Через два года полностью усвоил эту терминологию едва научившийся говорить Андрей Миронов.

В перерыве между актами дирекция театра посылала машину, и няню с Андрюшей привозили в театр... кормить. Ах, мудрые евреи... Если бы мальчик Андрюша родился в библейские времена, то его на сороковой день мать и отец несли бы в храм — на отдание Богу! Свидетельствуя этим перед Всевышним, что дитя Его, Ему принадлежит и Ему посвящается. А тут дитя театра, театру принадлежит и театру посвящается.

Как рыдал маленький Андрей 22 июня 1941 года. Трехмесячные дети не понимают слов, но чувствуют интонацию. А интонация была страшная и по радио, и у мамы, у папы, у няни — война!!! И он так орал, дергал ручками и ножками, что остановить его не могли ни соска, ни грудь, ни качание няньки. Ему было так страшно, хотелось находиться все время в поле

мамы — прижаться к ее груди, вдыхать только ее
спасительный запах, слышать какие-то непонятные
звуки, которые окрыляли его младенческую душу —
да, да! Она его любит! И никому не отдаст! И с ней так
тепло и не страшно находиться в этом еще чужом
и таком малопонятным ему мире. Не знали мы тогда
(да и знает ли об этом кто-либо сейчас?), что мать
может внушать сыну всепожирающую страсть, которая подтачивает его жизнь и трагически разрушает ее
в такой мере, что грандиозность Эдиповой участи
является перед нами ни на йоту не преувеличенной.

Но мама с нотой гражданского подвига вместе
с остальными артистами готовила антифашистский
репертуар — «Смелого пуля боится!». Целыми днями
они пропадали в театре, и во время воздушной тревоги
дежурный милиционер заходил за Андрюшей с няней
и спускался с ними с бомбоубежище — таково было
распоряжение начальства.

В середине июля 1941 года был издан приказ —
женщины с детьми должны быть срочно эвакуированы
из Москвы. Несколько месяцев Миронова, Менакер,
няня и Андрюша ездили с концертами по Волге, жили
в Горьком, Ульяновске, Казани. В Ульяновске у Андрея температура 39, условия жизни ужасные, толпа
артистов в сырой комнатушке на дебаркадере. Случайно встретили жену режиссера Марка Донского, и Ирина пригрела их у себя — кормила, стирала пеленки
и опекала Андрюшу, когда родители уходили на спектакль. Наконец, театр получает направление в Ташкент. И 20 ноября на вокзале в Ташкенте у Андрея
прорезался первый зуб. Маленький странник стал «зу-
бастым» и поселился в гостинице «Узбекистан» в номере «без окон, без дверей». Ташкент стал убежищем
для многих москвичей и ленинградцев. На улице можно было встретить Ахматову, Раневскую, Алексея Тол-
стого, Бабанову, Михоэлса, Марка Бернеса... «Без
окон, без дверей» было жить невозможно, и начались
скитания: сначала их приютила Капа Пугачева, потом
какое-то время они жили на сцене театра и, наконец,
сняли небольшую частную квартиру.

В начале декабря состоялась премьера военной программы «Смелого пуля боится!», и театр выехал с вы-
ступлениями по частям округа. Миронова ехать от-

казалась, так как Андрюша опять болел, и они с няней Анной Сергеевной остались в Ташкенте. Денег не хватало. Все, что можно было, меняли на рис и молоко. Но надо было найти способ существования, и Миронова нашла. Она попросила знаменитого драматурга Николая Погодина написать скетч для нее и для жены Марка Бернеса — Паолы. Погодин написал, и они стали довольно успешно давать концерты, которые приносили немного денег. Миронова на аплодисменты произносила фразу с украинским акцентом, которая там, в Ташкенте, стала ходячей: «Вы знаете, меня выкуировали с Москвы и вкуировали в Ташкент».

Снова заболел Андрей. И очень тяжело. Спал только на руках, то у Марьи, то у няньки. Мать была в отчаянии: он уже синел и лежал с полузакрытыми глазами, а она ничем не могла помочь! Врач сказал, что это похоже на тропическую дизентерию и спасти его может только сульфидин. Богу было угодно, чтобы Андрюша выжил: сульфидин чудом явился. Миронова металась по Ташкенту в поисках лекарства, но все безрезультатно. И вдруг на Алайском базаре она встречает жену знаменитого летчика Громова Нину. Та была поражена ее видом:

— Маша, что с вами? У вас такое лицо...

— Я теряю ребенка... мне срочно нужен сульфидин,— еле выговорила Маша.

— Сегодня в Москву летит самолет... Я, кажется, могу вам помочь.

И Нина помогла: сульфидин прилетел, и Андрей стал выздоравливать.

Однажды вечером уложили Андрюшу спать. Маша с няней сидят и тихо разговаривают. Вдруг стук в дверь. На пороге — Изабелла Юрьева с мужем. Известная исполнительница цыганских романсов часто встречалась с Мироновой на концертах, но не была в близких отношениях.

— Изабелла Даниловна? Какими судьбами?

— Машенька, вы совершенно напрасно удивляетесь, мы просто с мужем узнали, что у вас болен ребенок, а вы одна! Недавно мы получили посылку и хотим с вами поделиться.

Сколько она тогда выложила из сумки — манную

крупу, сахарный песок, шоколад! Маша смотрела на все это и не могла вымолвить ни слова, только плакала.

Как-то Миронову пригласила в гости Анна Андреевна Ахматова. Маша пришла. Заварили чай, но говорить было невозможно: над ними раздавался такой мощный топот и грохот, что он перекрывал любой звук.

— Что это? — с удивлением спросила Миронова.

— Вечер антифашистов,— сказала Ахматова. Помолчала и добавила: — Что же такое тогда фашисты?

А Менакер все ездил, ездил по всей стране, выступая в отдаленных частях Красной Армии. В Новосибирске он получил письмо от жены: «Концертов мало, денег нет, настроение скверное». Зарплаты Менакера едва хватало на него одного, и он решил продать зимнее пальто. И вот в воскресный день, взяв с собой друга, Менакер отправился на барахолку с девизом отца Семена: «Все продать и жить миллионером!». Серое пальто с каракулевым серым воротником с трудом было продано, и Менакер майским холодным днем остался в одном пиджаке и дрожал, как стрекулист. На центральной площади возле универмага ему попался знаменитый артист Юрьев.

— Алик, голубчик, в Новосибирске в одном пиджаке в такой холод?! Вы же простудитесь.

Менакер посвятил его в тайны своей жизни и рассказал, как только что загнал пальто на барахолке. Юрьев тут же повел его в универмаг к знакомому директору, и тот подобрал ему душегрейку на козлином меху. И в этой душегрейке счастливый Менакер дунул на почту и перевел своим домочадцам две тысячи рублей!

Немцы отступали от Москвы, вся страна читала симоновское «Жди меня, и я вернусь, только очень жди!», все пели «Темную ночь», и «Синенький скромный платочек» врывался в сердце каждого любовью и надеждой, и на такт вальса — раз-два-три раз-два-три, раз-два-три, «синие платочки» летали над всей Россией как птицы, несущие дух Победы.

В июне военный театр вернулся в Ташкент, и Андрюша впервые выговорил: папа! Театр миниатюр подготовил новую программу «Вот и хорошо!». Через несколько дней пришел вызов из политуправления — вызывались в Москву только те актеры, которые были заняты в программе. Боялись верить — неужели скоро Москва?!

В октябре вернулись в Москву. Дома в Рахмановском переулке в буфете Миронова и Менакер обнаружили пирог, который они забыли уезжая в эвакуацию. С удовольствием съели, хоть он был и сухой. Пирог напомнил им мирную жизнь, но воспоминания длились не долго — пришло направление на Калининский фронт. Теперь главная забота — Андрюша с няней. И опять договорились с начальством: милиция будет «курировать» Андрюшу с няней и квартиру. И потом, как выяснилось после их отъезда, только объявлялась воздушная тревога, дежурный милиционер опрометью бежал в четвертую квартиру, хватал Андрюшу, няню, бежал с ними в бомбоубежище и оставался с «поручением» до полной безопасности.

Ветреным осенним днем к Рахмановскому переулку подъехал грузовик, «дан приказ ему на запад». В кузове на досках сидели члены фронтовой бригады. Няня с «робенком» провожали. Он казался маленьким, беззащитным в ярко-красных длинных брючках, сшитых из бушлата генерала Крюкова, мужа Лидии Руслановой. После войны боевого бесстрашного генерала и талантливейшую певицу Лидию Русланову параноик Сталин со своей камарильей «упекут» за решетку на много лет — за все хорошее, что они сделали для своей родины. Чудом выживут и выйдут. Русланова — раньше. Построит дачу по образцу замка для своего любимого генерала как компенсацию за оскорбление. И рядом сторожку. Крюков выйдет из тюрьмы, увидит этот замок, махнет рукой и скажет:

— Нет, Лида, это не для меня... я буду жить там... в сторожке.

А пока война продолжается, и бригада артистов попадает в заболоченные земли Калининского фронта. Выступают на аэродромах у летчиков, в партизанском отряде «Смерть фашистам», на грузовиках или просто в лесу, под часто свистящими пулями. Однажды ночью возвращались с концерта из партизанского отряда, скрывавшегося в глубине бесконечного леса.

Маша Миронова была в сапогах 43-го размера, нечаянно попала в болото, стала медленно туда погружаться, ее вытащил солдат — из болота и из сапог одновременно. Сапоги поглотила зеленая пучина.

Калининский фронт остался позади. И вот опять Москва! С фронта начали возвращаться раненые друзья, стали репетировать и играть новые программы, старались развеселить зрителей. Однажды к концу спектакля пришли няня с Андрюшей и сели в ложе. Менакер играл ювелира с усиками, но сын, несмотря на маскировку, узнал его и закричал на весь зал: «Папа!». Менакер был очень смешливый и еле сдерживался, чтобы не расхохотаться. Андрюша, не услышав ответа, закричал еще громче: «Папа, папа!». В зале стоял гомерический хохот. Администратор вышел на сцену и потребовал: «Уберите ребенка!». Няня оскорбилась, и из ложи раздался ее зычный голос: «Робенок отца увидал, что вам жалко, что ли ча?».

Тут уже хохотали и зрители, и актеры. Андрей понимал, что вся эта веселая заварушка в театре произошла из-за него, и чувствовал себя героем. «Когда я снова пойду в театр?» — то и дело задавал он родителям один и тот же вопрос.

Однажды в 1944 году Мария Миронова прочла в «Правде» статью о зверствах фашистов над мирным населением, о детях-сиротах и в тот же день обратилась к директору: «Я бы хотела в выходной день театра устроить свой творческий вечер и сбор от него отдать в пользу детей погибших воинов!».

Все билеты были проданы. Зал был набит до отказа. Миронова почти не уходила со сцены, только для переодеваний. Концерт удался, и патриотическое чувство Маши, жившее в ней с самого дня рождения, было удовлетворено и награждено аплодисментами, и не только ими. На следующий день Миронова через газету «Литература и искусство» обратилась к артистам поддержать ее творческое начинание. Пошла цепная реакция — на афишах концертов Обуховой, Козловского, Тамары Церетели и других появились слова: «Весь сбор поступит в пользу детей погибших воинов».

Не прошло и двух недель, как в театре за кулисами появился статный лейтенант с отличной выправкой, в начищенных до блеска сапогах, из-под парадной шинели выглядывало белое кашне. Он вынул из папки большой конверт, протянул Мироновой и многозначительно произнес: «Мне поручено вручить вам это письмо».

Щелкнул каблуками и удалился. Миронова вынула из конверта лист и прочла с грузинским акцентом: «Артистке Московского театра миниатюр, лауреату всесоюзного конкурса эстрады, товарищу Мироновой. Примите мой привет и благодарность Красной Армии, товарищ Миронова, за вашу заботу о детях фронтовиков. И. Сталин». «Плюнув» на омерзительную фигуру автора письма, на количество посаженных — отца, друзей, знакомых, — Миронова прикрепила этот лист на стене в своей квартире, чтобы видели все. Этот жест сильно подкормил ее тщеславие и заодно служил дипломатическим ходом и «охранной грамотой» во все продолжавшееся «посадочное» время.

Наконец пришел долгожданный великий День Победы 9 мая. Вечером, после спектакля, взявшись за руки, охваченные радостью — «День Победы со слезами на глазах», артисты, да и вся Москва, двинулись на Красную площадь. С костылями, без рук, уцелевшие и обожженные войной люди в исступлении кричали только одно слово «Мир!!! Мир!!!» и плакали.

Начались мирные дни. И с ними вместе новый этап в жизни артистов. То, о чем они мечтали в Ростове на скамеечке под кленом, стало сбываться. Старый репертуар стал неинтересным, «Подслушанные телефонные разговоры» — конек Мироновой — это и «Некая Капа», и поклонница, которая съела кусок следа из снега артиста Козловского и охрипла, — стали заезженными и устарели. Время требовало новой формы и новой темы.

Однажды родители, вернувшись из очередной поездки, захотели посмотреть дневник сына. Он учился в четвертом классе и только на четверки и пятерки. А тут он как-то замялся, что-то забормотал... в дневнике оказалась одна четверка и много-много троек.

Тут, как рояль в кустах, оказались в гостях Леонид Осипович Утесов с женой. Они принесли в подарок Андрюше маленькую скрипку. Миронова была на взводе от троек (впрочем, это было ее естественное состояние) и, с презрением глядя на Андрея, оскорбительно уверяла, что у него нет слуха и что из него не получится ни Гилельс, ни Ойстрах, и вообще из него ничего не получится!

Андрюша молча ушел в свою комнату и плакал, прижав кулачки к глазам. Утесов в недоумении посмотрел на Машу и сказал:

— Маша, что ты хочешь от ребенка? Когда я приносил тройку, то в доме был праздник!

Эта история натолкнула Менакера на мысль о создании «семейного» репертуара. Писатель Ласкин почувствовал неисчерпаемость темы, и через 10 дней он уже читал маленькую комедию «Вопрос о воспитании». Эта комедия ушла в небытие, но фразы из нее живут: «нормальный гениальный ребенок», «нунсенс», «бодрый маразм». Так постепенно образовывался театр двух актеров — Миронова и Менакер.

Родители часто уезжали на гастроли в Ленинград и иногда брали с собой маленького Андрюшу. Миронова занимала отдельный номер в «Астории». Всегда и до конца жизни только в «Астории», с видом на Исаакий, а Менакер с сыном жили в соседнем номере вдвоем, немножко униженные таким «распределением ролей». Вечерами, уходя на спектакль, они оставляли Андрюшу на Дину. Дина была заведующей лифтом — лифтером и проработала в «Астории» пятьдесят лет. Стриженая, с челкой, она была точной копией портрета Анны Ахматовой работы Альтмана. И вот пока папа с мамой играли, Андрюша тоже работал. Лифтером, вместе с Диной возил важных пассажиров вверх-вниз, вниз-вверх.

Но потом возвращались в Москву и начинались очередные репетиции. Репетировали всегда дома. Тема одна и та же в разных вариантах — ссорящиеся муж и жена. Андрюша подглядывал тихонько из щелки двери своей комнаты и не мог никак понять — почему так страшно ссорятся родители? Мама всегда так кричала... «Почему другие мужья возят своих жен лечиться, а меня шлюзоваться? Почему вместо того, чтобы сидеть на диете, я должна сидеть на мели? Что ты молчишь? Отвечай, когда тебя спрашивает твоя единоутробная жена!»

В сознании маленького Андрюши не было разрыва между сценой и жизнью. Жизнь и сцена сливались. Эта модель сознания закрепится навсегда, и отсутствие границы сделает его жизнь мученической, яркой и неповторимой.

Мама всегда была агрессивна, а папа всегда оправдывался с таким неудобным для жизни чувством вины. В душе Андрюши, как грибы, росли вопросы:

Почему мама всегда кричит на папу?

Почему перед обедом она швыряет ложки и вилки на стол и говорит: еврейчики, идите обедать! Почему — еврейчики? И кто такие эти еврейчики?

Почему мама всегда обижает папу и меня?

Почему мне с папой хорошо, а маму я боюсь?

Почему мама так ненавидит кошек, а я их люблю?

Почему они, взрослые, родители, играют в пароход, изображают других людей, а потом уезжают надолго, оставляя меня совсем одного?

Наверное, они меня не любят, особенно мама... она всегда мной недовольна и делает словами больно.

И маленький Андрюша, мучаясь целой обоймой неразрешимых вопросов, играл во дворе, делал из песка куличики, и если ему попадался котенок, он с силой тер его мордой об асфальт или камень — ведь мама ненавидит кошек, и я буду ненавидеть и, может быть, хоть таким способом завоюю ее любовь.

Глава 8

ШАГАЮ ПО АРБАТУ НА СВИДАНИЕ

На ходу, стуча высокими каблуками об асфальт, пою шепотом с придыханием: «Ах, это лето, лето, лето, лето сводит с ума, сводит с ума, сводит с ума...» Холодный воздух влетает в грудь, охлаждая пылающее там негодование.

Рано стало темнеть — вплелось в песню, когда

проходила мимо церкви по Спасопесковскому переулку в сторону Арбата. Бежевое стильное пальто, недавно добытое в комиссионке, шелковая косынка цвета малахита, темная челка, удивленные большие глаза. Ресницы, накрашенные для эффекта удлинения с пудрой и мылом, касались лба.

«Столько выводить щеточкой глазки, раскрашивать физиономию, вертеться перед зеркалом, и все для кого?!» — думала я с досадой. «Ах, это лето, лето, лето. Милый летом дарит мне букеты...» — все тем же шепотом. Свалилась слеза. Остановилась, закинула голову назад, чтобы влить в себя обратно стакан надвигающейся соленой воды. «Почему слезы соленые?» — думала я, стоя с запрокинутой головой в темном арбатском переулке. Как морская вода. В глазу резко защипало. Заморгала верхними веками — отработанный метод: раз, раз, раз... боль утихла. Ну вот все. Спасена. Не размыло. Пошла дальше. Походя поддала ногой желтый лист, повернула глаза в сторону магазина «Консервы», где всегда продавались фрукты. Там — свет: народ давится за дешевым виноградом. А я — налево, на Арбат, на свидание.

Прошел троллейбус. А, дойду пешком. Погода бодрит. Надо быть сильной. Завтра репетиция в театре. Спектакль на выпуске, и поэтому видеться будем с тобой каждый день, три месяца подряд. Октябрь, ноябрь, декабрь — машинально закладывала пальчики в черной кожаной перчатке, начиная с мизинца. Андрюшенька, я тебя изведу за это время своей красотой, буду улыбаться и завораживать глазами. И купить книги про гипноз. На войне как на войне. Ты от меня отступился, бежишь, еле здороваешься, бежишь, бежишь от любви... Один так тоже бежал, думал, за ним бегут, оглянулся, а там никого... Опять завертелась песенка про лето: «Ах, это лето, лето, лето...»

Что же я натворила летом? Собралась замуж. Ах, Виктóр, ах, Таня! Такая пара! Такая пара! Все кричали. Выпускной курс, бал, головокружение... и от выпитого тоже... Его пригласили в театр имени Вахтангова, а меня в Сатиру. И я уехала в Ригу на свои первые гастроли. И все. Я забыла все — Виктóра, маму, улицу, на которой я живу, город. Все. Весь мир сконцентрировался на берегу Балтийского моря в Риге, в театре оперы и балета, в котором мы играли. В нем, в Андрюше с глазами цвета синьки, с пшеничными волосами и с накрахмаленной уверенностью в жизни, по которой он так весело ступал. Какой-то очень опытный Купидон со спецзаданием пустил в нас две стрелы.

«Любить — это прекрасно!» — только и слышишь от тех, кто никогда не любил. Кончик стрелы всегда смазан лекарством, которое сначала анестезирует боль, ввергает в эйфорию... А вот потом, потом... А потом приехал Виктóр. На машинах с компанией из МГИМО. Я даже не поняла, кто это, когда он вошел в мой номер в гостинице. И все было с ним как прежде, до Риги. Только ночью — мы были вместе, рядом — я бредила, плакала и звала Андрюшу. Он все понял и на следующий день уехал к мимошникам на побережье в сторону Саулкрасты. Андрей все знал. Отстранился от меня, здоровался сквозь зубы и не было никакой надежды... Я не смела объяснить ему, что не могла дать наотмашь человеку, который меня любил, рыдал у меня на груди, будучи двадцатилетним здоровым парнем. Это было в Красноярске в студенческой концертной поездке два года назад глухой ночью в каком-то переулке под акацией, на деревянной скамье... Рыдал от того, что его, то есть их с матерью, когда-то бросил отец ради другой женщины. Эта отроческая боль накопилась, прорвалась и залила мою белую кофточку слезами. Через много лет этот самый Виктóр оставит свою жену и двух мальчишек ради другой. «...Аптека, улица, фонарь». Будут ли они рыдать, уже будучи взрослыми парнями, по этому предательскому поводу или нет — мне неизвестно. Наверное, будут, если найдется такая «жилетка», как я.

Вышла на Арбат. Конечно, у меня нет знаменитых родителей — Миронова и Менакер! Нет квартиры, дачи, машины... У меня даже туфель приличных нет. А эти, что у меня на ногах, — единственные и пока денег нет купить другие. И это обидно, потому что в дар получила очень красивые ноги. Ноги... ноги... босые бежали по хвое средь сосен к озеру. Вместе с картиной лета опять подкатил ком. Не мог, не мог ты забыть эти озера, как накинутые на землю голубые платки. Не мог! Мы проводили ночи в лесу под небом.

Кричали птицы, бродили сосны... первые лучи солнца
скользили по воде. Я бегу, вызывающе голая, в холод-
ное озеро, а ты — за мной, топить меня, чтобы я никому не досталась. А я — тебя. Ты и целоваться-то не
умеешь: все как-то в губы тыкаешься, как будто ищешь
защиты. Въезжали в пустынную Ригу на рассвете, быстро влетали в свои номера, чтобы не засекли артисты — террариум единомышленников — и не поняли,
что мы вместе и влюблены. Как будто это можно
было скрыть! А как ты кричал на всю Ригу в 4 часа
утра: «Нет, вы посмотрите, как она похожа на мою
мать! Нет (еще вдохновеннее), вы посмотрите, как она
похожа на мою мать!» К кому ты обращался в 4 утра?
Пустая Рига. Кому ты кричал? И очень интересно этим
латышам, как я похожа на твою мать! Это мне было
интересно.

Я расшифровала этот вскрик как признание в любви, как вспышку чувства ко мне. А это оказалось
вовсе не ко мне, а к ней, про которую ты кричал!
Мы бежали и прыгали от счастья и не могли знать,
что нас незримо и неотступно — и на озерах, и в стогах
сена, и на белом песке побережья — сопровождает
образ царя Эдипа в блеске своего разрушительного
комплекса. И твоя мать, в которую была заложена
эта Эдипова мина. Годы, годы пройдут, а мы будем
все по очереди подрываться на этом заминированном
отрезке жизни. Кто-то выживет, кого-то контузит,
кто-то погибнет. Тогда, на улицах Риги, прыгая от
счастья в рассвете дня, мы этого не знали. И не
могли знать. А если бы даже знали — ничего нельзя
изменить, как этот путь, которым я иду по Арбату
на свидание к малознакомому и нудному Чапковскому! Ну не сидеть же в 22 года дома!

Театр Вахтангова втягивал в себя последнюю волну зрителей. Только я поравнялась с первой серой
колонной здания, в ухо хлопнуло, как выстрел: «Ты
куда идешь?» Лицом к лицу — Андрей, Андрюша,
Андрюшенька. А вслух вызывающе ответила:

— На свидание!

— К кому? — требовательно спросил он.

— К Чапковскому!

— Кто это?

— А тебе какое дело?

Не успела договорить, как была схвачена за шиворот. Рядом стояла машина «Волга». Во время моего диалога в салон с другой стороны вползли две склеенные девочки. Кто-то мужского рода сидел на первом сиденье, в темноте я не разглядела. Он схватил меня за шиворот моего нового, добытого в комиссионке пальто, открыл дверь и вдвинул меня на заднее сиденье. Открыл переднюю дверь, предусмотрительно нажал кнопку, чтоб я не выскочила, сел за руль, дал газ, и через десять минут мы оказались на Красной Пресне в Волковом переулке. Как под конвоем он ввел меня в подъезд, втолкнул в лифт, поднялись на седьмой этаж и все вошли в его однокомнатную квартиру.

Тогда Андрею было 25 лет. Процесс познания жизни происходил болезненно для всех живущих и произрастающих рядом. Музыка, топот, танцы напоминали бомбежки. Во избежание скандала родители построили мальчику квартиру, где он с упоением мог предаваться оглушающей новизне бытия.

Квартира совсем маленькая, по теперешним меркам. Кухня — 5 метров, комната — 18. Разделена полкой для книг на две половины. «Гостиная» и «спальня». В «гостиной» — стол, стулья, кресло, магнитофон. Стена расписана по обоям художником — приятелем Львом Збарским, известным и тем, что отец его бальзамировал рыжего и картавого Ленина. Роспись такая: на стене два человека по диагонали друг к другу, руки в стороны, ноги в стороны и две головы. Модерн. В «спальне» тахта. В рамке на холсте образ Матери Божией. Занавески на окне — серые, холстинные.

В пути я поняла, кто сидит с Андреем рядом в машине. Артист из театра «Современник». Они снимались вместе в фильме «Маркс и Энгельс». Энгельс с вытянутым носом, видать, с комплексом Наполеона, как все маленькие мужчины,— самоутверждающийся бабник. Все друзья пользовались Андрюшечкой и его холостяцкой квартирой. Разделись в передней. Я сразу отделилась от них, пошла в сторону «спальни», села на тахту, взяла книгу (оказался Голсуорси) и стала читать. Они скучились на другой половине — смех, реплики, шампанское, бутерброды, сигареты, дым. Под Фрэнка Синатру они сцепились с этими бабами тело к телу, как клещи, и, шаркая ногами, стали обозначать танец. Я сидела с прямой спиной перед открытой книгой и исподволь, сквозь полку наблюдала их эротическую возню. «Дура. Как я позволила себе попасть в такую глупую ситуацию. Это мой самый большой провал. Что делать... что делать... что делать... что делать...»

— Танечка! — вдруг ироничный и ласковый голос Андрея.— Когда люди читают книги — они переворачивают страницы!

И смех. Надо мной. Смотрю на них — бабы страшные, дешевки, какая-то шушера. А им все равно, лишь бы тело было. Вдруг Андрей вошел в кухню, открыл холодильник, достал бутылку и обратился к присутствующим:

— Это настоящее французское шампанское! Мне его подарили с условием, что я его выпью со своей женой.

А я сижу с книгой и все принимаю на свой счет. Ну не на счет же этих случайных рыл? Он артистично открыл бутылку, наполнил два бокала, подошел ко мне и, впиваясь в меня своими синьковыми глазами, предложил: «Выпьем?». Мы улыбнулись искренне, но предупреждающе... Чокнулись и выпили до дна.

— Что ты читаешь? — посмотрел на обложку.— А-а, Голсуорси, это любимый писатель мамы.

По незнанию тогда мне это тоже польстило. Ах, если бы знать... И исчез за книжной полкой.

Фрэнк Синатра стал петь громче, речь развязнее и пошлее, вскрики, хихиканья... Энгельс отвел его в сторону и стал что-то страстно и недовольно шептать, перебирая матом. Я сидела с книгой, так и не перевернув ни одной страницы. «Жуткое унижение. Что-то надвигается...» — думала про себя.

Плавно, с улыбкой Андрей подошел ко мне и четко выговорил: «Танечка, теперь тебе надо уйти. Немедленно». — «Хорошо,— сказала я кротко.— Только можно я скажу тебе два слова. На кухне».

Мы вошли в кухню, я закрыла за собой дверь, сорвала со стены алюминиевый дуршлаг и запустила в него что есть мочи. Он увернулся, схватил половник, я — сковородку, полетели чашки, стаканы, кувшины, тарелки... все вдребезги! Он хватал меня за руки, я вырывалась и когда вдруг кинулась к табуретке, он меня вдвинул в кухонный шкаф. «Поцеловать или дать в морду?» — наверное, пронеслось в его сознании. Это была наша первая упоительная драка, во время которой мы не произнесли ни слова.

Потом устали. Я вышла из кухни, собираясь уйти навсегда. Никого. Никого не было. Ни Энгельса, ни этих двух рыл. Сбежали. Андрей вышел из кухни. «А где все?» Открыл дверь на лестницу — никого. Только одиноко допевал свою песню Фрэнк Синатра. Надевая пальто, я победоносно заявила: «Вот теперь я могу уйти!».

— Танечка, нет, нет... я тебя прошу... не уходи!

Стали собирать осколки. Убираться. Выносить мусор в мусоропровод. Он вдвинул пластиковую пробку в горло начатой бутылки шампанского, выключил свет.

— Прошу тебя,— серьезно сказал.— Сейчас поздно. Поедем на Петровку?

— Поедем.

На Петровке, в Рахмановском переулке, в квартире родителей я пошла в ванную принять душ. По шее, по груди, по животу лились черные струи туши, соединенной с мылом и пудрой для эффекта удлинения ресниц.

Вошел он, встал у косяка двери, долго смотрел на эту картину.

— Господи, как я люблю тебя...— споткнулся на слове, покраснел и добавил: — когда ты ненакрашенная.

Взял мочалку, намылил, посадил в ванную и стал мыть: руки, пальцы, шею, грудь, спину... и всю — так тщательно! Потом вылил шампунь на волосы, ловкими движениями, как у парикмахера, вымыл голову, вытер всю полотенцем, причесал, укутал своим синим вылинявшим махровым халатом и занял мое место под душем.

Я сидела на стуле в большой комнате и ждала. Передо мной висел портрет его матери, известной артистки. Вероятно, на юге, думала я: в соломенной шляпе, полями вниз, с голыми плечами, с милой улыбкой и лисьей двусмысленностью в глазах.

— Что будем есть? — услышала я голос, от тембра которого и через тридцать лет начинает бешено стучать сердце. Я подошла к стене, где красовалась коллекция первого советского фарфора — гордость семьи. Разноцветные тарелки с изображением серпа и молота. «Слева молот, справа серп — это наш советский герб. Хочешь жни, а хочешь куй...» Теперь эта коллекция находится в музее на Делегатской. Подошла, взяла две тарелки, вымыла, вытерла, поставила на стол. Он прямо закричал: «Мама сошла бы с ума, если бы это видела! Нельзя! Это коллекция!»

— Подумаешь, нельзя... Можно. Что мы будем есть?

Он принес из холодильника килограммовую банку черной икры, оказалась — зернистая, хлеб и две столовые ложки. Открыл прихваченное с собой шампанское, налил в бокалы, прямо посмотрел на меня. Мгновенно в глазах его мелькнул трагический кадр и произнес: «Я ведомый. Мне нужен ведущий».

Глава 9

ТАИНСТВЕННЫЕ РЕПЕТИЦИИ

«Бюстгальтеры на меху, бюстгальтеры на меху!», «Абажуры любой расцветки и масти. Голубые для уюта, красные для сладострастий. Устраивайтесь, товарищи!». «Я, Зоя Ванна, я люблю другую. Она изячней и стройней, и стягивает грудь тугую жакет изысканный у ней», «Лучшие республиканские селедки! Незаменимы при всякой водке!», «Чего надо этой лахудре? Чего вы цепляетесь за моего зятя?», «Ну и милка, ну и чудо — одни груди по два пуда», «Воскресили и издеваются! Черт с вами и с вашим обществом! Я вас не просил меня воскрешать. Заморозьте меня обратно!» — марш как в цирке, аплодисменты. Мы сыграли спектакль «Клоп» Маяковского. Все бегут с лестницы через три ступеньки. На волю. В раздевалке Андрей молча кивнул мне головой и глазами показал на дверь. Мы вышли. У стендов с портретами артистов нас ждал Менакер.

— Танечка, познакомься, это — папа!

— Здравствуйте, Александр Семенович!

От знакомства с папой внутри заиграло что-то веселенькое. Мы втроем двинулись в сторону улицы Горького.

— Что у вас с Фришем? Как его «Дон Жуан»? — игриво спросил Менакер.

— Репетируем... и Дон Жуана, и любовь, и геометрию! — сказала я.

— Как этот мерзавец на сцене? (Мерзавец — это Андрей.)

— Мерзавец недавно всех сразил. Читал на репетиции, представляете, так вдохновенно, Пастернака... «Во всем мне хочется дойти до самой сути...», особенно в сердечной смуте... ну и в поисках пути немножко. А он вам не рассказывал?

— Ничего не рассказывал! Мерзавец!

— Был шквал аплодисментов, все хлопали. Неожиданно на репетиции Фриша вдруг — Пастернак!

Мы прошли мимо зала имени Чайковского, свернули на улицу Горького. Менакер незаметно разглядывал меня с головы до ног. Внимательно слушал, что я говорю.

— А у тебя там какая роль? — спросил он.

— Донья Инесса. Маленькая роль, но все равно интересно. Пьеса очень необычная.

— Какой у тебя там текст? — опять поинтересовался он.

Мы уже сравнялись с театром имени Станиславского, оттуда выходили зрители, навстречу шли модные и возбужденные прохожие. Мы разговаривали, улыбались, и я начала:

— Представьте, Александр Семенович, Испания! Севилья. Та-да, пам-пам. На окраине замок. Волшебная ночь, темно, как сейчас. Помните картину Эль Греко «Ночной Толедо»? Сумасшедшая луна, сад, томление, предчувствие любви. Кричат павлины. Я выхожу на сцену одна. Шорох огромных крыльев и крик!

В этот момент мы поравнялись с решеткой музея Революции, и я заорала на всю улицу Горького:

— Ах, как кричат павлины!

От неожиданности от меня шарахнулись не только Менакер с Андреем, но и все пешеходы.

— У меня такой текст. Я должна его «подать» громко, с присутствием эротики. Испанской, конечно.

Они смеялись. А я шла, довольная тем, что наверняка разрушила представление Менакера обо мне и что хуже уже не будет, а веселее — да, может быть. Дошли до Бульварного кольца. Мне направо, на Арбат, а им прямо, на Петровку, рассказывать маме, какая у Андрюши новая девочка — Таня. Менакер, прощаясь со мной, ласково сказал:

— Посмотри, Андрюша, какие у нее глазки. А ушки? Что за чудные ушки! — Менакер нежно коснулся моего ушка, и мы простились. Я с благодарностью за человеческое тепло «понесла» свои красивые ушки и глазки домой.

Место, мой Трубниковский переулок, удивительное. Это бывший «Поленовский дворик». Сохранилась только церковь, возле нее — сквер, местные «аборигены» называют его «кружок». А рядом с моим домом — бетонная высокая стена, железные ворота, за воротами роскошный особняк Спасо-Хауз, здесь живет американский посол с семьей.

На Рождество, которое у нас было вычеркнуто, у них всегда на улице горит елка, а 4 июля, в День независимости Америки, мы из окон своей коммунальной квартиры, как заключенные, смотрим заграницу, в их сад. А там — бал! Музыка! Смех! Фейерверки! Танцы! Дамы, а не «женщина, пройдемте». Господа, а не «мужчина, вы крайний»? Играет джаз. Я стою, завороженная, со стаканом советского кефира, смотрю через бетонную стену на другую жизнь и озвучиваю свои мысли: «Да-а-а-а, два мира — два кефира!»

Сидим на «кружке» с Виктóром. Он меня ждал. Добивается моей любви. Уже поздно, завтра репетиция. Надо быть в форме.

— Я пошла домой.

— Мама тебе шапочку связала. Белую, с козырьком, как ты хотела.

— Спасибо, пора домой. Я устала. В другой раз поговорим.

Он проводил меня до подъезда и ушел во тьму.

На следующий день во время спектакля «Женский монастырь» ко мне подошла Елизавета Абрамовна Забелина и шепотом прокричала: «После спектакля поднимись к Чеку в кабинет!» И добавила: «Совершенно секретно».

— Что такое? Что случилось? — замахала я крыльями.

— Узнаешь, — таинственно произнесла она.

Окраска таинственности означала приятный сюрприз, но по жилам пронесся инстинктивный женский страх. После спектакля я тщательно смыла грим с лица и при помощи косметики сделала «глазастый свежий вид». В платье, разделенном на черные и серые прямоугольники, я поднялась на четвертый этаж и открыла дверь кабинета главного режиссера.

— Входи, Таня, садись, — ласково сказал худрук. — Вот сюда, сюда... поближе ко мне. Ха-ха-ха! Дайте с молодой артисткой посидеть! — оправдывался он, как будто его в чем-то обвиняли.

В кабинете уже сидели Андрей Миронов, В. Г. — Валентина Георгиевна Токарская, актриса, уже очень на возрасте. Непонятно, сколько было ей лет, но, понятно, что много. Во время войны она попала в плен и знаменита тем, что спасла своего друга, еврея Рафаила Холодова. Когда на вопрос немцев, кто он по национальности, Холодов вздумал молчать, Токарская не растерялась и сказала, что, мол, донской казак — не видно, что ли, по лицу?.. Всю войну она танцевала для немцев, поднимая свои голые ноги. Прежде она работала в мюзик-холле, а после войны, естественно, оказалась в концлагере, где познакомилась с Каплером, вышла за него замуж. Но в этот вечер она была свободна... Брак распался. Рядом с Токарской сидел некто Катанян — седой, благообразный господин. Он-то и перевел пьесу «Круг», которую собирались ставить, с французского.

Муза поэта Маяковского Лиля Брик вошла в гавань своей жизни под руку с Катаняном, став его женой. На каждом спектакле «Клоп» Маяковского в театре Сатиры она буквально лежала в первом ряду, в середине, — в черных касторовых брюках, в черной шелковой блузе, волосы выкрашены в красно-рыжий цвет и заплетены в косу, как у девицы, и эта косица лежит справа на плече и в конце косицы кокетливый черный атласный бантик. Лицо музы, теперь уже мумии, набелено белилами, на скулах пылают румяна, высокие брови подведены сурьмой, и намазанный красный ротик напоминает смятый старый кусок лоскутка. Красивый вздорный нос. Бриллианты — в ушах, на костлявых и скрюченных пальцах изнывает от тоски несметное богатство в виде драгоценных колец.

Мумия держится на трех точках: ногами упирается в сцену, шея зацепилась головой за спинку кресла, берцовые кости лежат на самом краю сиденья, ноги вытянуты, позвоночник «висит» на свободе. В письмах в Париж она писала поэту: «Пусик, привези мне хорошенький автомобильчик!» А поэт писал: «Но такая грусть, что стой и грустью рянься!» И ранился. Насмерть. А она теперь сидит и смотрит его произведение. О чем она думает? О поэте, об автомобильчике, о старости? Через несколько лет она упадет, сломает шейку бедра и сядет навсегда в кресло. Но «навсегда» длилось недолго. Сидеть? Инвалидом? Никогда! И она пригласила педикюршу, сделала педикюр, надела выходное платье, выпила горсть снотворных и вышла к Пусику в мир иной. Там они разберутся и насчет автомобильчика тоже.

Наконец-то еще одна участница будущего спектакля — знаменитая балерина из Большого с родинкой над верхней губой. Она была элегантна — в черных брюках, в черном свитере. Глаза ее беспрерывно скакали по новым лицам, как будто она что-то искала. Ей предстояло сыграть две роли: драматическую и исполнить балетную партию в пачке. Прочли пьесу по ролям. Бурно обсуждали. Вернее, Балерина обсуждала: она говорила командным тоном, не давая никому вставить слово. Условились о следующей встрече. В театре ползли слухи — «компашка», избранные репетируют по ночам пьесу в кабинете у Чека!

Театр только что отремонтирован, в каждой гримерной — телефон, золотые шелковые занавески — все блестит и играет с первого по четвертый этаж.

На первом этаже — раздевалка актерская, как у Станиславского — театр начинается с вешалки и кончается «вешалкой», но об этом позже. Внизу — реквизиторский цех, комната для рабочих сцены, выход в оркестровую яму. А со зрительского входа тоже раздевалка, билетные кассы, администраторская, где сидит любимый всеми Гена Зельман, и большое фойе.

Вечерами в нем прогуливаются зрители, а днем — стоят гробы, играет похоронная музыка, плачут, прощаются... Не всегда, конечно, только когда приходит очередь кому-нибудь умирать. Второй этаж — женский этаж! Гримерные для актрис. Каждый вечер только и слышно: Галя! Нина! Принесите мне парик! Сильва Васильевна, у меня ресницы отклеились! Лариса Петровна, где мой кринолин? Тут же режиссерское управление, где сидит помощник режиссера — к нему с четвертого этажа спускаются распоряжения — кого казнить, а кого миловать. Молодые актрисы постоянно худеют, «сидят» на рисе, на воде, падают в обморок, не спят ночами, курят, пьют. Есть такие, у которых в шкафчике всегда стоит бутылочка. Просто как у Бунина: «У каждого монаха в келье за иконкой — водочка и колбаска». У более старшего поколения, которое расположилось по коридору ближе к сцене, другие проблемы. Одна, скуластая, постоянно продает какие-то шмотки, другая, рыжая,— Пума, все время на стреме — все слушает, запоминает и наматывает на свою узкую пленку. Потом «пленка» показывается в определенном месте — и поездка за границу обеспечена.

Еще одна — Зайка, нервно и судорожно прижимает к груди письмо главного режиссера Чека — ведь был роман, и он сдуру написал ей письмо, теперь чуть что не по ней, она и показывает ему из недр своей большой груди кусочек документа: смотри, мол, шантажну и глазом не моргну. В следующей гримерной сидит жена артиста Папанова, крупная, толстозадая; выходит в коридор и начинает визжать на весь театр: то туфли дали на одну ногу, то платье не сходится — аж захлебывается в своем крике на ноте «си». Все шепотом сообщают, что у нее «перестройка» в организме, поэтому не обращайте внимания. Вот еще яркая фигура — Таня Пельтцер, секретарь парторганизации. Эта всегда кричит горловым звуком — до «перестройки», во время и после. И в основном — матом. А вот актриса, помешанная на собаках, до 15 лет жила в Америке с родителями, в совершенстве знает язык, помимо театра преподает английский и все деньги ухлопывает на бездомных уличных бобиков.

— Россия — сфинкс! — всегда говорит она.

А я, чтобы ее поддразнить, отвечаю:

— Сфинкс в Египте, а Россия — дохлая кошка!

— Нет! Россия — сфинкс!

— Нет, дохлая кошка!

Ах, вот вышли ножки из гримерной, такие стройные ножки, и ямочки на щечках, и вся такая милая, приятная. Никому никогда ничего плохого не сделает... и хорошего тоже.

У Аросевой нет места. Она ничего не играет и не будет играть еще десять лет.

Все шипят, толкаются, лезут! Лезут в репертуар — все хотят играть роли! Артистки! Цветы зла!

Розанов пишет, что женщине противопоказан театр, как вино и сигареты — биологически: у нее другая природа и она гибнет! «У нее какая-то хромосома сразу «отбрасывает коньки» при принятии театра, вина и сигарет. И пиши — пропало!» — как говорила моя мама.

Японцы, ведающие тайным знанием, и «сообразили» театр «Кабуки» — без женщин. Потому, что театр — гибель души, и женской — во сто крат быстрее, чем мужской. Они, японцы, берегут свою нацию, а мы — мордой в дуст. Мы любим гибель!

Женщина — основа нации, основа государства, основа мира. Женщина управляет мужчиной, а мужчина управляет миром. Каков мир — такова и женщина. Это мы прошли по второму этажу.

Этаж третий — мужской. Буфет. Кофе, яичко под майонезом, гороховый суп и свидания за столиками, за чашечкой кофе. Здесь за столиками решаются личные глобальные проблемы, финансовые кризисы, зреют в мозгах анонимные письма и вызревают адюльтерчики.

Вот одевальщица — тетя Шурочка! Всегда перед спектаклем берет чашечку кофе для Андрея Миронова и неслышными шагами несет ее в гримерную. Она его любит и ухаживает за ним как мать. На третьем этаже мужчины говорят громкими поставленными голосами, распеваются: Ма-а-а-аа! М-и-и-и-ии! М-о-о-о-о-о! И тут как у Бунина: «У каждого монаха за иконкой — водочка и колбаска».

Вот Толич, Папанов, генерал Серпилин. Сыграл в фильме «Живые и мертвые» и вышел в дамки! За кулисами всегда клянет Чека и грозится уйти во МХАТ с Надькой, а при встрече с Чеком из него вылезает крепостная сущность: как-то сгибается улыбаясь. Дар-то какой! Золотая руда! А вот Жорик. Сидит, руки сложит, улыбается. Чертовски обаятельный! Пользуется одновременно громким коммунистическим пафосом и интимным шепотом генитальной темы. А вот Спартачок! Старый, а как напьется — падает на колени перед Чеком, захлебывается в слезах, соплях и, положив голову между его ног, на то самое место, талдычит: «Папа, папа, папа! Я люблю тебя!» — вымогает роль.

Этаж четвертый. Элитарный. Начнем с другого конца. Комната заведующего постановочной частью. Ох, как много на этой должности можно наворовать! Следующая комната — отдел кадров. Ну это, как говорят в Одессе: «Не мне вам говорить, не вам меня слушать». Следующая комната — бухгалтерия. Все вежливые — в норках, кольцах: дебет — кредит, прибавочная стоимость, а мы — с голой жопой на снегу!

Марта Линецкая — литературная часть! Отдельный кабинет. Любит кофе, сразу шесть пирожных эклер, мужчин, преимущественно драматургов, и революционные песни. Пишет статьи за Чека, а он за нее получает деньги. Дальше. Директор и зам директора. Естественно, партийные и даже, наверное, двухпартийные. И вот комната секретаря, а из нее вход в кабинет главного режиссера. Беспартийный еврей, но, как известно, у нас две партии. В кабинете — рояль, стол, диван, как известно, для распределения ролей, портрет Мейерхольда, журнал «Playboy» для поднятия тонуса и поднятия... Здесь Чек или раздевает или взвешивает: раздевать или не раздевать, или «вешать», фигурально выражаясь, если он кого-нибудь люто возненавидит. В общем, он над всеми царит, парит, горит, боится и ненавидит. У него и его поколения в крови гудит сталинский страх. Сколько мысленного дерьма пришлось им вкусить! Сколько тонн лжи переварить! В адских котлах варились их мозги. Здесь вместе с ним в его кабинете постоянно прописаны паранойя и садизм. Частенько они выходят погулять по всем четырем этажам. В специальной литературе описан случай, когда один шимпанзе стал лидером, запугивая других членов стада ударами палки по пустой канистре из-под бензина.

В общем, это осиное гнездо, болото, место группового психоза. С военным акцентом. Потому что все, почти все, на четвертом этаже носят невидимые миру погоны.

Глава 10

«ЖЕЛАЮ СЛАВЫ Я!»

Репетиции «Дон Жуана» подходят к концу. Выпал снег. Родители Андрея были на гастролях. Мы жили на Петровке. Вечерами он носился по квартире в трусах, с зонтиком вместо шпаги, приглашая и меня пофехтовать. Я изображала всех действующих лиц по очереди и в конце монолога обязательно вонзала в него свой зонтик. Это был уже не Андрей. Это был Дон Жуан из Севильи. Со мной, по телефону, с друзьями он общался только текстом Фриша, у него появилась другая манера говорить, свысока, как у Дон Жуана — его героя. И так всю остальную жизнь — его, истинного Андрея, будут раздирать на части образы, люди, которых он репетирует, а репетирует он всегда.

Уставшие, ложились спать на зеленом диване под революционным фарфором. Мы никому были не нужны, кроме друг друга. Я удивлялась: как он был в себе не уверен и как нуждался в постоянных доказательствах любви!

— Почитай мне стихи, — просил он и в предвкушении признания и рифмы закрывал глаза.

> Не призывай. И без призыва приду во храм.
> Склонюсь главою молчаливо к твоим ногам.
> И буду слушать приказанья и робко ждать.
> Ловить мгновенные свиданья и вновь желать.

Я понимала, что у него на ткани стихотворения прокрутилось свое музыкальное кино, что он на границе сна — закрывала глаза, но тут он хватал меня крепко за руку и:

— Нет, нет! Еще, еще! — судорожно просил он, так больные просят воды.

> Мой любимый, мой князь, мой жених,
> Ты печален в цветистом лугу.
> Повиликой средь нив золотых
> Завилась я на том берегу...
> Ты печален в цветистом лугу,—

повторяла я и добавляла: — Цветочек ты мой, в горшочке!

— Так нечестно! — кричал он.— Дальше!

> Я ловлю твои сны на лету...

Казалось, что он заснул. Нет, он требовал:

— Почеши мне спинку! — и я чесала и думала: это, наверное, нянька, Анна Сергеевна, научила его чесать спину, как собаке, чтобы уснул. Потом мы, наконец, погружались в сон. Ночью я внезапно просыпалась от грохота. Пыталась понять, что произошло, что упало? «Упало» Андрюша. Он так часто скатывался с постели на пол под стол красного дерева, иногда даже не замечая этого, продолжал спать на полу, свернувшись клубком, в полосатой пижаме, вздыхать и охать. Приходилось осторожно будить его и возвращать в постель. Что его так мучило? Чем болела его душа? Я пыталась понять, но до конца не могла. Он был необычайно раним, скрытен и многое держал в себе. Но утром в дýше он был уже на «взлете» и вдохновенно читал Пушкина:

> Когда, любовию и негой упоенный
> Безмолвно пред тобой коленопреклоненный,
> Я на тебя глядел и думал: ты моя,—
> Ты знаешь, милая, желал ли славы я...
>   И ныне
>
> Я новым для меня желанием томим:
> Желаю славы я, чтоб именем моим
> Твой слух был поражен всечасно, чтоб ты мною
> Окружена была, чтоб громкою молвою
> Все, все вокруг тебя звучало обо мне!

Эти стихи станут главной темой его жизни. Власть матери с самого раннего детства деспотическими выпадами разрушала его психику, рождала неуверенность в себе и страх. Романы и романчики, которыми были набиты все семьи, смерчем отзывались в душе детей. И Андрей в Пярну на отдыхе стоял рядом с мамой, папой и маминым «другом» возраста Андрея, заразительно смеялся и шутил: «Вы посмотрите, какой у меня появился новый братик». А потом в номере впивался зубами в наволочку и рыдал в подушку. И в первых опытах личной жизни потерпел фиаско. Треплевская ситуация из «Чайки» — когда не нужен двум главным женщинам на свете. Вот тут он выбирает славу! Слава избавит его от мук и сомнений! Она, слава, как египетская пирамида или как вера в Бога, бессмертие выведет его из границ бытия и вознесет на уровень неразрушимости. И вернет ему мать... и всех, кого он захочет.

> Чтоб, гласу верному внимая в тишине,
> Ты помнила мои последние моленья.
> В саду, во тьме ночной, в минуту разлученья.

— Желаю славы я! — докричал он из ванной последние строчки, мы съели по яйцу и понеслись на репетицию в театр.

Вечером после спектакля мы опять собрались в кабинете худрука — репетировать пьесу «Клоп». У известной Балерины в ушах — бриллианты, она опять в черном. В этот вечер она была особенно агрессивна и раздражена. Прочли по ролям. Не давая дочитать фразу, она «вставляла» каждому исполнителю:

— Что вы так читаете? У вас темпа нет, надо скорее!

— А вы вообще ничего не понимаете, надо понимать!

— А это вообще невозможно! Так двадцать лет назад произносили.

— Эту фразу надо вычеркнуть. Она здесь не годится!

Чек сидел, испуганно глядя на нее, все испытывали неловкость. Но потом быстро сняли напряжение, обезвредили ее комплиментами и все одновременно посмотрели на часы.

— Сегодня больше не будем «танцевать», в другой раз,— сказал Чек, обнял Балерину за худые плечи, и мы стали спускаться вниз. Внизу она красиво сняла с вешалки суконную красную ротонду, накинула на себя, она была ей до пят, красивый красно-черный вихрь в стиле Пьера Кардена. Пока я заглядывалась на это пламя, Андрей уже надел куртку и... Она подталкивала его в спину:

— Иди в машину! — спустилась с лестницы и воткнула его в стоящую рядом серебряную иномарку. И увезла.

Через несколько дней Дон Жуан сбежал из «Ситроена». Видать, командная система знаменитой представительницы такого романтического жанра, как балет, жутко напугала парня — ведь под простынями не в армии: там нужны скрипки и флейты. И уже с лицом, на котором лежала печать вины, Андрей настигал меня в буфете за столиком и, нервно жестикулируя, оправдывался:

— Что ты нервничаешь? Мы только проехались в «Ситроене». Ой, какая машина! И она мне подарила пластинку «Кармен-сюита» своего мужа, Родиона Щедрина.

— Кармен — это Бизе! — возмущалась я.

— А сюита — Щедрина! — доказывал он. — О-о-о! Какая музыка! В конце концов мне нужно в роль войти! Ну, прости, прости, прости меня... Танечка, сегодня поедем на Петровку... Что такое? Не бросай меня, жди внизу... после спектакля.

Но я молча объявляла карантин, после спектакля быстро переодевалась и убегала домой.

Так на пьесе «Круг» был поставлен крест. А мы всю осень и начало зимы — до конца декабря — жили в состоянии «качелей». Дон Жуан был неистощим в своих коварных приемах. Часто, когда у нас не было спектаклей, он звонил мне домой в пять вечера и говорил:

— Собирайся, через полчаса я перезвоню и поедем в гости.

Я начинала собираться. А ведь всего только полчаса! Надо было сделать прическу, намазать тоном лицо, сделать глаза, придумать наряд — и вот я уже сижу жду у телефона:

— Кое-что не складывается... сейчас не могу... позвоню через час. Сиди и жди! Целую...— говорил он.

И я сидела и ждала. Через час он звонил — я опять

должна подождать... немножечко... и поедем. Последний раз он звонил в одиннадцать вечера:

— Уже поздно, сегодня ничего не получится... а ты **нафершпилилась?** — это было его любимое слово. И смеялся. Он был доволен, что его тактический ход удался, а я оказалась такой доверчивой дурой. Я раздевалась, шла в ванную смывать с себя маску красивой и уверенной в себе женщины, ложилась в постель, свертывалась клубком и, прерывисто вздыхая, на грани плача, засыпала.

Наконец 25 декабря — премьера! «Дон Жуан, или Любовь к геометрии». Декорации и костюмы — чудо-художника Левенталя, по сцене двигаются люди и живые собаки-доги. Обвал аплодисментов: «Миронов, браво!» Слава не замедлила явиться — он так ее желал! Это была победа. Андрей воодушевлен и счастлив. Как истребитель, он резко набирал высоту.

27 декабря в ВТО (Всероссийское театральное общество) в ресторане состоялся банкет в честь премьеры.

Во главе стола сидел Чек, вокруг него все участники спектакля. Это был мой первый официальный банкет. У опытных подхалимов появилась возможность сказать несколько тривиальных в своем подхалимстве тостов, у любителей алкоголя — выпить... Кто-то складывал еду в целлофановые пакетики, сливали водку в бутылки... Гудели, хлопали в ладоши, кричали. Эмоции захлестывали. Мы с Андреем вышли на пятачок танцевать. На нас, как говорят в театре, смотрели две тысячи пар «дружеских глаз». Вышли на улицу поздно, почти последние. Я в серой цигейковой шубке, а он в сером китайском пальто из плащевки на меху и с коричневым воротником. Было безлюдно, шел косой энергичный снег. Мы стояли и мечтали хоть о какой-нибудь машине. У меня уже начали «ехать» ресницы, мы тряслись от холода, когда около нас, наконец, притормозил автомобиль класса «каблук». Красный. Место в машине одно, рядом с шофером. Он оказался веселым и косноязычным. Узнав, что нам на Волков переулок, открыл перед нами двери багажника, а там! Одна скамейка, а все остальное пространство заставлено до потолка подносами с пирожными.

— Я только развезу пирофные по булофным, а потом вас на Волков. Ефте, не фтесняйтесь. Это не нафе — государственное! Ха-ха-ха-ха!

Запер нас на замок, и мы поехали развозить пирожные по булочным. Все так быстро перемешалось — декорации Севильи, Испания, шпаги, «Миронов, браво», Дом актера, печеночка с луком, сациви, водка, танцы, а теперь в полной тьме мы едем в «каблуке», запертые на замок, поглощаем эклеры, наполеоны, картошки, корзиночки и поем во весь голос «Мне декабрь кажется маем!». Часам к четырем утра мы попали домой. Шофер простился с нами — денег не надо, хорофые ребята. Мне с вами было весело — вы так смеялись, пели... Фалко только, я не флыфал ничего.

Дома Дон Жуан включил музыку и воду:

— Саския, иди сюда, на колени!

Я уселась поудобнее к нему на колени. Он стал целовать руку, кусать рукав, потом укусил в плечо вместе с платьем, ухо, нос... Он не переставал играть. Но когда мы стали гнуться из вертикального положения в горизонтальное, я вырвалась, побежала в другой угол комнаты и заявила:

— Нет! Мужчина-охотник! Побегай за мной!

Он бегал за мной по восемнадцатиметровой комнате, по маленькому коридорчику, опять по комнате, по кухне, опять по коридорчику. Задыхались от смеха. А утром под музыку Рэя Чарльза, оба в полосатых пижамах, обнявшись, дотанцовывали вчерашний танец. «Что тебе показывали во сне?» — спрашивал он... Но надо было позвонить родителям.

— Але, мама, это я. Как вы? Что такое? Почему такой крик? Я скоро приеду.

Глаза его потухли, на лицо легли тень и боль, как будто его дернули за строгий ошейник.

— Ты где встречаешь Новый год? — спросил он осторожно.

Я ждала этого вопроса и, чтобы его успокоить, что я ни с кем-то там танцы-шманцы-обжиманцы, сказала:

— Если не с тобой, то у брата.

— Я должен быть с родителями. У нас будут гости и Чек с женой. Я всегда встречаю все праздники с родителями. Но если хочешь, я за тобой заеду часа в два ночи, и мы поедем на Воробьевы горы.

— Конечно, хочу!

Но мой внутренний цензор сообщал: «Да-а-а! Что же это такое? Такая зависимость от родителей! И я заметила, когда их нет в Москве, он живой, естественный, свободный! А когда они приезжают, сажают его на цепь. Он становится дерганым, и проявляется печать страдания на лице».

Мне такие отношения казались дикими — с детства я была совершенно самостоятельным существом и предоставлена сама себе. И где-то в непроявленном мире моего бессознательного его «акции» падали.

Новый, 1967 год пришел в ясную и морозную ночь. Я сидела у брата как на иголках, но в 12 часов 20 минут он мне позвонил, и в два часа мы были на Воробьевых горах, на смотровой площадке. Совершенно одни. Мороз щипал нос и щеки. Перед нами лежала Москва.

— Ты стоишь сейчас, как Растиньяк над Парижем... Помнишь, он поклялся, что возьмет Париж! Ты тоже можешь поклясться...

— ...Что возьму Москву? Кляну-у-у-у-у-у-усь! — раздалось над всей Москвой. Мы одновременно подняли головы. Над нами висела Большая Медведица.

— Помнишь?

— Помню.

— Пей, Танечка, шампанское из этого ковшика, оно всегда здесь для тебя, даже когда я умру...

— Да ну тебя... Пей, ты первый!

— Большая Медведица, с Новым годом! Счастья тебе в семейной и личной жизни! — Мы орали Большой Медведице, что мы ее любим, что она наша родина и что мы не умрем, а переселимся в это созвездие и будем купаться в этом ковшике, наполненном шампанским. Когда мы ехали домой, я спросила:

— Меня мучает один вопрос... помнишь, в Риге, мы были в «Лидо»? И потом мы мчались по шоссе ночью, ты свернул в чащу леса, и мы попали на озеро?

— Где познакомились с Большой Медведицей?

— Нет! Я не об этом! Откуда ты знал, куда надо свернуть, чтобы попасть на озеро?

— Я искал это место несколько дней, чтобы потом поехать с тобой.

— Ты такой рациональный? Но ты и не рациональный!

— Я организатор иррациональности! Вот! Сейчас я придумал формулировку — эмоциональный рационализм.

— Все проверяешь головой.

— Наверное, я раньше не думал...

— А святые отцы говорят: спусти ум в сердце...

7 января я была приглашена на Петровку на день рождения мамы, Марии Мироновой. На Арбате купила резную шкатулку из дерева, насыпала туда трюфелей и с букетом красных гвоздик отправилась на суаре. В прихожей висело много пальто и шуб. Андрюша подвел меня к маме, я вручила подарок, произнесла поздравления, получила «спасибо» и села на «свой» зеленый диван. Квартира была полна друзьями Мироновой и Менакера, на столе — маленькие слоеные пирожки, запеченный гусь, огурчики, вареная картошка, посыпанная укропом, водка.

— А это — восходящая звезда театра Сатиры,— представила меня гостям Мария Владимировна.

Я повернула голову в сторону Андрея, он счастливо улыбался. В ушах у Марии Владимировны висели завидные жемчуга. Завидные, потому что все завидовали и говорили: ах, какие жемчуга! Они придавали весу и без того ее весомой и одаренной натуре. Она говорила громко, поставленным голосом — моноложила.

Менакер же вставлял остроумные реплики, рассказывал анекдоты, открывал крышку рояля, на котором стоял бежевый кожаный верблюд, набитый песком Сахары, и пел, снимая напряжение, которое «вешала» его напористая задира-жена. Мария Владимировна показала мне свою комнату — иконы! Лампадочка с экраном, на котором изображена «Тайная Вечеря», вручную вышитая бисером монашками — Богородица XVII века с младенцем. И два больших штофа на туалетном столике. В одном из них в темно-зеленой жидкости плавали заспиртованные гвоздики, в другом — розы. Я не могла от них оторваться! Аквариум с цветами! В этом доме было изобилие счастья и разделение на Марию Владимировну и всех остальных. Все говорили о премьере «Дона Жуана» в театре Сатиры, об Андрее, это была сенсация. Я опять сидела на зеленом диване, счастливая «восходящая звезда» — румяная, глаза блестели, ресницы после трудной и ювелирной работы над ними стояли, как роща над озером. И вдруг я услышала:

— Вы Чеку все должны жопу лизать! — это сказала, вернее изрекла, она, мама. Люстру качнула невидимая судорога, которая повисла в комнате, гости застыли в немом страхе. Все боялись Миронову.

В наступившей тишине я услышала свой голос:

— Считаю, что жопу лизать вообще никому не нужно!

И откусила пирожок с луком и яйцом. На лице Андрея мелькнул ужас, у Менакера — растерянность, смешанная с неловкостью, у всех остальных ухмылки. На «оракула» я не смотрела — понимала, что это страшно. Но я услышала все, что она не сказала вслух, — начинается война, а у меня нет ничего — ни пехоты, ни конницы, ни артиллерии, а у нее есть все! И лучше мне сразу встать на колени и сдаться! Потому что если враг не сдается — его уничтожают, а если сдается — его тоже уничтожают. Через пять минут все вспомнили про гуся и забыли эту историю, все, кроме Марии Владимировны. Она была очень злопамятна и расценивала мой выпад так, как будто это было восстание Емельяна Пугачева.

Гусь, аппетитный, с золотой корочкой, начиненный антоновскими яблоками — кому спинку, кому — гузочку, кому — ножку, а мне пронзительный взгляд мамы, как тройной рентген. Потом поменяли скатерть! Чай!

— Брак — это компромисс, — еле сдерживая огненную лаву, громко отпечатала Мария Владимировна. А я дерзко парировала, но уже про себя:

«Сначала маленький компромисс, потом — большой подлец!»

Невидимая судорога продолжала висеть под потолком, качая люстру и мои нервы, и я чувствовала двойственность знаменитой артистки: она была жена, хозяйка дома, мать, но под этим жирным слоем наименований скрывалась ревнивая соперница. Тамбовская бабушка торчала из-за лица Марии Мироновой и, казалось, приговаривала:

— Всех под каблук! Всех под каблук! Весь мир под каблук!

А тут еще убойный коктейль тамбовской бабушки

с греческим царем Эдипом... все это ударило в голову, в сердце, ноги подкашивались. Попрощавшись, я с трудом вышла на улицу.

Шла по занесенному снегом Арбату и думала над предложением «лизать жопу». И понимала, что я — тоже совковая обезбоженная жертва. Библия издавалась во всем мире, кроме ЭсЭсЭсЭр и Кубы. А там: «...ибо я полон, как луна в полноте своей. Выслушайте меня, благочестивые дети, и растите, как роза, растущая на поле при притоке; цветите, как лилия, распространяйте благовоние, и пойте песнь, благословляйте Господа во всех делах; величайте имя Его, и прославляйте Его хвалою Его, песнями уст и гуслями и говорите так: все дела Господа весьма благотворны, и всякое повеление Его в свое время исполнится; и нельзя сказать: «что это? для чего это?» ибо все в свое время откроется!» И про жопу не сказано ничего.

Дошла до «кружка», сняла со скамейки пышный выпавший снег, сжала в кулаке, чтоб был твердый, и стала растирать лицо, щеки...

Глава 11

СТАРЫЙ СЕЛАДОН

Через несколько дней в театре на доске объявлений прочла распределение ролей в пьесе А. Н. Островского «Доходное место». Миронов — Жадов, там же — Пельтцер, Менглет, Папанов, Васильева, Пороховщиков, Защипина... Мне досталась Юленька! Режиссер спектакля — Магистр. Кот в мешке. Завлит Марта Линецкая интуицией нащупала этот «нафталин» — Магистр был совсем не в восторге, он морщил нос при виде «Доходного места» и не подозревал, что начинается отсчет времени его новой жизни. До театра Сатиры он служил в театре миниатюр артистом. У него была навязчивая идея — часто в поезде, который мчал труппу на гастроли, он подбегал к двери вагона, распахивал ее и кричал:

— Слабо́ спрыгнуть и начать новую жизнь?!!

Она начиналась — ему было 33 года. В моей душе порхали бабочки и стрекозы счастья! Роль! И с Андрюшей в одном спектакле!

На «Дон Жуана» было невозможно достать билеты. Приходила вся светская Москва, включая директо-
ров овощных и продовольственных магазинов. Мы,
молодые артистки, старательно накладывали на себя
тонны грима, надевали якобы испанские парики, веша-
ли в уши «испанские» серьги...

Во время спектакля — телефонный звонок в гримерную, подходит актриса:

— Таня Егорова, тебя к телефону — главный режиссер Чек.

Беру трубку: «Здравствуйте» и слышу:

— Таня, зайдите ко мне в антракте.

Дрожь пробегает по всему телу. От страха. Зачем?
После первого акта на лифте сразу поднимаюсь на
четвертый этаж, стучу в дверь.

— Входите!

Вошла. Сидит милый с добрыми глазами старичок
в блестящем сером костюме. Лысый с бордюром.
Он бодро встал, вышел вперед, прищурил один глаз
и сказал:

— Таня... сегодня 25 января! День твоих именин!

— А я и забыла!

— Я тебя поздравляю,— торжественно продолжал
он,— и дарю книгу.

Взял авторучку и стал подписывать. Подписал, подошел и вручил. Открываю титульный лист, читаю:
«Дорогой Тане в день ее именин! Чек». В моем сознании пронесся вихрь со скоростью перематывающейся
пленки: «Мама забыла, все забыли, а он вспомнил!
Что же делать? Жопу лизать, жопу лизать! Нет! Нет!
Руку пожать! Нет! В щечку поцеловать! Или только
руку пожать? Ах, какой милый! Однако глаз, глаз, глаз
прищурил как-то странно! В щечку поцеловать или
жопу лизать, в щечку поцеловать или жопу лизать?»

Пока происходил процесс взвешивания «духовных»
ценностей, Чек присел на одну ногу, прицелился и на
мысленной фразе «поцеловать или жопу лизать?»
прыгнул на меня, как павлин на пальму, и вцепился
руками и ногами. Я стояла выше его на три головы —
на высоких каблуках, в парике, в бархатном зеленом
платье с открытой грудью, в «испанских» серьгах. Я никак не ожидала от него такой прыти. Он стал меня
бешено целовать — сначала впился в размалеванные

губы, а потом — в грудь, потом — в шею... Красный грим отпечатался на его выпученных губах, носу, ушах... От него пахло смесью тлена с земляничным мылом. С трудом оторвала его от себя и рассмеялась:

— Вы... Мэри Пикфорд! Ха-ха-ха! Вы посмотрите на себя! Мэри Пикфорд! Нет, вы похожи на клоуна... Ах! Третий звонок! Мне на сцену! — И с повышенной тревогой рванула от этого крошки Нерона.

Выбежав из кабинета к лифту, я оглянулась. Никого! Подняла подол и изнанкой платья стала вытирать грудь, шею и лицо от красных отпечатков. Я догадывалась — весь театр уже знает, что меня вызвал Чек в кабинет и все напряженно ждут моего возвращения. На женском этаже уже никого не было — все пошли на сцену. Я успела забежать в гримерную, посмотреться в зеркало, снять остатки поцелуев. Вздохнула, положила книгу в сумку и побежала на сцену.

— Ну что? Зачем он тебя вызывал? — допытывались артистки.

— Он мне сказал, что я должна на сцене в «Дон Жуане» говорить тише. Действие происходит ночью и нужна атмосфера тайны.

На сцене мы с Андреем встретились глазами, он прочел в них нечто такое, что заставило его постоянно оглядываться на меня и спрашивать взглядом: что такое, что случилось?

После окончания спектакля по коридору нашего женского этажа мы возвращались со сцены. Чек сидел в гримерной своей фаворитки, дверь была открыта настежь специально, чтобы я его видела. Он сидел нога на ногу. Мы встретились взглядом, как скрестили шпаги. За все надо платить, говорили его холодные глаза.

«Да, конечно... Испания... Севилья,— думала я,— но начинается следующее действие — коррида».

Поздно вечером смывала с себя мерзкие прикосновения, смесь запаха тлена с земляничным мылом, и передо мной вырастал вопрос в виде ужаса перед будущим. Гойя — «Капричос». Но я была уверена в своем таланте, в своих силах, в своем упорстве и тогда еще не знала, что все это не имеет почти никакого значения в извращенном мире корысти и лжи.

Глава 12

МЫ ДОЛЖНЫ СДЕЛАТЬ ВЫСТРЕЛ ВО ФРАНЦУЗСКОЙ ОПЕРЕ

На Пушкинской улице на стене дома стиля модерн торчала вывеска «Ломбард». Во двор свернули две фигуры, одна — высокая, с длинной шеей, с чуть согнутой головой, другая — прямая с твердым шагом, жестикулирующая руками. Шли энергично, торопясь. Вошли в дверь, стали подниматься по лестнице, почувствовали запах нафталина, который ассоциировался с отсутствием денег. Навстречу им спускались, о Боже, какие лица! Мордастые торговки, заложившие бриллианты, чтобы заплатить недостачу. «Цыганы шумною толпой...» в домашних тапочках, счастливая напудренная старушка в шляпке — из бывших, видать, наскребла последние чайные серебряные ложки, два парня с лицами взломщиков на ходу судорожно пересчитывали деньги, студентки — добыли в магазине сапоги, заложили, через три месяца прокрутятся и выкупят. Две фигуры быстро поднялись по лестнице, в зале — шум, перепись, крики! В одном окне кричат, что больше принимать не будут. И у двух фигур сжимается и без того уже сжатое при входе в этот ад сердце. Но фигуры оказались ловкими — просунули головы в окно к администратору:

— Адочка, возьмите у нас кое-что... мы вам билеты в театр принесли... третий ряд.

Адочка кричит на весь зал:

— Галина Григорьевна, примите у девочек без очереди! — посмотрела на билеты и спрятала в стол. Девочки — это мы с Пепитой. Она принесла столовое серебро, а я золотое кольцо и три старинных серебряных вилки. Мучительное заполнение квитанций, данные паспорта, крик в зале:

— Не принимайте у них — они без очереди!

Галина Григорьевна из окна:

— Кто кричал? У вас вообще ничего не приму! И вообще окно закрою!

Разглядывает в маленькую лупочку пробу, взвешивает наши ценности на весах с малюсенькими гирьками. Но, наконец, деньги в кармане. Ура! Мы с Пепитой счастливые спускаемся пулей с лестницы, рядом в магазине покупаем курицу и идем к ней домой на улицу Москвина. Там, в глубине двора, старый двухэтажный особняк. Деревянная лестница на второй этаж. В квартире — три семьи. В одной комнате живет Пепита с матерью, рядом в совсем маленькой комнате — отец Игорь Николаевич с собакой Эвочкой, боксером. Эвочка больна, и Игорь Николаевич каждый день кормит ее пол-литровыми банками с черной икрой. Остальным членам семьи икра не выдается. Мы с Пепитой тут же варим курицу с лапшой, с луком, с морковкой, садимся за стол, на кухне. Выходит мама Елена Семеновна:

— Девчонки, вам сегодня удалось быстро справиться.

— Мы познакомились с администратором, Адочкой, всунули ей билеты в театр... и без очереди! — говорит Пепита и предлагает:

— Танюль, Танюль, ешь курочку, супчик вкусный. Ох, Танюль, насколько душевная боль страшнее физической,— говорит она, на ее кукольном личике показываются страдающие глазки... И тут с высокой тумбы, сверху, ей на голову падает электрический утюг — знак опровержения ее резюме. И так всегда. Она — комедийный персонаж, нам вдвоем весело. Четыре года в училище мы не разлучались, жили как сиамские близнецы. У них в доме царит совсем другой дух, нежели в моем. Елена Семеновна по-житейски очень умна, доброжелательна, общительна. У нее великий опыт и трезвое отношение к жизни. Царит рацио. В отличие от моей мамы, которая мечтала, парила, утопала в поэзии и грязи жизни с оригинальным умом и запасом выживаемости, но рацио у нее хватало на 45 минут. Все остальное время было заполнено эмоциями. Пообедали. Елена Семеновна закурила сигарету, положила ногу на ногу и начала очередной урок, выпуская дым и выдавая бесценные «рецепты»:

— Сначала надо выйти замуж, а потом позволять себе такую роскошь, как любовь! Да! Любовь — это роскошь!

— Он должен любить! А вы должны позволять любить себя!

— Пока ты ему не отдалась — ты хозяйка положения, отдалась — он! И запомните это. Дуры, вы слушаете?

— Смотрите в карман, а не на лицо!

— Замуж выйти — улучшить свою жизнь, а не ухудшить!

— Вы должны сделать «выстрел во французской опере» — так говорил «Заратустра»!

Мы внимали «Заратустре», пытались усвоить эти уроки, так же положив ногу на ногу, с сигареткой в наманикюренных пальчиках. Какая трудная жизнь — ведь мы артистки! В театре платят 75 рублей, нужно то-се, одеться, и как хочется мохеровую кофточку, а мохер такой дорогой! И несмотря на уроки «Заратустры» мы все еще оставались без сказочных и далеких мужей с финансами, но зато с близким сердцу ломбардом, который никогда не подводил. Адочка давала сигнал, и мы закладывали все без очереди, опять бежали покупать курицу, варили куриную лапшу, ели, и опять Пепита вздыхала, мечтая о красивой жизни.

— Нет, душевные страдания намного больнее физических...

И опять с тумбы ей падал утюг на голову, и опять мы внимали «Заратустре» и думали, как бы это нам ухитриться в этой жизни сделать «выстрел во французской опере»! На столе лежал журнал с портретом Жаклин Кеннеди. Пепита смотрела на меня внимательно и говорила:

— Танюль, садись, ты так похожа на нее, я тебя загримирую под жену американского президента.

Она мазала меня тоном «Макс Фактор», подводила глаза, выводила губы, брови и во время «сеанса» рассуждала:

— Зачем тебе нужен Мирон? Что он тебе может дать? Ну подарил он тебе французские духи, ну и что? А дальше? Он мне не нравится, он очень эгоистичный. Мама! Посмотри, как Танька похожа на Жаклин Кеннеди! Вылитая.

Между нами незаметно ложилась тень. Я в театре получала роли, всех раздражал наш роман с Андреем — вкрадывалась зависть. И это так понятно — киньте камень, кто невиновен! Но все равно она была подружкой, мы были во цвете лет, нам было весело ходить вместе в гости и на всякие суаре и прикидывать: как бы нам ухитриться сделать выстрел во французской опере?

Начались репетиции «Доходного места». С первого дня мы сразу стали очень важными и значительными. Магистр предусмотрительно запомнил наши имена и обращался ко всем по имени и отчеству: Татьяна Николаевна, Андрей Александрович, Наталья Владимировна. Он подпирал нас родовой силой наших отцов. На первую репетицию он принес пачку рисунков на ватмане. Это были эскизы мизансцен на каждый кусок спектакля. Не теряя времени, с начала репетиций он четко определял, кто где стоит, в какой позе, куда идет и в чем смысл сцены. Два раза он не повторял, опоздание на репетицию каралось строгими мерами. Секретарь парторганизации Татьяна Ивановна Пельтцер, исполняющая роль Кукушкиной, народная артистка, была известна скверным характером и тем, что никогда не приходила вовремя. На третье ее опоздание Магистр встал и спокойно произнес:

— Татьяна Ивановна, вы опаздываете в третий раз... прошу вас покинуть репетицию.

С ней так никто еще не разговаривал, и она, бранясь, хлопнула дверью и пошла наезжать локомотивом на молодого режиссера: немедленно написала заявление в партком о том, что Магистр ставит антисоветский спектакль и что, может быть, он является агентом иностранной разведки. «Сос! Примите меры! Ради спасения отечества!»

На все это умственное повреждение Магистр хладнокровно декларировал:

— Все настоящее дается с кровью!

Через 10 лет, уже навсегда отдавшая свое сердце создателю «Доходного места», Пельтцер будет репетировать «Горе от ума» с Чеком. Чек, сидя в зале, не без садистических соображений попросит ее станцевать. Она скажет: «В другой раз, плохо себя чувствую». «Не в другой раз, а сейчас»,— потребует Чек со злобой от старухи. На сцене, недалеко от Татьяны

Ивановны, стоял микрофон. Она подошла к нему, сделала паузу и громко, на весь театр, гаркнула:

— Пошел ты на хуй, старый развратник!

В зале сидела новая фаворитка развратника. Театр был радиофицирован, и по всем гримерным, в бухгалтерии, в буфете, в дирекции разнеслось мощным эхом: «Пошел ты на хуй, старый развратник!» Через два дня она мне позвонит домой, сменит хулиганство на жалость:

— Тань, что мне делать? Идти к Магистру в театр или нет?

У Магистра к этому времени был уже свой театр.

— А берет?— спрошу я.

— Берет!

— Тогда бегите, а не идите! Вы себе жизнь спасете!

И ушла. И прожила там счастливую долгую жизнь. В любви.

Шестым чувством участники спектакля «Доходное место» улавливали, что происходит что-то важное и необычное. Репетировали как будто в другом пространстве и времени. Открывая двери репетиционного зала, мы открывали забытые двери нашего сознания и выходили в другой, тонкий слой мира. Магическая воля режиссера давала импульс обыденному и угнетенному сознанию к творчеству — любимому состоянию Творца. Актеры постоянно открывали в себе новые возможности. Но магом был и Андрей. Обаяние, которым обладал он, не что иное, как магия, способность к магии в чистом виде. Его присутствие завораживало одним своим видом и манерой речи, тембром голоса — и всем окружающим вдруг делается хорошо. Оттого он часто говорил: «Что такое... я не понимаю... ведь я на сцене ничего особенного не делаю, а меня так принимают?» У него была тончайшая психическая структура. Медиумическая. У него открывался канал, который улавливал волны никому не видимого мира, и часто в жизни и на сцене он находился в пограничном состоянии между тем и этим миром. Ему не надо было знать — он все чувствовал.

На репетициях и потом на всех представлениях через него волей Магистра подключался весь состав

«Доходного места». И спектакль не игрался на сцене, а материализовывался мыслеобраз Островского в виде пьесы. Зрители и артисты становились участниками одной потрясающей душу медитации. Зрительный зал так высоко поднимался в этой медитации над материей, это был такой опыт духовного переживания, после которого зрители действительно менялись и чувствовали и понимали, что потом уже не смогут жить и видеть мир по-старому.

Но в жизни Андрею Миронову такое тонкое устройство обходилось очень дорого. Ведь он этого не знал: все происходило бессознательно, и после «похода» в «тонкий мир» канал надо было закрывать или продолжать жить на таком же высоком уровне. Это было невозможно: артист выходил из театра, попадал в материю, вступал в бытовые отношения с людьми. Отношения были разные, часто сложные, грубые. Вот тут-то на него сыпался весь мусор обыденности. Очищение от этого мусора требовало больших нервных и энергетических затрат. Поэтому он любил душ (вода все смывает), символически говорил, что создает препятствия, чтобы преодолевать их, и рюмка спиртного помогала мягко приземлиться без особенных ударов и ушибов. И музыка, без которой он не мог жить, была продолжением его внутреннего состояния, витаминизировала кровь, залечивала раны. Орфей, есть легенда, шел по лесу и играл на арфе. Все животные следовали за ним и даже деревья вырывались с корнями, не могли устоять перед его чарующим искусством.

На белом мраморном подоконнике в моей комнате на Арбате лежала пьеса «Доходное место». Стоял февраль. «Достать чернил и плакать» чернильными слезами. Я сидела у окна, смотрела сквозь стекло и вертела мозгами: как мне поталантливее сыграть Юленьку? Ну как? Магистр часто репетировал нашу двойную сцену с Белогубовым. Говорил он стальным голосом, без интонаций, просил наполнять его жесткий и четкий рисунок. За окном налетала метель, и я думала, что окно, в которое я смотрю, является границей между мной и временем года, а граница — это что-то тревожащее. Странное ощущение испытывала я на репетициях Магистра — ему хотелось подчиняться. Казалось, если я не сыграю свою роль и упаду в его глазах, жизнь моя будет кончена. Режиссер обладал сильным качеством гипнотизера, и через десять минут после начала репетиции мы незаметно попадали в мир действия пьесы — менялись голос, манера речи, движения. Бессознательно у меня появлялось желание вцепиться в моего партнера — Пороховщикова — и требовать: «Да женись ты на мне в конце концов, долго мне с тобой тут чикаться?». Хотя в роли Островский ограничил меня текстом: «Любите, а медлите».

— Кофточку, кофточку побольше расстегните... пуговичку... Татьяна Николаевна! Вот так. И плечико... плечико оголите... — Как будто сквозь вату я слышала приказания Магистра.

Иссякнув в работе над ролью, я опять бессмысленно смотрела в окно, опершись рукой на мраморный подоконник. На улице кружила метель, и тема пуговички и плечика расползалась по оконному стеклу от налетавшего шквала мокрого снега.

Глава 13

БРАТ КИРИЛЛ

Путешествие из Петербурга в Москву! Ах, как заманчиво! Только теперь он — Северная Пальмира, тьфу, Ленинград. Но все равно — заманчиво. Встряхнуться, уехать в другой город, какое-нибудь приключение. Московский вокзал. «Стрела», почти все знакомые, приветствия, чмоканья, обещания позвонить... поезд трогается!

Брат Кирилл Ласкари едет в Москву на премьеру «Дон Жуана». Сын от первого брака Менакера с Ириной Ласкари. Фамилия-то какая! С ума сойти от красоты. Конец февраля, а погода мартовская. Москва!

— Таня, приехал брат Кирилл из Ленинграда. На три дня. Сегодня мы втроем обедаем в Доме актера. Через час за тобой заедем. Не мажься сильно,— проговорил Андрей и положил трубку.

Я на подъеме, быстро делаю «глазастый свежий

4 Т. Егорова

вид», по пути рисую образ брата — коренастый, кривоногий с мускулами, типа Лиепы. Надеваю серое пальто, длинный черный шарф, шапку вязаную на глаза, спускаюсь с лестницы, встаю на цыпочки и заглядываю в окно: стоит ли машина? Стоит. И там Андрюша. Рвануло сердце так, что мне пришлось остановиться и начать глубоко дышать... дышать... дышать... им, его тембром голоса, его страшной боязнью перед жизнью и в то же время почти наглой попыткой уверенности в себе.

— Я уже знаю, вы Кирочка! — протянула руку в перчатке. Первая мысль — красивый! И совсем не Лиепа, а Витязь в тигровой шкуре. Красивые миндалевидные глаза с большими ресницами. Он сидел на заднем сиденье, я села на переднее к Андрюше. Они заговорили совершенно одинаковыми голосами. Мне казалось, что у меня двоится в ушах. Я в изумлении вертела головой то на Андрея, то на Кирилла. Когда мы вышли из машины, я заметила, что Витязь небольшого роста и очень изящный. Обедали вкусно и настроение было на подъеме. Кирилл был старше Андрея на пять лет, и иногда у него проскакивали нотки свысока, нет-нет да и кольнет его в бок. Но под слоем харчо, печеночки и веселья ощущалась эмоциональная изнанка: в бессознательное соперничество двух братьев втягивали меня. Ах, два брата, два брата! Вечно у них каино-авелевская канитель. Вечером решили гулять и ехать к Умнову. Умнов — фотокорреспондент Большого театра — был старше нас, жил один в трехкомнатной большой квартире, любил гостей, щедро их угощал, гости любили его, к нему ехали запросто — балерины, артисты, художники, ехали все на водку по-умновски — водку с апельсиновым соком. То ли приближение весны, то ли одурманивающая гулкость улиц, ветки мимозы — мы были в романтическом настроении. Выпили водки, и Андрей стал читать: «Февраль. Достать чернил и плакать! Писать о феврале навзрыд...» Потом, глядя на меня: «Не плачь, не морщь опухших губ, не собирай их в складки, разбередишь присохший струп весенней лихорадки... Сними ладонь с моей груди, мы провода под током, друг к другу вновь, того гляди, нас бросит ненароком...» Я языком нащупывала на верхней губе маленькую засохшую лихорадку — проверяла, мне ли эти стихи предназначаются или просто так? Нет, лихорадка на месте — не просто так. Мне. Кирилл уж очень явно стал за мной ухаживать и, как Менакер, твердил: «Какие у нее глазки!»

Я выскочила на середину комнаты, с низкого столика смахнула рюмку.

— Ничего-ничего,— собирая осколки, приговаривал Умнов.

— Ой, как слон в керосиновой лавке! За это сейчас прочту стихотворение. Сочинила сама.

Подняла правую руку к лицу и стала вертеть ей, помогая «философствовать».

— Вы понимаете, у меня последнее время наваждение какое-то... «Наваждение»! Так называются стихи. Вы меня слушаете?

— Конечно, Сафо! Читай!

И они с братом, иронично глядя в мои круглые глаза, отвалились на спинку дивана.

> Витают души за окном,
> Из снега показался Гном.
> Качнулась белка на сосне,
> И счастье снилось мне во сне...
>
> Витали души за окном...
> И ни души! Ни этот Гном,
> Ни эта белка на сосне,
> И счастье только лишь во сне.
>
> И снег! И белка за окном!
> И снова показался Гном!
> И счастье, и опять сосна.
> Витают души! Я без сна!

— Это вальс! — сказал Андрей.— Как это у тебя? — Подошел ко мне и повторяя: — Качнулась белка на сосне. И счастье снилось мне во сне,— начал со мной вальсировать.— Ви-та-ют ду-ши за ок-ном! И с Гномихой танцует Гном! Это вальс и это прекрасно! Напиши таких штук тридцать, и мы устроим вечер вальса. Вальс, вальс, вальс...

— Одна барышня,— начала я под умновскую водку,— собиралась на свой первый бал... «Бабушка, что мне делать? Как мне себя вести, если меня кавалер пригласит на вальс? Что я должна говорить?» Бабушка

4*

отвечает: «Как положено светским людям, сначала поговори о погоде, потом о музыке... и в конце — что-нибудь остренькое!» Наступил бал. Барышню пригласил кавалер. На вальс. Она улыбается и говорит: «Какая чудная погода. Училась музыке три года. Бритва!»

Умнов даже поперхнулся дымом от сигареты. Глотнули «умновской», Андрей взял меня за руку и деловито повел в другую комнату. Подвел к окну и закрутил нас в плотную зеленую занавеску. В такой мизансцене мы еще не целовались...

— Ой, у меня лихорадка! — пискнула я.

Тут же влетел Кирилл, раскрутил нас:

— Ты уже закручивался с ней, теперь я закручусь.

Меня удивило, что Андрей его не остановил. «Мое! — сказал Евгений грозно» тоже не прозвучало. Я выскользнула от них и побежала к Умнову в другую комнату. Все притязания Кирилла я превращала в шутку и дуракавалянье. Вечером, напившись умновской водки, мы подъехали к моему подъезду.

— Выходи за меня замуж! Я тебя люблю! — Это сказал сзади сидящий Кирилл. Образовалась пауза. Я посмотрела на Андрея.

— Очень милая будет парочка! — сказал он, веселясь.— Карандаш и Карандашиха! Дети у вас тоже будут карандашата?

Таким образом посредством известного клоуна Карандаша, который отличался маленьким ростом, брат врезал брату кулаком в морду.

— Да, да! Карандашата! — воскликнула я с повышенной экзальтацией, чтобы обезвредить злую шутку, и добавить к росту Кирочки сантиметров двадцать.

— Завтра я вас приглашаю обедать в «Метрополь»,— ответил на удар Кирилл.

А Андрей продолжал:

— Как говорил дед Семен: «Все пгодать и жьить миллионером»! Танечка, ты знаешь, когда я собирался выйти на свет Божий, вся еврейская семья во главе с дедом Семеном вопила: «Это будет ужжье не гебенок!» Ты видишь, как меня ждали в этой жизни?

Три дня мы втроем колесили по Москве или по лезвию бритвы. Эта рискованность завораживала нас всех. Кирилл выскакивал из машины, покупал мне фиалки и очень напористо, с интервалом в час, приглашал замуж.

— Зачем он тебе нужен? — кивал он на Андрея.— Он же — бабник! Маменькин сынок, он тебе всю жизнь испортит!

После таких пассажей мы дружно смеялись — так разряжалась общая нервозность.

— Ленинград — прекрасный город! Родим детей... Я тебя устрою в театр Комедии, будешь играть у Акимова, а не у вашего прыща. Я хорошо зарабатываю! И ты будешь обеспечена! Потом я — добрый, а он — жадный.

И опять смеемся взахлеб.

У меня ощущение, что я проиграла сцену с Белогубовым из «Доходного места». Мысленно вопию к Елене Семеновне: «Где ты, «Заратустра»?» В душу вкрадывается искушение «сделать выстрел» если уж не во французской опере, так хотя бы в Кировском театре оперы и балета в Ленинграде! Смотрю на растерянный профиль Андрея — он из последних сил пытается придать лицу бесстрастность, и мне хочется рыдать от любви к нему и еще непонятно от чего. Кирилл уехал. Мы проводили его на «Красную стрелу». Молча ехали с Андреем на Арбат. Прощаясь, он зло и сосредоточенно посмотрел на мои ноги и сказал:

— Ножульки тоненькие — ничего не стоит перебить.

Приближалось 8 марта — гинекологический праздник и день рождения Андрея. Я заранее купила платье в комиссионном магазине — серое джерси, воротник стойка, с темно-синим кожаным поясом. Но приглашения не было. Я доходила до исступления, чтобы понять, что я сделала? Почему? Что случилось? Оскорбленная насмерть, 7 марта я подошла к театру — вечером играла спектакль. И вдруг я увидела Червяка. Он стоял на обочине тротуара, прислонившись к дереву. Мы были несказанно рады друг другу. Обнялись, поцеловались, и я с надеждой посмотрела в его глаза.

— Завтра день рождения... он меня не пригласил... я ничего не понимаю...

— А что тут понимать? — начал говорить, психуя, Червяк. — Он бежит от себя, от любви... он боится... у него уже был опыт, и он до смерти напуган. Что ты хочешь? Он созрел как артист, но не созрел как мужчина. У него вся жизнь — театр. И репетиции. Он даже любовь репетирует. И еще... он обязан оправдать надежды мамы. О! Ваши артистки! Приносят ему грудных детей в гримерную и говорят: смотри, Андрюшенька, это твой ребеночек! Он психует и всего боится — артисток, мамы, любви, детей, алиментов.

— А ты тоже боишься — мамы, детей, любви, алиментов?

— Я — нет! Я мечтаю об этом! Особенно об алиментах! Принимай его таким, какой он есть. И терпи.

Мы опять чмокнулись, и я пошла в театр. На следующий день в 10 утра звонок:

— Але, Танечка, поздравляю тебя с праздником, с Женским днем. Ты сегодня придешь? — спросил он как ни в чем не бывало.

— Куда? — спросила я удивленно.

— Мне сегодня уже 26 лет! На Волков, куда же?

— Во сколько?

— Приходи пораньше... ну, как хочешь... часов в шесть.

— Спасибо.

— Спасибо «да» или спасибо «нет»?

— Спасибо «да»!

Влетела в комнату, скинула с себя напыщенную строгость и, как всегда, запела во все горло:

— Птица счастья завтрашнего дня, прилетела, крыльями звеня, выбери меня, выбери меня, птица счастья завтрашнего дня.

И побежала в магазин. Обегала все булочные в центре, все кондитерские, купила тридцать маленьких жестяных коробочек с леденцами, раньше они назывались монпасье. Купила красное пластиковое ведерко, высыпала туда леденцы. На открытке с анютиными глазками я написала: «Столько поцелуев вам, месьё, сколько в сем ведерке — монпасьё». Надела серое платье со стоечкой, сзади завязала синий шелковый бант под цвет пояса, и побежала с ведром конфет на день рождения.

На Волковом уже толпился народ. Я вручила именнику свой подарок. Он улыбался, и все стали хватать горстями это «монпасьё». Оно сыпалось на пол, под стол, под кровать, во все углы. Андрей схватился за веник, стал подметать. Я осмотрелась. Стол — а-ля фуршет, все болтаются по квартире с бокалами, на стуле у стены сидит балерина Ксения Рябинкина, сестра известной тогда Елены Рябинкиной. Я смотрела на ее лебединую шею, красивую гладкую головку, на прямой пробор с низким пучком на шее. Она была красива, все время молчала и сидела как статуя. Звонок в дверь. Все встали: «Здравствуйте, здравствуйте, Мария Владимировна, Александр Семенович! Поздравляем... и вас поздравляем... и с Женским днем!» Они расположились в области накрытого стола. Мама осмотрела все цепким взглядом ревизора, из вежливости выпила рюмочку, закусила, потом резко встала и недовольная пошла на кухню, чем внесла дискомфорт в уже начинающее расслабляться общество. Я тихо встала, пошла за ней, может быть, чем-то помочь? На кухне она как тапир стояла, упершись животом в раковину, и остервенело терла мочалкой по серебру маленькой солонки: серебро чуть позеленело.

— Мария Владимировна, давайте я почищу,— бодренько произнесла я.

Она бросила в меня кипящий взгляд и продолжала тереть солонку, говоря мне всем своим мощным видом: «Валяешься тут с моим сыном! Могла бы в перерыве помыть и почистить все, все! Вылизать!»

Мне хотелось смеяться и плакать! Смеяться от того, что солонка вот-вот рассыплется от ее темперамента... А плакать... Господи, ну почему же она меня так ненавидит? Она пульнула в меня своим конфликтным гормоном, как из брандспойта, насыпала соль в солонку, вернулась в комнату и со стуком поставила ее на стол. Стук солонки просигнализировал сыну, который с детства научился принимать вибрации мамы: «красный свет на эту, с синим бантом!» Она седьмым чувством понимала, что эта, с «синим бантом», имеет власть над ее собственным детищем! Собственным в смысле собственности.

«Дурак этот, сволочь, влюбился и может ее, собственную мать, отодвинуть на второе место и выйти из-под контроля! Измена!» — все это прокрутила в го-

лове мама, включила обаяние, как включают элек-
тричество, дала понять, что она — директор жизни
всех присутствующих, встала, подняла Менакера, и...
ушли. Все с облегчением вздохнули. Андрей оживился — он был такой красивый: в серо-голубом полувере
и в белой рубашке без галстука, в серых брюках.

— Жизнь коротка, а водки много! — он поднял
рюмку. Все скорей стали наливать.

— Побольше мучного и поменьше двигаться! Особенно это касается балерин Большого театра! — И качаясь, плавно подъехал к Рябинкиной. За руку поднял
ее со стула, и они стали танцевать. Именинник прижимал ее все ближе, обнимал все крепче, шептал ей в ухо,
целовал ручки. Я делала безразличный вид, хотя в горле шевелились булыжники. Но глаза! Глаза выдавали
все, они были такие несчастные!

— За что пьем? — вопрошал Андрей.

— За Шопенгауэра! Он проповедовал теорию чет-
вероженства и сожалел, что в этом плохо только одно:
четыре тещи! Завещал свое состояние собакам! — Не
без ехидства сказала я.

Музыку включили еще громче, чтобы балдеть, и никто не заметил, как я оделась и ушла. Поднималась
вверх по Садовому кольцу и думала: «Вот тебе и птица
счастья завтрашнего дня прилетела, крыльями звеня».
Во мне бушевал гнев: почему всегда все надо делать на
глазах у всех. Хамство! «Воспитание, родители, традиции»! Хам! Можно было, если уж так невтерпеж, подождать до завтра, пригласить к себе эту статую домой
и слюнявить ей уши. А ему надо обязательно задеть
меня и оскорбить! Злой! Прошел троллейбус.
«Блядь!» — сказала я ему в сердцах вдогонку, сорвала
с хвоста синий шелковый бант и бросила в сумку.

Глава 14

Я «ВЫХОЖУ ЗАМУЖ» НАЗЛО

Почти каждый день звонил Кирилл. Однажды вечером после спектакля явился Виктор. Мы пошли в ванную. Вся квартира уже спала. Я сидела с пьесой «До-

ходное место», каждый день зубрила текст ночами
в этой ванной. Мы проходили с ним мою сцену с Белогубовым, и вдруг я упала на его колени и заплакала.
Он меня гладил по голове и говорил: ничего, ничего,
все обойдется. А как обойдется? «Помоги мне, я его
люблю, что мне делать?» И опять рыдала. Он успока-
ивал, вытирал мне слезы и говорил: «Давай пройдем
еще эту сцену». «Господи, какую сцену,— думала я.—
С Белогубовым?» Все перемешалось!

Пепита доказывала мне пользу теории вероятности.

«Если мы не будем никуда ходить — вероятности
кого-нибудь встретить и трудоустроиться не будет!»
Трудоустроиться в те годы означало — выйти замуж.
«Танюль, мы же должны сделать «выстрел во французской опере»! И мы таскались по гостям, искали себе
предмет для трудоустройства и в один прекрасный
весенний вечер мы оказались в квартире известного
(мы хотели только известных!) театрального художника на улице Немировича-Данченко. Нам были рады.
В большом глубоком кожаном кресле, перевесив ноги
через подлокотник, сидела обольстительная блондинка с большими голубыми глазами. Антурия. Она была
дочерью знаменитой певицы, актриса, и у нее был
роман с самым экстравагантным художником в Москве. Настроение было текучее — пили шампанское, фи-
лософствовали, сплетничали, и один из «доброжела-
телей» заметил: «Андрей Миронов час назад поднялся
в квартиру Энгельса. (Энгельс жил на три этажа выше). С Ксенией Рябинкиной».

Спокойно усвоив информацию, я спросила:

— Кто мне может одолжить денег на три дня?

Через пять минут у меня в руках оказалась прилич-
ная сумма.

— А теперь, кто еще не совсем подшофе... отвезите
меня на Ленинградский вокзал... Пожалуйста! Я должна успеть на «Стрелу».

По дороге я успела заехать домой, взяла сумку,
кинула туда какие-то вещи. «Оскорбление нанесено
публично, мщение состоится на глазах у всех!» — решила я, и без пяти двенадцать ночи «Стрела» понесла
меня в Ленинград.

Утром нежданно-негаданно я явилась к своей кузине. Она жила в центре, на улице Радищева. Что-то наплела по поводу кинопроб на Ленфильме, мы выпили кофе, обсудили всех московских родственников, и она ушла на работу, оставив мне ключи от квартиры. Я села к телефону, подумала, собралась с духом и набрала номер Кирилла.

— Але! Таня, это ты? Как ты? Ничего? Ничего — это пустое место. Как ты себя чувствуешь?

— Как люди могут себя чувствовать в Ленинграде? Пью кофе.

— Таня! — закричал он.— Ты здесь?!!

— Здесь.

— Какой номер дома? Через пятнадцать минут выходи на улицу. Я лечу!

Через пятнадцать минут я стояла на совершенно пустой улице Радищева. Светило солнце. Подгоняемый ветром, мне навстречу посредине проезжей части летел Кирилл с букетом нарциссов. Мы обнялись и вдвоем полетели назад по улице Радищева, на Невский — и я увидела Адмиралтейский шпиль, как цель жизни, пролетели по Невскому мимо Пассажа, потом Мойка, и вылетели к «Астории». Перед нами с золотыми куполами, как живое существо, стоял — Исаакий. Ветер сдул нас в кафе «Астория». Мы вкусно позавтракали, и Кирилл сказал:

— Надо идти на Герцена, домой. Я хочу познакомить тебя с мамой и бабушкой.

Я зажала зубами нижнюю губу: я забыла об их существовании, и они совсем не вписывались в мой план. Боже мой, еще одна мама да в придачу с бабушкой! Но делать нечего — пошли. Накупив в магазине всякой вкусной еды, мы поднялись в мансарду, где тридцать с лишним лет назад начинал свою жизнь Менакер.

— Мама, познакомься — это Таня!

От этой фразы у меня свело скулы.

— А это — бабушка Ида!

Бабушка сидела в кресле с углу с пышной высокой седой головой, как с полотна Гейнсборо, с горбинкой на носу — персонаж из оперы. Мама — высокая, темноволосая, молчаливая. Представляю, как они мне были «рады». Я сразу стала разряжать обстановку.

— Бабушка, съешьте бутербродик с паштетиком... вкусненький... и кофе. Не пьете? Тогда чайку... ох, какие у вас красивые серьги... возьмите чашечку с блюдечком... я подержу... вот так. Ирина Владимировна, вам чаю или кофе? Я вам налью... мы в «Астории» купили очень вкусные булочки... дышат... слышите? Попробуйте! У вас здесь так красиво в доме — необычная мансарда... Вы не возражаете, если я тоже выпью с вами чашечку кофе? Я в поезде совсем не спала... Кирочка, а ты? Очень красивый город... тьфу! Пятно поставила... сколько вам сахару? Я сама все помою, все... не беспокойтесь. А вода как открывается?

— Мама, мы с Таней решили пожениться!

Бабушка была глуховата и переспросила:

— Что решили?

— Пожениться, бабушка! — закричал Кирилл.

— Когда? — спросила мама страшным голосом.

— Завтра! — ответил Кирилл тоном, не терпящим возражений.

— Я ухожу на работу! — вызывающе сказала мама и стала одеваться. Она работала в Кировском театре, но по возрасту уже не в роли балерины.

Стояло время детских каникул — в театрах игрались утренники. У меня было три свободных дня. «Ну что ж! Свадьба так свадьба! — думала я.— Стендаль в главе «О любви» считает, что браки назло очень удаются, потому что пустое место требует немедленного заполнения. И я заполню это место Кирочкой. Он мне очень нравится. Он совершает поступки! И перееду в Ленинград! И катитесь вы все со своими балеринами!»

Кирилл в горячке созывал гостей на завтра. Решили ничего не готовить, а купить все в гостинице «Европейская». А потом, после всех блиц-приготовлений, обнявшись, летали (дул штормовой ветер) по Питеру, глотали по рюмке коньяка: Кирилл показывал мне Эрмитаж, Дворцовую набережную, решетку Летнего сада, Медного Всадника... Мы ничего не могли говорить: ветер затыкал нам рот, но мы изъяснялись жестами и, казалось, были очень счастливы. Пронизанные насквозь мартовским ветром, мы долетели до улицы Радищева к дому моей кузины. Кирилл уговаривал не расставаться и вернуться на Герцена, но мне было страшно, страшно подумать, что я могу остаться ночевать у Кирочки в обществе бабушки и мамы. Итак, до завтра! До завтра! До свадьбы!

Был раздвинут большой стол. Пришли художники, артисты, режиссеры. Все курили под аперитивчик. Внимательно разглядывали меня, носившуюся из комнаты в кухню, из кухни в комнату. Наконец, всех пригласили сесть. Я нырнула в Кирочкину комнату, прицепила синий шелковый бант под синее платье, мазнула губы помадой и вышла к столу. Все мне напоминало сцены из дурдома. Бабушка Идочка еще пышнее взбила седые волосы, и с серьгами до плеч она, как персонаж из другого века, сидела в своем вольтеровском кресле и внимательно вглядывалась в происходящее. Мы — жених и невеста — во главе стола, на другом конце — мама. Она смотрит на меня как милиционер на вора, который у него на глазах совершает кражу. И как ей хочется меня «задержать»! У меня ощущение, что я прыгаю со скалы в пропасть. Но улыбаюсь, хотя трясутся все поджилки. Наконец кто-то встал:

— За молодых! Горько!

Все заорали — горько, горько, горько! И стали пить стаканами. Я тоже выпила много шампанского, стала говорить медленно, спотыкаться на словах, смеяться, и все мне стало нипочем!

— За молодых! Горько!

«Это за кого?» — думала я, медленно вставала и целовалась с Кирочкой. Бредус Фигинариус!

Первая и последняя брачная ночь прошла без эксцессов, мать в комнату не забегала. Обычно, говорят, мамаши забегают в комнату молодых с бесконечными указаниями сыну и невестке. Обошлось. Мама рано сбежала в театр, чтобы меня не видеть, и мы пили кофе с бабушкой. Я ей понравилась: она мне подарила серьги. Я бы с удовольствием взяла ее в Москву — такая она была худенькая, смешная и беззащитная. Кирилл громко говорил бабушке, что я сегодня уезжаю, а как закончу сезон в театре, перееду сюда, в Питер, на Герцена, тогда бабушка наговорится со мной вдоволь, потому что я не говорю (артистка!), а кричу, и бабушка очень хорошо меня понимает. Вечером муж проводил меня на «Стрелу», и я поехала маршрутом Радищева — из Петербурга в Москву.

Утром детский спектакль «Волшебные кольца Аль-

манзора». Прямо с вокзала еду в театр. Приняла
душ, загримировалась, и в костюме принцессы Ав-
густы двинулась на сцену. Стою за кулисами.

— Где ты была?!! — разъяренным шепотом в ухо
спросил меня Андрей и схватил за руки выше локтя
так, что я чуть не закричала. Он уже знал, где я была.
Я повернулась к нему и отчетливо произнесла:

— В музее ядерного оружия рядом с водородной
бомбой Сахарова стоит первая атомная бомба «Татьяна»! Уже тикает, слышишь? Беги в Большой театр,
а то опоздаешь!

Глава 15

КОВАРСТВО И ЛЮБОВЬ

На носу были две премьеры. Одновременно с репетициями «Доходного места» Чек репетировал пьесу
Славина «Интервенция». В ней была занята почти вся
труппа. Андрей играл роль французского солдата Се-
листена, а я — то беженку, то даму в ресторане. У нас
была холодная война — мы не замечали друг друга.
Одиннадцать часов утра — начало репетиции. Чек —
в зале. Проходится ладонью по лысине.

— Планов — громадье! — сказал и хихикнул.

Дальше, как обычно, стихи Маяковского:

> Это было,
> было в Одессе.
> «Приду в четыре», — сказала Мария.
> Восемь.
> Девять.
> Десять.
> Вот и вечер,
> в ночную жуть
> ушел от окон,
> хмурый,
> декабрый.
> В дряхлую спину хохочут и ржут
> канделябры.

— Итак, мы в Одессе, — говорит он. — Кабачок
«Взятие Дарданелл». Женщины, идите на сцену! Ар-

тисты... Елизавета Абрамовна, где артисты?! Сейчас я вам буду ставить минзансцены в стиле Ренуара, Гогена, Моне!

Мы настороженно и с пиететом относились к именам, которыми он так легко жонглировал. И это придавало ему веса. Итак, Гоген, Ренуар, Моне! Мы все на сцене, а он — в зрительном зале. Начинается процесс. Творческий.

— Люся... иди... иди, иди, иди, иди... иди... иди... иди... иди... иди... иди... иди... стой! А ты... как тебя зовут, я забыл? Тамара... Тамарочка... вправо... вправо... вправо... вправо, вправо, вправо, вправо... вправо, чуть левей! Так. Хорошо! Теперь Нина, Спартак, Кулик. Идем все назад, в глубину сцены — назад... назад... назад... назад... назад... назад... назад... назад, назад, назад, назад, чуть вперед — стой! Какие вы все вялые. Я буду требовать от вас активности! Вы не активны. Вы должны приносить с собой багаж и воо-о-още... Воо-о-о-още...

Хлопает в ладони — в смысле «внимание»! И продолжает:

— Сейчас нам Миронов Андрей покажет свой номер. Новый.

Опять хлопает в ладоши.

— Кабачок «Взятие Дарданелл». Женщины, на сцену! Мужчины, сядьте как в ресторане... Аккомпаниатор Москвина на сцене? Елизавета Абрамовна, почему у вас за кулисами такой бардак? Тихо! Андрей, начинай!

Андрей начинает. Вылетает как вихрь, вскакивает легко на возвышение на сцене — якобы эстрада, — в черном фраке, черном котелке с белой хризантемой в петлице и объявляет сам себя: Жюльен Папа!

Это одесский куплетист, загримированный под французского шансонье, грассирует, подтанцовывает, клацая подбитыми подковами на башмаках. Запел:

> Здравствуйте, здравствуйте, здравствуйте,
> Здравствуйте, вам!

Мы на сцене не успели опомниться от этого «Здравствуйте вам», как он с наслаждением и с раскатом объявил следующий номер!

— Жюлье-е-е-ен Па-а-апа! Лю-у-у-у-убо-овь не ка-а-ртошка!

> Любовь — не картошка,
> Не бросишь в окошко,
> Она всех собою манит.
>
> Но все же, о боже!
> Мы лезем из кожи
> И все мы кричим — вив л'амур!

Вынул из петлицы белую хризантему и бросил мне в руки. Это означало — хватит, подними забрало: я иду на тебя с белым флагом!

С этого блистательного куплетно-амурного зигзага, который он сделал в спектакле о революции, началось его новое амплуа, в котором он войдет во врата рая и ада популярности.

— Еще, еще,— просил Чек. Он всегда любил повторять сцены, которые ему нравились. И Андрей пел, а мы все шалели от его пения. Потом, когда спектакль выйдет, чтобы увидеть Миронова в этой сцене, будет рваться вся Москва.

Дома на Петровке из угла в угол нервно ходил Менакер. Он был и режиссером-постановщиком, и идейно-музыкальным руководителем этого номера. Что-то наигрывал на рояле, что-то хватал из холодильника — нервничал. Позвонил Андрей:

— Папа! Все в порядке. Я еду домой!

По интонации Менакер понял — дело выиграно и трясущейся рукой закурил сигарету.

На улице Герцена, рядом с площадью Восстания в доме с мезонином жил художник, мой двоюродный брат, кузен. На известной выставке абстракционистов в Манеже в 1962 году Хрущев харкнул в его картину «Отец. 1918 год». Мой дядька, его отец, в восемнадцать лет ушел в революцию и стал красным командиром. Кузен спокойно стер носовым платком плевок Кукурузника и на вопрос корреспондентов ответил: «Претензий к советской власти не имею. Весь мир во мне». В 1941 году в Ленинграде — ему было двадцать лет. Он лежал в окопе на Волковом кладбище, возле могилы Блока, и отстреливал «мессершмиттов». А теперь жил настоящей нищенской жизнью с женой и матерью, полькой Ядвигой Петровной Малиновской. Она была хоть и нищей, но иностранкой. Всегда ходила в потертых и старых нитяных перчатках, в соломенной шляпе. Стены мансарды были завешаны картинами, все свободное место заставлено рамами, на полках — старые самовары, утюги, ступки, гипсовые головки. В вазах — кисти. В этот покосившийся убогий дом приезжали художники из Питера. Привозили таинственную запрещенную литературу, и она ночами перепечатывалась Ядвигой Петровной в нескольких экземплярах, один из которых предназначался мне. Это были и Агни Йога Рерихов, и послания Махатм, основы буддийского учения, трактаты о Савонароле, уничтожившем почти все картины Боттичелли. Вся семья — мать, жена и художник — каждое утро и каждый вечер становились лицом в сторону востока, воздевали руки в небо и посылали всему человечеству земного шара: «Мир и благо! Мир и благо!».

Мой путь из театра домой по Садовому кольцу (если я шла пешком) вел меня к улице Герцена, и я часто вечером после спектакля заходила в дом с мезонином. Там я получала ответы на мучительные вопросы моей неустроенной внутренней жизни. «Препятствия есть рождение возможностей! Будьте благословенны препятствия — вами мы растем!» Ах, вот для чего даны препятствия, думала я, чтобы расти. «Путь начинается и каждый раз с нуля. Лишь в этом случае ты получаешь шанс коснуться истины, соединиться с нею. Дух абсолютный жаждет воплощенья, а воплотившись, жаждет высоты. И этот путь Нисхода и Восхода преобразует звездные миры». Я освоила все йоговские асаны, свободно стояла на голове, что, фигурально выражаясь, делала вся страна с 1917 года. Революсьон — в переводе с французского — перевертыш. Упражнения — рыба, змея, лягушка, лук — все было мне подвластно. Но неподвластны мне были мои чувства. Запутанные и горькие обстоятельства моей любви толкали меня на подвиг. Я решила взять реванш. Я штудировала ночами Гельвеция, Шопенгауэра, Ницше, всю философию Золотого века и самым моим близким другом и советчиком оказался Сенека! «Один день образованного человека дольше самого длинного века невежды», — говорил он мне в своих трактатах. «Природа нас обыскивает при входе и при выходе», «Жизнь надо прожить так, чтобы она брала не величиной, а весом», «Богаче всех тот, кого фортуне нечем одарить!», «Пьянство — добровольное безумие», «Тело — лишь избушка для души». Я читала, выписывала, учила наизусть, я знала — не бриллиантами, не тряпками, а именно этим оружием я могу одержать победу на фронте любви.

После отчаянной поездки в Ленинград мы созвонились с Умновым, и он после спектакля заехал за мной в театр. Он был другом, разбирался во всех оттенках наших молодых безумств и оказывался рядом в трудную минуту.

Я села в его машину, подскочил Андрей и как ни в чем не бывало спросил:

— Вы куда едете?

— В Дом актера, поужинать,— ответил Умнов.

— Я сейчас сажусь в машину,— засуетился Андрей,— едем за Ксенией Рябинкиной в Большой... и вместе... ужинать!

Нам нравилось ходить по краю бездны. Да наплевать, бездны, пропасти — главное, мы опять вместе. Подъехали к служебному входу Большого театра, захватили Рябинкину и вчетвером отправились в ВТО ужинать. Как мы были все вежливы и милы! Сели за один столик с накрахмаленной белой скатертью. Андрей сел напротив меня, и началось! Шампанское, возбуждение, горящие глаза... Мы никому не давали говорить.

— Танечка, как ты в Ленинград съездила? — спросил он с нарочитой веселостью.

— Ты же знаешь, хорошо съездила!

— Что там хорошего?

Подошла официантка: «Вам рыбу или мясо?».

— Мне бифштекс с кровью,— сказала я.

— Я хочу попробовать устриц! — размечталась Рябинкина.

— Это только в Париже!

— Танечка, а ты не мечтаешь попробовать змей? — спросил Андрей.

— Я уже пробовала. Самые сладострастные в отделе позвоночных — это гады. Любовь змеев, лягушек, жаб омерзительна по своей пылкости. Чем ниже животное по типу, тем любовная страстность в них сильнее. Особенно пылки устрицы! У них просто гипноз половой похоти — влюбленных можно жечь, но они не отпустят друг друга из объятий.

— Дивная лекция под закуску. Вот и принесли бифштекс!

Андрей взялся за нож с вилкой и спросил меня:

— Откуда ты это все знаешь? Даже страшно!

— Пока некоторые подражают устрицам или гадам, я читаю. Чи-та-ю. Понятно?

— Понятно! Ты все успеваешь.

— И среди людей наблюдаются те же градации,— продолжала я.

Андрей сделал очень серьезный вид и, заглатывая кусок мяса, произнес:

— Внимательно слушаем!

— Всех похотливее идиоты.

Поздно вечером разъезжались домой. На следующий день опять подъезжал Умнов, опять из театра выходил Андрей, опять мы все ехали за Рябинкиной, опять заказывали столик в ВТО и опять иносказательно объяснялись друг другу в любви. Этот «хоровод» продолжался две недели. Потом внезапно все прекратилось: исчезли Умнов и Рябинкина.

Сыграли премьеру «Интервенции» Славина. Жюльен Папа стал гвоздем программы. Приближались к концу репетиции «Доходного места». Каждый день утром и вечером мы репетировали до изнеможения. Выхожу из театра после репетиции в семь часов вечера. Небо своевольное. Ветер мотает тучи в разные стороны, блестит солнце. Спускаюсь по лестнице в своем бежевом пальто и решаю — пройдусь по Горького, а там по Бульварному кольцу — домой. Надо подышать, потому что совершенно нет сил. Иду, поглощенная своими мыслями, повторяю машинально текст: «Ты себе не представляешь, Полина, как деньги и хорошая жизнь облагораживают человека!» и думаю о словах Магистра, что «все настоящее дается с кровью» и еще... «Если вы не понимаете Джойса, то это ваша беда, а не его...» По асфальту рядом со мной ползет машина. Андрей. В открытое окно приглашает:

— Таня, садись, я тебя подвезу.

— Нет, спасибо! — отвечаю я, интонацией воздвигая между нами китайскую стену. Поворачиваю за угол на улицу Горького, он за мной. Медленно ползет и в окно уговаривает:

— Да садись, я тебя подвезу, ей-богу, это глупо... Ты что, боишься?

Я — из-за воздвигнутой между нами стены — отвечаю:

— Я хочу идти пешком! Что мне тебя бояться!

Прохожу мимо театра Станиславского, налетает черная туча, и из нее бухает дождь как из ведра. Машина уже с открытой дверью продолжает ползти рядом.

— Танечка, ты вся мокрая! Садись! Иначе я подумаю, что ты ко мне неравнодушна. Какой ливень!

Простодушие и гордость (еще действительно подумает!) схватили эту наживу, и я села. Молниеносно были закрыты все двери, окна, кнопки. С визгом шин мы без светофоров донеслись до Волкова переулка. Там под конвоем я была доставлена в квартиру. Он закрыл входную дверь и сказал:

— Я спрятал ключ! Не пытайся отсюда никуда выйти!

И, не обращая на меня никакого внимания, начал заниматься своими делами: включил воду, музыку, поставил чайник и замурлыкал:

«Стренджерс ин зе найт... ляля-ляля-ляляляля-ля-ля-ля-а-а-а!»

Во мне кипела бешеная злость, но когда он подошел к шкафчику и достал оттуда чистое белье, пижаму — из шкафчика хлынул аромат нашей любви, наших встреч, и сердце сжалось от чувства быстротечности времени. Я вздохнула, достала из шкафчика полосатую пижаму и пошла в ванную. Он постелил чистое белье и, молча, стоя у своего магнитофона, отхлебывал чай. Я прошла мимо, бросив:

— Если б я была Цирцеей, ты бы сейчас захрюкал!

Налила себе чай, выпила его на кухне, под музыку Баха в исполнении оркестра под управлением Джеймса Ласта и пошла спать. Легла в постель. Он немедленно выключил музыку и нырнул в кровать. Ситуация становилась взрывоопасной. Но я была уверена, что «досплю» до утра, а там все равно надо на репетицию. Отодвинулась на край кровати, чтобы его не касаться. Упаси Боже, такую сволочь! Тьма. Тишина. Ночь. Лежу, закрыв глаза, не дышу. И он не дышит. И вдруг со всего размаха его здоровой руки получаю звонкую оплеуху. Ухо начинает распухать, щека — горит. Молчание. Тишина. Проходит несколько минут, он теряет бдительность, и я со всего плеча врезаю ему своей крепкой ладошкой. Началась потасовка двух сумасшедших в одинаковых полосатых пижамах. Потом я заплакала. Обнялись. Его слезы текли по моему носу и губам. Поцеловались. Засмеялись, и апрельская ночь унесла нас в сады Эроса.

— Я без тебя ничего не могу — ни жить, ни играть, ни репетировать... ты мне нужна... ты приносишь счастье... я даже трахнуть никого не могу, если мы с тобой в ссоре...

«Трахнуть» — это жаргон. Так говорили все, и это была знаковая система времени, которая отражала суть происходящего. Как далеко мы ушли в обратную сторону от библейских мужчины и женщины. «Авраам познал Сару». Они познавали друг друга. Любовь была актом творчества и познания. А наше поколение — трахало! Трахнуть — значит ударить, убить.

Зажгли свечу, и Андрюша, как профессор, объяснил мне, что свечи обязательно, обязательно, когда ставишь в подсвечник, надо обжигать. А утром, как зарезанный, кричал из ванной:

— Танечка, я же тебе говорил, пасту надо выдавливать из тюбика снизу... аккуратно... когда ты это запомнишь, Мальчик из Уржума?

Он имел в виду книгу о Кирове, которую все наше поколение знало наизусть. Мальчик из Уржума немножко обижался, так как ему давали понять, что он не из той оперы: и свечи не знает, как обжигать, и пасту не так выдавливает, но синьковые глаза, наша общая ребячливость и смешливость не давали задерживаться на этой глупой станции «Обида», и я пулей летела в магазин «Продукты», чтобы купить литр обожаемого им молочного коктейля, который на глазах взбивался миксером в огромных алюминиевых емкостях. Мы мчались на репетицию.

Глава 16

«ДОХОДНОЕ МЕСТО» — ТРИУМФ МАГИСТРА

Магистр был для нас загадкой. Он жил в Замоскворечье с женой и дочкой, говорили, что жил еще хуже, чем мы все — обитатели коммунальных квартир. Лицо его никому ни о чем не говорило — оно было бесстрастным. Когда репетировали не мою сцену, я сидела в зале и мысленно примеряла ему головные уборы — одно из самых моих любимых занятий. Итак, фетровая шляпа! Скинуть — кошмар! Каракулевый «пирожок» — бездарно, не его! Феска с кисточкой — не его, но теплее. Треуголка? Нет. Берет и портфель в руки. Не то, не то! Шапка Мономаха? Нет, это больше моему Андрюшке подойдет и... кафтан парчовый, отороченный соболями. Прикидываю дальше — Англия! Цилиндр, тросточка и тонкие пальцы, как с полотна Ван Эйка. Да! Сэр Фрэнсис Бэкон! Вообще-то... сни-и-и-маем цилиндр и надеваем лавровый венок и белую тогу. Получилось.

На сцене Жадов бранится с Кукушкиной, Юсов пляшет под дудку Белогубова, а я, примерив головные уборы Магистру, нежусь в воспоминаниях о проведенной ночи. Как хорошо, когда у нас все хорошо. И я, прикрыв веки, раскачиваюсь под поющую во мне музыку Баха. Какая красивая была ночь! Какая будет ночь тридцать два года спустя!

Пятое июля... день нашей встречи на сцене театра оперы и балета в Риге, день нашего духовного потрясения. Я в своем поместье в глубинке России. 11 лет как Андрюша ушел из жизни. 11 часов вечера. Включаю музыку. Оркестр и хор под управлением Джеймса Ласта. Прелюдия Баха. Вокруг — ни души. Наливаю рюмку водки, настоянной на полыни, в ночной рубашке, босиком выхожу на крыльцо. Музыка набирает силу, все громче и громче... Еще не темно — небо бледное, сумеречное — передо мной уходящая вдаль полоса леса. Узорами торчат макушки елок. Клочками перед лесом висит туман. Туман ползет на меня по полю, по земле, стелется у подножия леса и вдруг быстро поднимается вверх. Божественная музыка с божественными голосами льется с веранды. Смотрю на небо — там бледная, еще неполная луна, мимо нее проплывают волнистые, тонкие, дымчатые облака. Вдруг они собрались в раскрытую гармошку и подплыли к луне, и... получилось... жабо! Это Пьеро! Лысый, грустный Пьеро в жабо с открытым ротиком поет вместе с оркестром Баха. Я улыбнулась, промокнула глаза воротничком ситцевой рубашки, выпила полынную водку — за Андрюшу, за Пьеро, за день нашей встречи. Люблю тебя, и нет слов на земле высказать. Скажу там, когда увидимся... и босиком поднялась по лестнице на мансарду — спать!

Магистр объявил перерыв. Весь май в такие перерывы мы садились в машину, покупали по дороге кефир с зеленым колпачком, творожные сырки в шоколаде, хлеб и сладкую сырковую массу — это все, что любил знаменитый артист. Ехали быстро по Минскому шоссе до знака «Барвиха». Налево в соснах ставили машину, переходили трассу. Перед нами стоял одноэтажный каменный придорожный магазин, справа, тропинкой обходили его, а там обрыв! Внизу извилистая широкая Москва-река, кусты шиповника, сирени — «Кругом шиповник алый цвел, стояла темных лип аллея!» — и скамейка, серая старая доска на двух столбах. Садились на эту скамейку, и перед нами открывалась необозримая даль лугов и полей. Пили кефир, ели сырки и молча смотрели в завораживающую перспективу. Через два часа молчания на скамейке в Барвихе мы возвращались в театр.

Наконец, генеральный прогон — сдача спектакля Чеку. Со зрителями.

Стремительно открывается занавес. Сцена устроена с крутящимся внутренним кругом и кольцом, которое вертится в обратную сторону. После первой сцены нервный крик Вышневской (Веры Васильевны):

— Аристарх Владимирович, вам одеваться пора! — И еще пронзительнее: — Одеваться Аристарху Владимировичу!

Крик такой больной, на такой высокой ноте, что кажется, пронзает купол театра. Сразу возникает чув-

ство тревоги. Это начало спектакля! Менглет — Вы-
шневский, Папанов — Юсов. Это такие мощные типы,
напоминающие фигуры с острова Пасхи, типы, которых не увидишь ни в американском триллере, ни в Государственной думе. Под ноющий звук шарманки появляется Жадов. Детская открытость с неистощимой,
какой-то даже глупой русской надеждой в прекрасное
будущее и свое и всех, всех и вся! Кукушкина — домо-
рощенная бандерша, кухарка по психологии, которая
потом будет управлять государством. Две дочери —
Полина и Юленька. Полина — глупа, Юленька — ал-
чна, продажна, порочна... Островский не приукрасил
Россию: все женщины — продажны, мужчины — воры,
подлецы, взяточники. Их дети и внуки погубят Россию
и на новой ниве начнут грабить и брать такие взятки,
размер которых и не снился их дедам и прадедам. Нет,
нет, скорей искать Моисея, чтобы взял за уши и таскал
по пустыне сорок лет.

Среди этой страшной камарильи тяжелобольных
людей — один — Василий Жадов. Он хочет работать,
получать за это деньги и жениться по любви. Он хочет
быть честным! Первые слова Жадова:

— Что дядюшка, занят? Ах, жалко! А мне нужно
очень его видеть.

Вибрации голоса Андрея, его тембр обладали свойством попадать в точку счастья, которая располагает-
ся в отделе головного мозга. И с первых звуков его
голоса мысль расстаться с ним была невозможна.
Зрители, как при приеме наркотиков, чувствовали себя
счастливыми в отличие от проклятой жизни, которую
они оставляли за дверями театра. Во время работы
над спектаклем Магистр и Андрей не расставались.
Они такие разные. Внешне баловень судьбы — Андрей, с сильными, знаменитыми родителями, про него
можно было даже сказать, что он родился не в рубашке, а в котиковой шубке. Бутафория, которая окружала
его, — квартира, рояль, библиотека, коллекция фарфора, гравюры, музейные люстры... Имена, которыми
он щеголял, — Утесов, Арбузов, Райкин, Уланова, Шо-
стакович, Григорович — все, все это нам представ-
лялось как незнакомый предмет, который надо было
выучить! Магистру хотелось бывать с ним, в его доме,
понять механизм незнакомой для него жизни и во что

бы то ни стало выйти на новый социальный виток. Магистра притягивала в Андрее его свобода, культура, удивляла природа. С глазами цвета синьки, с накрахмаленной уверенностью в жизни, он расцветал в атмосфере любви и умирал от недоброжелательного взгляда, жеста!

На сцене между ними установилась странная связь. Андрей, как медиум, принимал сигналы Магистра, трансформировал их и уже в обогащенной, свойственной его индивидуальности форме возвращал этот сигнал обратно. Магистр улавливал эту новую форму и направлял ее на сцену. Так создавались роль и спектакль.

Андрею не хватало для совершенствования волевого начала. Воля мамы оборачивалась всегда насилием над его природой, а воля Магистра — преображала ее. Рядом с Магистром Андрей впадал во вдохновение, как впадают в транс, и на сцене происходил сеанс медитации.

В прошлом воплощении Магистр был гроссмейстером духовно-рыцарского ордена. За одну ошибку, привязанность к власти, он опять был ввергнут в материю и родился в условиях Страны Советов на улице Заморенова, в коммунальной квартире. Вместе с бессознательной памятью прошлой жизни он принес с собой на Землю магический кристалл. Этот кристалл не обладал материей, он был невидимым, но всегда находился в поле досягаемости или в кармане Магистра. В детстве он иногда материализовывался в кусочек разбитого зеркальца, которым он с мальчишками из окна отражал лучи солнца, выжигая у сидящих во дворе бабушек дырки на платье. Перед началом спектакля Магистр входит в каждую гримерную — протягивает артистам невидимые нити вожжей. С помощью невидимых вожжей он будет управлять всеми на сцене...

— Егорова, Егорова... скоро ваш выход.

Я очнулась от видения и бросилась на сцену. А там — горничная Стеша, нагнув голову вниз, задом к зрительному залу остервенело моет пол. «А уж надо мной-то как измывается, одной только чистотой одолела!» И дальше: «твою... так... вона... мать... к чертям собачьим!» Аплодисменты — зал подключился. «Да разве может человек прожить на одну зарплату?» — со сцены гаркает Кукушкина. Аплодисменты. Конец первого акта — потерявшая тормоз карусель! Крутится круг, в обратную сторону, крутится кольцо, вертятся столы, шкафы, графины, рюмки, люди... Вертится духовой оркестр, раздутые щеки трубачей... вертится Юсов в танце перед Белогубовым. Взрыв аплодисментов.

Второй акт — насилие над душой Жадова. Натиск темных. Юленька вся в розовом, как бизе: розовая шляпка, розовые ленты, розовые оборки, ярусы, кружева: «Ты себе не представляешь, Полина, как деньги и хорошая жизнь облагораживают человека». Кукушкина: «А вот погоди, мы на него насядем обе, так авось поддастся. Да гордость-то, гордость-то ему сшибить надо!» И сшибают. Ради любви к Полине Жадов идет просить у дяди доходного места.

Танцуя на крышке гроба своих идеалов, он истерически кричит: «Бери, большой тут нет науки, бери что можно только взять. На что ж привешаны нам руки, как не на то, чтоб брать, брать, брать». Жадов идет по авансцене просить у дяди доходного места — у него градом падают слезы. Но драматург верил в силы света и остановил героя на самом краю пропасти. Карусель продолжает крутиться, но на ней нет декораций, она совершенно пуста. Бутафория жизни исчезла. За кулисами — смерть. За кулисами крик — с Аристархом Владимировичем удар! В этот момент Жадов стремительно выходит из центра бархатного черного задника, как из тьмы: «Я могу поколебаться, но преступления не сделаю. Я могу споткнуться, но не упасть! Если судьба приведет есть один черный хлеб — буду есть один черный хлеб! Никакие блага не соблазнят меня, нет! Я хочу сохранить за собой право глядеть всякому в глаза прямо, без стыда!»

Одновременно на сцене — торжество совести и торжество смерти, как будто режиссер поставил на театре старую русскую поговорку: «Всего на свете двое есть — смерть да совесть». Гром аплодисментов. Зал так высоко поднимался в этой медитации над материей, это был такой опыт духовного переживания, после которого зрители действительно менялись, чувствовали и понимали, что уже не смогут жить и видеть мир по-старому.

Напротив театра Сатиры стояло здание театра «Современник». Между театрами — негласное соревнование, у кого больше зрителей. В «Современнике» мы с Андреем смотрели много спектаклей с Олегом Табаковым, и он постоянно долбил меня:

— Я не хуже артист, чем Табаков? Ну, скажи, скажи! — по-детски напрашивался он на комплимент.

— Ну конечно, лучше. Это и ежу ясно,— искренне говорила я.— Ты посмотри, у нас на «Доходном месте» впервые в истории театра — конная милиция! А у них — обыкновенная толпа.

Наконец спектакль сдали. Чек попросил всех артистов не раздеваясь и не разгримировываясь — в зал. Он был потрясен.

— Сегодня родился гениальный режиссер. Магистр, беги за шампанским.

В этот день мы долго не могли опомниться и до вечера ходили по этажам театра с бокалами и с бутылками шампанского. Мы с Инженю сидели в гримерной, вспоминали поклоны в конце спектакля. Выходили кланяться на авансцену, держась за руки — в середине Жорик Менглет, слева я, Юленька, справа Инженю — Полина и дальше по цепочке остальные действующие лица. Момент поклонов — яркое эмоциональное переживание: в висках стучит, все вены заполнены пафосом от причастности к великому происходящему. Двигаясь в направлении авансцены Жорик крепко сжимал наши с Инженю руки и на ослепительной улыбке, обращенной к зрителям, контрабандой читал нам стихи:

> Девки, бляди, я — ваш дядя,
> Вы — племянницы мои.
> Приходите, девки, в баню
> Парить яица мои!

Пафос, сияющее тщеславие и гордость были побиты смехом. Едва сдерживая его, мы низко опускали головы в поклонах, дабы зрители не заметили на глазах слезы от душившего нас смеха.

Но вот — конец сезона и официальный банкет. Накануне вечером я сшила себе платье — темно-синее, с белым воротником и белыми пуговицами в два ряда. В репетиционном зале поставили столы буквой П и...

сели. На банкет была приглашена жена Магистра. Все с нетерпением ждали ее — сверлило любопытство: какая она, как выглядит? Вошла. Стройная, в темно-зеленом платье с люрексом, прическа — короткие волосы с челкой, в черной соломенной шляпке с полями вверх — «маленькая мама». Из-под темной челки смотрели серо-голубые глаза — настороженный и неуравновешенный взгляд. Красиво очерченные губы.

Что делают артисты на банкете? Пьют! И мы пили. Танцуют! И мы танцевали. Папанов пошел танцевать русского, вприсядку, размахивал руками, рычал, от переполнения чувств. Все были на эмоциональном подъеме. Подошел к нам с Андреем и сказал:

— Ну вот... спектакль сыграли — теперь и свадьбу сыграть можно. Такая пара! Вы и похожи друг на друга!

На рассвете небольшой кучкой поехали на Воробьевы горы! Гулять! Андрей все на меня как-то странно смотрел, и я думала: сейчас сделает мне предложение. «Выходи за меня замуж»,— он говорил каждую неделю, на лету, и в этой фразе не было решения, как будто он репетировал текст. На Воробьевых горах мы встречали восход солнца, кричали, и, когда появились первые лучи, Магистр, ошалевший от успеха, вдруг достал из кармана деньги и поджег! Мы были в восторге от его жеста, это был сигнал. Мы достали свои пятерки и десятки и поднесли к ним спички. Выкатилось солнце, мы стояли с горящими в руках деньгами, на самом высоком месте Москвы, совершая древний языческий обряд — полный отказ от материи во' имя бога солнца Ярилы. Одновременно условно кремировали Ильича, портрет которого был изображен на десятирублевых красных банкнотах.

Но и этого было мало. На Волков, на Волков! Остановиться было невозможно, и мы поехали на Волков. Опять на столе бутылки шампанского, закуски, эротическая музыка... Обнимались — кто с кем, целовались, танцевали, впившись друг в друга телами...

— Таня, пойдем на балкон, мне надо тебе кое-что сказать,— выдернул меня из сгустка танцующих Андрей.

«Наверное, сейчас предложение сделает»,— подумала я, выходя на балкон. Я стояла перед ним и улыбалась от избытка счастья, успеха и молодости.

— Я тебя не люблю! — крикнул он.

Я не поняла.

— Я не люблю тебя! — и вбежал в комнату.

Репетиции «Доходного места» были закончены, а репетиции любви — продолжались.

Я как ошпаренная выскочила из квартиры. Было шесть утра. Побежала вверх к Садовому кольцу. Троллейбусы не ходили, такси не было. Даже если бы и были — ехать не на что, все деньги сожжены! Вышла на Садовое кольцо и пошла в сторону Арбата. Вернее, я не пошла, побежала. Бежала от обиды, от отчаяния, от жестоких слов. У меня из глаз ручьями текли слезы, и я орала на всю Москву:

— А-а-а-а-а-а-а-а-а-а-ааааа! Он меня не любит! А-а-а-а-ааа!

«И всюду страсти роковые, и от судеб защиты нет». От отчаяния и шампанского меня качало из стороны в сторону. Не помню, как добралась домой и в платье и туфлях навзничь бросилась на кровать. В час дня открыла глаза — надо мной стояла мама:

— Таня, ты идешь по дороге Эдит Пиаф! — сказала она строго и исчезла.

— Надо выпить чайку и все обсудить,— сказала я самой себе и заварила крепкого чаю.

Пила чай и думала: что произошло за год? Хорошее — сыграла в «Доходном месте», много читаю, не далась Чеку, научилась стоять на голове, не ем мяса... Андрюша. Плохое — вечно опаздываю, много плачу, все время говорю слово «блядь», курю, пью... Андрюша. Что делать? Он расшатывает и без того расшатанную мою нервную систему. Постучали в дверь — письмо. Из Ленинграда: «Оставьте в покое моего сына! Занимайтесь своими московскими делами! Ирина Владимировна Ласкари». Так мне и надо. Ничего... через три дня с группой артистов едем на месяц в Азербайджан обслуживать войска Советской Армии, играть концерты. Пройдет время и все прояснится. В сладкий чай капнула слеза... Стук в дверь — к телефону!

— Але, это я...

— Кто?

— Я... Андрей. Как у тебя дела? Когда вы едете? Счастливо тебе... ну, пока... веди себя прилично.

— Андрюша... когда ты едешь в Швецию?

— Я не еду. Пока. Целую. До встречи.

Схватило сердце. Подошла мама, спросила, что со мной?

— Сердце,— вызывающе ответила я.

— Девушка не должна курить!

— Я не девушка! Курить — здоровью вредить! Деньги в кассу — здоровье в массу! И не надо мне ничего советовать, мама!

Глава 17

В ДОМЕ ЭНГЕЛЬГАРДТА НА НОВОКУЗНЕЦКОЙ

В Замоскворечье на Новокузнецкой улице в доме Энгельгардта на четвертом этаже семнадцатилетняя советская патриотка играла на рояле чарльстон. Шел 1930 год. Ручки пухленькие, сама полненькая, с выразительными бархатными глазами, она задиком в такт егозила на круглом вертящемся стульчике... нажала на педаль... вдруг бросила играть. Закатила глаза и томно вытянула шею вверх — головка с картины Брюллова. Сделала два аккорда и начала читать Апухтина: «Сумасшедший»:

«Садитесь, я вам рад. Откиньте всякий страх и можете держать себя свободно. Я разрешаю вам. Вы знаете, на днях я королем был избран всенародно... Ах, Маша, это ты? О, милая моя, родная, дорогая! Ну обними меня, как счастлив, как я рад!.. Как это началось?.. Да, васильки, васильки, много мелькало их в поле... Помнишь, до самой реки. Мы их сбирали для Оли... Я ее на руки брал, в глазки смотрел голубые. Ножки ее целовал,— бледные ножки худые... Все васильки, васильки...»

Она вздохнула, сделала круг на стульчике и опять заиграла. Страстная натура жаждала любви и фантазий — Валентина, младшая дочь Александры Яковлевны и Ивана Александровича.

В начале двадцатого века они поженились. Иван Александрович быстро сделал карьеру — стал начальником московского Павелецкого вокзала. Александра Яковлевна родила ему четырех девочек и двух мальчиков. Революция разрушила все. Национализированы деньги в банке, старший сын благочестивых и верующих родителей — красный командир в 19 лет! В десятикомнатную квартиру вламывается толпа пьяниц и хулиганов из рядов революционеров. Подселенцы. Младшая дочь, которая только что играла на рояле чарльстон и читала Апухтина, впилась в газету «Безбожник» и в розовой тунике с разрезами по бокам, с ленточкой на лбу, с подведенными глазами стала носиться по квартире босиком (она занималась у Айседоры Дункан), носилась, как пламя, размахивая газетой над головой, и радостно сообщала миру и глубоко верующей маме:

— Бога нет! Бога нет! Бога нет! «Долой, долой монахов, долой, долой попов, мы на небо залезем, разгоним всех богов»!

Мать ее, Александра Яковлевна, чтобы образумить безбожницу, решительно брала ружье, выходила на лестничную клетку и стреляла вверх! «Бога нет!» — пли! «Бога нет!» — пли! «Бога нет, Бога нет, Бога нет!» — пли, пли, пли!

Отец, Иван Александрович, любил младшую дочь до обожания. Рано утром, когда она еще спала сладким девичьим сном, он тихонько подходил к ее кровати и любовался дивной мордашкой, потом, вздохнув, вкладывал в мило сложенный сонный кулачок бриллиантовую брошь. В следующий раз — кольцо с жемчугом, потом серьги и так всегда, пока не осталась пустой фамильная шкатулка с драгоценностями.

Валечка просыпалась, потягивала ручки и ножки, нежась, разжимала кулачок и удовлетворенно улыбалась:

— Сегодня побегу в «Торгсин» и что-нибудь куплю... эдакое!

«Эдаким» оказалось синее газовое платье. Стояло лето. Валечка разгуливала по Москве в виде синего пышного облака. На голове — чалма, сбоку накрученный из синего газа цветок. На груди висели часы на цепочке с надписью от отчаявшегося кавалера: «Пусть

хоть что-нибудь да бьется, где не бьется ничего!»
Вдруг налетел ветер, облако поднималось — все юбки
вверх! Из-под юбок показывались полные белые ножки и сбитая попочка, одетая в голубые шелковые пан-
талоны с голубыми кружевами. Из трамваев, автомо-
билей высовывались головы с изумленными глазами,
и проходящие сзади мужчины с вожделением и восторгом смотрели на эту живую картину. Она спрашивала
поравнявшихся с ней товарищей мужского пола: «Голубое не мелькает? Нет?».

Что, мелькает или не мелькает? Голубое?! Ах! И опускала, нисколько не смущаясь, двумя ручками газовое
облако вниз. Опять налетал ветер, и она лукаво улыбалась каждому встречному молодому человеку.

Летом в Калиновке на даче она была неизменной
участницей спортивных пирамид. В сатиновых трусах
до колена и в майках девушки Страны Советов, караб-
каясь друг на друга, выстраивали пирамиду. А зимой
в Сокольниках после занятий в институте (несмотря на
декорационную взбалмошность, она поступила в институт) она со студентками любила кататься на лыжах, потом с красными щеками пить чай в буфете
с крошками от наполеона: они стоили дешево и сту-
денткам были по карману.

Синее газовое платье произвело впечатление на
профессора истории. Он был вдовец, и она своей синей
экстравагантностью волновала его мужское воображение. Валечку очень тянуло к античности. Ее комнатка
была заполнена Венерами — Венера Милосская, Венера Книдская, Аполлон Бельведерский, изображение
Амура и Психеи... В квартире у профессора на Тверском бульваре она то играла на рояле, то пела, то
танцевала чарльстон в шляпе с тросточкой, то голая
носилась по квартире, подражая Айседоре Дункан.
Жизнь казалась синей, легкой, воздушной, как газовое
платье. Профессор целовал ее пухлый локоток и повторял: «... что я считаю жизнь от нашей первой встречи. Что милый образ твой мне каждый день милей».
Решили пожениться. Однажды Валечка пухлым пальчиком нажала на кнопку звонка возле дверей профессора. Ждала, ждала, никто не открывал, она опять
позвонила. Из соседней квартиры послышался лязг
открывающихся замков. Из узкой щели пробился

сдавленный голос — не звоните, его вчера взяли. И дверь со страхом захлопнулась.

Валечкина жизнь была разбита: она любила своего профессора. Рыдала две недели, одна бродила по Москве, сидела на Тверском бульваре возле его дома, смотрела на окна, где они были так коротко счастливы. Из глаз текли горячие слезы и хорошенькая черненькая головка в отчаяньи падала на пухленькие ручки.

Синее газовое платье было снято — навсегда — и печально покачивалось на вешалке в шкафу. Его заменила толстовка и парусиновые белые тапочки.

Прошло несколько лет. На горизонте жизни появился жених. Он был в военной гимнастерке, сапогах и представлял партийную верхушку. Армянин. После геноцида 15-го года множество представителей этой нации бежало в Москву. Он до потери пульса влюбился в пухленькую Валечку. Его безграничная широта пленила всех членов семьи. Он приходил в дом с пакетами, саквояжами, коробками, набитыми колбасами, сырами, сладостями, вином и всякой всячиной. Бабкен с Валечкой то и дело сидели в партере театра Вахтангова, не пропуская ни одной постановки с участием Рубена Симонова. В 1938 году в октябре у них родился мальчик. Весь роддом был завален хризантемами! Как же! У Бабкена родился сын! В честь Рубена Симонова назвали его Рубенчиком. Жизнь входила в колею.

Но колея внезапно оборвалась. «Ах, война, что ж ты, подлая, сделала?» — разлучила Валечку с Бабкеном! Его послали на лесоповал — рубить лес. Она осталась одна с сыном в Москве. Немцы уже отступали, был 1943 год, весна, и Валечка влюбилась. Она недолюбила. Ей все мерещился на улицах Москвы Профессор истории, и она встретила похожего на него Архитектора. Чувства были так бурны, поднимали ее вверх от земной обыденности и пошлости, и ей казалось, что она опять парит в синем газовом платье по Тверскому бульвару. Она ночами стояла на коленях в молитвенной позе, сложив ручки перед грудью, и, закатывая «глаза на образа», молила Бога, в которого она не верила (а кого еще просить-то в таких случаях?), чтобы он подарил ей дочку. И Он подарил. Бог всех любит. Подарил девочку, Танечку.

Как водится в таких случаях, и с мужем все разладилось, и Архитектор исчез. Исчез Архитектор — так напоминающий, ну так напоминающий Профессора истории!

Родители умерли. И осталась Валечка совсем одна с двумя детьми — без мужа, без любви, без поддержки... без синего газового платья. Оно исчезло из ее жизни навсегда.

Валечка после разбитой жизни потеряла управление. Нервная система, как лодка без весел, моталась в шторме жизни. Окончив работу, она прибегала (они все бегали, прибегали, опаздывали, неслись, не успевали, торопились).

Задушенные эмоции искали выхода — на пол, в стены, в потолок кидались тарелки, чайники, хлебницы. Опытные ребята только успевали ловко уклоняться от летящих в них предметов, прячась под большой квадратный дубовый стол с резными ножками. Волна бешенства проходила — они весело садились за стол, ели винегрет, котлеты, пили чай. Валечка читала им стихи Пушкина, Есенина и любимого Апухтина — «Сумасшедший». Потом убирала со стола, бежала в кухню, дети с посудой бежали за ней, и она на бегу на всю квартиру кричала:

— Все! К чертовой матери! Устала!

Потом она бежала по длинному коридору коммунальной квартиры обратно в комнату, дети бежали за ней, она валилась на кожаный диван и как со сцены, опять громко, кричала:

— Пур этр белль иль фо суфрир!

Дети давно выучили репертуар своей мамочки и могли перевести: «Чтобы быть красивой — надо много страдать!» А Танечка добавляла: «Чтобы быть красивой, ешь селедку с черносливой!» А Рубенчик провоцировал, хитро увлекая мамочку от накатывающейся опять волны бешенства: «Станцуй что-нибудь нам!» Ребята взбирались на диван, а Валечка, сублимируя бешенство в «движенье, движенье», начинала танцевать. Уже наготове в шкафу был реквизит, и она в красном халатике как заводная кукла, улыбаясь, с тросточкой, в шляпе отплясывала чарльстон. Потом, выдохнувшись, бросала атрибуты в сторону и шла в медленном «Во саду ли, в огороде». На «сладкое» было «Пламя революции» из репертуара Айседоры Дункан. Потом с восклицанием: «Все! К чертовой матери!» — ложились спать.

Утром Танечка с Рубенчиком бежали в школу. Рубенчик на ходу гладил еще сырой белый воротничок и манжеты и длинными стежками второпях пришивал к Танечкиной форме. Галопом возвращались из школы и всем двором, с хулиганом по прозвищу Хрюшка, бежали в кинотеатр «Уран». Хрюшка умел так раздвинуть толпу, что все дворовые проходили без билетов. Смотрели «Великий воин Албании Скандербег», «Тарзан». Внутри все визжало и рвалось от восторга. Сорвавшись с мест, после сеанса неслись опять во двор, и в этот же вечер у них поселялись три кошки — Чита, Акбар, Тарзан и блошистый и шелудивый рыженький пес Гарик. Валечка прибегала с работы, мыла всех «героев фильма» в тазу с ядовитой жидкостью, вытирала их полотенцем, на полу делала постельку, и они оставались там жить. Душа у Валечки была на редкость добрая, сердце — отзывчивое, ум — оригинальный, но — нервы! Не приведи, Господи! «Все васильки, васильки...»

Зимой на катке в Парке культуры и отдыха имени Горького вся Москва каталась на коньках. Кто по одному — на ножах, руки сзади, кто — парами, схватившись руками крест-накрест впереди, кто шеренгой — вчетвером под ручки. Танечка с Рубенчиком гоняли по дорожкам парка на гагах под веселую музыку «Рио-Рита», откусывали вкусные булочки с кремом, и Танечка думала: отчего люди не летают по льду, на коньках всю свою жизнь? Ах, как хочется всю жизнь скользить на коньках с ветром, с булочкой в зубах под бодрящую музыку «Рио-Риты»! Но тут подходил толстый голый морж и, разбивая Танечкины мечты, жахал басом:

— Мальчик, отойди с дороги, я сейчас буду нырять.

И плашмя, животом, плюхался в прорубь Москвареки.

У Валечки есть «друг», но он побудет, побудет и исчезает, потом появляется новый «друг» — побудет, побудет, и снова исчезает, потом новый «друг», потом опять исчезает... Сначала «друг» внимательно разглядывает Валечкину античность — Венеру, Аполлона Бельведерского, Амура и Психею, а потом проходит время, и он со скукой водит глазами и по античности и по Валечкиному лицу, и у Валечки все чаще и чаще проявляются взрывы то восторга, то бешенства.

«Друг» всегда приглашал Валечку в театр. Она с работы — бегом, бегом, бегом — переодевалась в панбархатное черное платье и, стуча каблуками по комнате, носилась из угла в угол. То накрасит помадой рот перед зеркалом, то вытянет нос, мол, для красоты, и три раза поменяет прическу, нервно душится духами «Красная Москва». И дает указание домработнице Шуре — все грязно, плохо сготовлено, дети должны вовремя лечь спать! Все! К чертовой матери! Хлопает дверью и бежит с «другом» на спектакль. Тут же домработница Шура бежит к окну, открывает его, врывается ледяной ветер, и тоже начинает бегать: бежит к шкафу, достает рюмки, тарелки, вилки, из кухни бегом несется с кастрюлей вареной картошки. Тут же вбегает в комнату по свисту ее подруга, тоже домработница из деревни, и два оледенелых милиционера. Они быстро сбрасывают шинели, садятся за стол, на столе появляется бутылка водки, они наливают, едят, крякают, смеются. Рубенчик и Танечка стоят в своих кроватках, как в ложе театра, и с восторгом наблюдают происходящее. Вдруг милиционер посмотрел на висящие на стене часы:

— Когда она придет? — спросил он с опаской.

— Да ёхный тьятр ешо не скоро кончится! Наливай! — ответила домработница Шура. Они пьют еще по стопке и замолкают.

— Сугрелись,— говорит другой милиционер.

Шура, подлизываясь к Рубенчику, обращается к нему с просьбой:

— Рубеньчик, почитай нам книжечку!

Рубенчик только и ждет этого момента — выступать! — и хватает книжку — Горький, Клим Самгин — и начинает выразительно читать им «Жизнь Клима Самгина». Все возбуждены и в восторге от проведен-

5*

ного вечера. В прошлый раз было — «Челкаш и Мальва отдыхали в тени городского писуара». Бьют часы. Милиционеры и домработница исчезают, Шура носится по квартире: моет посуду, все ставит в шкафчик на место, заметает следы. Хлопает входная дверь! Все трое — Шура, Рубенчик и Танечка — ныряют с головой под одеяла и делают вид, что давно спят. Валечка, воодушевленная после спектакля, ложится в постель, мечтательно и с надеждой смотрит на Амура и Психею, вздыхает и долго не может уснуть.

«Литература, свежий воздух, спорт, режим, фрукты!» — кричит мать своим детям. Ее зарплаты хватает на неделю — она не умеет обращаться с деньгами. Но в день зарплаты она забегает в букинистический магазин, приносит домой стопку книг, бросает их на стол с возгласом: «Читайте скорей!».

Денег опять не хватит до зарплаты, и придется книги сдать и на эти деньги доживать. Скоростной метод образования. Так дети прочли всю русскую, французскую, английскую, немецкую классику.

Зимой в январе уже темно, девятилетние ребята во главе с Танечкой — она мальчишница и заводила — бегут в пургу, суча локтями, на Красную площадь. Красная площадь пуста, только вертится клубами снег. Горит кремлевская звезда. Стайка ребят подбегает к мавзолею Ленина — там как вкопанные стоят часовые. Почетный караул. Ребята, хихикая в мокрые варежки, делают скорбные лица и один за другим входят в двери мавзолея. С двух сторон лестница, а посредине — гроб с телом. Он во френче, руки по швам, как на перекличке. Ребята становятся в каждом углу гроба и, облокотившись на мраморный парапет, внимательно разглядывают черты «дедушки Ленина». Глазки, бровки, носик, ротик — выглядит он плохо под желто-зеленым освещением. Идет игра на спор. Все боятся посмотреть друг другу в глаза. Там таится взрыв смеха, и кто первый засмеется — платит рубль! Первая всегда начинает смеяться Танечка, она очень смешливая и всегда платит рубль. И тут начинается нечто: стоят часовые, не моргнув глазом, а ватага детей, впившись в лицо гегемона, начинает не смеяться, а ржать. С этим ржанием маленькие диссиденты выскакивают на улицу и кричат:

— Танька, с тебя — рубль! — и опять бегут, суча локтями, по Кировской улице, к метро. Там Танька клянчит у прохожих:

— Тетенька... дайте пятнадцать копеек... маме позвонить!

Так быстро набирается рубль, и вся ватага кидается к лоткам с мороженым, засыпанным снегом, которые в два ряда стоят у метро, и наступает минута счастья — у кого эскимо, у кого — вафельный стаканчик, кто облизывает крем-брюле пополам со снегом. Они стоят в кучке, опять ржут и договариваются, когда в следующий раз побегут на Красную площадь смотреть на Него, смеяться и есть мороженое.

«Самое страшное — это КГБ», — с ненавистью повторяла Валечка. Эта организация убила ее Профессора истории и стольких, стольких невинных, столько поломало жизней... Время, одиночество, болезни так изменили Валечку. Нет уж тех бархатных глаз, пухлого локотка, все сжалось, подсохло, повисло — старость! И нет покоя душе — там все «васильки, васильки, васильки». Валечка умерла, и когда Танечка разбирала оставшиеся ее вещи, вдруг нашла маленькую деревянную шкатулку, а там — Амур и Психея и кусочек от воздушного синего газового платья.

Это история моей семьи.

Глава 18

ПАЛКИ В КОЛЕСА НАШЕЙ ЛЮБВИ

Чайхана! Что за чудо эта беседка с голубым куполом. Тихо журчит восточная музыка, в маленьких подстаканниках подают чай и на блюдечке колотый белый сахар. Вокруг круглого стола нас восемь человек. Тропическая жара — 40 градусов в тени. Мы пьем уже десятый стакан чая, по ногам стекают струйки пота, становится прохладнее. Вечером концерт перед солдатами. Терпкий запах их гимнастерок и какой-то особый звук аплодисментов, исходящий от мощных и грубых ладоней. Азербайджан.

Каспийское море цвета выцветшей бирюзы — вода густая, соленая, волны тугие, ленивые. Нам приносят ведра тройной ухи — скрученные в жирные завитки куски осетрины и севрюги. Горы, ущелья, горные реки. В одном из ущелий на прогулке моя приятельница-актриса попала ногой в капкан. Господи, как она кричала! Никого поблизости не оказалось. Я с испугу схватила этот железный капкан руками и разодрала его. Нога была спасена.

Военная часть — в степи, в чистом поле, ни одного деревца. Огороженная колючей проволокой. Маленькое одноэтажное здание — Дом культуры. Здесь мы будем три дня давать концерты. Возле окон маячат восточные мальчишки с большими черными глазами, прыгают как мячики и кричат, как будто нас дразнят: анаша, анаша, анаша! Мы не понимаем, что значит это слово.

Днем восточный пестрый шумный базар. Горы красных и желтых перцев, дыни, арбузы, восточные сладости... Влажные и черные глаза продавцов хитро и ласково смотрят на нас, предлагают товар, незаметно открывают белую тряпочку, а там — папиросы.

— Хочешь анаша? Попробуй анаша! Хорошая будет!

Незаметно мы покупаем две папиросы и прячем в надежное место. Вечером, после концерта, маленькой кучкой тайком от всех мы собираемся в туалете (если кто-нибудь узнает из фискалов и партийных — напишут, затаскают, уволят) и по кругу курим анашу. Накурившись, вышли на улицу, сели на ступеньки и, как сейчас говорят наркоманы, «ждем прихода». Началось! Перед нами возникли дивные видения: джунгли, лианы, пальмы, море и радость подкатывает вместе с волнами, смех, счастливый, глупый, наркотический смех. Эйфория!

Но на этом выход, «выход за границу», не кончается. Нас приглашают на винный завод — на экскурсию. Начинается экскурсия с дегустации вин в подвалах из деревянных бочек, а их сотни... Кончается или, вернее, качается экскурсия в лаборатории — тоже дегустацией, только из колб и мензурок. Жара, истома, дары Бахуса, оторванность от Москвы склоняют молодых артистов к дегустации противоположного пола. Инженю — внешне моя приятельница, а под этим слоем ненависть соперницы и «погубить!» — глагол, который терзает ее день и ночь. Мы живем в одной квартире несколько человек, и незаметно она со смехом и алкоголем подпихивает, подпихивает ко мне воспаленного жарой Востока артиста. Я вовремя сориентировалась и немедленно уехала из квартиры. Стала жить на сцене военного клуба, где мы выступали.

Беззаботность, странничество, экзотика Азербайджана, чайханы, горы дынь, арбузов, море, благодатная жара оторвали меня от московских мучений, принесли здоровье и успокоение. Загорелая, лежала на берегу Каспийского моря и дала себе слово: не зависеть от своей любви к Андрюше, освободиться от его захватнической тактики, и если он меня не любит (в чем я сильно сомневалась) — тем лучше. Я свободна. С нового сезона начинается новая жизнь!

Новый сезон, 1967 год, август. Все возбужденные, нарядные. Андрей пришел в усах, сидел поодаль от всех и казался грустным. В буфете подсел ко мне с двумя чашками кофе: он не мог видеть спокойно мою независимость, мой загар, мою веселость без него. И начал процесс захвата.

— Поедем на Петровку? Пообедаем?

— Нет. Не поеду. Спасибо.

— Поедем... на Волков.

— И на Волков не поеду.

— А куда ты хочешь?

— С тобой никуда не хочу. Зачем? Чтобы ты мне опять печень клевал?

— Танечка, это глупо, забудь все! Ты же не Прометей!

— Забыть? Нет. Я знаю, что ты воспитанный человек из очень хорошей семьи: знаешь, что нельзя хлопать дверью лифта, знаешь, что надо пропускать старших вперед, дамам целовать ручки, но ты не знаешь, что существует закон бумеранга! Ты погибнешь, если будешь сознательно причинять боль близкому человеку. Этому тебя родители не научили. Это садизм! А я не хочу боли.

Сказала и резко встала из-за стола. «Мне снилось, мы умерли оба!» — речитативом произнес он цитату из Гумилева, сдерживая бешенство. Схватил меня двумя руками за плечи и водворил обратно на стул. Вдруг, поменяв регистр, нежно объяснил:

— Маленькая моя, я так без тебя скучал! — В глазах отчаяние. — Ну прости меня, прости, пойдем на Петровку, в «Будапеште», купим что-нибудь в кулинарии, выпьем, съедим, я тебе подарок привез из Пярну.

— Что ты мне привез?

— Пойдем, увидишь, тебе понравится.

Начались репетиции «Бани» Маяковского. И «Клопа» и «Баню» Чек ставил когда-то с Юткевичем и Петровым, когда был еще подмастерьем, а сейчас, имея хорошую память, пользовался талантом больших мастеров, тиражируя эти постановки. Премьера посвящалась 50-летию революции, и этим жестом он не упускал возможность лизнуть советской власти к великому празднику 7 Ноября. Андрей репетировал Велосипедкина, а мы — молодая поросль — были заняты в «униформе», как в цирке. В красных кепках, в красных брючных костюмах выстраивались шеренгой вдоль всей сцены — это начало спектакля. Перед нами на авансцену в батмане выскакивал Андрей в лихом кепаре, в драном свитере, с бабочкой на шее.

— Я пойду на все! — кричал он в зал. — Я буду грызть глотки и глотать кадыки! Я буду драться так, что щеки будут летать в воздухе!

После репетиции Чек, проходя мимо меня, всегда бросал мимолетно: «Зайди ко мне в кабинет».

Меня это взвинчивало, конечно, я не заходила, я знала — зачем это «зайти», и бесконечные повторения предложений с его стороны становились угрожающими.

Стоял октябрь. Однажды после спектакля «Дон Жуан» Чек стоял внизу в раздевалке и ждал нас с Андреем:

— Ну что? Гульнем? Поехали ужинать в Дом журналистов — я приглашаю, — сказал молодцевато Чек. Мы поймали такси и через десять минут оказались за столиком Домжура. Ах, как вкусно кормили: нам подали горячие калачи с черной икрой, миноги, ассорти из рыбы с маслинками, шампанское. Чек закурил сигаретку и «взял площадку»: «По морям, играя, носится с миноносцем миноносица. Льнет, как будто к меду осочка, к миноносцу миноносочка». Прочитал он Маяковского, прищурившись, глядя прямо мне в глаза. Положение двусмысленное — явно он за мной приударяет, рядом — Андрей, не дурак, все понимает, а ничего сказать и сделать нельзя, придраться не к чему. А, наоборот, только «спасибо» за оказанное нам внимание. Чек продолжал гормональную атаку: рассказывал о художниках Модильяни, Босхе, Сальвадоре Дали. Я с интересом слушала, потом внимание мое куда-то съехало в сторону, и я стала «примерять» ему головные уборы. Для начала решила примерить лыжную шапочку с помпоном — и пошел бы ты по лыжне куда-нибудь подальше! Шляпа с полями с пышным пером — Атос, Портос и Арамис — карикатура на героев Дюма. Нижняя часть лица — тупой нос с широкими ноздрями и мясистая область под носом выдают низменную натуру. Торговец тканями в палатке провинциального города — на затылке засаленный берет, за ухом карандаш и сатиновые нарукавники! А еще лучше — медный таз на голове... Накрываю его медным тазом — душка, вдруг слышу:

— Основоположник футуризма — течения, к которому принадлежал Маяковский, Маринетти!

Боже мой, какой образованный! Не забыть, не забыть — Маринетти!

На следующий день он, как черный ворон, ждал нас опять внизу, в раздевалке. Опять мы ехали в Домжур. Как-то после очередного ужина с «художниками и футуристами» мы вышли вечером на улицу. Под ногами шуршали желтые листья, и Чек, не глядя на Андрея, как будто его не было, заявил мне:

— Я сейчас поймаю такси и довезу тебя домой, мне все равно на Кутузовский.

Я вопросительно посмотрела на Андрея.

— Я пошел,— сказал он сухо. И, сгорбившись, стал удаляться.

Я села в машину на заднее сиденье, он устроился рядом. Доехали до Спасо-Хауз. Он вышел из машины, элегантно подал мне руку, я поблагодарила его за ужин, за то, что он так любезно подвез меня домой.

Огромный тополь шумел над нами желто-зелеными листьями.

— Я тебя люблю! — порывисто и романтично воскликнул он и впился мясистыми губами в мои губы. — Поедем ко мне: моя жена в Ленинграде!

— Меня ждет мама! — только могла выдохнуть я и — бегом к своему подъезду. Запыхавшись, влетела в квартиру, бросилась к телефону:

— Андрюша, я — дома. Как ты добрался? Я беспокоюсь! Старик? Старик уехал домой! Кто он? Плейбой на пенсии? — и мы залились смехом. — Спи спокойно. Люблю тебя. До завтра.

В августе, когда еще цвели флоксы, мы втроем ездили на дачу. Мария Владимировна, Андрюша и я. Менакер отдыхал в санатории «Пярну». По дороге Андрюша все время апеллировал к маме:

— Мама, скажи Тане, чтобы она не красилась. Куда ты так намазалась? Ты же на дачу едешь!

— Я люблю рисовать, у меня брат художник, мама хорошо рисует. Когда состарюсь, тогда не буду краситься, а в молодости все можно...

— Мама, ну скажи ты ей, что она лучше, когда ненакрашенная.

Мама выдерживала паузу и весомо произносила:

— Я не видела ее ненакрашенную.

Приезжали на дачу.

Походив по саду, Андрей садился в шезлонг, через пять минут вскакивал, шел под душ, вдруг спохватывался, говорил, что у него съемка, он совсем забыл, выпивал чаю с плавленым сыром, мыл машину, спичкой выковыривал соринки в основании стекла, говорил, что ему срочно надо ехать в Москву и он приедет за мной завтра вечером.

Мы оставались вдвоем с Марией Владимировной. Она все время молчала и испытующе глядела на меня в упор. Я сразу бросалась к плите — чаек, конфетки... А какие вы любите? Никакие? А я люблю лимонные дольки...

— У меня нет ни доль, ни долек, даже лимонных, — отвечала она, отхлебывая чай и не сводя с меня глаз.

— Дождь, наверное, пойдет...— начинала я новую тему.

— Пойдем... вам за лимонными дольками...

— Вы сами яблони сажали? И не только яблони — весь сад? И все эти елки у забора? За сколько же лет они так выросли?

Она молча смотрела сквозь меня, я внимательно смотрела на нее и ждала, что она скажет.

— Убейте муху! — говорила она поставленным низким голосом.

Потому что муха в ее доме — это трагедия. И я, гоняясь за мухой, думала: «Господи, хоть бы подольше мне ее не поймать, чтобы убить время и с ней не разговаривать». Муха была убита — на ее лице появлялось одобрение. Она шла в комнату, садилась в кресло и молча смотрела на стену. Я садилась невдалеке, не знала, на какой козе к ней подъехать, и тоже молчала. Проходило время, пока она опять не требовала поставленным голосом:

— Убейте муху!

Я убивала муху, опять на ее лице появлялось одобрение. Наступала ночь — слава Богу, пора спать!

Рано утром, чуть только светало, я, крадучись, выскакивала из дома с корзинкой и шла в лес за грибами. Дышала вольным воздухом, пела и чувствовала себя счастливой. Ощущение освобождения после тяжкой неволи.

Как они с ней живут? Не понимаю! Какая она тяжелая! — рассуждала я, радостно срезая боровики и подосиновики в росистой траве. Приходила, когда она уже встала — на веранде вертела головой вперед-назад, влево-вправо, потом маршировала на месте, высоко поднимая колени и энергично двигая локтями. Она выглядела очень смешной — маленькая, полненькая, и впереди торчал бойцовский нос.

— Я думала, вы уехали,— говорила она, продолжая маршировать.

Увидев корзинку, останавливалась и с детским любопытством смотрела на грибы.

— Сегодня у нас будет грибной обед! — говорила я и садилась чистить грибы. Она устраивалась поодаль и, не спуская с меня глаз, смотрела на эту процедуру. Когда с грибами было покончено, она направлялась

в комнату, намереваясь сесть в свое любимое кресло
и смотреть в стену. Тут я подбегала и, чтобы пре-
дупредить эту попытку, с тряпкой, щеткой и тазом,
зная, что она помешана на чистоте, предлагала: «Может быть, вы посидите на веранде? Я сейчас быстро
хочу помыть здесь весь пол!» Она делала изумленные
глаза и молча уходила на веранду. Вечером приезжал
Андрюша, видел миллиметровый сдвиг в отношениях
и увозил меня в Москву. Мы шли в гости к Энгельсу
или Червяку, спорили до хрипоты о политике, о театре, возвращались на Петровку, почти бегом, держась
за руки, и Андрюша говорил на ходу:

— Мне хорошо только с тобой. Мне никто не нужен!

Посмотреть «Доходное место» специально приезжали люди из других городов. Всегда стонущая толпа
перед театром, конная милиция, истошные крики —
пропустите меня!!!

За то, что играла Юленьку в спектакле, за то,
что всегда уходила со сцены под аплодисменты, за
то, что у меня был роман с Андреем, за то, что
была молода, улыбчива, за то, что всем своим видом
напоминала стареющим артисткам об их возрасте,
за красивые глаза — за все это я подвергалась ие-
зуитским нападкам женской части труппы, ну а все
мужчины во главе с Чеком требовали «права первой
ночи» и разжигались злобой, видя нас с Андреем.
Дома мое достоинство было растоптано и брошено
в грязь: мама взрывалась в своей женской перестройке,
я с отчаянием видела, как распадается человеческий
образ моей матери. Венчала всю эту злобную ка-
марилью лютой ревностью другая мама.

Ей было 55 лет, и наша любовь тоже попала в ост-
рый период ее перестройки, как в горящий танк, и мы
с Андрюшей горели в ее перестроечных гормонах, как
в аду. «Любовь трагична в этом мире и не допускает
благоустройства, не подчиняется никаким нормам.
Любовь сулит любящим гибель в этом мире»,— писал
философ. Нашу любовь раздирали с первого дня нашей встречи.

Осенью на одном из спектаклей «Доходного места»
я вышла на сцену и увидела — во втором ряду в цен-

тре, прямо передо мной, сидит Мария Владимировна с одной из кандидаток в жены Андрею — молодой известной артисткой — Певуньей. Мария Владимировна в совершенстве владела приемами доводить людей до белого каления. От этого кабанихинского жеста — «вот тебе назло, смотри!» — я потеряла дар речи, не могла играть — произносила только текст. В антракте вбежал Магистр в гримерную:

— Татьяна Николаевна, что с вами? — жестко спросил он. — Что происходит? Кто в зале?

— Ничего... ничего... никто. Сейчас я соберусь!

Поздно вечером после спектакля мы с Андреем сидели на скамейке у памятника Пушкину — моя горькая чаша была переполнена.

— Ну что ты так расстраиваешься? Не реви! Не я дружу с Певуньей, а мама!

— Это называется — против кого дружите! — глотая слезы, возражала я.

— Ну не реви. И вообще это было очень давно... Я сдуру ей сделал предложение. Правда, на следующий день забыл, а она мне... я хотел с ней переспать...

— Как со всеми! — всхлипывая, добавляла я.

— ...а она — нет! Я девушка порядочная — только после загса. А потом узнал, что она давно живет с моим другом. Такое... вранье густопсовое. А я — дурак. Я вообще дурак, Танечка, только не вздумай из-за этого что-нибудь вытворить, уехать куда-нибудь или еще... Ну успокойся. Смотри — Пушкин стоит. Хочешь, я тебе стихотворение сочиню? «Я помню чудное мгновенье, передо мной явилась ты, как мимолетное виденье, как...»

Я засмеялась.

Глава 19

ЧЕК И ЗЕЛЕНОГЛАЗАЯ ЗИНА

По Москве носились слухи — закрывают «Доходное место» как антисоветский спектакль. Со всех сторон произносили имя Магистра — по радио, телевидению, в кулуарах. Весь театр восхищался его личностью, а Чек вдруг стал неинтересным, на него никто не обращал внимания. Он чувствовал себя уязвленным, в нем поселился до боли знакомый ему безотчетный страх. Он не спал ночами, много курил, в театре нервно вертел ключами: зависть пожирала его. С таким трудом выкованное годами мироощущение: «Сегодня я — Наполеон! Я полководец и больше», — уходило из-под ног. Его коварный ум конструировал план действий. Он боялся переворота. Два года назад он чуть не слетел со своего кресла — анонимные письма в инстанции, в инстанции! Позорные собрания — снять, снять, нет, не снимать! Снять! Оставили. Из этого сражения он вышел победителем с поселившейся в нем навсегда паранойей. Ему казалось: кто-то вползает в кабинет, вытаскивает из-под него стул, он падает, кругом — враги, враги, подсиживают его, подглядывают за ним, подслушивают его, а он «Наполеон! Он полководец и больше!»

«Не хочу на остров Святой Елены! Не хочу! Не хочу! Хочу сидеть в театре Сатиры на четвертом этаже! Я — Наполеон! Все на колени передо мной, чтобы ростом казались меньше, чтобы признались в своей неполноценности и утвердили мое мужское и человеческое достоинство!» — вертелось в воспаленном мозгу Чека. Ну как тут не вспомнить девиз эндокринологов — что в голове, то и в штанах, и наоборот — что в штанах, то и в голове.

Чек родился 4 сентября 1909 года — планета Галлея пролетала мимо Земли на самом близком расстоянии — преддверие войн, революций, катастроф. Он родился в провинциальном городе и во время первой мировой войны его мать перебралась в Москву: вышла замуж за какого-то Чека, переписала сына на эту фамилию и отдала его в детдом в районе Сокольников, чтоб не мешал ей строить новую ячейку. Хилый, зеленый мальчишка затаил злобу на мать, которая променяла его на какого-то мужика, а его, беспомощного и одинокого, бросила, как паршивого щенка, в яму с бездомными злыми детьми. За скудным ужином услышал: из-под нечесаных чубов, с тяжелым взглядом мальчишки, кивая в его сторону, шептались — сегодня ночью будем бить этого жиденка! Он весь затрясся от страха. Выбежал на улицу, нашел доску. Вечером, когда все легли спать, он положил на себя, под одеяло, эту доску для обороны и, замерев, ждал погрома. Когда маленькие антисемиты подкрались к нему, чтобы устроить темную, он откинул одеяло и стал жахать их доской. В этот миг в его сознании запечатлелась формула: мир — жестокий, грубый, страшный — надо всегда под рукой иметь тяжелый предмет. «Ненавижу мать, ненавижу всех женщин, и мне не хватит жизни, чтобы всем им отомстить!» — сжимая кулаки, шептал он.

Жизнь заставила крутиться, выворачиваться и, как многих несчастных людей, бросила его в театр. К счастью, это был театр Мейерхольда. Хоть Чек и не был там заметной фигурой, он сумел впитать в себя в короткий срок стиль высокоорганизованного человека: потребность в культуре — литературе, живописи, музыке. Мейерхольд был экстравагантным художником, рисковым экспериментатором и не мог, конечно, не стать идеалом для неофитов. В сороковые годы судьба свела Чека с Арбузовым и его студией. Они создали нашумевший тогда спектакль «Город на заре».

«Город на заре» оказался мимолетным сном. Война! Эвакуация.

Изобилие Ташкента контрастировало с нищетой эвакуированных. Заработать негде, купить не на что. Выдавались пайки, на которые выжить было невозможно. Возможно было только мечтать! Красивая зеленоглазая артистка, качаясь от голода, мечтала о котлетке! У нее уже выскакивало бессознательно одно и то же слово — котлетка, котлетка, котлетка, котлетка... Она ей снилась, мерещилась, появлялась в виде миража и тут же исчезала. Однажды, когда зеленоглазая артистка легла спать, вдруг под подушкой обнаружила живую, настоящую котлетку, аккуратно завернутую в бумажку! Щупала ее, не веря своим глазам, гладила рукой — ей не хотелось ее есть, ей хотелось плакать. «Автором» котлетки оказался Чек. Забыв свои проклятья и план мести всем женщинам на свете, он влюбился в зеленоглазую эвакуированную

Зину. Котлетки стали появляться под подушкой почти каждый день, Зина не выдержала такой гастрономической атаки и ответила на котлетки любовью. Вскоре представилась возможность, и они уехали вместе работать в театр Северного флота. Он — режиссер, она — актриса. После войны вернулись в Москву, жить было негде, скитались у друзей, а потом поселились в комнате размером с пианино. Чек где-то подрабатывал, что-то ставил, несмотря на это жизнь была нищенская. В начале 50-х годов он был принят в театр Сатиры очередным режиссером. Когда он сидел с артистами в позе нога на ногу и небрежным жестом открывал полу пиджака, чтобы достать сигарету, у него вместо подкладки болтались лохмотья — так был изношен пиджачишко.

Вокруг него образовалась куча преданных артистов, которым он обещал золотые горы ролей, карьеры! Карьеры! Если...

Воспользовавшись артистами, стечением обстоятельств, интригабельным и расчетливым умом, Чек выплыл на поверхность — ему удалось возглавить театр Сатиры. Он попал в объятия Власти. Власть стала отравлять его незаметно, как угарный газ. Кучка преданных артистов превратилась в подданных. Подданный — корень слова дань, значит, под данью. Теперь вместо дружбы в кабинет главного режиссера несли кто сервиз, кто собственное тело, кто кольцо с изумрудом, кусок курицы, серьги золотые, тортик, селедку. Брали все с зеленоглазой Зиной — бусы, корюшку из Ленинграда, коньяк, постельное белье, пельмени, отрезы на платья, вазы, вазочки, кастрюльки, сырокопченую колбаску, чайник со свистком, редкие книги (ведь он такой интеллигентный, начитанный!), сыр рокфор, чеддер, лавровый лист, огурчики маринованные, мыло, грибочки и ко всему этому, конечно, водочку. Все это приносили, чтобы за все это получить роль! Рольку! Ролишку! Ролишечку!

Власть уничтожала Чека с каждым часом, с каждым годом, как компенсация приходило материальное благосостояние: огромная трехкомнатная квартира, ковры, старинная мебель — красное дерево, карельская береза, зеркала, люстры — все это заменило уходящих в дверь разум и душу. Зеленоглазая Зиночка по женской слабости своей страстно полюбила дань. Когда в театре, а она постоянно бывала в театре, проходила по второму женскому этажу, все актрисы переворачивали свои кольца внутрь ладони и бежали врассыпную: если она кого-нибудь настигала, вцеплялась в ювелирное изделие и с репликой: «Мне нравится!» — снимала с пальца кольцо и была такова.

Чеком была разработана целая система манипуляции людьми. Власть его растлевала, и ему было обидно, что он растлевается, а остальные — нет! И чтобы не чувствовать себя в одиночестве, он растлевал всех тех, кто находился рядом. Так было комфортнее. Для каждого артиста была создана своя тактика растления: у каждого было больное место. Растление доносами, когда ползли к нему в кабинет и доносили, кто с кем переспал, кто пукнул, кто что говорит. Растление подобострастием — человекоугодием, когда приходили, гнулись в поклонах чуть не до земли, улыбаясь до ушей, «лизали жопу», по выражению Марии Владимировны. «Ну и уж отобедать пожалте к нам на Стендаля». Это значит — красная и черная икра. Растление подарками — признание его как божества в акте жертвоприношения. Растление блудом — намекнуть на роль, и артистки, толкаясь локтями, рвутся в кабинет, на четвертый этаж, расстегивать ширинку, до дивана аж не успевали добраться: В амбарную книгу памяти заносилось, кто что принес, кому что дать, у кого что отнять. Принесла артистка дань, и ей надо дать роль в идущем спектакле вместо другой артистки. Дал. Сыграла. На радостях банкет. Прорвалась, победила! А Чек кричит в «праведном гневе», чтобы все слышали:

— Я вам доверил роль, я сделал больше, чем мог! Вы не справились! Я вас снимаю!

Роль отбиралась, подданный с «перебитыми крыльями» копил силы и деньги для следующего случая — в следующий раз он непременно справится! Рыночные отношения развивались в храме искусства, и печать растления ставилась на лбу подданных. Чек ловко стимулировал всех на изумруды, пельмени, груди, зады... чем утешительно ласкал свой комплекс и, откидываясь в кресле своего кабинета, с пафосом самоутверждался стихами Маяковского: «Сегодня я — Наполеон!

Я полководец и больше». Горе было тому, кто оказывался не в стае — он становился объектом охоты.

Магистр и вообразить не мог, в кого он метнул стрелу «Доходным местом». У Чека из раны, нанесенной ему, текла бело-зеленая жидкость. Ему было больно! Больно, больно, больно! Избавиться от Магистра и его проклятого спектакля! А то он избавится от меня и займет мое место! А тут сама Пельтцер, не желая того, подсказала ход: антисоветский спектакль! В партбюро лежит это заявление. Хоть она теперь и дрожит от любви к Магистру, дело сделано, надо его только доделать — скопировать письмо и разослать по инстанциям. Инстанции любят такие письма. У них называется это — проинформировать! И инстанции были проинформированы.

Через две недели в третьем ряду на «Доходном месте» сидела цепочка монстров во главе с Фурцевой — министром культуры. Они сидели с раскрытыми пьесами Островского и сверяли текст.

— Ну не может же быть, чтобы из-за хрестоматийного Островского люди «висели на люстре»? Происки антисоветчиков: видать, что-нибудь приписали сами,— сообразили цензоры.

А на сцене артисты, разглядывая в щелку кулис делегацию, читали стихи: «Я Хрущева не боюсь, я на Фурцевой женюсь. Буду щупать сиськи я самые марксистские!» Не найдя ни одного лишнего слова в пьесе, Фурцева уходила с марксистскими сиськами совершенно озадаченная.

Глава 20

ОТНИМАЮТ МОЕГО АНДРЮШКУ

Сдали спектакль «Баня» к 7 ноября. К 50-летию революции. Успех. Андрей чувствовал себя растерянным и все время спрашивал:

— Танечка, я не понимаю, почему так происходит? Почему, когда я выхожу, в зале овации? Я же ничего не играю!

— Тебя любят!

— Меня любят? — его глаза вспыхнули светом нездешней радости. Ему нужно было, чтобы его любили. Ему это было необходимо — хорошего, плохого, очень плохого, противного, разного — но только чтобы любили!

«Где гуляем праздники?» — спрашивал Андрей Магистра. Собирались всегда у кого-нибудь дома, мыли кости лысому, картавому, который загубил нашу страну, пили водку, читали стихи, а в этот раз были приглашены на Арбат — там в переулке балетные построили кооператив и пригласили нас всех на новоселье.

Ноябрьским ветреным темным вечером, уже изрядно выпив и закусив, мы мчались на двух машинах по Садовому кольцу. Все молоды, полны энергии, возбуждены. У площади Восстания Магистр в залихватском упоении «режиссирует» — открывает до отказа окно заднего сиденья (он сидит там), дает знак ехать второй машине с такой же бешеной скоростью, рядом, бок о бок, с открытым окном и на ходу перелезает из одной машины в другую. Аплодисменты! В машинах хлопают пробки шампанского! Ура! Цирковой номер на Садовом кольце без подстраховки!

Вламываемся в кооператив Большого театра. Стол, как всегда, а-ля фуршет, хлопают двери, изо всех квартир входят и выходят балетные женщины, все по первой позиции, невысокие, жилистые, манерные. Мужчины — скульптурные, с низкими лбами, статичные. Огромная комната — приглушенный свет, тихо играет блюз, все танцуют. Я сижу на диване с множеством маленьких шелковых подушечек и чихаю. Простужена и, наверное, температура. Рядом маленький столик, на нем — соленые орешки, коньяк, фрукты. Я постоянно пью коньяк, который наливает мне Магистр: мол, надо лечиться, Татьяна Николаевна! Андрюша под блюз обнял чернющую с огромным мохнатым хвостом тощую балерину и танцует, покачиваясь с одного бока на другой. Она повисла на нем, положила на его шею две свои «грабли» и целует, целует, целует его. Вот уже впилась в губы, как пиявка,— боже, какой у нее страшный нос. Это не нос! Это шнобель!

— Татьяна Николаевна, коньячку, полечиться,— сказал Магистр и налил мне опять на дно коньячной рюмки. Выпили. Несмотря на простуду и большое количество бродящего во мне коньяка, я разглядела, что пышный мохнатый хвост... О! Опять впилась! Сука!.. Это шиньон и прицеплен он на ее нахальную башку шпильками! Полумрак, блюз играет, а балетная сволочь на моих глазах, в метре от меня, отнимает у меня моего Андрюшку!

— Татьяна Николаевна, еще за здоровье! — чокнулся со мной Магистр.

«А этот спаивает,— мысленно пронеслось у меня в голове.— Хочет посмотреть, что будет». Блюз играет, последняя капля коньяка... и я поставленным голосом, громко, как объявляют на вокзалах, задаю вопрос Андрюшиной партнерше, которая вот сейчас уже ляжет с ним на пол: «Девушка!.. вы... вы... Да, вы!».

Она гордо повернула голову ко мне.

— Да! — вызывающе ответила она.

— Вы знаете, что такое атомная бомба?

— Да! Знаю!

— Так вот, вы страшнее атомной бомбы! — я встала с дивана, чуть качнувшись, подошла к ней, неожиданно сорвала с ее головы пышный, мохнатый шиньон и, подбросив его к потолку, опять уселась на диван. На ее голове торчал хвостик в виде маленькой жидкой запятой. Она с ревом выбежала из комнаты — все бросились за ней.

— Налить глоточек, Татьяна Николаевна? — спросил рядом сидевший Магистр.

— Налить. И выпить.

Не успела я поднести бокал к лицу, влетел Андрей:

— Как тебе не стыдно! До чего ты довела человека! Она рыдает... не может остановиться... ей дают капли...

— Ей надо шиньон дать, а не капли... вот он валяется...— неотчетливо произнесла я.

— Ты совсем пьяная!

— Не совсем. Когда буду совсем, тогда вообще ни одной головы не останется...

«Мело, мело по всей земле... во все пределы... Свеча горела на столе, свеча горела...» Мороз ткал узоры на окнах, на столике стояла белая свеча в бронзовом подсвечнике. Мягкий воск стекал вниз, образуя ма-

ленькие сталактиты. Было тихо. Иногда, как крылья
бабочки, шуршала страница. В нашу жизнь вошел
Юрий Живаго, Лара, их любовь, гражданская война...
Поставив подушки вертикально к стене, облокотившись на них, мы впились в роман Пастернака «Доктор
Живаго». Нам дали его на два дня, подпольно — он
был запрещен.

— Ты прочитал? Можно переворачивать?
— Сейчас, подожди, не гони меня...
— Ты очень медленно...
— Переворачивай, неужели она уедет?
— Не сучи ногами, буквы прыгают, я ничего не
понимаю.
— Танечка, я волнуюсь.
— Ну и я волнуюсь, я же ногами не сучу.

Мы шли все дальше и дальше по следам Юрия
Живаго, в комнате становилось тесно: она наполня-
лась героями романа — Юрий, Лара — и такой стран-
ной любовью...

> На озаренный потолок
> Ложились тени,
> Скрещенья рук, скрещенья ног,
> Судьбы скрещенья.

Мы подняли головы — на потолке, вытянувшись,
лежали наши тени — две соединенные головы, руки,
плечи... что-то стукнуло.

> И падали два башмачка
> Со стуком на пол...

— Ты слышал? Что-то упало?!
— ...Два башмачка... читай дальше.

> И воск слезами с ночника
> На платье капал...

— Свеча догорела, надо новую зажечь. Лара уезжает! — со стоном крикнул Андрей.— Она уезжает!
Нет! — мы продолжаем читать: «Что я наделал?! Что
я наделал? Отдал, отрекся, уступил! Броситься бегом
вдогонку, догнать, вернуть!»

Андрей вскакивает, чтобы зажечь новую свечу.

Мы сидим потрясенные, форточка закрыта, а огонь
свечи мотается в разные стороны, как при ветре.

Чтение «Живаго» было одним из самых сильных

переживаний в нашей жизни. Мы читали не только книгу — читали знаки судьбы. Андрей молча встал, налил по стопке водки, мы подняли их — локоть на уровне подбородка — и дуэтом отчеканили: «Господа офицеры, Иркутск взят!».

Через десять лет он возьмет из этого драгоценного пласта нашей жизни маленький кусочек в свою новую жизнь. Ларой будет звать он свою жену.

Сильна любовь, как смерть, и память сильна. Годы мы будем слушать музыку из американского фильма «Доктор Живаго». И эта музыка будет потрясать нас снова и снова. Свеча догорела, я надела башмачки и побежала за молочным коктейлем. Ах да! Еще не забыть котлеты по 17 копеек, полтавские, хлеб и кефир. А он остался мыть ванную и раковину на кухне.

В нашу любовь незаметно вплеталось искреннее и теплое чувство дружбы.

— А где это твои родители с Чаплином и Софи Лорен? — спросила я, глядя на фотографию, висевшую в их квартире.

— В Лондоне... Они были в туристической поездке в Англии. Папа купил им всем путевки — Чеку и Зине — в подарок. Поехала мама, а отец остался.

— А что-то я тут Зины не вижу?

— Мама ее отрезала.

— Зачем?

— Ей хотелось, чтобы с Чаплином была только она и Софи Лорен — Чек не в счет.

— Какое больное тщеславие! С температурой 39,9 градусов.

— Да, она такая. Нам с отцом приходится иногда ой как страшно!

— Ты тоже очень подвержен тщеславию.

— Наверное...

— Это плохая движущая сила — тщетная слава! Психокомпас показывает не в том направлении, сломан. Лучше иметь другую движущую силу в жизни — она не обманет.

— Какую?

— Самосовершенствование, изменение себя. Инструмент артиста — душа, если она будет скрипкой Страдивари, такой будет и результат на сцене, а если затертая балалайка...

— С тобой очень трудно: ты все что-то выдумываешь, я не понимаю...

А я понимала — как Менакер обожает Андрюшу и знает, что один, без помощи, его талант пропадет в этой мясорубке. Менакер знал механизм театра, жизни, был виртуозным тактиком и, конечно, руководил первыми шагами Андрея.

— Да разве была бы Коонен без Таирова? — часто говорил он.— Орлова без Александрова, Алиса Фрейндлих без Владимирова, Оля Яковлева без Эфроса? А Мазина без Феллини? Артистом надо заниматься!

И он занимался. Судьба театральная, такая яркая и удачливая — судьба Мироновой,— разве состоялась бы без умного и делового Менакера?

Чек был в своем репертуаре — заглатывал жертвоприношения, требовал новые, а главный герой Андрей Миронов, на которого ходила вся Москва, обливаясь кровью и потом, зарабатывал аплодисменты и новый, более высокий статус театру Сатиры.

Глава 21

«ТАНЕЧКА, МОЖНО ТЕБЯ НА МИНУТОЧКУ...»

У нас все время толпятся артисты. Из «Современника», из Оперетты, из Большого. Иногда приезжает знаменитая тонкая поэтесса с рыжей челкой, голосом, как флейта, читает поэму «Дождь», очень много выпивает. Челка вбок, мозги набекрень, флейта умолкает, и ее увозят, такую милую и жалкую одновременно, чтобы дома положить в горизонтальное положение.

В шестидесятые годы в Москве почти в каждой квартире на стене висел Хем — вместо иконы. Хемингуэй. «Праздник, который всегда со мной». Вот он нас всех и споил! Русскому главное, дать идею, и непременно заграничную, и хорошо бы разрушительную, и пошли слизывать как обезьяны. Под Хема спились все. Это считалось самым модным. Пили водку, «Чинзано», шампанское, джин с тоником, виски — в обиходе было выражение «до положения риз».

В дверь позвонили. Пришла мужская фигура котоватого типа с пятого этажа. Он стал всех приглашать:

— Сейчас все спускаемся ко мне и выпиваем за здоровье хозяина, за меня! Ура. Все вниз.

Я нырнула в ванную, попудрилась, пококетничала с собой в зеркале и вышла со словами:

— Так, все спускаемся на пятый этаж! Нас там ждут не дождутся! Все на день рождения!

Андрей из кухни тихо поманил меня пальчиком и сказал:

— Танечка, можно тебя на минуточку?

Я на «минуточку» вошла на кухню, он закрыл дверь и врезал мне так, что я, ударившись бедром о холодильник, оказалась распластанной на полу. Бедро становилось фиолетового цвета с желтизной, а «Танечка, можно тебя на минуточку» превратилась в ходячую фразу. В Андрее бурлила кровь прадеда Ивана из Тамбовской губернии, чисто мужицкий способ разговора с бабой. Бьет — значит любит!

Я сидела в кресле на одном боку бледная, с опухшими глазами. А у него как всегда — прости, прости, я не хотел, я так тебя ревную ко всем! А ты «на пятый этаж, на пятый этаж»! Ну куда ты все рвешься? Сиди дома. Будь скромнее, сдержанней!

«Сдержанней кого?» — спросила я и вскрикнула от боли. Ничего не стала объяснять и говорить о рукоприкладстве. Буря прошла — обида еще подныва́ла. Он поставил пластинку: «Кармен-сюита» Бизе-Щедрин. Принес мне чаю с пастилой. Чтобы скрыть волнение, откусила нежную пастилу и со страхом проговорила: «Андрюша, я беременна».

Он стоял и отрешенно смотрел на вертящуюся черную пластинку, потом задвинул машинально занавески, поправил скатерть на столе — чтобы лежала ровненько, — провел по книжной полке пальцем и палец поднес к моему носу — пыль! Пошел на кухню, взял тряпку, стал мелкими движениями протирать полку. Я молча сидела с фиолетовым бедром в кресле. Пошел в ванную — полилась вода.

— Тюнь, у нас есть шампунь или хорошее мыло? — крикнул он из ванной.

Я взяла из шкафа мыло, понесла в ванную.

— Помой мне голову...

Я вымыла ему голову, почти досуха вытерла полотенцем прекрасные волосы и вышла из ванной. Села на край стула с мокрым полотенцем и стала думать:

«Что же делать? Поселилось во мне зернышко, говорят, в форме трилистника, и все три листика с мордочкой Андрюшки. И с зернышком надо расстаться! Куда рожать? Ну куда? Мы вдвоем-то разобраться не можем! А втроем? У нас одни неврозы, комплексы, спазмы, нам надо лечиться, а не детей рожать. Представляю, как «бабушка» Маша была бы счастлива от этой новости. А моей матери все равно».

«...Любовь, любовь!..» — звучала мелодия на черной вертящейся пластинке.

— Тюнечка,— вышел он из ванной с полотенцем на шее,— как говорят, любишь кататься— люби и с Анечкой возиться! — И засмеялся.— Только не делай трагедию. Тюнечка, хорошая моя девочка. Что мы с ним будем делать? Мы вдвоем-то разобраться не можем! А втроем? У нас одни неврозы, комплексы, спазмы, фиолетовые ножки... Нам лечиться надо, а не детей рожать. Представляю, мама была бы в восторге от этой новости! Тюнечка, мне очень больно это говорить, да ты сама понимаешь, надо подождать. У нас обязательно будут дети. Мы поженимся. Я угомоню маму до нового года, и мы поженимся. Ты мне нужна биологически, как рука, нога...

— Понимать-то я понимаю, но там ведь мордочка твоя поселилась. Жалко ведь...

— Тюнечка, не скреби мне по нервам... Перед новым годом вывесят распределение ролей. В новой пьесе. Два сатирика написали ее для нас с тобой. Ставить будет Магистр и хочет, чтобы мы с тобой играли главные роли. Ведь мы только начинаем нашу жизнь. Я все сделаю, поговорю с Варшавским, он врач, все устроит отлично... елки с палками... Не беспокойся, ты будешь в самых лучших условиях.

«Вот я сегодня предложил тебе жизнь и добро, смерть и зло, благословение и проклятие. Избери жизнь, дабы жил ты, и потомство твое, любил господа Бога твоего, слушал глас Его и прилеплялся к нему; ибо в этом жизнь твоя». Это говорил нам Господь Бог, а мы не слышали.

— А завтра,— продолжал Андрей,— поедем к зубному врачу Грише: у тебя дупло, у меня — дупло... Ой! Что это у тебя здесь на груди?

Я резко опустила голову вниз, чтобы посмотреть,— он схватил меня за нос. Мы засмеялись. А потом наступила тишина, и в темноте я слышала его скорбный голос:

— Я боюсь детей... что я могу им дать? Только тебе могу сказать, какое у меня было страдальческое детство: ведь никто и не подумает — сытый мальчик! Как я страдал, когда уезжали мать и отец, они уезжали всегда и оставляли меня с няней. Я был к ней привязан, но я чувствовал себя брошенным, я кричал от боли — так я хотел быть со своей матерью, так хотел, чтобы она не уезжала. Я так всегда орал в этот момент, все делал на зло, все ломал, портил — это был протест. Мне нужна была рядом мать и никто заменить ее не мог. А потом, когда они приезжали, я опять был брошен. Главное место в ее жизни занимал театр. Поэтому я, наверное, и вырос таким психопатом. Ты меня никогда не бросишь? Нарисуй мне лицо, а то мне кажется, оно у меня исчезает...

И я, склонившись над ним (у нас была такая игра — рисовать лицо), указательным пальчиком в темноте нежно водила по его лбу, рисовала овал, щеки, брови, глаза, нос, ноздри, губы, уши... Уткнулась в его шею.

— Мне кажется,— сказал он шепотом,— меня никто никогда не любил так, как ты.

Схватил меня в охапку, и мы заснули тревожным сном.

Лежу на больничной койке в жару — температура 38,5. Плывут воспоминания детства, как мы летом жили на даче в Кратове, с мамой шли к поезду мимо озера с чудными букетами цветов — в Москву! В вагоне веселые, добрые люди в яркой летней одежде, и все, все с цветами! Вагон благоухает, особенно когда сирень или жасмин. Вдруг открывается раздвижная дверь, входит инвалид без ноги, на костылях, становится в позу и дурным голосом начинает петь:

У меня нет фигуры,
У меня нет лица,
Породила меня мама
Без посредства отца.

Помогите же мене
В этот трудный момент,
Заплатите моей маме
За меня — алимент!

Конечно, можно было бы оставить ребенка, но вот потом он так бы ходил по вагонам и пел. Папа! Папа! Кто бы мог себе представить, как страдают маленькие дети, когда у них нет папы. От обиды, от отчаяния все время разрывается сердце — мученическая доля. Я не хочу, чтобы мой ребенок страдал так, как я. Нет, нет, пусть я вся горю, пусть у меня льются слезы, пусть я вообще умру, но не произведу на свет несчастного.

В палату вошел Андрей. Сел на табуреточку.

— Танечка, я так страдаю из-за тебя. Господи, ну почему эта температура? Сейчас все выложу. Привез тебе из «Будапешта» яички с кремом, ты любишь, соки, котлеты, плавленый сыр.

— Это ты любишь, — тихим голосом сказала я.

— Паштет, апельсины почистить? — встал, осмотрелся и спросил: — Где у вас тут чаю можно налить?

— Ты хочешь чаю?

— Да! Я есть хочу, ничего не успел после репетиции.

— В коридоре, там есть чай.

Он вышел в коридор, принес два стакана чаю, и мы, постелив на стул чистое полотенце, накрыли, и он стал закусывать. Он ел плавленый сыр, паштет, пил чай с сахаром, говорил о кинопробах, о съемках, посмотрел на часы:

— Маленькая моя, я к тебе завтра приеду, если завтра не успею, то послезавтра. Что тебе привезти поесть?

— Что ты любишь, то и привези!

Я смотрела, как он выходит из палаты, потом, за дверью, через стекло он сделал мне веселую рожицу и исчез. «И ты будешь беременна и родишь ветер», — сказано в писании.

Сквозь стекло мелькнула длинная фигура Пепиты. Она приоткрыла дверь, увидела меня, улыбнулась и направилась к моей больничной койке.

— Сейчас Мирона встретила,— сказала она, усаживаясь на табуреточку.— Я тебе говорила, от него проку мало, а теперь еще — это. У тебя температура, воспалительный процесс. Не говори мне, что ты его любишь, все это не вещественно, фантазии. Главное, чтобы тебя любили и чтобы ты не лежала в больнице. Взяла бы да оставила ребенка.

— Нам еще рано.

— Вам! Ему рано! Ему всегда будет рано. Я бы на твоем месте оставила.

— Пепита, ты же знаешь, что я одна на свете... на 75 рублей зарплаты? А самое главное — у меня никогда не будет ребенка без отца. Ты вспомни историю, как мы искали моего папочку Архитектора.

Я закрыла глаза, оттого что стало невозможно видеть этот белый свет.

Когда мне было девять лет, мама в раздраженном состоянии, резко, чтобы было больнее, сказала мне, что у меня совсем другой отец, не тот, что у моего брата. Я молчала и даже не повела бровью. Но затаилась. Ночами плакала тихонько под одеялом от отчаяния, что он, мой папа, меня бросил и даже не поинтересуется: жива ли я, а я даже не знаю, как он выглядит. Может быть, для другого ребенка это — пустяк, а для меня — драма. Мама вышла замуж, и мы с братом оказались в омуте одиночества. Я бывала в театре, ездила в трамвае, ходила по улицам и гадала — вот стоит красивый, высокий! А вдруг это мой отец?! Ни он и ни я не знаем об этом? У меня началась навязчивая идея — мне кругом мерещились отцы, отцы, отцы! Как-то я пришла к кузену — художнику и рассказала о своих мучениях.

— А я знаю его телефон,— сказала мать Ядвига Петровна.— Мы же были знакомы.

На втором курсе театрального училища в декабре мы с Пепитой заперлись в кабинете марксизма-ленинизма (только этот кабинет был телефонирован). Звонила Пепита, так как я очень волновалась.

— Але, здрасьте... Это Николай Васильевич? С вами говорит ваша дочь!

— У меня нет никакой дочери! — бросил трубку.

Пепита покрылась вся красными пятнами:

— Нет, сволочь, ты у меня так не отделаешься! — и снова стала набирать номер.— Але! — сказала она угрожающим тоном,— Николай Васильевич? Так вот, это ваша дочь. Мне от вас ничего не надо: у меня все есть. Я просто хотела посмотреть на своего отца. Я думаю, каждый человек в жизни имеет на это право. Танюль, он бросил трубку...

— Не будем больше звонить, бог с ним,— сказала я с тяжелым вздохом.

А через несколько дней Ядвига Петровна прилетела ко мне в училище, дело было на Николу, 19 декабря, и сказала взволнованно: «Танечка, тебя разыскивает отец! Он велел сегодня же тебя привезти! Едем». И мы поехали. На Арбате я купила мелких бордовых хризантем — ведь у него именины! И через час я его увидела. Я так рыдала, со мной была настоящая истерика, накопившаяся боль за двадцать лет залила всю хрустальную вазу с трюфелями. Он говорил, что он не виноват, что это мама... Я же не прокурор — кто прав, кто виноват, мне просто больно! Господи, как мне больно жить!

Я открыла глаза, жутко болела голова, я вся горела... С кем я разговаривала? Пепита исчезла.

Тут я увидела несущуюся Пепиту с двумя стаканами чаю:

— Танюль, давай покушаем что-нибудь, я тебе курочку принесла, чайку попьем...— шевелила она пухленьким ротиком и смотрела на меня глазами-пуговками.

Отхлебывали чай в больничной палате, у меня текли слезы из глаз, и я говорила:

— «Иметь детей — кому ума недоставало!» Не хочу, чтобы мой ребенок так страдал, как я, не хочу детей. Мне Андрей сказал: я отношения с тобой приравниваю к творчеству, значит, ты ближний первой степени родства.

— Отношения приравнивает к творчеству? — переспросила Пепита.— К творчеству аборта!

Глава 22

ТАНГО У АЛЕКСАНДРОВА

— Мне, пожалуйста, три метра крепдешина, вот этот, в клеточку черную с белым.

Еду на троллейбусе в театр в пошивочный цех — шить к Новому году платье. Щеки рдеют от волнения при мысли, что мы с Андреем идем вместе встречать Новый год в Дом актера! Щеки рдеют, а в воображении реет фасон платья — черная с белым клеточка — шахматная доска. Это самое модное. Лаковые черные туфли у меня есть. Родители Андрея будут сидеть за одним столом, а мы с Варшавским и его девушкой Леной — за другим. И прицепить круглые перламутровые клипсы.

В пошивочном цехе в театре смерили грудь, плечи, длину. Фасон — летящий колокольчик и рукава летящие, все это оторочено черной каймой, скроено по косой, и получаются летящие ромбы.

Андрей ждал внизу. Мрачнее тучи. Молча доехали до Петровки. Он долго ходил по квартире в трусах и майке, на переносице у него собрались морщины-сердитки.

— Чек нам свинью подбросил под Новый год: не дал играть в пьесе «Банкет» с Магистром. Завтра вывесят распределение — нас там нет! Он ненавидит Магистра, всех, кто у него играет в «Доходном месте», которое на грани снятия.

Мы были очень расстроены. Андрей тогда не знал, что «Доходное место» — первый и последний спектакль, который он выпустил с Магистром. Никогда в жизни он больше не будет репетировать с ним на сцене ни одного спектакля! Зависть и злая воля Чека не подпустят их близко друг к другу. Чек — проницательный и хитрый — понимал, что Андрей — избранник судьбы, и если рядом с ним стоять, то и ему, Чеку, перепадет немного блеска, а если быть умным, то и больше половины. И весь он будет в блестках, блестках, блестках за чужой счет!

Новый год — суета, беготня, магазины, трата денег. Мироновой с Менакером я купила в подарок маленький домик со зверюшками, пнем, грибами, мхом и градусником — она очень любила такие вещи. Этот градусник в декорациях по сей день висит на даче в Пахре. Андрюше добыла всю в золоте старинную машинку — он их обожал, как ребенок, и коллекционировал, катал по столу, любовался, отойдя, издалека, каждый день с них вытирал пыль.

В Доме актера на улице Горького в большом зале стояло множество столов, покрытых белыми скатертями, на каждом столе стояла маленькая свечка. Все толкались, здоровались, махали кому-то руками, целовались в губы, как это любят актеры. Потом все расселись за свои столы провожать старый год.

— Таня, подойди к маме, я прошу тебя! — сказал Андрей и сделал такую физиономию, что пришлось идти. Как только я подошла к столу, мама сразу насторожилась и «подняла ушки». В ее психике была одна, но очень большого размера ахиллесова пята — она смертельно боялась плохого и подлого отношения к ней, какое и продемонстрировал ей случай в детстве, в школе с Риткой Ямайкер. Теперь она была бдительна и на всякий случай старалась опередить любого человека с его подлыми мыслями и движениями души. Когда я подошла к их столу, в ней появилось опять что-то от тапира.

— Добрый вечер! С наступающим вас Новым годом! Вот от меня небольшой новогодний подарок. Мария Владимировна, вы прелестно выглядите, вам так идет эта прическа. Вы, как говорят французы про себя: «Лё жё несс этернель — я вечно молодая!» И вы вечно молодая! Пусть в этот год исполнятся все ваши тайные желания! Вы будете на бумажках загадывать желания? Мы — будем, уже приготовили бумагу, только она очень толстая, придется глотать этот картон!

— Я тоже буду глотать картон, потому что у меня желание сложное,— сказала с подтекстом мама.

«Наверное, будет загадывать, чтобы я исчезла с горизонта, испарилась или сдохла»,— подумала я, а вслух добавила:

— Сложные лучше не загадывать, чтобы год не усложнять!

Тут нам на помощь пришел Менакер:

— Танька, ты мне так напоминаешь мою молодость, это шахматное платье, твои глаза, я был влюблен в такую девочку, когда мне было пятнадцать лет.

Жена пресекла его монолог взглядом, и я, улучив момент, ретировалась. «Здрасьте, здрасьте, здрасьте, здрасьте»,— пробиралась я мимо столиков.

— Все нормально,— сказала я Андрею, села за стол, и тут началось блямканье курантов, и мы быстро, быстро, волнуясь, стали писать на клочках бумаги желания. Затем стали бить часы двенадцать раз. За это время мы должны были свернуть бумажки, сжечь их, пепел бросить в шампанское и выпить шампанское и пепел желания до дна!

— Ура! С Новым годом! — орал весь зал.

Андрей вынул из грудного кармана маленький сверточек и вручил мне. Я развернула — тоненькое золотое колечко с рубином! И сразу надела его на палец. Тут же разыграли беспроигрышную лотерею. Я выиграла термос и только посмотрела на Андрея, надеясь пойти с ним танцевать, как услышала:

— Танечка, пойди к маме, ну прошу тебя!

Я взяла свой термос и направилась к маме, без комментариев.

— С Новым годом! С Новым годом!

— И вас также,— ответила мама.— Проглотили свой картон?

— Проглотила, лучше бы было больше пепла, чем шампанского. Я не люблю сладкое. Мне нравится «брют».

— Где вы воспитывались, что привыкли к «брюту»?

— Меня воспитала улица и немного школа,— ответила я, медленно помахивая своими ресницами с мылом и пудрой.— Вот вам еще подарок — термос. Пусть он сохраняет тепло для вас вечно. Посмотрите, очень красивый, с птичками. Извините, меня ждут танцы.

Она незаметно глазами скользнула по моему кольцу, засекла, но я повернулась и быстро убежала.

Наш стол уже оброс друзьями-артистками, пили один бокал за другим, Андрей был в ударе и шутил:

— Михаил Светлов был влюблен в некую Лизу Метельскую и написал ей экспромт: «И если Пушкин был огончарован, то я, друзья, признаться — омете-

Андрей Миронов и Татьяна Егорова — Холден и Салли.

1966 год. Начало...

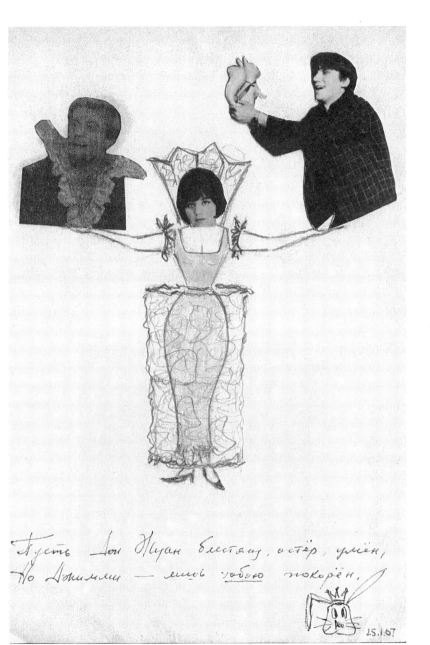

Пусть Дон Жуан блестящ, остёр, умён,
Но Джимми — лишь тобою покорён.

25.I.67

Шуточное послание Виктора Татьяне Егоровой: Миронов — «Дон Жуан»,
Виктор — Джимми. 1968 год.

1982 год

1980 год

1967 год, «Дон Жуан»

1989 год

1985 год

1976 год, Тбилиси

1973 год, Ташкент. Слева направо: Т.Егорова, В.Шарыкина, Л.Шарапова, в центре — А.Ширвиндт, на переднем плане — А.Миронов.

Там же. В центре — М.Захаров.

1978 год. Слева направо: Н.Архипова, Т.Егорова, М.Державин, В.Шарыкина, Г.Менглет, Н.Селезнева, А.Папанов.

1973 год, Ташкент. Сидит: Татьяна Егорова.

1973 год, свадьба Людмилы Максаковой. Слева: Татьяна Егорова.

«Дон Жуан»

«Оглянись во гневе»

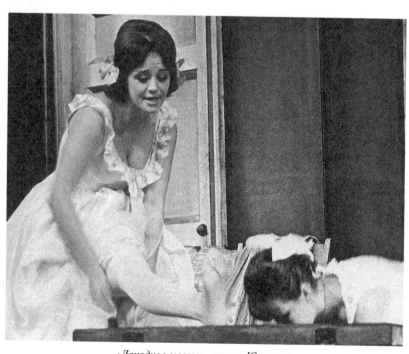

«Доходное место», в роли Юленьки.

лен!» Я тоже написал экспромт: «И если Пушкин был огончарован, то я, друзья, признаться, объегорен!»

Через несколько дней «объегоренный» артист Миронов после «Дон Жуана» спустился в раздевалку, там стоял космонавт Егоров с улыбающейся Синеглазкой, в которую Андрей был влюблен и мыл ей туфли молоком. Она стояла красивая в пушистой шубе. Они поздравили Андрея со спектаклем и ушли.

— Что ты дрожишь? Ты ее увидела и задрожала! Не бойся, не дрожи, я ее совсем не люблю... как странно. Я люблю тебя. Седьмого поедем на дачу — у мамы день рождения. У нас есть несколько свободных дней — побудем там.

По узенькой тропиночке в снегу пробирались на дачу. День рождения прошел спокойно, ели индейку. По традиции: мама Марии Владимировны Елизавета Ивановна всегда готовила индейку на Рождество и на день рождения Маруси. Расходились гости — надевали шубы, шарфы, шапки... Зиновий Гердт предложил Маше с Сашей: пойдемте, пройдемся, чудная ночь.

— Я не могу идти: у меня ноги болят,— сказала Маруся.

Гердт ласково посоветовал:

— Ты садись, Маша, на метлу и лети!

Маша не обиделась, ей нравилось, что ее зовут голубоглазой ведьмой. Без десяти двенадцать, проводив гостей, допивали чай, и вдруг Мария Владимировна спросила:

— Таня, когда у вас день рождения?

— Через десять минут.

— Как это?

— У вас 7 января день рождения, а у меня — 8 января. Сейчас без десяти двенадцать, значит, через десять минут.

Она вынесла мне из своей комнаты коробку шоколадных конфет, достали зеленые рюмки из стекла и в двенадцать часов выпили рябиновой за мое здоровье. «Бойся данайцев, дары приносящих»,— думала я, глядя на коробку конфет.

На следующее утро в белых лучах зимнего солнца она опять маршировала на месте, крутила головой, руки вверх — в стороны, вверх — в стороны и опять шаг на месте. Уехали с Менакером в Москву. Мы остались вдвоем.

Несемся на лыжах по просеке, снег пушистый, глаза болят от белизны. Стая лосей с лосенком. Стоят в метре от нас и смотрят, мол, что это за странные животные на лыжах и с палками? Трамплины... лететь с них одно наслаждение. Андрей и здесь неуемный, как во всем — взбирается и взбирается на гору, чтобы опять лететь в воздухе, плавно приземлиться на лыжню и еще долго скользить по инерции. Разгоряченные, красные добираемся до дачи. Он скорей в душ, я — на кухню. Садимся перед горящим камином в старых махровых халатах, он — в своем, я — в менакеровском, наливаем из маминой бутылки рябиновой, трещат дрова, пылает огонь.

— Танечка, с днем рождения! — мы чокаемся, и каким-то чудом у меня на коленях оказывается флакон французских духов «Фамм». Андрей включил приемник и говорит:

— Сейчас тебе по радио тоже что-нибудь подарят!

И действительно дарят! Как по волшебству он попал на волну, а там — Пушкин!

> Не дорого ценю я громкие права,
> От коих не одна кружится голова.
> ...И мало горя мне, свободно ли печать
> Морочит олухов...
> Иная, лучшая, потребна мне свобода:
> Зависеть от царя, зависеть от народа —
> Не все ли нам равно? Бог с ними.
>   Никому
> Отчета не давать, себе лишь самому
> Служить и угождать; для власти, для ливреи
> Не гнуть ни совести, ни помыслов, ни шеи;
> По прихоти своей скитаться здесь и там,
> Дивясь божественным природы красотам,
> И пред созданьями искусств и вдохновенья
> Трепеща радостно в восторгах умиленья.
> Вот счастье! вот права...

В душе такой полет счастья, что хочется плакать, я знаю — и ему тоже: ведь мы втроем, с нами Пушкин!

— Видишь, тебя Александр Сергеевич тоже поздравил с днем рождения.— Мы молчим, смотрим на огонь, пьем рябиновую... Нам хорошо и спокойно. На следующее утро он кричит из ванной:

— Таня, ну я же тебе говорил, что пасту надо из тюбика выдавливать снизу!

Садится за книгу и начинает учить вчерашнее стихотворение Пушкина «Из Пиндемонти». Вытягивает руку вверх, декламирует как поэт... Это стихотворение войдет в главу «Самые счастливые дни нашей жизни». Потом опять лыжи, просеки, лоси, трамплины, камины... Мчимся по дороге в Москву. Он говорит заговорщицким тоном: «Я хочу купить машину. Не могу же я все время ездить на машине Червяка. Мне надо денег подзанять. Половину, ну... кое-что мне дают родители, а остальные... Поедем на этой неделе к Александрову, ты знаешь его, он друг нашего дома. У него — он реставратор — на углу Садового кольца и Калининского проспекта мастерская. Будем на него влиять, чтобы дал денег в долг».

По коридору четвертого этажа ползла женщина — руки втянуты и приподняты в воздухе, ноги вытянуты в воздухе — йоговская поза, шевелит только животом. Доползла до кабинета Чека — живот натерла до одной большой мозоли. Вползла. Выползла, встала и направилась к лифту с пьесой под мышкой. Клара — новый режиссер, женщина. «Малыш и Карлсон»! Новая пьеса. Начинаются репетиции. Ставит Клара. Перед репетицией назначена читка пьесы. Пьесу читает перед труппой артист Миронов. Наверное, уже никто не помнит — это была выдающаяся читка! Андрей был заряжен счастьем и вдохновением так, что прочел пьесу на одном дыхании на самой высокой внутренней ноте «ля»! Ему было близко озорство и детство Малыша и Карлсона. И мелодия детского страдания была им прекрасно вплетена в сказку. К сожалению, я получила роль Бетан, сестры Малыша, в этом спектакле.

Что «к сожалению» — стало ясно с первой репетиции. Я была «отравлена» Магистром. «Вы вызывающе талантливы!» — эта фраза была брошена ему, как букет цветов на премьеру. На его репетициях мы попадали в зону, где отсутствовал закон гравитации, а здесь — «рожденный ползать — летать не может». Здесь — каша, хаос, невнятица, все приземлено, быто-

во́, обыденно. Тьфу! Конечно, с ободранным брюхом
не взлетишь, а будешь еще больше обдирать его для
своего хозяина. А хозяин дает команду — служить!
Служить! И разлагаться вместе, чтобы одному не было обидно! Бедная Клара! Ей надо было зарабатывать
деньги, и она за это служила и разлагалась! Бегала по
магазинам для Чека и зеленоглазой Зины, готовила
обеды, чистила рыбу... В общем, стала подданной.

После этих репетиций я стала физически заболе-
вать. Тут уж пахло не ролью, а приговором к роли.
И тут на сцену жизни выходит Александров.

Мастерская. Одна стена полностью завешана ико-
нами. Ему пятьдесят с лишним лет. Статный, породи-
стый, с военной выправкой (бывший чекист, разведчик),
он водил нас с Андрюшей по мастерской и рассказывал, чуть грассируя, чем отличается икона XIV века от
иконы XVI.

— Непорочность Богородицы в линиях рта, посмотрите на этот лик — воплощение вселенской чистоты... А на этой стене у меня импрессионисты, копии,
конечно. Люблю Клода Моне, его фиолетовые туманы... Который сейчас час? Полдень. Без пяти минут.
До двенадцати порядочные люди не пьют. Идите
мыть руки, возьми свою глазастую барышню. У вас
есть вкус,— оценил он мою одежду.

На мне — черная расклешенная юбка до середины
икры, бледно-сиреневый свитер, который я сама позавчера связала, и длинный сиреневый шарф, но другого оттенка, как будто в сиреневый цвет капнули
красного вина.

На ногах черные изящные сапожки на каблучке.
«Наверное, я ему напоминаю туманы Моне»,— думала я, глядя в зеркало. Передавая мыло Андрею, цап-
нула его за пальцы, толкнула своим бедром в его
бедро и, смеясь, вышла в комнату, к реставратору. Он
стоял — прямой, высокий, в твидовом пиджаке, в белой рубашке, на шее — темно-синий шелковый шарф
с рисунком. На маленький овальный старинный столик накинута фиолетовая салфетка, в середине —
изумрудного цвета керамическая тарелка с бутербродами, прозрачные бокалы и бутылка бордо. Сияющий
от предстоящего времяпровождения своей качающейся походкой вошел Андрей — на нем бордовый свитер.

— Цветовой струнный оркестр,— сказала я,— си-не-бордово-сиренево-фиолетовые ноты.

— Можем начинать играть,— подхватил Андрей.

Александров наполнил три бокала красным вином:

— Двенадцать! — сказал он.— Ну что ж, я рад вас видеть!

На что-то нажал — зазвучала музыка... танго! Было ощущение, что зазвучали наши фиолетово-бордово-сине-изумрудные цвета. Танго придавало нашей встрече радостно-тревожную интонацию. Александров как будто прочитал мои мысли:

— Танго — фиолетового цвета, с разными оттенками, как ваш шарф и свитер...

— Вы любите танго? — спросил Андрей удивленно.

— Да, люблю, как туманы Моне. Таня, разрешите вас пригласить на танец? Вы танцуете?

Я кивнула головой, встала из-за стола и пошла к нему, думая: «Довольно странно — в центре Москвы, в 12 часов дня пьем бордо и танцуем танго с бывшим разведчиком».

Он крепко взял меня за талию, я положила одну руку ему на плечо, другую сцепила с его вытянутой рукой и мы пошли. Вернее, он пошел, а я в этом танце, как не имеющая воли, пошла за ним. Мы так слаженно танцевали, как будто репетировали всю жизнь. Он меня водил, и мы легко и точно скользили по паркету: я была вся в его власти. «Вот это и есть то, о чем говорит Андрюша,— ведомый и ведущий. Он — ведущий! Я никогда не испытывала такого странного ощущения. Наши танцы — это дерганье рук и ног в разные стороны, какие-то кузнечики. Мы даже не касаемся друг друга, каждый сам по себе... Какое счастье быть ведомой!» Танго кончилось, Александров учтиво поцеловал мне руку, мы вернулись к столу.

— Это было прекрасно! — восклицал Андрей.— Ну, вы тряхнули кудрями, я вами восхищаюсь! И ты, Танечка, была неотразима, где ты этому научилась?

— В прошлой жизни,— сказала я и отпила глоток бордо. Александров наполнил опять бокалы и предложил бутерброды с тарелки изумрудного цвета.

— Теперь ваша очередь! — сказал он, перевернув

пластинку. Опять зарыдало танго. Без всякого таинства, как это было с Александровым, мы, как молодые козлы, вскочили из-за стола. Андрей сразу стал изображать аргентинца в сомбреро. И я так же, под стать ему, играя глазами и плечами, имитировала танец.

— Нет! Стоп! — сказал Александров. — Что ты все время играешь, Андрей? Как будто боишься быть серьезным? Выпрямитесь! Не улыбайтесь — без мимики. Андрей, ты ведущий!

«Ведущий» обнял меня за талию, я положила руку на его плечо, и почти что касаясь щеками, мы стали танцевать. Александров стоял в глубине мастерской, мы его не видели, но слышали его голос:

— Танго требует стабильной мимики, максимальной неподвижности тела. Танго серьезен, танго трагичен. Танго грустен, лиричен. Оно заключает в себе поэтическую и в то же время грустную повесть эротического влечения со всеми его негативными радостями и позитивными страданиями. В танго нет ни на грош молодости, как нет молодости в нашем веке. В танго нет улыбки. Она запрещена. Танго говорит о чем-то, что знаешь... о неизбежности роковых законов любви!

Танец окончен. Андрей размотал с меня шарф и замотал вокруг своей шеи.

— Мне тоже хочется немножко фиолетового тумана,— сказал он и пошел к столику пить бордо.

Того ощущения прекрасной легкости и защищенности ведомого, как в танце с Александровым, уже не было! Было ощущение ведущего. Я устала. В танце он не был легким партнером: он был сам по себе, поэтому бессознательно намотал на себя мой шарф, как символ узды, за которую его надо вести по жизни.

Александров смотрел на нас ласковым взглядом и, поднимая бокал, процитировал:

> Только утро любви хорошо...
> Хороши только первые встречи!

А я думала: «Как же теперь деньги просить на машину? Сразу взяли высокую ноту. Танго, бордо, фиолетовые туманы Моне — он нам просто мозги сиренит». Мы с Андреем посмотрели друг на друга так, как будто он прочел мои мысли, и стали мучительно сдерживать смех, так что слезы брызнули из глаз.

— Вы очень похожи. У вас кармическая встреча,— вдруг сказал Александров.— Будете платить долги.

— Я обязательно отдам к лету деньги, получу за съемки.

— Я не об этом. Кармические долги платить.

— И кармические заплатим,— пошутил Андрей.— Мы люди честные.

В форточку влетел порыв снега.

На следующий день мы ввалились к Александрову в мастерскую заснеженные, опять в бордовом и сиреневом.

— Уже без пяти двенадцать,— сказал Андрей, стряхивая с себя снег, раздеваясь и на ходу изображая руками и ногами пада-па-па-па-ра-ра-ра — джазовый оркестр. Я ринулась в ванную: волосы, лицо, все было залеплено снегом. Наконец, мы опять перед маленьким старинным столиком. На нем другая — светло-фиолетовая — салфетка и керамическая тарелка темно-синего цвета с бутербродами. Прозрачные бокалы и бутылка бордо.

— О! Мне так нравится к вам приходить. Эта салфетка, бордо, стены и особенно ваше: «Итак, ровно двенадцать!» — пулеметной речью проговорил Андрей, еще чем-то повосхищался, достал из сумки сверток: — Ах да, я забыл! Я принес вам в подарок пластинку Фрэнка Синатры: не останавливаться же нам только на танго?

— Итак, ровно двенадцать! — произнес Александров. Наполнил прозрачные бокалы красным бордо, и мы начали новый танцевальный день. А я второй раз прогуливала репетиции с Кларой.

Зарыдало танго. Александров предложил нам повторить вчерашний танец, только с коррективами:

— Андрей, у тебя рыхлая воля. Ты плохо водишь. Это прерогатива мужчины — вести даму. Иначе нарушается гармония. И в танце, и в жизни. Если ты не будешь ведущим — ты будешь деградировать.

Я положила ему руку на плечо, он меня, не так, как вчера, крепко взял за талию, и мы пошли. Со вчерашним танго этот танец нельзя было сравнить! Андрей был очень честолюбивым и всегда добивался того, что у него не получается. Он так старался быть ведущим, но все равно это было далеко от легкого и сильного стиля Александрова.

— Вот видите, у меня уже получилось,— сказал, садясь за стол, Андрей.— Тюнечка, тебе было хорошо? Ты чувствовала, что я ведущий? — И, не давая мне ответить, спросил: — Налить тебе бордовенького бордо? — Вот видите,— сказал он, обращаясь к Александрову, — Тюнечка чувствовала, что я ведущий.

Александров смотрел на нас с умилением и предложил мне опять пойти с ним танцевать танго.

— А ты, Андрей, внимательно смотри!

Мы танцевали — Андрей внимательно смотрел на повадки Александрова и постоянно вскрикивал:

— Я все понял! Я все понял!

В музыке объявили перерыв. Курили «Мальборо». Андрей вдруг спросил:

— Скажите, извините, конечно, за вопрос, что у вас связано с танго? Какая-нибудь история сентиментальная?

— Не сентиментальная,— ответил Александров.— Единственная история, которая может быть у человека в жизни. Любить на земле можно один только раз.

Андрей вдруг засмеялся так, что не мог остановиться.

— Я, например, Танечку полюбил по-настоящему, когда она дуршлагом дала мне по затылку.

Александров засмеялся:

— Любовь, любовь, все о ней говорят и никто ее не видел. В идеале любовь не материальна и бескорыстна, она сама по себе есть величайшая милостыня, и самая нужная. В какой все нуждаются.

— Вы тоже? — вдруг с болью спросил Андрей.

— На земле только завязываются узлы, начинаются романы, молитвы, а истинная жизнь — по ту сторону. Земная жизнь лишь затянувшийся пролог, начало, боль. Мы на землю ввергнуты — как в чистилище, а очиститься можно только страданиями.

Мы засиделись. Стало смеркаться.

— Когда следующий урок танцев? — спросил Андрей.

— Завтра,— ответил Александров.— Без пяти двенадцать. Я уже без вас жить не могу.

— Но...— сказал Андрей,— на прощанье мы с Танечкой хотим для вас станцевать. Под Фрэнка Синатру! Вот тут вы нас не перешибете!

Андрей поставил «Макс зе найф» Фрэнка Синатры, и мы вышли на середину комнаты. Сумасшедший ритм, импровизация, ноги как на шарнирах, наши тела летали по комнате в синем свете сумерек, отбивали по полу каблуками, носками, ноги в стороны, вверх, потом он элегантно протягивал мне руку с крепким запястьем, и я вертелась вокруг себя, потом опять разъединялись, опять взлетали ноги, руки... Музыка оборвалась. Александров аплодировал нам. Повалившись на стулья, мы объясняли в один голос:

— Мы жертвы ритма... он нас когда-нибудь съест... ритм. Нам только давай музыку... В Новый год мы получили приз за танец!

На прощанье Александров налил нам по глотку «Наполеона», и я спросила:

—. Вчера вы сказали, что у нас с Андреем кармическая встреча и что нам нужно будет заплатить долги. Что это значит?

— Молите Бога, чтобы вы их заплатили,— с грустью сказал Александров.— Успели заплатить на этой земле.

— Мы люди порядочные, мы все долги обязательно заплатим,— сказал Андрей.

В форточку влетел порыв снега. Мы скакали по ступенькам вниз, Андрей с чувством победителя говорил: «Ну, в этом раунде я его обставил! Конечно, я так никогда не смогу танцевать танго, мне не дано вести, но он не может делать то, что делаю я».

Спустились вниз. В подъезде было темно. Он прижал меня к стене. И вдруг сказал очень властным голосом:

— Кармочка, ты обязана любить меня всю оставшуюся жизнь!

— Обязана? Что, мы в армии?

— Это твой кармический долг.

— А каков твой долг, Кармелито? Чем ты будешь платить? — Засмеялась я ему в ответ.

Его лицо было перед моим лицом. Господи, как неуместен был мой смех, потому что в его глазах опять мелькнул трагический кадр, вспышка предвидения, боль, и, не смахивая слезы, он уткнулся в меня, схватил так крепко, как будто нас кто-то разнимал.

Глава 23

«МАМА, Я ЖЕНЮСЬ!»

Менакер сидел в кресле в очках, читал Моруа. Миронова в стеганом голубом халате, на голове — сооружение из бигуди, поверх сооружения — сеточка. Стояла у плиты: варила суп из баранины с рисом. Боковым взором она оглядывала стену — чистая ли, сахарницу на столе — уже засрали. Один замечательный врач, который делал ей операцию, сказал, что она любит называть выделительные процессы своими именами. Итак, засрали сахарницу. «И окна, ну никто в этой стране не умеет мыть окна!» — мысленно ворчала она. Она была сказочной хозяйкой, но в этой сказке была одна страшная история. История помешательства на чистоте. Нет! Не на моральной! Чистота физическая, на физическом плане. Вся бутафория — мебель, временные декорации — окна, пол, двери. Реквизит — тарелки, блюдца, чашки, ложки-вилки. Вот! Вилки! С вилками особая история! Каждое вилочное гнездо надо было с лупой протирать полотенцем, тонким краешком втягивать его, полотенце, в эту решеточку и долго двигать — туда-сюда, туда-сюда, туда-сюда. Так же со следующим гнездом вилки. И так до бесконечности.

Андрей, как обычно, ходил нервно из одной комнаты в другую. Набрал телефон — бросил трубку. Пошел на кухню, взял тряпку, тщательно протер аппарат, чтобы блестел, подошел к окну, посмотрел вниз — снег, мороз, люди ежатся в меховых шапках. Вошел в кухню и сказал:

— Мама, я женюсь!

— Это что, текст из новой пьесы? — спросила мама властным голосом, продолжая снимать пену с поверхности супа.

— Не надо иронизировать, я женюсь!

Мама двинулась, маленькая, животом вперед, в комнату:

— Нет! Саша, ты слышишь, что он говорит, этот идиот! Он женится! Нетрудно догадаться, на ком! — закричала фигура в голубом стеганом халате, в бигуди с сеточкой. Нос от злости заострился до такой степени, что мог зарезать кого хочешь.

— Что ты молчишь, Саша? Скажи ему!

— Маша, не кричи, не устраивай спектакль, что мне ему сказать? Я тоже женился, и даже два раза.

— На что ты намекаешь? — деспотическим тоном спросила Маша и, рассекая острием носа воздух, направила его на Андрея. — У нее нет ни гроша!

— Мама, ну мы же работаем, зарабатываем деньги.

— Почему же ты тогда у нас на машину занимаешь? Мы можем тебе и не дать!

— Зачем так... такой шантаж... я ведь отдам, — занервничал Андрей.

— Что ты в ней нашел такое, что вздумал жениться?

У Андрея мелькнула мысль: «О любви в присутствии мамы говорить неуместно, потому что любовь — только ей одной, только ей одной — маме». И он стал объяснять:

— Мне с ней хорошо. И вообще мне пора жениться, что я здесь живу на зеленом диване? Мы с ней ходим в театр, на лыжах, читаем, нам вместе хорошо, нам очень хорошо вместе! Она мне друг! У меня с ней душа на месте!

— Дурак! Ты что, не видишь, что на таких не женятся? Она ведь совершенно не умеет притворяться, маскироваться! А это в браке и в жизни необходимо! Она лепит все подряд, что ей приходит в голову. С таким характером, да еще голая! Зачем она тебе нужна?

Менакер положил руку на сердце. Миронова, продолжая монолог, почти кричала жирным голосом:

— Ты что забыл? — с бойцовской осанкой двигалась она прямо на сына. Глаза бешено блестели. — Я тебя родила! Сколько болезней ты перенес, сколько ночей я не спала, а когда уезжали на гастроли, как мы тряслись за тебя! Зарабатывали деньги, чтобы тебя прокормить!

— Перекормить,— поправил Андрей.

— Ты нам обязан всем, что у тебя есть, а ты жениться вздумал, чтобы нас разорить!.. На этой, с синим бантом! Я тебя родила! Не позволю!

— Да никто вас не разоряет! Таня самый бескорыстный человек на свете! Она говорит, что ей со мной все равно где быть: на пеньке или на льдине... Она меня любит!

— А я тебя что, не люблю? — заорала фигура в голубом стеганом халате.

— Но я же не могу на тебе жениться?!

— Саша, эта сволочь доведет тебя до инфаркта!

И пошла на кухню проверять суп. Она стояла над кастрюлей с шумовкой. Голова в бигуди с сеточкой с укоризной качалась то вправо, то влево, потом остановилась — острие носа повисло над кастрюлей. Внезапно бессознательно на поверхности бараньего бульона она увидела... сцену из «Царя Эдипа»... Софокла. Хор трубным голосом произносил: «Пусть будет счастлив царь Эдип с своей супругой Иокастой». И увидела себя девочкой, сидящей в зале и рыдающей навзрыд, закрыв лицо руками. Видение испарилось, и она как-то странно стояла, задумавшись, пытаясь вникнуть в то, что так мгновенно промелькнуло. Но на поверхности бараньего бульона появилась только пена, и надо было аккуратно снять ее шумовкой.

— Саша, скажи, что денег на машину он не получит! — орала она снова, стоя в дверях комнаты.— Он плюет на свою мать и на то, что она не разрешает ему лезть в петлю! — и пошла выключать баранину.

Андрей стоял возле окна в большой комнате, держась за занавеску. В глазах — слезы: «Мы тебя родили, мы за тебя заплатили, ты нам обязан!» — Как будто я крепостной! Их крепостной.

Не их! Мать — это дверь, через которую человек вошел в мир, и не более того! Он, правда, получил от нее какие-то генетические заболевания: родинку, картавость, гемофилию, например, но это все физика, это все — грубое тело, все же остальное — душа, дух, сердце — не имеет никакого отношения к родителям. Мать только дверь — и не более того! В основном дети болеют из-за давления на них родителей. Родители создают какой-то образ и воплощают его на своем ребенке. Как будто это их ребенок! Не их! Господь дает детей на сохранение души до шестнадцати лет! И все.

Менакер накапал валокордин, выпил и ушел в свою комнату. Миронова делала вечерние процедуры в ванной. Андрей с комом в горле подошел к телефону и тихо, чтобы никто не слышал, набрал номер.

— Але, это — я. Таня, ты не забыла Пастернака «Засыпет снег дороги, завалит скаты крыш...»?

— Нет, не забыла, Андрюш, а что?

— Ничего не спрашивай. Сейчас, когда положишь трубку, иди в свою ванную, запрись и ровно через пять минут начинай его читать, не торопись. И я тоже через пять минут, как положу трубку, начну его читать до конца. Будем вместе на территории этого стихотворения: мне необходимо побыть с тобой. Пока.

> Засыпет снег дороги,
> Завалит скаты крыш.
> Пойду размять я ноги:
> За дверью ты стоишь.
> Одна в пальто осеннем,
> Без шляпы, без калош,
> Ты борешься с волненьем
> И мокрый снег жуешь...
> Одна средь снегопада
> Стоишь ты на углу
> ...Как будто бы железом,
> Обмокнутым в сурьму,
> Тебя вели нарезом
> По сердцу моему...
> И в нем навек засело
> Смиренье этих черт...
> И оттого двоится
> Вся эта ночь в снегу,
> И провести границы
> Меж нас я не могу.
> Но кто мы и откуда,
> Когда от всех тех лет
> Остались пересуды,
> А нас на свете нет?

Из Петербурга приехал родственник Андрея — троюродный брат Александр Белинский. Он был режиссером и очень знаменит ленинградскими капустниками. Ему было около сорока лет. Мы с ним быстро сошлись. Он приходил к нам в театр и громко — было слышно на всех этажах — произносил: «Где моя любимая женщина?» Тут же появлялась стая артисток, поскольку каждая из них считала себя его любимой. Все бросались ему на шею, целовались, он называл их нежными именами и намекал непрозрачно, мол, скоро буду ставить телевизионный спектакль, там много женских ролей, есть шанс! Его любили за привходящую вместе с ним надежду и энергию духа. После посиделок в буфете мы шли с ним гулять по улице Горького и болтали о всяких пустяках, в основном: «кто с кем жил». У него не совсем выговаривалась буква «ж», и поэтому на этой букве всегда мелькала комедийная ситуация. На нем было совсем не новое темно-серое пальто на больших пуговицах, на голове — выцветший «бывший» кролик, ботинки оставляли желать лучшего. В нем было странное несоответствие: весь округлый — лицо, нос, рот, лоб выдающийся, пухлые детские губы, тело тоже круглое, пухлое, обтекаемое, с животиком, но шаг — как будто от другого человека. Шаг энергичного генерала на Красной площади на параде в день седьмого ноября.

Приезжая в Москву он часто просил меня:

— Одолжи мне три рубля: у богатых родственников неудобно просить.

В тот момент у меня было пять рублей, но три я ему всегда одалживала. Он не забывал эту ерундовскую услугу и, когда ему представлялся случай, всегда занимал меня в своих фильмах — поддерживал материально и морально. У него феноменальная память. Часто он приходит ко мне обедать — с аппетитом все съедает, выпивает ровно три рюмки водки, ложится на диван вверх животом, дремлет с храпком минут десять, бросает небрежно про Ленина — этот лысый картавый сифилитик! Потом я достаю с книжной полки наш любимый с ним роман «Граф Монте-Кристо», открываю на первой попавшейся странице и читаю три предложения. Он продолжает наизусть дальше и дальше... и дальше. Феномен! На этом визит кончается — он звонит по телефону, одевается и идет в следующие гости.

Теперь он — барин, главный режиссер театра Оперетты в Петербурге на Итальянской улице, снял замечательные фильмы, объездил весь мир, написал много книг, в общем, занял соответствующее своему дарованию положение.

А тогда с Сашей Белинским в «бывшем» кролике, с Андреем мы отправились обедать в ВТО. Андрей пулеметной речью рассказал брату, что труппа театра Сатиры на сегодня — ветхая, сплошь гербарий, и ее, труппу, надо обновлять. Чек собирается ставить «Женитьбу Фигаро» Бомарше и нет Графа. Под водку и бифштексы перебирали артистов театра Москвы и нашли Гафта.

— И еще я хочу, чтобы в театр пришел Шармёр, артист Ленкома. И Зяма Высоковский из театра «Эрмитаж».

Принесли кофе.

— В общем сколотили труппу! — засмеялся Андрей в предвкушении отличного ансамбля.— Это будет прекрасно! Корнишон из театра Ленком уже перешел в театр Сатиры и играл у Магистра в спектакле «Банкет».

Кто-то из знакомых, проходя мимо нашего столика, поздоровался и спросил: «Вы не идете наверх в кино, на «Шербурские зонтики»?» Мы вскочили, Белинский отправился в театр Вахтангова сговариваться о постановке, а мы... когда мы поднялись наверх, поняли, что даже не можем протолкнуться в фойе. Нас увидел директор Дома актера Эскин, Александр Моисеевич, улыбнулся и протянул два билета, как избранникам судьбы. Мы вошли в зал, он был забит до отказа. Мы с трудом пробрались в шестой ряд. Два часа нас обвораживала Катрин Денев, обволакивало ангельское пение — немыслимая режиссерская находка, такая простая история любви по-французски — без надрыва, без тяжести, без мордобоев. Мы вышли потрясенные: нам стало страшно, что мы можем расстаться... Андрей говорил что-то несвязное, нервничал...

— Что с тобой? Ты как в лихорадке? — спросила я.

Мы подошли к памятнику Пушкина, сели на скамейку:

— У меня ощущение, мне кажется, что я тебя теряю.

И стал есть снег.

— Давай договоримся, если мы с тобой поссоримся невзначай или будет очень плохо, не сговариваясь придем сюда, к Пушкину.

— Давай,— ответила я и тоже стала есть снег.

Почти всю зиму мы протанцевали у Александрова, и я нагло прогуливала репетиции «Малыша и Карлсона» с Кларой. Андрей ничего не репетировал — у него был простой, он очень страдал из-за этого, но тайно готовился к своей заветной мечте: петь на сцене с оркестром. Музыка всегда властвовала в его жизни. И вот февраль 1968 года. С легкой руки влюбленного в музыку и в Андрея композитора и режиссера Анатолия Кремера в театре Сатиры состоялся концерт. Андрей пел! Впервые! Под оркестр! Френсис Лей: «Если повезет чуть-чуть, если повезет чуть-чуть...» Тут были и «Любовь не картошка», и «По земле мы прокатились, здравствуйте вам!», а в финале Андрей пел песню — слова написала Ганна Левинская, жена директора театра, а музыку — Анатолий Кремер. Называлась песня «Как хорошо, что я ее нашел!» Эта песня посвящалась мне. Успех был невообразимый. Андрей на сцене был вдохновенным, стремительным, эксцентричным, впрочем, как и в жизни, когда забывал о воспитании родителей.

«Как хорошо, что я ее нашел» — я стояла у стенки в партере, затаив дыхание. Опять летали его ноги в воздухе в неповторимом рисунке, и тут уже судьба готовилась протянуть ему свою бриллиантовую руку. Он опять победил. Чек звенел ключами, что выдавало его настороженность и раздраженность. Летом Андрей начнет сниматься в «Бриллиантовой руке» у Гайдая, а пока под еще звучавшие в нем звуки оркестра он уехал на три дня в Ленинград, к родителям на гастроли, на свой день рождения. На мою реплику:

— Андрюша, а как же я? Буду одна? 8 Марта?

— Танечка, я не волен, я должен ехать к родителям, мама хочет. У нас так принято. А ты будешь здесь, на Волковом, слушать музыку, позови подружек, почитай, ты же любишь читать.

— Но я хочу быть с тобой! В твой день рождения и в день 8 Марта!

— Танечка, девятого утром встречаемся в театре.

Схватил сумку, выскочил за дверь. Потом вернулся, поцеловал и опять выскочил с репликой:

— Веди себя прилично! — И уехал.

Я бродила по квартире одна в полосатой пижаме, грустила, слушала музыку из «Живаго», читала. 7 марта в театре показывали фильм с Ивом Монтаном и Анни Жирардо «Жить, чтобы жить». Шла на фильм и думала: до скольких же лет мама будет держать его на цепи? Я тогда не догадывалась, что мама обладала приемом доводить людей до белого каления и могла бы в этом виде спорта стать олимпийской чемпионкой. Ей надо было меня разозлить, довести до белого каления, надеясь этим пресечь отношения. Настроение было отчаянное. А в конце фильма, когда Ив Монтан стал протирать стекла заснеженной машины и увидел сидящую там Анни Жирардо, — все изменилось. Я летела, летела домой, что-то про себя мурлыкала и решала: надо все перетерпеть и маму, и, как он выражается, его кретинский характер... все! В голове созрел план.

9 марта утром мы встретились в театре, после репетиции доехали на троллейбусе до площади Восстания, спустились по Пресне и у булочной повернули в Волков переулок.

— Андрей, я должна кое-что тебе сказать, — начала я.

— Что? Что, Танечка? — испугался он.

— Мы должны расстаться! Я устала. Постоянно мама. «Позвоню маме, поеду к маме, скажу маме». У меня ощущение, что я в комнате матери и ребенка. Я больше не хочу проводить 8 Марта одна с книжечкой!

— Но ты же была в кино! — сильно нервничая, воскликнул он.

— Нет, Андрей, давай расстанемся по-хорошему, тебе уже 27 лет, ты здоровый мужик, а все ездишь к родителям справлять день рождения. Ей-богу, это смешно. А я в свои золотые 24 года сижу одна! Где ты еще такую дуру найдешь? Я решила твердо изменить свою жизнь. Сейчас я только возьму свои вещи.

Мы подошли к подъезду, у него уже был свирепый вид, он налился кровью, и я думала: только бы мне не получить страшных тумаков. В лифте он оправдывался, сдерживая бешенство:

— Таня, это глупо, клянусь, все! Этого больше не будет! Все! Все!

— Нет,— отвечала я.— Мое решение неизменно!

Он открывал дверь ключом — у него тряслись руки. Вошли в квартиру. На столе стояла ваза с огромным букетом желтых тюльпанов, шоколадный торт, который я накануне сама испекла, бутылка шампанского. Тут же на столе сидел плюшевый медведь, белый с разноцветными шарами в руках, на которых зубной пастой было написано: «Андрюша, с днем рождения!» Я тут же включила магнитофон: «Если повезет чуть-чуть!» И стала смотреть на его реакцию.

Он оторопел, долго стоял, прислонившись к книжной полке, и смотрел на стол как завороженный. Потом обнял меня так, что с меня слетели клипсы, и мы слышали, как они хрустят под нашими ногами.

Андрей пережил мой розыгрыш и сказал:

— Ну и шуточки!

Как утверждает мой психопатический друг Бодя: в каждой шутке есть доля шутки, а остальное — правда. Вечером мы играли спектакль, и Андрей пригласил Чека с зеленоглазой Зиной «чуть-чуть» отметить его день рождения. Все ели мой торт, пили шампанское, оценили шары с надписью: «Андрюша, с днем рождения!». Чек был в ударе и рассказывал, как в молодости, во время войны, он ночами тушил фугаски на крышах московских домов. Нам было хорошо, и мы были все счастливы — редкие мгновения в жизни. Как это потом будет все заплевано, растоптано, и мы все свершим надругательство над собой и над всеми нами вместе!

Глава 24

ТРУС И ПРЕДАТЕЛЬ

— Предатель! Предатель! Ненавижу! Трус! Ты меня предал! — говорила я рваной речью, сдерживая рыдания. Вбежала в ванную, смешала воду со слезами, открыла кран на полную мощь, чтобы не слышно было, как я скулю, хотела выскочить из ванной и закричать ему опять: предатель! Но взяла себя в руки, посмотрела в зеркало — морда страшная, глаза красные и запали. Вышла в комнату, встала у балкона, чтобы спрятать лицо, и стала смотреть во двор.

Сцена происходила на Волковом переулке. «Предатель и трус» курил одну за другой сигареты «Стюардесса» и оправдывался.

Дело в том, что утром сдали художественному совету театра спектакль «Малыш и Карлсон». На обсуждении Клара вылила на меня всю накопившуюся злобу. Это была уже открытая охота и травля. «Всем повысить зарплату, кроме Егоровой!» — кричали подданные. «Работа Егоровой самая ужасная во всем спектакле!» — не унимались они. И самое удивительное и обидное во всем этом то, что Андрей присоединился к этой стае, встал и высказал свое отрицательное мнение по поводу моей игры.

— Предатель, предатель и трус! — шептала я, стоя у окна. — Ты не мог хотя бы промолчать? Ведь ты же со мной протанцевал все репетиции у Александрова! Ты же знал, какие у меня отношения с Кларой и что она не упустит случая отомстить мне.

— Таня, мне было неудобно!

— Что, Андрюша, неудобно?

— Неудобно промолчать!

— Неудобно спать на потолке — одеяло сваливается!

Слезы катились из глаз градом.

— Представь себе, что Жорик Менглет вместе со всеми поносит свою жену. Этого не могло бы быть никогда! А ты своим выступлением дал им знак: нате, жрите ее, моя хата с краю, я ничего не знаю. Подлость, трусость и предательство. Вот теперь и живи с этим!

Он курил, у него было странное лицо. От внутренних противоречий все немножко пошло вкось, черты сдвинулись в разные стороны. Для него состоялся важный экзамен в жизни. До этого он знал все на отлично — как себя вести, как поступать. А тут неожиданно новый предмет, на котором он, Андрей Миронов, засыпался! «Ой, зачем такие сложности — предатель! — говорила одна часть его души. — Из-за какой-то ерунды, подумаешь». А другая часть едва слышно произносила: «Трус, трус и предатель. Это плохо и неправильно по отношению к той, кого люблю». А вслух сказал:

— Как с тобой трудно! Ты все усложняешь!

Через полгода в свободный день будем сидеть на даче у камина — березовые дрова, огонь, рябиновая,— потеряем счет времени, будем слушать «Свободу», заведем часы по среднеевропейскому времени, а утром детский спектакль «Малыш», где я играю Бетан. Проснемся, выпьем чаю, он наденет свои часы на руку и — ужас! Вместо восьми — девять! В половине десятого я должна быть в театре, а в 10 — спектакль. Андрей бросится на соседнюю дачу к Табачниковым — у них телефон, позвонил в театр и сообщил, что у нас по дороге произошла авария, но к началу спектакля я, Егорова, обязательно буду. Мчимся в машине по Ленинскому проспекту на Маяковскую. Я вся — сгусток нервов! От того, что опаздываю на спектакль! От того, что мне предстоит еще одно моральное мордобитие! От того, что Андрей едет с такой степенью риска, чтобы защитить и спасти меня. Подъехали к театру. При его любви к чистоте он схватил грязь, вымазал лицо, шею, рубашку, и без десяти десять мы вбежали в двери моей гримерной. Там стояли и торжествующая в своей мести Клара и новая артистка, одетая в мой костюм.

— Я успеваю переодеться и на сцену,— сказала я.

— Нет, ты не будешь играть,— с наслаждением садистки заявила Клара, и они с артисткой двинулись по направлению к сцене.

Андрей ходил по театру весь в грязи и рассказывал, как мы попали в аварию и чудом выбрались. Это не помогло, и меня терли на терке и проворачивали в мясорубке на всех собраниях. Но для Андрея это был поступок, и впечатление от этого поступка отразилось на лице. Из него ушла смятенность и черты не сдвигались в разные стороны, а приобрели симметрию и мягкую выразительность.

Эта история с нами случится осенью, а сейчас, весной, на Волковом переулке после сцены «предатель, трус!» я облачилась в маленькое черное платье, браслет на левую руку, в хвост — черный шелковый бант, и мы пошли оба со ссадиной на сердце в Дом актера на поминки по спектаклю «Доходное место», который всем нам принес большой творческий и нравственный доход.

Фурцева и ее министерская камарилья прочла, как пифия, между строк в пьесе, когда они сидели в зрительном зале с помощью ручных фонариков — разрушение системы! Начало восстания! Мятеж! И спектакль закрыли. Вернее, убили, приставив дуло к виску. Ведь спектакль тоже живое существо. Убили на глазах у всего честного народа.

Утром в театре играем злополучного «Малыша». В антракте сижу на подоконнике и качаю ногами. В мою гримерную открывается дверь. На пороге стоит артистка — Травести или просто лилипут с огромным носом. Про таких говорят: не мужик, не баба — Терентий. Она играет роль Малыша. И эта «не мужик, не баба — Терентий» нагло заявляет мне с видом опытной куртизанки:

— Сегодня у Мирона такая ночная жизнь была! Столько женщин! Прекрасно провели время с вечера до утра!

— Ты, что ли, провела? — спрашиваю я, глядя на это нечто.

— И я тоже,— с негой утомленной гетеры произносит она.— Он и думать-то о тебе забыл!

Я вскочила с подоконника, схватила ее за шиворот и выбросила в коридор — она пролетела по инерции еще метров двадцать.

Через час председатель месткома вызывает меня к себе в кабинет и показывает заявление — кляузу, которую эта Травести на меня настрочила.

— Придется собирать месткомом и обсуждать ваше поведение,— сказал он, делая огорченный вид.

— Собирайте что хотите, но обсуждать поведение вам придется без меня. Я не являюсь. И запомните — у меня очень много кандидатов на обсуждение поведения в этом театре. А артистке передайте — пусть не попадается мне на дороге. В следующий раз ей уже нечем будет писать заявление.

Вечером ко мне на Арбат приехал Андрей. Провел пальцем по мебели и к моему носу — пыль! Стал укорять — ну как я могла так поступить, швырнуть артистку вдоль коридора, надо быть сдержанней, теперь это заявление в месткоме, все об этом говорят.

— Ты со мной не общайся,— еле сдерживаясь, начала я,— если тебе так больно делает местком. Общайся с этими сучками и низкопробными блядьми! Наверное, это твой уровень.

Поймала его взгляд, брошенный на вазу, стоящую на шкафу, поняла, что сейчас начнется дикая потасовка, и быстро-быстро сказала:

— Тихо, тихо, сейчас мне не до тебя! Иди, иди! До завтра! — И закрыла за ним дверь.

Через неделю он скребся в мою гримерную в театре. У него было такое несчастное, детское и виноватое лицо. Он так просил не обращать внимание на всю эту ерунду: они все — женские угодники в дедушку Семена, а я хочу от него больше, чем он может дать.

Я не сдавалась и говорила:

— Я хочу элементарной порядочности и чтобы ты меня не провоцировал на поступки, за которые мне приходится краснеть. Все! Кончено! — «Все! Кончено!» была для него самая страшная фраза, и он, ловко выворачиваясь, повторил ее с другим оттенком:

— Все! Кончено! Я жду тебя внизу, в раздевалке. Хватит! Я уезжаю сниматься. Меня утвердили в фильм «Бриллиантовая рука». Режиссер — Гайдай.

Перед отъездом на съемки в Баку он как-то странно мялся, виновато смотрел и вдруг признался:

— Танечка, у меня чесотка на нервной почве.—

И стал показывать — чесал руки, грудь, шею, как одержимый.— Ты не чешешься? — спросил он меня.

— Я? Нет!

— Да нет, ты тоже чешешься! Ты должна чесаться!

— Да не чешусь я! Что ты меня уговариваешь?

— В общем, мне выписали микстуру,— продолжал он.— Вот два флакона. Одним мазаться утром, другим — вечером. Это — тебе. Вместе будем лечиться. Ты — здесь, я — в Баку. Курс две недели. Как раз через две недели я прилечу. Мазать все тело обязательно...

Я открыла пузырек — на меня пахнуло запахом огненной падали.

— Этим мазать тело?

— Да, да! — поспешил ответить Андрей. — Врач поставил диагноз — это нервно-инфекционное. Танечка, я тебя умоляю, иначе мы не выберемся из этой чесотки. Ведь театр, костюмы... — И улетел.

Я ответственно два раза в день мазалась, задыхалась от зловонного запаха, и мне казалось, что я не лечусь, а разлагаюсь заживо и обитаю в помойке. Звонил из Баку Андрей, говорил, что у него все нормально, снимается и тоже, честное слово, мажется.

За мной ухаживал представитель из МИДа, красивый парень, звонил каждый день, приглашал прокатиться на «Волге» в загородный ресторан, и я кусала локти от досады, что вся пропитана «вшивой» жидкостью и свидание не может состояться.

Через две недели Андрей прилетел из Баку — загорелый, счастливый, возбужденный... рассказывал о съемках, о сцене на корабле — «Весь покрытый зеленью, абсолютно весь!», о Юрии Никулине, о Мордюковой и вдруг заявил:

— Больше мазаться не надо. От тебя так несет, что можно сдохнуть!

— Но ведь ты сам сказал, что надо лечиться!

— Танечка... прости, прости меня... я пошутил. Я ужасно ревную и поэтому на время моего отъезда придумал эту историю! Ну прости...

Он обнял меня, всю пропитанную «вшивой» жидкостью, наверное, для изведения насекомых у собак и кошек, и сказал:

— Теперь я спокоен, маленькая моя, я буду улетать ненадолго.

Глава 25

ВЫСОЦКИЙ И... ПОСЛЕДСТВИЯ...

Как хорошо летом в Москве! Летом, когда особенно ощущается нежность и внимание к нам самой жизни — в тепле, в зеленых листьях и цветах, в долготе дня. В субботу и воскресенье улицы почти пустые — все на дачах. Можно бродить по Москве куда глаза глядят, наслаждаться тишиной, безлюдьем... Можно купить себе новое летнее платьице, поехать загорать на пляж в Серебряный бор, купаться в Москве-реке... Можно пройтись по пустым, прохладным залам Третьяковской галереи, постоять (в который раз!) у «Боярыни Морозовой», заметить, что юродивый тоже воздел два перста, полюбоваться ночами Куинджи, вспомнить, как он требовательно воспитывал в своих учениках ковкость характера, перенести требование Куинджи в область своей жизни и с кислой грустью обнаружить — ковкости-то и нет! Занервничать и пообещать себе в ближайшие дни эту самую недостающую ковкость. Выйти на яркий солнечный свет, купить персик, съесть, немытый, и отправиться в театр на спектакль.

Стоял август. Конец сезона. На носу премьера спектакля «Последний парад» по пьесе А. Штейна. Все злые, раздражительные, как всегда перед отпуском. Молодые артисты заняты в этом спектакле в танцах. Каждый день — батманы вверх, в сторону, назад! Сутолока в пошивочном цехе — у артисток летящие шифоновые платья, у меня — с талией под грудью, а-ля эпоха Директории, фиолетового цвета, расшитое блестками.

Андрей то и дело улетает на съемки «Бриллиантовой руки», видимся мы редко, а последние три дня он в Москве, но куда-то исчез.

День премьеры; последние штрихи грима, волнение бодрящее и звонки, звонки, звонки... на сцену! Открывается дверь в гримерную, и появляются два лица — Андрей и Магистр. Андрей включает обворожительную улыбку, окидывает меня взглядом с головы до ног и со смешком произносит:

— Тюнечка, ты Наташа Ростова, доведенная до абсурда!

Я не могу не улыбнуться ему в ответ и не могу не

засмеяться, хотя точно знаю, что синдром дедушки Семена эксплуатировался все три дня, да и он ничего не может скрыть, по нему видно, что рыльце в пуху, но, изо всех сил сдерживая радость от его присутствия, строго произношу:

— Я очень волновалась. Можно было позвонить!

Он тут же исчезает, чтобы не продолжать тему, я выхожу из гримерной и мимоходом беру на понт Магистра:

— Вы не забыли закрыть окна на даче?

— Все закрыли, Татьяна Николаевна, и окна, и двери! — проговорился «умница» Магистр.

«Не бери в голову»,— говорю я себе, шагая широкими шагами на сцену. «Легче, легче, легче».

В зрительном зале вместе со зрителями сидел весь художественный совет. Театр набит до отказа. В этом спектакле исполнялись песни Высоцкого. Во время спектакля мы все смотрели в зал на знаменитого барда. Запрещенный, дерзкий, смелый, гениальный, потрясающий своими экстравагантными поступками, он сидел в зале один, сиротливо, казался совсем мальчишкой и как-то странно слушал свои песни не в своем исполнении.

Финал. Занавес. Аплодисменты. Все участники, разгримировавшись, поднимаются в малый репетиционный зал, где накрыт длинный стол — отметить премьеру и конец сезона. Разоблаченный мною Миронов стоит рядом с Папановым. Они острят, улыбаются, и, проходя мимо него, уже заряженная конфликтом, я вызывающе ему бросаю:

— Врать нехорошо!

А цензор продолжает трепаться: «Не бери в голову». «Ну не могу я,— шепотом отвечаю ему.— Мне обидно!» Желание безраздельно властвовать над ним, привязать веревками к себе смешивалось с бессознательным желанием бежать! Бежать! Я становлюсь зависимой от него, как наркоман или алкоголик, и он постоянно раздражает в моем мозгу точку ада. И я там плаваю в кипятке, надо вырваться!

Наполнялись бокалы, говорились тосты, а я, хлебая шампанское, посыпала свою раночку присыпочкой: «Ничего, ничего, через три дня я уезжаю с группой артистов в Польшу. На месяц. Обслуживать войска

Советской Армии — играть для них концерты». Магистр поставил со мной в роли отрывок из «Шторма» Билль-Белоцерковского, где я играю спекулянтку. Одновременно в моей голове зрели варианты ответных боевых действий. Например, уехать и даже не проститься с ним или из дверей уходящего поезда прокричать: «Наступит время, когда спать будет с кем, а просыпаться не с кем!» Что имеем — не храним, потерявши — плачем! Или сбежать с кем-нибудь ему назло, чтобы он почувствовал, как больно... тоже мне, Самсон, подумала я, взяла вилку, воткнула в ветчину и встретила его взгляд — ох, этот хитрый взгляд, якобы умоляющий о пощаде!

Стол постепенно становился растерзанным и пустым. Было поздно, остались самые крепкие. Высоцкий взял гитару, сел поодаль и запел:

> И когда наши кони устанут
> Под нами скакать,
> И когда наши девушки сменят
> Шинели на платьица...

Вокруг него образовался круг артистов. Я взяла свой стул и села неподалеку. Он впился в меня глазами и вместе со стулом подвинулся к моему стулу. Ударил по струнам:

> В желтой, жаркой Африке,
> В центральной ее части
> Как-то вдруг вне графика
> Случилося несчастье...

Он еще раз вместе со стулом подвинулся ко мне и хрипло продолжал:

> Слон сказал, не разобрав:
> — Видно, быть потопу.
> В общем так, один жираф
> Влюбился в антилопу.

Брякнул по струнам. Встал. Налил водки. Выпил. Налил бокал шампанского — протянул мне. Опять ударил по струнам и новая песня — глядя мне в глаза:

> Когда вода всемирного потопа-а-а-а
> Вернулась вновь в границы берегов,
> Из пены уходящего потока-а-а-а-а
> На сушу тихо выбралась любовь.

Мой цензор был во хмелю и крепко спал, и я без

руля и без ветрил бросилась в «поток» под названием «Высоцкий». Он это чувствовал, у нас произошло сцепление. В недрах моего сознания оно называлось таким знакомым словом «месть»! Но месть унижает, поэтому месть вышла на поверхность в милом словосочетании: ах, как он мне нравится! Какого рода сцепление было у Высоцкого, мне не дано знать, скорее всего это было вечное одиночество. Затылком я чувствовала пронзительный взгляд Андрея, смешанный с уже закипевшим в нем бешенством. В этом небольшом зале леталк невидимые огненные стрелы, вспыхивали невидимые молнии — напряжение было такое, как во время грозы. Своим рычащим и хриплым голосом, впиваясь в мои зрачки, Высоцкий продолжал:

> Только чувству, словно кораблю,
> Долго оставаться на плаву
> Прежде, чем узнать, что я люблю —
> То же, что дышу или живу.
> И много будет странствий и скитаний
> Страна любви — великая страна.
> И с рыцарей своих в дни испытаний
> Все строже станет спрашивать она.

Я сидела, улыбаясь, в малиновой юбке, в белой кофточке, как во сне, раскачиваясь на стуле, с остатками шампанского в прозрачном бокале. Вдруг я услышала голос, самый главный голос в жизни, и, не подозревая, что песня становится явью и наступают «дни испытаний», улыбнулась на его слова:

— Идем скорей, на минуточку, мне нужно кое-что тебе показать. Это очень важно!

Я встала, поставила бокал на стол и пошла за Андреем. Мы вышли в темный коридор, свернули налево, прошли несколько шагов в глубину. Не успела я открыть рот, чтобы спросить, куда он меня ведет, как мой рыцарь врезал мне... Из носа хлынула кровь на мою белую кофточку. «И с рыцарей своих в дни испытаний все будет строже спрашивать она», — пронесся в моей голове шлейф песни.

Из носа лился поток теплой крови, я закинула назад голову, руки становились липкими. Мы оба были очень испуганы, молчали и только два платка, — его и мой, и две руки встречались на территории моего разбуженного лица. Потому что нос, если читать наоборот, получается — сон. Я была во сне, я крепко спала и только как сомнамбула автоматически ходила в театр, считая это наваждение — целью жизни: спала, не видя себя со стороны, не понимая, не видя ни его, ни людей, которые меня окружали,— только очертания их плавали в мутной воде бытия. Они тоже спали. Поэтому удар в нос — сон, разбудил мое сознание, и, чувствуя губами на вкус соленую кровь, я вдруг увидела себя непроходимой обезьяной, у которой из башки выскакивали только два слова: «любить, отомстить, любить, отомстить». И увидела его — закомплексованная жертва, несчастный маленький ребенок, у которого разрывается сердце от страха перед жизнью, одиночеством, предательством.

Таинственными путями по колосникам Андрей провел меня на мужскую сторону, в туалет, посадил на стул, мочил платок холодной водой, прикладывал к носу. Кровь остановилась. Не произнеся ни слова, мы незаметно вышли из театра. Светало.

На Петровке он отрешенно предложил мне:

— Попьем кофейку?

Стал варить кофе. Телефонный звонок в пять утра. Звонит актриса и сообщает, что после банкета, на рассвете, решила прийти к нему и отдаться.

— Ну что ж, раз решила, приходи отдавайся,— сказал он и засмеялся. У меня — ноющая боль от удара. Сижу с холодным мокрым полотенцем на переносице, закинув голову назад. От его слов «Прости меня, прости... я не хотел...» хочу плакать. «Пьем кофейку» по глоточку. Он смотрит на меня испытующим любящим взглядом, и в глубине зрачков таится ирония по поводу такой бурной драматургии, произошедшей с нами в ту ночь.

Звонок в дверь. Андрей открывает. В лучах солнца стоит хорошенькая артистка, делает два шага, переступает через порог, смело направляется к комнате — отдаваться, видит меня и с диким воплем вылетает из квартиры. И еще долго слышен стук каблуков — нервно мчались вниз по лестнице полные ножки. Андрей тихо смеется, осторожно глядя на меня:

> Пришла отдаться на рассвете,
> Когда мирно спали дети...

— Тюнечка, хочешь еще кофе? Я очень нервничаю. Я совершенно себя не знаю... Я теряю контроль, когда вижу, что ты... «Земфира не верна!» Ты помнишь, чем это все кончается?

— Помню: «Тогда старик, приближась, рек: «Оставь нас, гордый человек!» Ну что еще можно сказать на это хулиганство из подворотни?

— Нет! Нет, нет! Танечка!

— Нет? Хочешь я тебе тоже врежу? Вазой, но только не в темноте, а при утреннем свете, и сверну тебе твой длинный нос набок, так, что тебя никто никогда не возьмет в кино... Ишь, ручонки шаловливые!

От моих слов проку было мало: что сделаешь с генетикой, если не задаться целью изменить ее, а изменить ее можно, потому что она всего лишь множительный аппарат, механизм тиражирования. Мы и пришли в этот мир для изменения ее. Загадка в смысловом поле, которое передается по наследству, в пресловутых ДНК. Но для этого надо очнуться, проснуться и велеть своему серому веществу начать искать смысл. В противном случае происходит тиражирование генетики в виде гремучей смеси, как у нашего героя,— страсть к рукоприкладству прадеда Ивана из Тамбовской губернии плюс страсть к волокитству деда Семена из Питера. А мой нос — стрелочник. Вывод один — использовать по назначению свои мозговые ресурсы.

— Нос распух,— констатировал Андрей как врач, снимая с лица мокрое полотенце,— появилась маленькая горбинка с маленьким шрамом.

На его правой руке, на косточке среднего пальца, как печать, зиял точно такой же шрам.

Несколько часов поспали, проснулись и услышали по радио: советские танки вошли в Прагу.

— Танька! Танки в Праге! — кричал Андрей.— Это подлость! Это не страна, а держиморда! Мало им того, что они тут всех пересажали и переубивали, теперь там примутся! Это наглый захват! Сиди тихо — я поймаю «Свободу»!

Я сидела тихо, «Свободу» глушили, иногда доносились обрывки фраз: перестрелки... посадки... кровь...

Вечером неслись по Немировича-Данченко в квартиру Энгельса — там была уже вся Москва. Все орали, перебивая друг друга, спорили, проклинали... Кто-то обратил на меня внимание и, скользнув по носу, спросил:

— Таньк, что это с тобой?

— В ванной упала,— ответила я клишированной фразой, которой пользовались все побитые в театре и которая всегда вызывала ехидную улыбку вопрошающего.

— Почему ты не возмущаешься? — кричал мне в лицо Андрей.

— Потому что мое возмущение исчерпано этой ночью!

Андрей читал Пастернака:

> Мы были музыкой во льду.
> Я говорю про ту среду,
> С которой я имел в виду
> Сойти со сцены и сойду!

Уезжаю в Польшу. Андрей собирает меня в дорогу. Накупил двадцать плиток английского шоколада, английский чай, заглянул в мою сумку:

— Таня, почему у тебя всегда такой бардак в сумке?

— А что там такое?

— Посмотри! — заявил он осуждающе и стал выкладывать на стол маленькую иконку Николая Чудотворца, красные бусы, маленькое изображение Будды из белого фарфора, старинную серебряную стопочку, украшенную эмалью, в кожаном чехле, камешек...

— Что это за камень?

— Не трогай, это из Риги!

Ножницы, носовой платок, губная помада, три авторучки, записная книжка, расческа, лак для ногтей, два грецких ореха, колокольчик, маленькое зеркальце, компактная пудра, срезанные и увядшие кожицы от свеклы...

— А это что? — с ужасом спросил Андрей?

— Это кожа свеклы — естественные румяна, щечки подкрашивать. Гуталин я оставила дома.

— Зачем гуталин?

— Красить ресницы. Очень стойкое средство,—

сказала я, осторожно дотрагиваясь до своей новой горбинки на носу. Больно. Он продолжал вынимать использованные билеты на троллейбус, конфеты «Грильяж» с белочкой, два портрета Махатм с бездонными глазами, цилиндрической формы янтарь — на счастье, божия коровка в виде брошки, пилочка для ногтей, маленькая лупа — разглядывать линии судьбы на ладони, кусочек магнита, две булавки, фантики и, наконец, надкушенная молодая морковка с зеленым хвостом. Андрей покачал с укоризною головой и направился в ванную с сумкой мыть подкладку.

— У меня нос болит! Не делай мне замечаний! — крикнула ему вдогонку. Взяла из горы содержимого морковь, тяжело и прерывисто вздохнула, швырнула ее обратно на стол и закрыла глаза. Услышав льющуюся из ванной воду, встала и подошла к зеркалу.

— Ну и рожа — переносица распухла, шрам затянулся коркой в виде коричневой галочки! Протест, внутренний вопль — пропа-а-а-да-а-а-аю-ю-ю-ю! аю-аю-аю-аю-аю-аю! — вытолкнулся из меня потоком слез, а внутри, как в горах с эхом, кто-то, вероятно друг-цензор, на разные голоса кричал: все меняй-яй-яй-яй-яй-яй! или сама меняйся яйся-яйся-яйся-яйся-яйся-яйся!

— Я даже не знаю, с чего начать?! — неведомо кого вопрошала я.

— Маленькая моя, прежде всего не плачь,— как ответ на вопрос услышала я рядом его мягкий голос.— Пойдем, я тебя помою.

В ванной он намылил мочалку и так же тщательно, как свою машину, тер мне плечи, шею, руки.

— Осторожно, нос! — взвизгивала я, уклоняясь, чтобы на шрам в виде коричневой галочки не попала вода. А он кричал с той же степенью возмущения, что и три дня назад:

— Танки в Праге! Вот суки! Нет! Среди бела дня выпустить танки на улицы, как будто это троллейбусы! Сссуки!

— Я то здесь при чем? Ты мне в антисоветском экстазе руки не оторви!

Глава 26

ФИГАРО И СЕРГЕЙ ИВАНОВИЧ ИЗ КГБ

Польша. Шарм польского языка с шипящими, красивые польки, услужливые, элегантные поляки... Варшава, костелы, сердце Шопена. Целый месяц колесили по частям Советской Армии, и вот она, Варшава, восставшая из послевоенных руин. Костел в районе Старого Мяста, подъезжает черный лимузин, из него в красной мантии выходит кардинал Вышинский под экзальтированные крики католиков, заполнивших всю площадь. Постоянно преследует мелодия полонеза. Политуправление, расположенное в Варшаве, внесло коррективы в программу концерта — изъяло мой отрывок из пьесы «Шторм», так как этот отрывок порочит моральный облик советского человека. В результате решения этих болванов и перестраховщиков я оказалась свободна и предоставлена самой себе всю неделю! На встрече с актерами я познакомилась с актрисой маленького модного театра Иреной, тоже с бантом. Все время мы с ней на ее маленькой машинке ездили по Варшаве, каждый вечер смотрели спектакли, допоздна сидели в актерском кафе, читали стихи Адама Мицкевича, кто-нибудь обязательно играл на рояле, а потом ночью, возвращаясь в Дом офицеров, я просила непременно проехать мимо сердца Шопена. Выходила, стояла под ночным небом, и польские актеры, целуя мне ручки, говорили с твердым «ч»:

— Таня, ты романтичка!

После этого «романтичка» входила в комнату Дома офицеров, где расположились на раскладушках все подряд — и артисты, и артистки, и с восторгом, захлебываясь, рассказывала, в каком театре я была, что смотрела, где ужинала, чем вызывала черную зависть всех присутствующих. Несколько актеров воспользовались ситуацией и стали «шить» дело. Они объявили мне бойкот за неприличное поведение, инициатором этого неискусного шитья была Инженю. Стиль общества и личные качества совпадали, и под их диктовку можно было непринужденно облить соперницу грязью, накатать «телегу» и тем самым сразу убить двух зайцев: свести личные счеты и «послужить Отечеству». Я понимала, что за моей спиной точатся ножи, но впечатления от Варшавы, от божественных звуков органов в костелах, от избытка дружелюбия и внимания польских друзей, ощущение, что наконец-то в моем чемодане лежат прекрасные вещи, одна другой лучше,— я уже представляла, как надену их в Москве,— все это анестезировало мою тревогу и подозрения. И вот, махнув рукой Варшаве, я оказалась в Москве.

Осень. Мы на Воробьевых горах. Просто гуляем. Поднимается ветер — желтые листья летят над Москвой, над нашими головами. Воздух свежий, морозный.

— Мы с тобой здесь как Герцен и Огарев...— говорит Андрей.

— Тут они клялись в вечной дружбе,— отвечаю я, беру его теснее под руку, он прижимает локтем мою руку и обнимает так крепко, что мое лицо оказывается лежащим и сплющенным на его пальто. Я задыхаюсь, а он шепчет, потому что боится сказать вслух:

— Я так безумно без тебя скучал. Тюня, я не должен тебе этого говорить... всю неделю, с тех пор, как я прилетел со съемок... перед твоим возвращением, я каждый день, как дурак, ходил и смотрел на твои окна. Иногда мы приходили вместе с Червяком. Сидели во дворе, в детской песочнице и смотрели.

На открытии сезона Чек объявил, что приступает к репетициям пьесы Бомарше «Женитьба Фигаро». Чек, как, впрочем, и все его поколение, великолепно владел искусством манипуляции людьми. На досуге, проводя рукой по лысине — жест этот означал озадаченность,— он перебирал в голове фамилии артистов, тасуя их как карты и рисуя для себя заманчивые возможности в том или ином варианте банками пить их кровь. Наконец, вывесили распределение ролей. Фигаро — Миронов, Сюзанна — фаворитка Чека, а я — во втором составе, и остальные роли — все по два состава, и понятно, что наступает золотое время репетиций, интриг, мести и сведения счетов.

Моцарт: Мне день и ночь покоя не дает
Мой черный человек. За мною всюду
Как тень он гонится...

Сальери: И, полно! что за страх ребячий?
Рассей пустую думу. Бомарше
Говаривал мне: «Слушай, брат Сальери,
Как мысли черные к тебе придут,
Откупори шампанского бутылку
Иль перечти «Женитьбу Фигаро».

Свободными вечерами мы забирались с ногами на диван, открывался невидимый занавес и — о, эти интимные репетиции! Андрей галопом скакал по страницам, читая за Фигаро, а я за всех остальных — за Сюзанну, Графа, Керубино, Графиню, Бартоло, Марселину. Карандашом Андрей отмечал главные места, психологические повороты, выстраивал партитуру роли.

— Попьем кофейку? — вдруг срывался он с места, чтобы встряхнуться, и, отхлебывая из чашки кофе, в который раз повторял монолог Фигаро из последнего акта: «О, женщина! Женщина! Женщина! Создание слабое и коварное...»

Через несколько дней он мне выговаривал:

— Таня, ну почему ты не можешь сделать ни одного движения, чтобы за тобой не тянулся кошмарный шлейф. В театре только и говорят о твоем поведении в Польше! Что ты там натворила?

— Что я натворила? Как обычно, выделилась! Вместо концертов, которые они играли, меня освободили от «Шторма», я ходила в театры, каталась по Варшаве, проводила время в актерских кафе. Самое плохое это то, что я об этом рассказывала... А одна артистка, тебе небезызвестная, кипит злобой и любой ценой хочет отомстить и тебе, и мне сразу. Это ее работа. Тебе надо быть разборчивее... Бабы — это твоя ахиллесова пята. Мне из политуправления города Москвы прислали приглашение, чтобы я туда явилась на разборки.

— И ты была?

— Естественно, нет. Разорвала и выбросила в мусорное ведро. Не смотри на меня выпученными глазами и не шей мне шлейфы.

Раздался телефонный звонок. Андрей поднял трубку.

— Але...— На его лице появилось страдание.— Да... Можно. Когда? Хорошо. До свидания,— сказал он упавшим голосом.

Страшное предчувствие стукнуло в сердце. «Господи, это уже не в первый раз! — пронеслось в голове. — С кем он разговаривает таким телеграфным языком? И это страдание на лице? Я уже это видела».

Вдруг резко к нему обратилась:

— Андрей, кто тебе звонил? — В интонации вопроса вспыхнул ответ. Мы молча смотрели друг другу в глаза, и от понимания случившегося зрачки расширились от ужаса. Кофе кончился, почему-то достали из холодильника молоко, положили в пиалу варенье, и он, громко отхлебывая из чашки молоко, тихо рассказывал:

— Весной мы с Бодей гуляли у тебя на кружке возле Спасо-Хауз. Навстречу вышли барышни, как оказалось, дочери посла, стали валять дурака, я — на английском, Бодя юродствовал по-русски. Они пригласили нас к себе в сад. Мы даже не зашли в здание, просто гуляли в саду. Мы не сообразили, что это уже американская территория! Потом позвонили из КГБ. Сергей Иванович.

Он громко отхлебнул молоко из чашки, звук был такой, как будто молоко рыдало. Закурил.

— Встретились с Сергеем Иванычем, — произнес Андрей с отвращением. — Он мне объяснил, что мы с Бодей совершили преступление — перешли государственную границу, и если я хочу избежать наказания, то должен служить родине, помогать органам в их опасной и трудной работе, в общем помогать...

— Чем помогать? — спросила я.

— Что ты, не понимаешь? Помогать. И все время помогать. А если я откажусь... — глотками сдерживая рыдания, продолжал он с огромными паузами. — Если я откажусь... все! Моя карьера рухнет! Они не дадут мне ни играть, ни сниматься в кино. Они очень сильные.

Он громко отхлебнул из чашки молоко — опять, казалось, молоко рыдало. Съел ложку варенья. Тикали часы так, как будто молотом били по голове.

«Мама права, — думала я, глядя в одну точку. — Самое страшное — это КГБ. Если они сами не могут себе помочь, чем им может артист помочь? Что они от него хотят? План аэродрома? Внуково? Или Домодедово? Помогать! Давать бесплатные концерты на

Лубянке или политзаключенным, которые, как говорят, томятся в подземных камерах, расположенных от Желтого дома до Манежа. Чем он может им помогать! Строчить «телеги» на кого-нибудь? Никогда в жизни он этого делать не будет! Рассказывать, кто с кем спит? Кто сколько выпил? Или кто что говорит? Все говорят одно и то же: «Я — гениален, а Чек, сволочь, роли не дает!» Своих кадров мало, ишь, какого парня захотели! Порочная система! Хотят затянуть в свой омут! Нет! Нет!» — а вслух сказала:

— Нечего было к бабам приставать! От этого у тебя все несчастья! Тебя пугают, а ты боишься! Чего ты боишься? Они же вместо тебя не придут на сцену играть Фигаро?

— Сделать они могут что угодно,— глухо сказал он.

— Ты уже взрослый мужик и обязан различать, где добро, где зло. Ты обязан избавиться от этого КГБ и Сергея Ивановича, потому что я не смогу жить с...— Дальше я не смогла произнести. Вдруг зарыдала, обхватила живот руками, закачалась на стуле, подвывая: — Ой-ой-ой.

Андрей молча встал, поставил пластинку. Пел Вертинский — о желтых листьях, о мадам, о том, что осень в смертельном бреду, как и моя жизнь, и я не знаю, куда я бреду вместе с ним в бездну позора.

— Нет! Лучше бы ты был просто плотником! Без всяких ролей и комплексов, и жили бы мы с тобой в деревне, и не нужен ты был бы никакому КГБ. Ой,— плакала я,— лучше бы ты был плотником!

— Это у нас, Танечка, с тобой еще впереди... Вот сошлют меня в Сибирь!

«Мадам, уже песни пропеты! Мне нечего больше сказать! — летело с пластинки.— В такое волшебное лето не надо так долго терзать!»

— Я все порушу! Я тебе клянусь! Все порушу!

«Потом опустели террасы,— продолжал Вертинский,— и с пляжа кабинки свезли». Я стряхивала слезы с лица.

— Я улетаю в Японию! — сказал Андрей.

— ?!

— С режиссером Соколовским, вдвоем, на неделю.

«Я жду вас, как сна голубого! Я гибну в осеннем огне» — пел Вертинский.

— Я уже договорился с Чеком. Будут репетировать другие сцены.

«Я вас слишком долго желала. Я к вам никогда не приду». Песня кончилась.

— Прошу, ведь я тебя знаю, не убегай! У тебя уже зреют эти мысли. Не убегай на Арбат, живи здесь, как раньше. Я тебя очень прошу, Танечка. Плохо мне. Помоги.

В комнату, в чуть открытую дверь балкона влетел скукоженный желтый лист, взметнулся в верх и упал на пластинку. Разнообразные эмоции — колючие, пламенные, острые как бритва, кипящие, кричащие, вопиющие, громыхающие, визжащие, кровавые, вызывающие тошноту и отвращение, слезливые и низменные толпились, толкались во мне, и разум, придавленный таким нашествием, пытался прорваться что-то сказать, но плохо выговаривал слова — понять его было невозможно.

А он хотел сказать, что любовь не ставит условий и не зависит от эмоций. Я стояла у стены, постаревшая на десять лет. Руки висели как плети. А он стоял такой жалкий, несчастный, смотрел на меня и говорил:

— У меня совершенно нет денег! Я не знаю, что мне делать? Я так быстро все потратил...

— Это ерунда,— отвечала я.— У меня их никогда нет! Пойди и займи в кассе взаимопомощи в театре. Потом отдашь.

— Да, да, мне скоро заплатят за кино... Поедем в театр, возьмем... Можем заехать на Хорошевское шоссе...

— А что там?

— Я узнал, там загс моего района, пойдем поженимся?

Я на него посмотрела с такой болью и мученичеством, что он поспешил опередить меня:

— Я знаю, ты сейчас не пойдешь.

— Не-а!

— Таня, я клянусь — я все порушу! — и тихо заплакал, закрыв лицо руками.

— Ничего, ничего, поплачем и что-нибудь придумаем.— С надеждой для него и для себя пообещала я влажным, набухшим от слез голосом, обнимая его голову двумя руками.

«И снился страшный сон Татьяне»: На площади Дзержинского стоит прелестный домик, весь обвязанный крючком, веселенькими красными и желтыми нитками. Железный Феликс стоит посреди площади, вдруг он завертелся вокруг себя, как волчок,— а мы стоим у дверей «Детского мира»,— остановился, показал пальцем в нашу сторону и голосом из преисподней сказал: «Вот они!». Из обвязанного веселенького домика выскакивают тридцать три Сергей Иваныча в тулупах, испанских масках и с ножами. Подбегают к нам, хватают Андрюшу и тащат в веселенький, обвязанный красной и желтой нитками домик. Андрюша отбивается руками, ногами, кричит: «Я не хочу!» — «А есть хочешь?» — спрашивают хором тридцать три Сергей Иваныча в испанских масках и тулупах. Я бегу за ним что есть мочи, задыхаясь, повторяю: «Я с ним, я с ним, я с ним, я с ним, я с ним...» Они его толкают в дверь, и внезапно вязанье исчезает — остается пугающий желтый дом на Лубянке. Я кричу на всю площадь: «Он любит молоко, молочные продукты и сырники!» Кулаком стучу в дверь. Вдруг трескается стена, оттуда вылетает Андрей вверх тормашками и кричит: «Таня, ты где?!»

Мы проснулись одновременно:

— Таня, ты здесь? — он стал щупать меня руками, чтобы удостовериться, что я на месте. И опять рухнул в сон.

За три дня до поездки в Японию мы решили провести выходной день на даче. Он уехал туда утром, а я, отыграв спектакль, поймала такси и через 30 минут была в Пахре возле дома с зеленым забором. Вышла из машины. Темно. Тихо. Открыла калитку, шурша листьями, медленно иду в сторону темного дома.

— Господи, ни одно окно не горит. Неужели его нет? Странно...— Когда поравнялась с торцом дачи, соседствующим с кустом сирени, услышала тихий голос:

— Таня... иди сюда. Я здесь.

Я свернула на открытую веранду — в глубине в кресле сидел Андрей с тремя щенками на коленях.

— Я тебя ждал. Ты посмотри, как они пахнут! Прекрасный щенячий запах! — И передал мне тепленький барахтающийся комочек в руки. Я стала его тискать, целовать и приговаривать:

— Малюсенький ты мой, кожаный носик, а брюшечко, пахнешь ты собачьим детским счастьем. — Поцеловала в брюхо, в нос и добавила:

— Я вам фарш привезла!

Развели фарш с геркулесом в миске, отнесли к будке, где жила мама. Жучка. Было темно, темно. Я закинула голову вверх:

— Ой, сколько звезд на небе!

— Таня, — услышала я деловой голос Андрея, — ты что, сюда отдыхать приехала? Быстро на «сцену»!

До двух часов ночи он меня терзал репетициями «Фигаро», пока я замертво не свалилась в постель.

Проснулись серым утром. Тучи ползли по золотым макушкам деревьев. Шел редкий дождик. Моя голова была набита репликами героев из «Женитьбы Фигаро», а в душу до боли вцепился своими когтями пугающий образ Сергея Ивановича. За завтраком Фигаро и Сергей Иванович сплелись в навязчивую идею, хоть бейся головой об стену, и я судорожно схватилась за предложение Андрея пойти прогуляться. Быстрая ходьба, физические движения, надеялась я, перенесут центр тяжести с головы на ноги, и эта мука отпустит меня. Сняли с вешалки старые плащи, вне моды — длинные, рукава реглан. У Андрея — серый, у меня — в стертую мелкую клеточку. Чтобы компенсировать это старье, для пижонства подвязали на шею шарфы, он — шерстяной голубой, под глаза, я — красный, под характер. Взяли зонтик и бодрым шагом пошли к реке. Вышли на проселочную дорогу, вдруг я остановилась — перед моими ногами на земле валялся красный, смятый георгин, видимо, по нему проехала машина. Подняла, отряхнула. Стала расправлять листья. Потом поболтала его в луже, встряхнула, и он ожил. Мы засмеялись — так нам понравился процесс цветочной реанимации.

— Мне, кажется, цветы, как люди, имеют свою иерархию. Вот, например, георгины, — поднесла я цветок к носу, — не пахнут, значит, хорошие, порядочные люди. Андрюш, а гладиолусы?

— Гладиолусы — нувориши, — сразу вступил в игру Андрей. Я продолжала, цепляя своего собеседника:

— Гиацинты — аристократы!

— Кактусы — извращенцы! — парировал он.

— Герань — маленький поэт!

— Мимоза — мещанка! — отчеканил он.

— Анютины глазки — артистки!

— Тюльпаны — добрая посредственность!

— А розы кто? — спросила ч.

— Так... розы, розы, розы... ро-за! Это материализованная роса. Роса в цвету! — обрадовался Андрей своему открытию.

— Белые фиалки — инопланетянки. Да? Нет? — спрашиваю я.

— Да? Нет? Да? Нет? — повторял он за мной и смотрел на меня с невыразимой нежностью и удивлением.

Тут мы оказались на мосту через Десну. Припустил дождик. Мы подняли воротники наших допотопных плащей, перегнулись через перила, свесив головы вниз, смотрели на течение воды, на темно-зеленые водоросли, плывущие на одном месте, как чьи-то распущенные косы... Это видение завораживало, успокаивало, освобождало от тяжести, боли, от вопросов, появилось чувство невесомости. Оторвались от воды, вокруг — природа в желто-золотом припадке невыразимой красоты, холмы, березовые рощи. Нахлынула любовь, щемящая и восторженная. Захотелось петь, и мы запели, сочиняя на ходу:

> Прощайте, волны Десны,
> Прощайте до самой весны!
> В лед вас мороз закует,
> А сердце во льду пропоет!

Андрей вдохновенно поднял руки, как дирижер:

— Так! — сказал он. — Сейчас самый ответственный момент. — И объявил как будто со сцены. — Самый короткий романс и самый вечный роман!

И запел громко, на всю окрестность:

> Отцвели уж давно хризантемы в саду,
> А любовь все живет!
> А любовь все живет!
> А любовь все живет!

кричал он: Потом мы вместе: «А любовь все живет! Все живет! Все живет! Все живет!» Крик достиг березовой рощи на холме, и врассыпную посыпались золотые листья.

На безлюдном пространстве, на мосту через Десну,

две фигуры крутились в воздухе в балетных пируэтах, летучесть и прыгучесть, руководимая духами
танца, достигала такой порывистости и свободы движений, что как крылья развевались полы допотопных
плащей, озорной и вращательный круг в воздухе совершали кисти рук и встречались на мосту, в танце,
с бурной нежностью, два шарфа — красный и голубой.
Потом фигуры застыли в «ласточке» — ласковое движение руки вперед и вытянутая нога назад, вверх.
Потом опять разлетелись в стороны полы допотопных
плащей, взлетали руки, ноги, и опять встречались
с бурной нежностью два шарфа — красный и голубой.

Забыли зонтик. Вернулись. Он стоял, прижавшись
к бетону моста. Рядом с ним лежал найденный мной
смятый георгин. Андрей взял зонтик, я — георгин,
и мы зашагали по направлению к даче.

Глава 27

ДА СЛЕДУЕТ ЖЕНА ЗА МУЖЕМ СВОИМ К ЗООМАГАЗИНУ

Репетиции «Фигаро» продолжались. Гафт и Андрей
были неистощимы. Оба неистовствовали в поисках
решений то одной, то другой сцены. Гафт — вечно
недоволен и непримирим ко всем. На Сюзанну он
кричал в бешенстве, что это не Сюзанна, а Красная
Шапочка, Графиню со стоном окрестил «сибирским
валенком». Я сидела на стуле в зале и понимала, что
моя очередь выйти на сцену и начать репетировать
Сюзанну никогда не подойдет. И вдруг Чек, вопреки
моему пониманию, произнес:

— Егорова, пройдите первую сцену с Мироновым.

Я встряхнулась, отбросила всякий страх — сцену
я знала наизусть — и начала репетировать:

— Посмотри, Фигаро, вот моя шапочка. Так, по-
твоему, лучше?

— Несравненно, душенька. О, как радуется влюб-
ленный взор жениха накануне свадьбы, когда он видит
на голове у красавицы невесты чудную эту веточку...

Не успели мы произнести еще несколько реплик, как раздался страшный окрик:

— Хватит! Стоп! Я не могу этого видеть! Все не так... Елизавета Абрамовна, объявите перерыв.

Злобно звеня ключами, Чек резко вышел из зала. Он даже не мог скрыть, как ему больно видеть нас на сцене, на репетиции, в роли влюбленных. Он был в бешенстве, и нетрудно было догадаться, что сегодня состоялась моя первая и последняя репетиция. Конечно, если бы плюхнуться на его диван для распределения ролей или пихнуть им с зеленоглазой Зиной в руки какое-нибудь золотишко с серебришком, дело бы повернулось иначе. Но моя голова была девственна, поскольку в ней никогда не ночевали эти мысли. В связи с таким положением дел я продолжала сидеть в темноте на стульчике, наблюдая, как репетируют другие, и внимая крику Чека, который заводил себя перед началом репетиций:

— Я не вижу у вас домашней работы, вы пустые, вы ничего не приносите на репетиции! Вы ленивы и неактивны! Лошадь можно подвести к водопою, но заставить ее напиться, если она не хочет, невозможно! Я буду поощрять инициативу!

В предисловии к пьесе Бомарше пишет: «Роль Керубино может исполнять только молодая и красивая женщина. В наших театрах нет очень молодых актеров, настолько сложившихся, чтобы почувствовать тонкости этой роли». Это замечание навело меня на мысль: а не стать ли мне инициативной и не приготовить ли мне роль Керубино? «Коль выгонят в окно, то я влечу в другое». Андрей улетел в Японию, и на Волковом переулке я каждый день репетировала роль пажа. Мне необходимо было поднять свои акции в глазах Андрея и взять реванш за Сюзанну.

Рано утром, за час до репетиции, я пришла в театр. Облачилась в бархатные брюки, белую рубашку апаш, белые сапожки, прическа была соответствующая пажу, попросила актрису, репетирующую Сюзанну, пройти со мной траекторию роли и текст и в этом костюме села на стул в ожидании начала репетиции. К одиннадцати стеклись все артисты, их было много, все участники «Фигаро». Пришел Чек. Сел за стол. Я подошла к нему и обратилась:

— Я вняла вашим речам: приготовила роль Керубино. Я готова показать сейчас вам сцену Керубино с Сюзанной.

— Мне некогда заниматься экспериментами! — с холодной враждебностью ответил он, не глядя на меня. Волна от произнесенных слов была настолько отрицательная, что я упала на стул, стоящий рядом с ним. Голова разрывалась от боли, в глазах — ломота и туман. Как будто кто-то киркой долбил мне по затылку. Подкатывала тошнота. Тело охватила дрожь от оскорбления. И тут я услышала спокойный, удовлетворенный голос:

— Егорова, вы можете сейчас показать вашу сцену? — спросил Чек. Прием колдуна — расслабить, ударить, ударить, расслабить...

— Да,— сказала я, собрав все свои силы.

Кирка продолжала долбить затылок, но только я вышла на сцену и обратилась с первой фразой к Сюзанне, как исчезла боль, испарилось нанесенное оскорбление, и я оказалась в совсем ином мире — мире Бомарше.

— С некоторых пор в груди моей не утихает волнение, сердце начинает колотиться, слова «любовь» и «страсть» приводят его в трепет, наполняют тревогой. Потребность сказать кому-нибудь «я вас люблю» сделалась у меня такой властной, что я произношу эти слова один на один с самим собой, обращаюсь с ними к тебе, к деревьям, к облакам, к ветру...

Сцена кончилась. Мертвая тишина. Аплодисменты. Все повскакали со своих мест, стали поздравлять, обнимать, целовать. Чеку ничего не оставалось, как прикинуться довольным мэтром, в руках которого может зазвучать даже проволока. Весь успех он присвоил себе и объявил, что с этого дня я являюсь полноценным исполнителем Керубино. Потом и это его решение кануло в Лету, и я продолжала одиноко сидеть в темноте на стульчике.

Пройдет десять лет. Артист, исполняющий роль Керубино, накануне спектакля сломает ногу. Я предложу Чеку выручить театр и сыграть Керубино. Наконец меня судьба выбросит на сцену в черных бархатных брючках, в белой рубашке (перед спектаклем чикнула ножницами длинные волосы), и я окажусь перед носом Андрея-Фигаро, уже женатого на Певунье, но смотревшего на меня с невыразимой нежностью и удивлением, как тогда осенью, когда мы репетировали «Фигаро» и нашли на земле георгин.

Но пока мы с Червяком на кухне, на Волковом переулке. Он принес старинную книгу Молоховец. Там такие рецепты! Курица с гречневой кашей. Скорей, скорей, набиваем курицу гречневой кашей, зашиваем ей брюхо, и в духовку! Летит из Японии Андрей! Добыли джин с тоником. Курица, слава Богу, не попав в «объектив» Червяка, два раза выкатывалась из духовки на пол, я, быстро оглядываясь, хватала ее полотенцем, чтобы не обжечь пальцы, сдувала с нее пыль и отправляла опять в духовку.

Звонок в дверь — подшофе, с сигарой в зубах, качающейся походкой входит он! Мы орем: «Андрюша!»

— О-о-о! Это было прекрасно! — вальяжно говорит он. — Где мои гейши? Снимите мне ботинки! Самое трагическое в моем путешествии это то, что меня никто не видел, когда я с сигарой в машине космического века несся по Токио!

Самым приятным моментом в день приезда были подарки, а самым отвратительным — курица.

— Кому в голову пришло набивать это животное гречкой? — спрашивал Андрей.

— Мне, — сказал Червяк, — по Молоховец это самое изысканное блюдо!

— Терпеть не могу гречневую кашу! Как там кормили!

И он взахлеб рассказывал о Японии, о разводных мостах, о том, как там тихо играет музыка, и что это страна XXI века.

Поздно ночью, когда мы остались одни, преодолевая сон, он как будто исповедовался:

— Танечка, меня настораживает в себе тяга к комфортной жизни, к какому-то уровню комфорта, во мне есть этот соблазн, и я его не пытаюсь скрыть... мне трудно... я не могу назвать это состояние согласием с самим собой.

Утром позвонил Сергей Иванович. Необходимо повидаться.

— Завтра в три часа дня, после репетиции,— услышала я.

— Где же, интересно, он тебе назначает свидания?

— Да я его видел всего два раза. Прошло время, я думал, они от меня отстали. У зоомагазина на Кузнецком мосту... Суки! — сказал он в бешенстве, покраснел и так двинул кулаком об стену, что застонал от боли.

Наступило завтра. Стоял ноябрь. Ветром на асфальт наметало поземку. Жесткой крупой сыпал снег.

В писании сказано: да следует жена за мужем своим к зоомагазину на встречу кагебешником. Без четверти три я подошла к зоомагазину на Кузнецком мосту. В руках у меня — большая спортивная сумка на молнии. «Если он всю свою волю вкладывает в работу — театр, кино, радио, телевидение, а вне этого беспомощен как ребенок, то придется справляться мне... Господи, как страшно... Интуиция, ну подскажи мне что-нибудь! «Неожиданность — мать удачи,— сказала интуиция.— Дерзай!»

«Как же выглядит этот Сергей Иванович?» — думала я, стоя у зоомагазина и дуя в варежку, чтобы согреть заледенелые пальцы. Постояла, постояла, переложила сумку в другую руку и перешла на противоположную сторону к маленькому магазинчику «Парфюмерия». «А вдруг Андрей придет раньше и увидит меня, лучше я постою тут, в закуточке, и тогда уже, когда они встретятся, буду действовать как Бог на душу положит».

Я сильно нервничала, и этот план мне показался неудачным. Я быстро перебежала улицу и вошла в зоомагазин. Там было тепло. Стуча одной ногой о другую, я с мифической решимостью стала смотреть на плавающих рыбок в аквариуме. Чирикали попугаи. Заплакал ребенок. И тут сквозь стекло я увидела, как одновременно подошли друг к другу Андрей и так называемый Сергей Иванович. Сергей Иванович протянул ему руку, пожал, долго тряс. Рожа у него была никудышная. Ни носа, ни глаз, никакого выражения — петля от наволочки! Он дотронулся до Андрюшиной куртки, как будто обнял его, и они сделали движение в сторону Лубянки. Тут я поддалась своей интуиции и, как она мне велела, стала дерзать! Выскочила на улицу, сумка была уже открыта, подбежала к ним, достала фотоаппарат, сумку бросила на землю и стала как сумасшедшая щелкать рожу Сергей Иваныча, бросила аппарат в сумку, достала боксерскую перчатку и стала его валтузить с криком:

— Держи вора! Ах ты, педерас безглазый! Я тебе руки вырву, ноги обломаю, башку отвинчу, если ты еще к нему подойдешь!

Дети и люди, выходившие из зоомагазина, окружали нас.

— Ах ты вор поганый! — крикнула я, достала подсвечник и стала колотить его, он уклонялся, поворачиваясь ко мне спиной. На нем было надето мышиного цвета пальто, и я пару раз заехала ему по заду с воплем:

— Бей его, бей, ребята! Я тебя засуну в Петропавловскую крепость, в кунсткамеру, в пробирку для образчика!

Он опомнился, вырвал из моих рук подсвечник, пытался схватить меня. Я впилась в его руку зубами, он ее отдернул, я воспользовалась мгновением, нагнулась и вынула из сумки последнее, самое мощное орудие — самовар, чтобы не промахнуться! Вокруг нас уже образовалась толпа — старики, старухи, дети с рыбками в баночках из-под майонеза, с птичками, черепахами... Они были все на моей стороне:

— Тетенька, дай ему как следует! — кричали мальчишки, подбадривая меня и подпрыгивая от восторга на месте.

— Дай ему самоваром по чердаку! — с удовольствием посоветовал старик. Какой-то парень бросился к его ноге и стал кусать через брюки, остальные ребята толкали его кулачками в бок. Кто-то выронил баночку с рыбками, она разбилась, завизжали, стали собирать рыбок голыми руками с асфальта и бегом обратно в зоомагазин к аквариуму. Я, как разъяренная фурия, размахивала вокруг себя самоваром и кричала:

— Я так это дело не оставлю! Напишу записку, привяжу к камню вместе с твоей фотографией и швыр-

ну в американское посольство! Вот тогда ты, манд-
рила, увидишь, с кем имеешь дело! Уйди отсюда,
чтобы я тебя никогда не видела! — и задела самоваром
по его шапке. Шапка слетела, он ее поднял, нацепил на
голову задом наперед и почти бегом направился в сторону Желтого дома.

Андрей стоял с видом ошеломленной статуи. По
рукаву его куртки ползла черепаха. Он с ужасом смотрел
на нее, потом снял двумя пальцами и положил на плечо
рядом стоящей девочки в вязаной шапочке, резко повернулся и пошел вниз по Кузнецкому мосту. Я деловито
стала складывать свой реквизит в сумку. Задвинула
молнию. Надела варежки, спрятала выбившиеся волосы
под шапку, подхватила сумку и, как собачонка, мелко
засеменила за ним, гремя подсвечником и самоваром.

Вечером, дома, после долгого молчания он мне
выговаривал, что, мол, так себя вести нельзя, а как
надо себя вести в таких случаях — не сказал. Что греха
таить, мы оба боялись последствий происшедшего, но
внутренний голос мне подсказывал, что они нас теперь
боятся больше, чем мы их; им нужно тихое выполне-
ние плана по оболваниванию и растлению людей.
А такие уличные скандалы разоблачали их деятельность и неизвестно куда это могло привести — ведь
сумасшедших так много...

— Сцена у зоомагазина для меня — нонсенс! —
заявил Андрей. — Я не так воспитан.

— А для меня нонсенс сочетание — ты и КГБ. Я не
так воспитана. У тебя есть профессия и у них есть
профессия — пусть каждый занимается своим делом. Ты
же сам считаешь, что страшнее дилетантизма ничего нет.

— Мой двоюродный дядя, Миронов Александр
Николаевич, был разведчиком... Во время войны работал метрдотелем в лучшем ресторане Берлина. По
обрывкам немецкой речи, а там бывала вся ставка,
конструировал прогнозы, секретные данные немцев.
Разведчик — очень интересная профессия, похожа на
актерскую, только без аплодисментов и без цветов.

— Ну это же разведчик!

Зазвонил телефон. Андрей вздрогнул. Снял трубку,
и на лице его появилось счастье. Звонили с Мосфильма
из группы «Бриллиантовая рука».

— Может быть, так и лучше,— окончив свой телефонный разговор, задумчиво сказал он мне.— Сразу! У меня как будто камень упал с души. И ты меня еще защищаешь, сумасшедшенькая!

— Я — защищаю? Да я просто намекнула чекисту, что он чекирует не по адресу. Это пока намек. Что ты за мной подглядываешь сбоку?

— Смотрю на твой нос. Он стал даже лучше, с горбинкой. Как это так получилось, что ему сегодня ничего не досталось? Почему меня так к тебе тянет?

— Потому что, кроме носа, у меня есть другие части тела, на которых можно потренироваться! И еще потому, что я тебя лишаю комфорта бытового, который тебя так настораживает в себе, а без него ты приходишь к согласию с самим собой. Как говорит мой друг Сенека, жизнь ценится не по длине, а по весу.

— Я тебе делаю предложение!

— Какое?

— Дай руку!

— На! Ну и что?!

— Не поняла? Я у тебя руку попросил!

— А ты не понял? Я тебе ее протянула. А сердце?

— Что мне его просить, когда оно давно у меня...

— В кармане...

— В боковом.

На следующий день мы приехали в загс Краснопресненского района, который расположился в небольшом домике на Хорошевском шоссе. В большой комнате стояло несколько столов, за которыми сидели женщины со взбитыми прическами, алюминиевыми глазами и недобрыми лицами. Мы заполнили бланки, каждому в паспорт поставили отметочку и сказали, что день регистрации брака назначен на 15 декабря в 12.00.

Мы сели в машину и поехали в Серебряный бор — гулять. Под словом «гулять» подразумевались репетиции «Фигаро» на свежем воздухе. Пока мы ехали, мне представился образ бога Гименея в белой тоге, с пальмовой ветвью, под звуки эпиталамы тут же в воображении появился Мендельсон в блестящих одеждах, перед взором которого в такт его «Свадебного марша» шагали отряды новобрачных. В прозрачных туниках, со спицами и вязаньем в руках, на непонятном языке пели мойры. «Вяжите, вяжите,— торопил их Гименей,— не отвлекайтесь!» Брачный пир — вроде пикника на берегу реки. Мойры полукругом сидят на травке и вяжут. Гименей подходит к одной из них, разглядывает рисунок, падает навзничь и умирает. Наверное, там было вывязано: брак — любви могила.

В те дни мы читали Ключевского о русских: «Андрюша, ты помнишь, как там он пишет: «Наши матросы и солдаты славно умирают в Крыму, но жить здесь никто не умеет».

Мы вышли из машины и пошли вдоль Москвы-реки.

— Мы не умеем жить. Мы только боремся. У нас в отношениях сплошная анархия, — говорил он, скользя глазами по тонкому льду, образовавшемуся на реке. Мы остановились.

— Ах, какой красивый этюд! — воскликнула я.

— Этюд, Танечка, мне предстоит с мамой, может быть, я даже «славно умру в Крыму».

— Перед битвой с мамой я вдохновлю тебя поэзией, хочешь? Я написала. Называется «Прощание с осенью». Как сегодня.

> Последний бал дает мне осень!
> Сад вызывающе красив.
> И снега выпавшего проседь
> К ногам скользит.
> Я слышу приближенье ветра,
> Твой шепот явственный: мой друг!
> И яблок, падающих с веток,
> Короткий стук.

— Тюнечка, — спросил Андрей, — чей шепот? Мой?

— Нет, Дрюсечка, извини, это — шепот Божий.

Глава 28

ДО ЧЕГО ЖЕ КЛИМАТ ЗДЕШНИЙ НА ЛЮБОВЬ ВЛИЯТЕЛЕН

Большой театр. Мы вдвоем с Марией Владимировной в шестом ряду партера. Она пригласила меня на балет «Спартак». Сидит справа от меня, все время жует жвачку. В антракте прогуливаемся по фойе, много знакомых, только и слышно: «Лиепа, Лиепа, Лиепа! Ах, Лиепа!».

Конец второго акта — Красс разбивает Спартака, Спартак погибает, вокруг него толпа и склонившаяся над ним в трагической позе Эгина. Мы одеваемся, я провожаю Марию Владимировну до дому, на Петровку. В голове вертится вопрос: «Интересно, сказал он ей или не сказал? Наверное, не сказал, иначе она не пригласила бы меня в театр и не была бы так на редкость доброжелательна». Тут я набралась смелости, взяла ее под руку, мол, осторожно, не подскользнитесь, и начала:

— Мария Владимировна, спасибо вам, я получила огромное удовольствие, ведь я так люблю балет! Простите меня, если я вас чем-нибудь обидела, сказала что-нибудь невпопад, не сердитесь... Я знаю, как вы любите Андрея. Мария Владимировна, ведь и я его люблю, мы его обе любим, зачем же мы будем приносить нам всем горе?

— Смотрите, не упадите,— сказала она с каким-то своим смыслом.

Мы обошли каток на тротуаре, дальше она не произнесла ни одного слова. Дойдя до дверей дома, я простилась с ней:

— До свидания!

— И вам тоже,— последовал ответ.

Как потом выяснилось, Эдипова мина вновь угрожающе появилась в произнесенной мной фразе: «Мы его обе любим». Значит, и он любит обеих, а этого не может быть! Он должен любить только свою мать! И больше ни одну женщину на свете! Измена! Ох, как впились ногти в подушечки ладоней. И, заряженная атомной энергией, она появилась на пороге дома, сосредоточенно обдумывая стратегию и тактику подрывных действий. «Мы обе его любим»,— продолжало кипеть у нее в голове. «Сравнила! Любовь матери и свои планы и страстишки! Наглая девчонка!»

Через неделю мы шагали по длинным коридорам Мосфильма в просмотровый зал. Показывали «Бриллиантовую руку». В маленький зал втиснулось много зрителей, среди которых были и Папанов, и Никулин, и Мордюкова. Гайдай сидел отдельно ото всех, в последнем ряду. И сейчас, через тридцать лет после премьеры этого фильма, от экрана, когда показывают этот шедевр по телевидению, невозможно оторваться! А тогда! В танцах, в пьянстве, в авантюрной заморочке всеми гранями блистал не укладывающийся ни в какие рамки, талантливый и причудливый дар русского человека. Андрей в сцене на палубе — «весь покрытый зеленью, абсолютно весь...» — заряжал всех такой энергетикой, что, казалось, выпадал с экрана.

После просмотра мы шли по территории Мосфильма, и я говорила:

— Тебя Бог любит! Ты выиграл популярность, жизнь и свою неприкосновенность! Этот фильм — твоя охранная грамота. Что бы они ни делали, эти кагебешники, они уже опоздали. Они могут многое, но запретить любить тебя не могут. А после этого фильма ты уже любим всей страной.

Конечно, такое событие надо было отметить, и мы поехали в гости к Субтильной и Пуделю. Субтильная — артистка нашего театра, экзальтированная, с красивым лицом, Пудель (Андрей дал ему такую кличку) — физик-шмизик. У них — длинный накрытый стол, за которым всегда все самовыражались, кто как мог. Приехали поздно. Певица из Большого театра, мощным голосом сотрясая стены, пела романс: «Черные и серые, черные и серые, черные и серые и медвежий мех!» Рыбка красненькая, водочка способствовали разрядке присутствующих. Андрей сорвался со стула, как ракета из Байконура:

— Пушкин! «Признание»:

> Я вас люблю,— хоть я бешусь,
> Хоть это труд и стыд напрасный,
> И в этой глупости несчастной
> У ваших ног я признаюсь!
> Мне не к лицу и не по летам...
> Пора, пора мне быть умней!

Так с помощью Александра Сергеевича в действительности робкий Андрюша объяснялся мне в тот день в любви и умолял:

> Но притворитесь! Этот взгляд
> Все может выразить так чудно!
> Ах, обмануть меня не трудно!..
> Я сам обманываться рад!

«Господи,— думала я, улыбаясь,— и когда это он успел раскопать и все выучить?»

Мария Марковна, дама преклонного возраста, свекровь Субтильной, бывшая актриса Малого театра, весомо произносила, глядя на меня:

— Вы посмотрите на этот взгляд! У нее же васнецовские глаза!

Васнецовские глаза блестели, состояние экстаза выдернуло меня из-за стола, и я прочла свои новые стихи:

> Я странница!
> И я — странница!
> Кто побоится оступиться,
> Кто побоится — тому беда!
> Я — заговорщица с судьбою,
> Я — скифка с гордою тоскою,
> Я есть, придуманная мною,
> Я — нет и да!
> О, я не нищенка,— богачка!
> С рискованной удачей в скачках
> Такая дерзкая, как мачта!
> Одна-а-а-а-а-а!
> Я, как удар благотворящий,
> Разбуженною или спящей,
> Тебя, о, мой ненастоящий,
> Я пью до дна!

Мария Марковна удалилась спать. В три часа ночи началось второе дыхание — смех, опять тряслись стены от пения романсов, и начались соревнования — кто скорее вылезет в форточку из кухни во двор. Слава богу, квартира находилась на первом этаже, и Андрей половиной тела уже торчал в морозной ночи, когда услышал нервный всплеск бедной Марии Марковны, которая, хлопнув дверью, вышла на улицу.

— Я не могу спать в этих условиях! Я пошла в сквер!

Застряв в форточке, Андрей обращался к Марии Марковне:

— Мария Марковна, извините, мы не хотели, сейчас я спущусь.— Он двигался в форточке, подобно ящерице, и выпал на улицу. Подошел в одном свитере к сидящей на скамейке жертве, поцеловал ей ручку и сказал:

— Зачем в такую холодную ночь выходить в сквер? Вы — скверная женщина.— Мария Марковна растаяла от каламбура, и инцидент был исчерпан.

Под утро мы ехали домой, и он меня пытал — ему запали в голову мои стихи:

— Почему я ненастоящий? Почему ты так написала?

— Потому, что я не знаю, так получилось.

— Почему так получилось? — не унимался он.

— Потому, ты редко бываешь Андрюшей, в основном ты — Мария Владимировна, помимо своей воли, которая у тебя специально замешана твоей мамой в виде киселя. Так легче тобой управлять. И хуже от этого только тебе. И ни одна мать в мире неспособна это понять.

Неуемный Гафт, как гончая, носился по Москве в поисках решения «Фигаро». И нашел! «Я нашел! — заявил он на репетиции.— В школе-студии МХАТ играют дипломный спектакль с таким же названием. Срочно надо идти смотреть!»

Взбудораженный, взбудоражил всех. И вот Чек с Зиной, Гафт, Клара, мы с Андреем уже сидим в зале школы-студии и смотрим спектакль. Пока студенты озорно разыгрывают комедию Бомарше, Гафт страстно и интригабельно нашептывает свои соображения Чеку. В результате фаворитка Чека была выброшена из спектакля, а на ее место приглашена новая готовенькая Сюзанна, выпускница театрального вуза — Акробатка с пышными русыми волосами. Разницы между дарованиями этих Сюзанн не было, но было напористое влияние Гафта и всегда готовое желание Чека самоутвердиться с помощью издевательств в основном над красивыми женщинами и самодурством власти скрыть свою несостоятельность. Что же делать? Лечиться, лечиться и лечиться! В студенческом спектакле пьеса была умно́ и сильно сокращена, в чем была ее ценность, и Чек не преминул воспользоваться плодами чужих трудов. Так волею Гафта и судьбы Акробатка оказалась в труппе театра Сатиры.

У нас — перерыв, мы гуляем по саду «Аквариум», и Андрей говорит:

— Приехали родители, у отца инфаркт, вчера его положили в больницу, опасность миновала, но теперь только покой, покой. Пока я буду обитать на Петровке, мама в отчаянии...— Теребит мои пальцы, смотрит на меня, а в глазах — кроличий страх, беспокойство и бессознательная просьба какого-нибудь указания.

— Скоро 15 декабря,— говорит он,— нас ждут на Хорошевском шоссе, ты не забыла?

— Я не забыла... Как мы пойдем в такой момент? Нет!

— Я не хочу быть трусом, я не хочу быть трусом, я не хочу быть трусом...— барабанил он.— Поэтому, раз решили...

— Не поедем, Андрюша, этого нельзя делать, это не принесет счастья. Судьба против, и что она нам готовит — неизвестно, известно только, что она против.

— Ты расстроилась?

— Конечно! А ты? Ты, по-моему, рад? — И мы оба засмеялись.

Я чувствовала, как он исподволь поглядывает на меня в профиль, и опять спросила:

— Что ты на меня смотришь исподтишка?

— Мне почему-то очень часто тебя бывает жалко, у меня потребность жалеть тебя.

— Мне и самой себя жалко. Хорошо, что я платья не приготовила и вообще ничего... И то, что мы никому не сказали, а то бы было... Это низко — врать и все делать тайком. Поэтому у меня — гора с плеч! Знаешь, когда Христа спросили, чьей женой будет в Царствии Небесном та, которая здесь была по очереди женой нескольких братьев, Учитель ответил, что в Царствии Божием не женятся, не выходят замуж, а живут как ангелы. А римляне говорили, что брак — это рационально устроенный завод для расположения людей. Поэтому что жалеть и расстраиваться? — вздохнула я.

— Откуда ты это все знаешь? Танечка, не расстраивайся — мы же не расстаемся! Еще не известно, что с нами будет.

— А ты, знаешь, ты еще не созрел до брака.

— Почему?

— Потому, что ты голую меня любишь больше, чем одетую.

— Совершенно справедливо замечено.

— Ты не смейся, я не об этом. Тебя терзает стереотип — тебе хотелось бы меня видеть в норковой шубе, в бриллиантах и в собственном самолете. Ты меня даже мог бы на такую променять. На время. А потом бы опять вернулся, как почтовый голубь. Потому что под норковой шубой ты никогда не найдешь такого избытка любви и нежности, как под моим твидовым пальто.

— И еще потому, что мне, в сущности, на это наплевать... Надо разрушать стереотип, потому что он, как ты верно заметила, требует норку. Шубу в конце концов можно купить и свадьбу устроить на даче, совершенно голыми, без свидетелей и без стереотипов.

На улице Герцена в доме с мезонином у кузена-художника пили чай с ванильными сушками. Кузен, несмотря на такую обычную для художников безбытность, был бодр, радостен, искрился — ему предложили весной реставрировать церкви во Владимирской области, и эта радость витала в комнате с убогой мебелью, под растрескавшимся потолком, надо мной, над Ядвигой Петровной, его матерью, и над рыжим котом Кокосом, 26 лет от роду. С золотыми глазами, со зрачками, поставленными вертикально, он сидел отдельно на стуле как египетское изваяние, и внимательно слушал то, о чем мы говорим. По движению его головы можно было судить — одобряет или не одобряет он то или иное суждение. Он был так мудр и прекрасен, что несомненно занимал роль арбитра в нашей беседе. Озаренный художник говорил, передавая идеи Леонардо да Винчи, что живопись — способ научиться познавать Создателя всех прекрасных вещей и она есть способ любить этого Великого Изобретателя, ибо истинная любовь рождается из полного знания вещи, которую любишь, и если ты не знаешь ее, ты не можешь любить ее сильно или вообще не можешь ее любить. «Мяу-у-у-у!» — одобрительно замяукал кот и опять застыл, как изваяние. Мы хрустели сушками, художник снял с этажерки корзиночку с карамелью, и мы начали новый чайный заход.

— Это красиво и теоретически мне все ясно, да вот когда жизнь начинает трепать...— сказала я с грустью.

— Ты очень печальная, осунулась, что-то не так? — спросил кузен.

Я рассказала о своих перипетиях, об Андрюше, о загсе и о том, что я в тупике. Не знаю, как мне дальше жить.

— Худрук занимается травлей, мстит, терроризирует, артистки театра практикуют на мне свою злобу и коварство, артисты мужского пола, это у них называется мужской шовинизм, норовят тоже ножку подставить — и все из-за Андрея. У меня нет в театре ни покоя, ни ролей. Потому что любовь в этом мире никто не может простить! И первая — его мать, у которой биологически-зоологическое отношение к сыну. Я в окружении. У меня нет выхода.

«Мяу-у-у-у-у-у!» — возмущенным гортанным звуком взвыл Кокос и прыгнул ко мне на колени.

— Ваш худрук — правая рука Вельзевула! — всплеснула руками Ядвига Петровна с крашеными рыжими волосами, под цвет кокоса, с высоким пучком на голове. — Деточка, а Андрюшка, я его видела в театре, шляхтич, неверный полек, это не муж! Он — артист! — погладила меня по голове и добавила: — Только время, только время лечит насморк и любовь.

Кокос замурлыкал и развалился на моих коленях. А художник рассуждал:

— Ты понимаешь, какая картина? В самый решающий момент заболел отец. Ничего просто так не бывает. Это — перст божий! Вглядись как следует в знаки судьбы и не ломись в закрытые двери. Тебя светлые силы спасают. Может быть, и его тоже. Кто знает, какие вам предназначены роли в жизни?

— Нет! Я хочу быть только с ним! Хочу выйти за него замуж, чтобы быть рядом неразлучно.

— А знаешь, что такое брак? Захват личности! Недаром Будда сбежал из дома, от семьи в 30 лет!

— Но я же не Будда! Я детей хочу!

— Ты выбрала — театр. А театр — это учреждение для публичной обработки комплексов, артистов и зрителей одновременно. Вот вы с Мироновым эти комплексы и обрабатываете. Значит, вы нужны друг другу для этой работы. И, может быть, совсем не для женитьбы. Все страсти, страсти, слово-то откуда — от страдания. Вот и страдайте и переплавляйте эти страдания в свет духовный. Для этого понадобятся годы, десятилетия, если ты выживешь...— Кот сиганул с моих колен на свой стул и сел как вкопанный. Только водил глазами с вертикальными зрачками.

— Что, такая страшная со стороны ситуация? — спросила я.

— Ты — мягкая по характеру,— говорил кузен;— а становишься ожесточенной. У тебя даже черты лица заострились. Если вдуматься, за что ты борешься? Замуж, дети... Вместе соединиться нужно только для того, чтобы расти, но не падать... А ведь, может быть, у него исчерпана психическая возможность для нормального брака? Если ты внимательно вслушаешься в выступления его родителей — это просто демонстрация живых комплексов. Знаешь, пожалуй, я сделаю твой портрет... с котом.

— Мо-о-о-я-я-яя-у-у! — взвыл кот и сиганул мне на колени для позирования.

— И твоя мама,— продолжал кузен с ватманом и карандашом в руке,— не оставила тебе в наследство способность к счастливому браку. Эта способность — редкий дар.

— Что же мне теперь делать? — сокрушенно спрашивала я.

— Чуть-чуть подбородок вправо...— делал наброски кузен. — Что делать? Познавай себя, люби Великого Изобретателя, заходи к нам почаще, люби своего Андрюшку, но не зацикливайся на нем, страдай в конце концов — ведь это такое счастье! Ведь для чего-то Бог вас соединил?

«Для чего нас Бог соединил?» — думала я, шагая поздним декабрьским вечером по Садовому кольцу в сторону Арбата. В душе — легкость, как после целительного сеанса. Сама собой исчезла боль. Спина стала прямее, походка пружинистее — сейчас приду домой, намажу морду кремом, лягу в постель и буду читать «Литературные портреты» Моруа. В арбатских переулках настигли новогодние мысли: «А как шьется мое парчовое новогоднее платье?» Новый год! И мы опять с Андреем в Доме актера, а родители — дома, из-за Менакера. А вдруг его мамочка не отпустит? Ну не отпустит, так пойду к кузену в убогую обстановку на материальном плане и великолепие «интерьера» в плане духовной жизни.

Маникюр! Маска на лицо! Контрастный душ! Стакан горячего молока! Срочно высушить волосы, иначе не успею на встречу Нового года. Иду на кухню своей коммунальной квартиры, зажигаю духовку и подношу к духовке голову с мокрыми волосами, скорей, скорей, еще чуть поглубже — вспыхиваю! Запах паленых волос, бегу к зеркалу — опалены все ресницы и немножко кончики волос. Лысые глаза — из них текут слезы от отчаяния: что делать? А вот что! Достаю несколько пар театральных ресниц, приклеиваю канцелярским клеем на веки и порхаю глазами, как бабочка. Верчусь перед зеркалом — золотое парчовое платье подчеркивает фигуру, вдеваю в уши длинные серьги, приобретенные в галантерее по этому случаю, и чувствую себя Клеопатрой. Выливаю на себя французские духи, целую маму, выпиваю с ней рюмку вина, выбегаю за дверь, возвращаюсь, просовываю нос в щель, улыбаюсь, машу варежкой и исчезаю. В половине двенадцатого Андрюша ждет меня внизу в Доме актера. Вошли в зал. Я ощущаю свою нарядность, красоту, несу все это достояние с поднятой головой, и вдруг огромные светящиеся люстры... люстры... люстры! Однажды Бодлера спросили: «Какая вещь вам нравится больше всего в театре?». Он ответил: «Люстра!». Страшно подумать, но люстры осветили все мое лицо, да так, что Андрей остановился и, глядя на мои ресницы, с ужасом спросил: «А это что такое?» Сорвал их с моих век, было такое ощущение, что вместе с кожей. Потом впился глазами в серьги и произнес:

— Танечка, это же серьги из чистого железа, такое нельзя носить.

Я сделала вид, что обиделась, быстро повернулась и ушла в уборную. Через несколько минут весь зал уже сидел в ожидании боя часов. Я пробралась к нашему столу и довольная села на свое место.

— Ты опять наклеила? Где ты их берешь? — сказал он и схватился за бокал, чтобы не схватиться за мои ресницы, нос или еще за что-нибудь. Забили куранты, а я оправдывалась:

— Понимаешь, я сожгла свои ресницы в духовке! Не могу же я встречать Новый год с лысыми глазами?

— Ура! Ура! С Новым годом! С Новым годом! — кричали все. За соседним столом сидела Галина Бреж-

нева, дочь Генсека, с Цыганом, в царских изумрудных
серьгах, видать, вынутых из закромов Оружейной палаты Кремля, где она тогда «работала».

Теперь, через тридцать с лишним лет, я вспоминаю
подробности тех событий и удивляюсь, как все тогда
было важно и полно значения: мой подарок — розовая
рубашка, и мое зажмуривание глаз с наклеенными
канцелярским клеем ресницами — от счастья, что дер-
жу в руках подарок от него — духи «Шанель № 5», мои
железные серьги, его прекрасные волосы, бесцветная
родинка на левой щеке, всегда чуть отставленные
пальцы рук — мизинец и большой, как будто он в воздухе брал октаву, внезапная встреча глаз, а в них —
один закон — непреодолимое желание.

Через тридцать лет буду бежать к Марии Владимировне и, волнуясь, рассказывать:

— Я его видела! Сегодня во сне! Это был не
сон, я попала в тот мир, он был живой и рядом —
мы делали салат. Он на доске резал свой любимый
зеленый лук. Это какая-то пограничная территория —
сон. Как бы мне ухитриться и перетащить его в наш
мир. Я уверена, что это можно сделать, но пока
не знаю как.

На что Мария Владимировна неизменно отвечала:

— С вами разговаривать можно только выпив-
ши.— И добавляла: — Я, наверное, мать плохая, потому что он мне не снится.

И сейчас, в преддверии Нового года, я сижу и думаю: если бы он позвонил и сказал: «Танечка, я на
Кольском полуострове, в Норильске или на Камчатке,
есть только одно условие, как в сказке, — мы увидимся, если ты придешь пешком». Я бы оделась и побежала, ничего с собой не взяв, на Кольский полуостров,
в Норильск или на Камчатку.

На репетициях «Фигаро» Акробатка очень умело
пользовалась своими глазами, главным образом в сце-
нах с Андреем, пользовалась по принципу — в угол,
на нос, на партнера. Боковым зрением я видела,
как он нет-нет да и вильнет за ее юбкой. Я знала,

что драматургия Бомарше и других авторов непременно должна провериться на Петровке, 22. Кинжальный удар в сердце сменялся трезвым рассуждением: она не в его вкусе, временно заинтересоваться, как дегустатор, он может, но влюбиться — никогда! Тем более — полюбить.

Прошли детские каникулы, «Фигаро» репетировали утром, днем и вечером, а Андрей и ночами, во сне, бормотал свою роль, скатываясь с кровати, поэтому, когда объявили три выходных дня, он, совершенно изможденный, сказал: «Едем на дачу, я смертельно устал».

Дача стоит вся в снегу, расчистили дорожки, затопили камин, и, чтобы переключиться с «Фигаро», я стала читать вслух рассказ Лескова «Чертогон», который захватила с собой из Москвы. Начинался он так: «Это обряд, который можно видеть только в одной Москве, и притом не иначе как при особом счастии и протекции». «Совсем жисти нет»,— сказал дядя Илья Федосеевич своему племяннику, это означало, что они пускаются в этот московский обряд под названием «Чертогон». Гуляли до самого рассвета в стиле вальпургиевой ночи — пляски цыган, рубка мебели, «ресторан представлял полнейшее разорение — ни одной драпировки, ни одного целого зеркала, даже потолочная люстра — и та лежала на полу вся в кусках». Когда дошли до момента смазывания колес коляски медом, Андрей «захлебываясь эмоциями» сказал:

— Вот это обряд! Я тоже так хочу гулять! — дочитали почти до конца. Дядя Илья Федосеевич после вальпургиева ночного безобразия стоит в церкви и смиренно заявляет: «Теперь хочу пасть перед Всепетой и в грехах покаяться».

— Какой, однако, диапазон у русского человека! — вскочил Андрей после такого сильного, вызванного Лесковым умственного и душевного возбуждения. Потянулись за рябиновой.

— Это невероятно! Ах, какой русский кич! — восклицал он.— Да-а-а, образ Магистра с горящими десятками на Воробьевых горах значительно полинял после этой вещи.

Включил транзистор, видно было, что он сильно

заведен и ищет выход. Пили рюмку за рюмкой, подкидывали дрова в камин.

— Раздевайся! — сказал он мне.

— В каком смысле?

— Сейчас увидишь! — и полез на антресоли. С антресолей по одному на пол вылетели четыре валенка 45-го размера.

— Я тебе обещал свадьбу? Сейчас будет! Я порядочный человек. Запомнишь на всю жизнь. Такой свадьбы не было ни у кого. Жениться так жениться! — кричал он уже подшофе.

Я была в точно такой же кондиции, однако поняла его идею. Мы выпили еще по стопке для смелости, я нашла в шкафу Марии Владимировны отдельный ситцевый купальник, который был мне велик размера на три, переоделась, воткнула голые ноги в валенки, Андрей отыскал «семейные» трусы до колена, тоже воткнул ноги в валенки, открыл дверь в сад, поставил на порог транзистор, включил его на полную мощь, и мы выскочили на снег. На землю падали сумерки.

— А-а-а-а-а-а-ааааа! — кричал от холода Андрей.— Я тебе обещал свадьбу — вот она! О-о-о-ой-ой-ой! Свидетель — Лесков!

Из тразистора на все Подмосковье неслось:

> Я работаю отлично,
> Премирован много раз.
> Только жаль, что в жизни личной
> Очень не хватает вас.

Снег был до колена, мы носились по саду, делая круги, почти голые, в валенках, схватившись за руки, подпрыгивая и отплясывая что-то вроде полечки.

Горланили вместе с тразистором:

> Из-за вас, моя черешня,
> Ссорюсь я с приятелем.
> До чего же климат здешний
> На любовь влиятелен.

Тут я споткнулась о свой валенок и окунулась в сугроб.

— Танечка, на балу не падают! — кричал Андрей.

И я, вскочив и очутившись в вертикальном положении, положив ручку в ручку, опять поскакала с ним в полечке.

С деревьев на нас сыпался снег, но мы уже не чувствовали холода — мы были в экстазе. Голос из транзистора допевал последний куплет известной песенки. Полечка стала еще стремительней, мы неслись по снегу, трусы сползали, на ходу мы их подтягивали и вместе с певцом во всю глотку доорали:

Я тоскую по соседству,
И на расстоянии,
Ах, без вас я, как без сердца,
Жить не в состоянии!

Обнялись. Упали в снег. С диким визгом бросились в дом. Скорей в горячий душ!

Глава 29

ГАСТРОЛИ В ЛЕНИНГРАДЕ

4 апреля 1969 года состоялась премьера «Женитьбы Фигаро». Спектакль имел успех. На фоне серой, бетонной жизни советского народа на сцене театра Сатиры вызывающе благоухали писанные художником Левенталем розы. Музыка Моцарта, как диссидент, звала к высшей свободе, к счастью, за границу обыденности, и два актера — Миронов и Гафт, облаченные в великолепные костюмы, блестяще разыгрывали на сцене вечную тему — Власть и Художник, Талант и Бездарность.

В первом ряду, в середине, сидели две преданные искусству и Миронову сырихи — Джоконда и Чахотка. Так их прозвали артисты театра Сатиры, которые видели их перед собой со сцены уже много лет подряд. Джоконда — с гордо поднятой головой, гладким лбом и огромным пучком на макушке, с каменным лицом. Чахотка — маленькая, черненькая, с ужимками, на голове — шестимесячная. В конце каждого спектакля с участием Миронова они монотонно доставали из-под кресел, на которых сидели, бесконечные букеты цветов и, кидая их в артиста, бесстрастно кричали на весь зал: «Миронов, браво!».

Выпуск «Фигаро» совпал с премьерой «Бриллиантовой руки». Виртуозный, блистательный, ослепительный — все эти прилагательные вместе с букетами цветов летели в адрес Андрея. И вот слава, о которой он так мечтал,— «Желаю славы я!» — наконец перед ним. Гордыня охватывает обладателя славы, и невидимое ему внутреннее разложение неизбежно вкрадывается с успехом. Он начинает верить не в силу Провидения, а в то, что он сам — причина этого успеха, и теперь на алтарь славы он не задумываясь будет приносить все бо́льшие и бо́льшие жертвы. Наполеон, который верил в высшие силы, писал: «Я чувствую, что меня что-то влечет к цели, мне самому неизвестной. Как только я ее достигну, как только я перестану быть нужным, будет достаточно атома, чтобы меня уничтожить».

— Таня, готовься! Жить будем вместе, в гостинице «Астория»,— сказал Андрей задолго до гастролей в Ленинград, которые начинались в середине апреля.

Я тщательно готовилась — купила новенький кипятильник, наглаживала вещи, крахмалила салфетки, ведь на гастролях завтракали и ужинали мы всегда в номере, и даже сшила себе из белого шитья маленький фартучек. Путешествие в Питер мы собирались совершить на новой «Волге» Андрея, через Михайловское и вместе с нами — артистка театра Цыпочка и ее муж Ушка. Они были старше нас, другого поколения, и не чаяли души в Андрее. Надо сказать, что все женщины, годящиеся ему в матери, испытывали к этому веселому и заразительному парню простительное вожделение. Раздражение по отношению ко мне они тщательно скрывали, но в присутствии их я всегда считывала бессознательный немой вопрос: почему на месте рядом с ним — я, а не кто-нибудь из них? Они невзначай до него дотрагивались, кокетливо теребили предметы его туалета, кончик галстука, например, и очень призывно улыбались, говоря о самых прозаических вещах.

Последние три месяца были для меня невыносимо трудными. Я сидела в зале, за бортом жизни, смотрела на сцену, а там неизвестно откуда взявшаяся артистка Акробатка, заняв мое место, в роскошных атласных платьях под музыку Моцарта разыгрывает на подмостках любовь с Андрюшей. А я! В свои 25 лет на дне театральной жизни и во тьме репетиционного зала под прицелом мстительных и недобрых глаз Чека, правой руки Вельзевула, как выражалась Ядвига Петровна. Трезвый ум добился от меня полной капитуляции деструктивных сил — негативные эмоции лежали на лопатках, и я — сама себе главный режиссер — объявила: «В каждой ситуации есть две стороны медали. Изнанка и лицо. Иногда получается и мордой об стол, а под символом изнанки скрывается зашифрованная истинная суть медали. Препятствия — есть рождение возможностей»,— завершила я свой внутренний монолог и опять влилась в присущий мне радостный поток жизни. Меня касалось теперь только то, что касалось Андрея,— он и его репетиции Фигаро.

Я знала, как много для Андрея значит все знаменитое и авторитетное, я ничего не репетировала, была не в стае, мои акции падали, и мне казалось, что я убываю в его глазах и что все это способно нас разлучить. Но вопреки внешним событиям, внутренние разыгрывали совсем другую «пьесу».

8 марта, совершенно для меня неожиданно, мы мчимся вместе в «Стреле» в Ленинград к родителям отмечать по традиции Андрюшин день рождения. Он уже не оставил меня одну с книжечкой дома в этот праздник. В «Астории» мама метнула в нас традиционно огненный взгляд, потом принялись пить чай, мама как всегда перечила, говорила все наперекор, началась перебранка — мы успели выскочить на улицу до почти физической атаки, гуляли, наслаждались Петербургом, бродили вокруг Исаакия, Медного Всадника, потом Андрей купил охапку цветов и вручил маме за то, что она его родила. С ночным поездом вернулись в Москву на репетицию.

Мария Владимировна обладала редкой дальновидностью, проницательным умом и поняла, что неприятность, доставленная ей 8 марта моим присутствием, может и затянуться... Пока в Ленинграде она мысленно конструировала разрушительные проекты, в Москве на Петровке, 22, ее сын сидел за роялем, неподалеку — я, и подбирал мелодию. Потом довольно робко, срывающимся голосом объявил мне:

— Я сочинил стихи и положил их на музыку. Посвящаю тебе.

И запел, наигрывая незатейливую мелодию на рояле.

> Что же мы себя мучаем,
> Мы ведь жизнью научены.
> Разве мы расстаемся навек?
> Разве ты не любимая,
> Разве ты не единая?
> Разве ты не родной человек?

«Господи,— думала я, подняв удивленно высокие
брови,— он еще и стихи сочиняет! И музыку!»

> Не одну сжег я ноченьку
> И тебя, мою доченьку,
> Доводил, обнимая до слез,—

продолжал он.

> Мы возьмем нашу сучечку
> И друг друга под ручечку...

Он запел громче, получая от этого пения удовольствие.

> Разве ты не любимая,
> Разве ты не единая?
> Разве ты не жена у меня?

Он так распереживался, что у него перехватило
горло, и он схватился за спасительную сигарету. Как
естествоиспытатель, он смотрел на мою реакцию.
У меня из глаз выкатились две слезы.

— Ты довольна, Танечка? Видишь, маленькая моя,
я тебе уже песенки сочиняю! — скрывал он под смеш-
ливостью свои чувства.

Прошло почти три года с минуты нашей встречи,
и на смену влюбленности пришла любовь.

Последние дни перед отъездом Андрей занимался
машиной — техосмотр, масло, бензин, а я добывала
себе из-под полы в комисе черное итальянское пальтишко, черную шапку-боярку из енота, черные сапожки. Счастье от того, что мне все это так идет, смешивалось с предвкушением гастролей — путешествие
в Михайловское, к Пушкину, в Ленинград...

За два дня до отъезда щелчком по дну пачки он
выбил сигарету «Стюардесса», закурил и быстро, быстро проговорил:

— Так складываются обстоятельства... ты меня
слышишь? Так складываются... Жить будем не вместе,

а отдельно! В разных гостиницах. Я — в «Астории», ты — в «Октябрьской»! Все, все, все! Се, се, се!

Такого мордобоя я, конечно, не ожидала. Но в трудные минуты я всегда собираюсь, нахожу нужное решение и становлюсь непробиваемой.

— Дурак! — заявила ему я и передразнила: — Се, се, се! Ты что, вообразил себе, что я буду тебя уговаривать? Нет! Очень хорошо, что мы будем в разных гостиницах! Я мечтаю побыть одна! Ты мне надоел. Вместе с твоей мамой, которая все это тебе продиктовала. Я даже на тебя не обижаюсь. Я свободна! И это меня возбуждает! И ты свободен! И мы свободны — и морально, и территориально! И в доказательство своей радости я даже не хлопну дверью, как делают в таких случаях, и не поеду в Питер со всей труппой поездом. Я поеду с тобой на машине — потому, что мне это интересно. Назовем это путешествие «До свиданья, друг мой, до свиданья!».

В Ленинград выехали на рассвете. После мрачных серых дней неожиданно выскользнуло солнце, осветило долины, холмы и прибавило нам бодрости и веселья. В дороге закусывали, пили горячий чай из термоса, читали стихи, а Андрей поведал Цыпочке с Ушкой о том, что посвятил мне песню, и пел ее с небольшими перерывами всю дорогу:

> Я всегда был с причудинкой,
> И тебе, моей худенькой,
> Я достаточно горя принес.

Ушка с Цыпочкой восторгались, а он продолжал:

> И звеня погремушкою,
> Я был только игрушкою
> У жестокой судьбы на пути.
> Расплатился наличными,
> И расстались приличными,
> А теперь, если можешь, прости.

И подглядывал на меня, назад, в панорамное зеркало. Конечно, я его простила, но он уже казался мне неинтересным, некрасивым, скучным. Все шуточки, насмешки — надоевший репертуар.

Вечером остановились в гостинице Вышнего Волочка. Ушка с Цыпочкой отправились в один номер, а мы — в другой, прощаться навсегда. В последний раз мы вместе пили чай, ели котлеты, сырники и, «теряя» друг друга, в номере захолустного города мы провели самую прекрасную ночь в жизни. Утром мчались в сторону Пскова, и я думала — после такой обнаженной любви и нежности завтра он будет меня «приколачивать гвоздями» к гостинице «Октябрьская», не пошевелив своей белобрысой бровью! Тут же на шоссе перед глазами мысленно развернулся лозунг: «Товарищи! Выдавливайте из себя маму, как выдавливают раба!».

«Надо искать сироту», — резюмировала я, подъезжая к Пскову. Свернули в сторону Михайловского. Небо апрельское, синее, высокое. Нас встречает в своем доме Семен Гейченко — директор заповедника, друг семьи Мироновой и Менакера. Мы сидим на крыльце, сильно пригревает солнце, тинькают синицы. Андрей читает стихи Пушкина — «Желание славы», «Из Пиндемонти», «Признание». Потом мы едем на место захоронения Пушкина, я стою и плачу, а Гейченко рассказывает, что иностранцы, когда приезжают, ползут к могиле на коленях. Потом мы возвращаемся назад, в дом, пьем чай, и Гейченко ненавязчиво, как будто читает мысли всех, говорит о том, что, мол, истинное взросление мужчины происходит тогда, когда он женится.

Вот Пушкин, у меня есть такая реликвия! — идет в другую комнату и приносит в медальоне локон Пушкина. — При перезахоронении, — говорит он, — открыли гроб, а там — кудри! Как при жизни! И один локончик перекочевал ко мне.

Локончик, локончик... Через 25 лет мы с Марией Владимировной, которая весной 69 года властным и зычным голосом с интонацией угрозы запретила сыну якшаться с «этой, с синим бантом», и не сметь с ней жить в «Астории», в ее доме на Арбате вместе будем перебирать мелочи в шкафу, и внезапно она замрет, открыв коробочку, и скажет глухим, сдавленным голосом:

— Волосы Андрюшины... детские...

И я увижу совсем белые локончики, и рванет сердце и попрошу:

— Дайте мне, пожалуйста, локончик!

Сидим вдвоем в аллее, где некогда гуляла Керн. По дорожке прыгают белки с глазками-бусинками, и нам так сладко прощаться, мы даже обнялись.

— Знаешь,— говорит он,— у Пушкина в дневнике запись: «Вчера, с божьей помощью, в стогу сена у-б Керн». А наутро появились стихи: «Я помню чудное мгновенье...»

Подъезжаем к Ленинграду, Андрей поет, явно играя на моих нервах: «Самой нежной любви наступает конец, бесконечной тоски обрывается пряжа. Что мне делать с тобой и с собой, наконец, дорогая пропажа?!» А в моей голове вертится дурацкая частушка: «Мой миленок хи́тер, хи́тер, на горшке уехал в Питер, а я долго не ждала, на кастрюле догнала!»

Мы только успеваем поворачивать головы — весь Ленинград обклеен афишами «Бриллиантовой руки». Подъезжаем к «Октябрьской», я выхожу из машины, беру свой чемодан — они едут дальше в «Асторию». Я смотрю им вслед. Чувство гордой оплеванности не перестает преследовать меня. Через несколько часов мой механизм по гармонизации внутридушевной дисгармонии достигает цели, и я с ощущением старта новой жизни, надев итальянское черное пальтишко, черную шапку из енота, натянув кожаные перчатки, выхожу на Невский. Три дня с артистками мы гурьбой ходим по улицам Ленинграда, заглядываем в магазины, пьем кофе в кафе, любуемся конями Клодта, едим ленинградскую корюшку — все интересно, вкусно, прекрасно, потому что заботы, которые так изнуряют, остались дома, а путешествие и отсутствие быта придают жизни аромат свободы и даже восторга от нее.

Спектакль «Фигаро» играли в Выборгском дворце культуры. Первый спектакль прошел очень сдержанно, и все себя успокаивали, говоря, что это, мол, Север! А на Севере люди сдержаннее. После спектакля, за кулисами, в полной темноте ко мне подошла знакомая фигура, разве я могла не узнать?

— Завтра переезжаешь ко мне в «Асторию»! Я позвоню! — и скрылся. На следующий день он позвонил и как ни в чем не бывало, это был его прием, сказал, что сегодня за мной заедет.

— Отстань от меня! Не звони мне больше! Я прекрасно живу без тебя и без переездов! — и бросила трубку. Через два дня полетели гонцы из «Астории». Татьяна Ивановна Пельтцер вызывает меня на прогулку по Невскому и внушает:

— Дурища! Вы же любите друг друга! Что ты в позу встала? — каркала она своим голосом.— Он играть не может без тебя и жрать не может. Всю ночь он у меня в номере просидел — выл от отчаяния... Ну, Тань, твою мать, переезжай, переезжай, что мне ему сказать?

— Скажите, что у него популярность, слава, этого вполне достаточно для счастья... даже слишком, и что он может обойтись без меня.

Со следующим гонцом мы встретились на Невском у Пассажа. Это была Цыпочка. Вкрадчивым голосом с улыбкой она сказала несколько комплиментов — и какие у меня коленочки, и ручки, и глазки.

— Андрюша меня просил поговорить с тобой, чтобы ты переехала к нему, он так страдает, ты должна это сделать, хотя бы ради него. Он понял, что сделал глупость, он не в себе...

— Пусть к врачу обратится, если не в себе, я не могу ему помочь.

Следующий гонец — Червяк, он уже прибыл в Питер и тоже живет в «Астории». Мы гуляем по набережной, и он, как всегда, говорит, психуя:

— Он идиот! Что ты не понимаешь? Закомплексованный, зависимый идиот! Это экстраординарный случай — мать звонит каждый день, угрожает, и ты знаешь, что самое интересное? Он плюет на это, он прозревает, и в глубине души у него появились недобрые чувства к матери, которая толкает его, прямо скажем, на очень низкие поступки. И «Бриллиантовая рука», и «Фигаро» в какой-то степени помогли ему — мать насторожилась и перестала временно третировать его — он взял высоту, выпрыгнув из круга эстрадной жизни. И у него появилась своя воля.

— На час! — сказала я, проведя пальцем по решетке Летнего сада.— Потом она разыщет у него еще какое-нибудь слабое место и опять будет делать укол в орган воли... и так перпетуум-мобиле... А я не пинг-понговый мячик! Я хочу от всего этого уехать на Северный полюс, где одни льды и белые медведи.

На следующий день Андрей звонит мне по телефону и объясняет: «Ведь дружеские отношения у нас остались! И такая чудная погода! Проедемся на машине по Ленинграду, через пятнадцать минут выходи». И я вышла. Села в машину, и мы поехали колесить по прекрасным улицам Питера. Переехали на другую сторону реки, к Университетской набережной, поставили машину, гуляем вдоль Невы. Облокотившись на парапет, смотрим, как идет ладожский лед. Тяжелая, тугая вода, стремительность, кажется, что льдины среди бела дня фосфоресцируют, в потоке взбираются одна на другую, запах, напоминающий запах разрезанного арбуза. Слышу голос:

— Если ты сегодня ко мне не переедешь — утоплю в Неве.

Я так засмеялась, звонко, на всю набережную, и смех мой означал: конечно, не перееду! Я еще продолжала смеяться, когда поняла, что он перекинул меня через гранитную набережную и я оказалась висящей над водой со стремительно плывущими по ней льдинами. Держась обеими руками за рукава его куртки, я понимала, что жизнь моя на волоске, но продолжала смеяться и вдруг запела:

— «И за борт ее бросает в набежавшую волну». Стенька! Разин! Остановись — я сейчас утону!

В секунду он отрезвел, одним махом вытянул меня наверх и перекинул через гранитный парапет. Вокруг нас толпился народ, его узнавали, показывали на него пальцем, кричали: Миронов, Миронов! Бриллиантовая рука! Пробиваясь сквозь толпу, мы быстро пошли к машине.

Вечером в гостинице «Октябрьская» отмечали день рождения актрисы театра. В ее номере — толпа, водка, бутерброды, селедочка с картошечкой. Внезапно с каменным лицом входит Андрей, берет меня за шиворот в буквальном смысле слова, выводит из толпы за дверь и, продолжая крепко держать, ведет по бесконечно длинному коридору гостиницы в мой номер. За нами, еле успевая, семенят мои подружки — Субтильная и Наташа с вытянутым носом. Все вместе входим в номер, он молча и свирепо открывает мой чемодан, бросает туда все, что мне принадлежит, сосредоточенно складывает в косметичку — щипчики, ножнички, пилочки, лак для ногтей, надевает на меня черное итальянское пальто, нахлобучивает на голову такую элегантную енотовую шапку, обматывает вокруг моей шеи голубой шарф, выводит на улицу, и через несколько минут мы в «Астории».

— Будешь здесь жить! — сказал он грозно.— Включи кипятильник! — и добавил: — Я всегда создаю препятствия, чтобы их преодолевать!

В «Октябрьской» я оставила надежду на старт новой свободной жизни, характер, принципиальность, женское, такое важное для жизни, достоинство и, как пинг-понговый мячик, перелетела из одной части города в другую. Напившись чаю с плавленым шоколадным сыром, после череды событий, истощивших нервную систему, мы спали безмятежно, как щенки. Утром играли в рисование лица — он лежал, блаженно закрыв глаза, а я пальцем, как кистью, водила по носу, глазам, лбу, губам, щекам, приговаривая: «Ненаглядный ты мой, свет очей моих, любимый-прелюбимый, вот бровки бы тебе твои белобрысые сделать соболиными, очи — соколиными, а носик дли-и-ии-инный — бойцовским. И что же мне делать с твоим подлым нравом?»

— Бежать в магазин за кефиром, Тюнечка!

Вышла на улицу — «Вновь Исаакий в облаченьи из литого серебра». Стояла, не могла оторвать глаз. Живое существо, вызывающее сонм чувств — как будто внутри меня начинал звучать симфонический оркестр.

В магазине встала в очередь. В очереди все друг с другом переговаривались, говорили о деньгах, о любви, и я, чтобы не скучать, сочинила песенку: «Любовь и деньги правят миром, я в очереди за кефиром слыхала это резюме!» Сражение было закончено, и мне ничего не оставалось, как вить гнездо на Исаакиевской площади. Принесла букет желтых тюльпанов, любовь к которым мы отмечали каждую весну, разложила везде накрахмаленные салфеточки, блюдечки, чашечки, появились изюм, курага и орешки, нацепила на себя фартук из белого шитья.

Сдержанный прием «Фигаро» настораживал всю труппу. Я была занята в последнем акте — выходила с букетом цветов. Первые два действия решила посидеть в зрительном зале. Не просто посидеть, а поработать. И головой, и руками. Я, как локатор, улавливала репризы и первая начинала хлопать, интуитивно отмечала места, где могли бы разразиться аплодисменты. Зал сначала нехотя, туго, а потом очень оживленно стал поддерживать меня. И так несколько вечеров подряд. Артисты поймали эту волну и уже в зафиксированных местах вызывали публику на реакции.

После «Фигаро» разыгрывался следующий спектакль: мы выходили из театра, подходили к машине, Андрей садился за руль, а меня, пытающуюся сесть рядом, оттесняла жена Чека: ей хотелось втиснуться на первое сиденье — быть рядом с ним, касаться, вдыхать... Рядом на стреме стояли Чек, Цыпочка и Ушка, которые считали, что места в машине Андрея забронированы ими до скончания века. Получалось, что я должна была уступить им место, а сама идти пешком. Андрей заливался краской от двойственности ситуации, но открывал передо мной дверь, я садилась, остальные уминались сзади. Конечно, его жесты не вызывали восторга у «столь важных» особ, зато я оценила их, восторгалась, и с еще бо́льшим воодушевлением рисовала его лицо и утром, и вечером.

С дедом Семеном назначили свидание в Летнем саду.

Набухшие почки деревьев. Зелень туго свернутых листьев едва мерещится. Ветер. Запах Невы. Замирает сердце от красоты скульптур — головка Вакха, похищение сабинянки, Амур и Психея, Эвтерпа и Эвримния... На них печать сиротства и обездоленности, они никому неинтересны, тот слой общества, для которого они были предназначены, исчез, как Мезозойская эра, они никому не нужны, потому что те, кто мог оценить эту красоту, плавно перешли от людей к птеродактилям. Вдруг я ощущаю на себе их трагический взгляд: камень может разрушиться от отсутствия любви, и пойдут отваливаться носы, руки, плечи...

— Таня, познакомься, это — Семен! — услышала я голос Андрея.

Передо мной стоял высокого роста пожилой человек. Он метнул в меня оценивающий и озорной взгляд.

— А это — Танечка! Нравится?!

— Очень, очень,— засмеялся заразительно дед.— Танечка! — И под носом у него образовалась капелька.

— Ну что, пошли в Петровский домик? — зажестикулировал руками и ногами Андрей. В Петровском домике дедушка с трудом гнулся, поэтому я старательно вдевала его ноги в музейные тапочки. Андрей все допытывал его:

— Семен, это правда, когда я должен был родиться, ты говорил, вернее, орал: это будет ужьже не гебенок!

— Правда, правда, кто ж мог вообразить, что вырастет такой гений. Но ты меня всегда об этом спрашиваешь!

Потом все вместе обедали в ресторане «Астория» — ели протертый суп с гренками, отбивные, пили кофе. Андрей был очень заботлив и почтителен к деду. Едем по Невскому, везем Семена домой, проспект перекрыт: обезумевшие люди скучились, машут руками и кричат: «Не растут кокосы, не растет трава, видно, в понедельник нас мама родила! Ми-ро-нов! Ми-ро-нов! А-а-а-а-а-а-а-а! Отдай бриллиантовую руку! Ми-ро-нов!»

И все это происходило посредине Невского проспекта. Это была Слава. Они встретились. Потом он заплатит за эту встречу жизнью.

Ажиотаж вокруг артистов театра Сатиры в городе на Неве не унимался. В это самое время на телевидении в полном цвету бушевал «Кабачок 13 стульев», действие которого происходило якобы в Польше, и герои этого сериала носили польские имена — пани Моника, пани Катарина, пан Зюзя. Обывателей буквально охватывал неврастенический трепет перед встречей с масками, на которых условно стояла печать соседней страны развитого социализма. Не только неврастенический трепет охватывал их, но и неистребимое подобострастие перед всем иностранным, как у туземцев. Такие магазины, как Пассаж, «Гостиный двор», «Детский мир» стонали от встречи с живыми панами и панночками, в стране увеличивались удои молока, как писали крестьяне пани Монике — Ольге Аросевой: от одного звука ее голоса куры несли «золотые яйца». Одновременно с увеличением надоев молока у Чека увеличивалось количество адреналина в крови — от зависти и бессилия. Аросева, которую он приговорил к ничегонеделанию за «Пугачевщину», десять лет она не играла ни одной роли, с помощью незатейливого «Кабачка» вышла в дамки и стала любимицей всей страны.

— Я запрещаю артистам участвовать в этой дешевке! — кричал Чек на собрании с ложным пафосом.— Я буду отстранять от ролей всех, кто участвует в этом бардаке! Мейерхольд нам завещал нести знамя...

А Мейрхольд в свое время завещал и писал забытые всеми строки: «Октябрем по театру!» С этой точки зрения «Кабачок» даже выигрывал у Мейерхольда, потому что не был так агрессивен и не призывал к «битью» по театру ни один из 12 месяцев в году.

На самом деле все запрещения Чека не стоили и выеденного яйца. Он просто боялся: на артистов свалилась популярность, они становились морально и экономически независимыми, а значит, выходили из-под его влияния.

Несмотря на все эти сложности внутренней жизни, мы наслаждались весной и всеми подарками судьбы.

Зеленоглазая Зина в греческом хитоне из крепдешина цвета чайной розы, который она сшила себе в пошивочном цехе театра Сатиры, стремительно расхаживала по апартаментам «Астории», при виде Андрея у нее вздымалась грудь и она громко восклицала:

— Завтра едем в Палоск! — на ее языке это был Павловск.— Какой там паркет! — продолжала она.

В какой-то степени она соотносила себя с царицей Марией Федоровной и хотела такой же паркет, бюро, маленький столик, веджвуд и все остальные предметы «Палоска». Она только не знала, что покойная Мария Федоровна, которой мы и обязаны изысканностью этого дворца, в подвальном помещении имела мастерские и сама вытачивала на токарном станке изумительные предметы и украшения. Мы объездили все дворцы в окрестностях Ленинграда, стояли с Андреем у могилы Блока на Волковом кладбище, гуляли по берегу Финского залива, вместе с чайками кричали — ка-а-ар! К-а-а-а-ар! И засветло возвращались в Ленинград.

Эрмитаж! Импрессионисты! Скорей в этот зал! Смотрим с Андреем на картины, прижимаясь друг к другу и разглядывая себя в отражении стекла. Потом, когда все собирались в нашем номере, ему нравилось показывать меня — как я хожу по залам Эрмитажа. Он становился в третью позицию, подходил к невидимой картине под стеклом, смотрелся в эту картину как в зеркало, поправлял прическу, облизнув палец, проводил по бровям и, вертясь всем телом, говорил присущие мне: да? нет? да? нет? нет? да? Этот номер назывался «Танечка в Эрмитаже».

На Петроградской стороне в однокомнатной квартире отмечали день рождения Белинского. Приглашенных, кроме нас, было двое — Юрский с Теняковой. Она всю ночь до рассвета твердила: «В мои лета — год без роли!». Белинский в обычном своем репертуаре: «Эта картавая блядь, сифилитик, сука рыжая, Ленин! Кому это все мешало?!» Андрей с Юрским читали стихи, и на рассвете мы все поехали на Черную речку — место дуэли Пушкина. Андрей стоял, как в декорациях, на фоне графически очерченных деревьев, бледный, сосредоточенный, сконцентрированный, внимая импульсам этой земли, которая, видимо, передавала ему что-то не вполне ясное, но очень важное, что заставило его не произнести больше ни единого слова.

И вот день отъезда. Пошли проститься с Исаакием, Петром, Невой. Андрей рассказывает: когда строили Исаакий, то мраморные колонны, обернутые в войлок, катили вручную из Финляндии. Посмотрели наверх — там Исаакий в миниатюре с Монферанчиком. На берегу Невы стояли под ветром, и я на прощание читала свои стихи, строчки которых уносил порыв ветра:

> Что я люблю?
> Чай с мятою,
> Росу, траву несмятую,
> Рассвет, Рожденье, Рождество,
> Огонь свечей и торжество
> Своей победы над собой,
> День после ночи,
> Свет над Тьмой,
> И слезы радости, и смех,
> И твой божественный успех,
> Свистящий ветер над Невой,
> И солнце над морской водой,
> Шампанское и черный хлеб,
> И Новый год, и нежный бег
> Моей поэзии невечной...
> Что я люблю? Тебя, конечно!

Глава 30

НА АРБАТЕ В КОММУНАЛКЕ

В Москве меня ждали большие изменения в жизни. Мама с мужем покинули комнату на Арбате и переехали жить на Кутузовский проспект. Я оказалась обладательницей «роскошных апартаментов» коммунальной квартиры в 21 квадратный метр окнами в сад. Открыла ключом дверь и увидела — совершенно пустая комната, ничего, кроме круглого стола с прожженным треугольником от утюга, тахтенка, стул, шкаф, еще не антикварный, но уже довольно устаревший. Я села и заплакала. От обиды, что мама мне совсем никакая не опора, от бедности, от страха перед жизнью, от ощущения пронзительного одиночества и сиротства. Одна-одинешенька! Незащищенность, ох, какая же незащищенность! Ну какая же незащищенность! — проплакала я все эти предложения и пошла на кухню проверить — оставили ли мне чайник, чтобы выпить чаю. С горя чай произвел волшебное действие — повернул мой взгляд на жизнь в другую сторону: я почувствовала себя счастливой хозяйкой и стала лихорадочно соображать, где достать денег, и как превратить всю эту рухлядь во что-нибудь элегантное.

Начался процесс метаморфозы. Через несколько дней со стен комнаты важно смотрели на меня новые красивые обои, сияли стекла окон, блестел натертый пол — ах, какой паркет, как в Павловске! Накрахмаленная льняная скатерть лежала на столе, и от дуновения ветра шевелились новые прибалтийские занавески в крупную клетку. Въехал в комнату (модный тогда) на тонких козьих ножках радиоприемник «Ригонда». Появились из магазина тарелки, вилки, ножи, ложки! Все! Можно продолжать жить. И даже поставить пластинку с песней в исполнении Рея Чарльза «Минуты счастья».

После обретения территориальной независимости у меня появилась потребность быть дома и спать, спать, спать. Я устала от бесконечной нашей прыти с Андреем, от каждодневных бессонных ночей с розыгрышами, переодеваниями, питием, курением, всеплесками эмоций. Нервные клетки умоляли остановиться, хоть ненадолго!

Знаменитому артисту, которого после «Бриллиантовой руки» на улице узнавал каждый, полюбилась моя коммунальная квартира. Он стал приезжать туда как к себе домой, забыв о Волковом переулке и об апартаментах на Петровке, 22. Здесь, в коммуналке, в социалистическом гнезде из пяти комнат, он стал абсолютно своим парнем. Выходил качающейся походкой ставить чайник на кухню, напевая какую-нибудь иностранную мелодию, со всеми здоровался, всегда почтительно приветствовал скульптурную кудрявую головку на старинной вешалке в коридоре под названием «Пушкин-отец». Делал ручкой двум амурам, висящим на стене, ждал очереди в душ, перебрасывался нецензурщиной с соседом Балбесом, который смотрел на него, выходящего из ванной с полотенцем на плече, как на живое божество, что, однако, не мешало ему стрельнуть у божества трюльник на пол-литра. Квартира была веселая и солнечная. Артист подходил к общему телефону, стоящему в коридоре, и на вопрос «Это аэрофлот?» отвечал: «Конечно, аэрофлот, разве вы не чувствуете, что мы уже летим?».

Стояло лето, июль. На кухне на доске я резала салат, а он готовил любимое свое блюдо — яичницу с зеленым луком. Обсуждали показ артистов из школы-студии МХАТ в нашем театре. Выпускники, однокурсники Акробатки, играли «Мещанскую свадьбу» Брехта. Это было все симпатично, но комплименты и восторги достались очень некрасивой, но бесконечно обаятельной артистке, которая не была занята в спектакле, а что-то непонятное изображала в лиловых колготках, натянутых на огромные ноги, в разные стороны разводились огромные руки, а на лице с остановившимися глазами торчал вопрос: «Что мне делать с этими нескладными частями моего тела?» Она была очень выразительной фигурой и притягивала к себе внимание. Впредь она будет называться Галошей. Галоша под аплодисменты влилась в труппу театра Сатиры. В «Мещанской свадьбе» вместе с Акробаткой играла длинная красивая артистка с зелеными волосами — Русалка. Течением принесло ее в театр Маяковского, но через два года она постучится в кабинет к Чеку и... но это через два года.

— Таня, у тебя нож тупой! Лук плохо режется!

— Ты поточи нож об нож или об подоконник, он мраморный, таким образом я всегда точу ножи. Давай я тебя научу!

Кружочками нарезанные помидоры, огурцы, зеленый салат, всякая травка лежали в большой плошке, залитые маслом и выжатым туда лимоном. Только посолить. Андрей уже сыпал в яичницу зеленый лук, выключил газ, и мы, прихватив с собой всю эту вкуснятину, почти бегом кинулись в комнату обедать.

В Барвихе на высоком берегу Москвы-реки сидим на нашей любимой скамейке. Вокруг цветет шиповник и голубеет бесконечная даль. Скоро конец сезона и отпуск.

— Я купил тебе купальник, посмотри, нравится? — И достал из своей сумки голубой купальник в бабочках.

— Андрюшенька, солнышко, миленький ты мой, как мне нравится! Спасибо! — завосхищалась я, а он сидел с довольным лицом, чуть улыбаясь, смотрел вдаль. Он вообще любил меня наряжать, и его внимание мне всегда было очень дорого. Приезжая со съемок, с концертов, из других стран, он мне всегда привозил разные вещицы — и платья, и рубашечки, тогда они назывались комбинациями, и джинсы, и туфли... а вот теперь купальник!

Я уезжала отдыхать на юг, в Гагры, а он с отцом на север — в Пярну в санаторий «Эстония». Мария Владимировна оставалась в Пахре, одна «сидеть на даче».

— Мне не нравится твоя идея поездки в Гагры. Почему ты не хочешь поехать в Эстонию с нами?

— В Эстонии холодно. Меня замучили простуды. Мне необходимо прогреться на солнце. И ведь я никогда не видела Черного моря. Надо на время расстаться, потому что так хорошо, что даже страшно!

— Видишь, мы уже понемногу отрепетировали нашу...— тут он сделал паузу и сказал: — Наши отношения. И все-таки я боюсь! Сам не знаю чего, но боюсь! Веди себя прилично! — полушутя сказал он.

— Я же лечу не одна... вместе с Туровскими, а ты

их знаешь, они надежные люди. Ты тоже: поменьше кури, побольше молчи, не сутулься и...

Туровские — это пара, муж и жена. Галина — красивая блондинка с вишневыми глазами, актриса нашего театра, он — физик, работал в институте Курчатова. Оба заядлые теннисисты. Летели они в Гагры с толпой друзей — физиков и журналистов. Но главную причину моего отъезда в Гагры я умалчивала. Не хотела причинять Андрею боль. Я знала, что Мария Владимировна находится в самой высокой степени бешенства по поводу восстания сына. Непослушание! «Как он смел с ней жить в «Астории», когда я запретила? Он уходит из-под власти! Он любит ее!» — эти вопросы взрывались в ее голове. Власть над ситуациями, людьми, предметами была главной опорой, корнями ее существования на земле. Без них она могла «обесточиться», заболеть и даже умереть. Поэтому всеми силами она цеплялась за власть, как цепляются за жизнь. Я знала, что она, не смыкая очей, пристально следит за мной своими острыми, блестящими глазами и готовит ответный удар. И, улетая в Гагры, я надеялась ускользнуть от пеленга.

Вот уже и конец июля. Конец сезона. Конец шелкового розового длинного шарфа, который я обматываю вокруг указательного пальца. Мы в квартире на Волковом. Все места заняты. Прощаемся накануне отпуска. Выпив рюмку, кто-то говорит:

— Почему такой рефлекс? Как выпьешь — курить хочется, как у собаки Павлова рефлекс на зажженную лампочку?

— Насчет рефлекса есть история,— говорит Андрей.— В этом подъезде у почтовых ящиков встретились двое — мужик один с десятого этажа и нафершпиленная дамочка. Познакомились. Она, мол, не зайдете ли ко мне в квартиру на второй этаж чайку попить. Зашел. Стал заходить. «Чайку попьет», потом к себе на десятый этаж поднимается. Удобно очень. Дамочка оказалась одинокая и с когтями. «Я тебя так люблю,— говорит,— что хочу провести с тобой неделю, как в доме отдыха, чтобы ты никуда не выходил из квартиры, а я бы тебя обнимала и днем и ночью».

Он не мог устоять. Сказал жене, что едет в командировку на неделю. Жена его собрала, и он уехал... на второй этаж. Вечером собралась компания с ее работы, пили, пели, гуляли, потом все разошлись. Он переоделся в пижаму и только собрался нырнуть в постель, как она ему говорит: «Милый, вынеси ведро в мусоропровод!», и он в пижаме, уже поздняя ночь, пошел выносить. Выбросил мусор в мусоропровод, вошел в лифт, нажал кнопку десятого этажа и позвонил в дверь собственной квартиры. Открыла заспанная жена, а он перед ней — в пижаме, пьяный, с пустым помойным ведром! Вот это рефлекс!

Магистр для эффекта прощания заголосил свою любимую песню:

> Из-за острова на стрежень,
> На простор речной волны...

Пел громко, белым голосом, как поют русские в деревне. Потом, чтобы запомнить эту ночь и зная, как Андрей трепетно относится к видимым предметам, он один за другим с балкона седьмого этажа стал вышвыривать складные стулья. Потом все вместе в восторге от такого залихватского жеста неслись гурьбой вниз, подбирали с улицы эти самые стулья, с такой же скоростью летели обратно в лифт, поднимались, вбегали в квартиру и опять швыряли складные стулья с седьмого этажа вниз, на землю. Светало. Устав от этой игры, я выкрикнула: «Купаться!». В Москве-реке! Не успела я договорить слово «реке», как мы уже все сидели на двух машинах и ехали по направлению к Филевскому парку. Разделись и бухнулись в воду. Обновленные, свежие после купания, поднимаемся и идем мимо новостроек. Окна темные, улицы пустынные — город спит. И тут Магистр складывает руки рупором и кричит что есть мочи: «Подъем! Подъ-ем! Подъ-ем!». Этого нам показалось мало, и чтобы было, что вспомнить, мы помчались на Воробьевы горы. Стоим кучкой на самой высокой точке Москвы — мгновенно вынимаются из карманов деньги, поджигаются, и мы, восторженные, в который уже раз условно кремируем изображенного на банкнотах Ильича.

Глава 31

БАХУС

В Гаграх на берегу синего моря с белыми гребешками на раскаленной гальке вальяжно восседал полноватый, хмельной от своих рассказов Юлиан Семенов. Мы его прозвали Бахус. Наша компания — «вакханки» и «поклонники Вакха», или Бахуса, открыв рот сидели вокруг него в полуголом виде — в купальниках — и с восхищением ловили каждое его слово. Он говорит высоким, почти девичьим голосом, все время заезжая на верхние ноты, скользит умными глазами по нашим лицам и с удовлетворением замечает, что производит сильное впечатление.

В первый день нашего приезда мы познакомились с ним на пляже и сразу стали тесно дружить. Он жил в одноместном номере Дома творчества писателей на первом этаже с балконом и ни на шаг не отпускал девятилетнюю дочку, как он звал ее — Дуньку, с большими коричневыми глазами, с которой всегда ходил рядом, держа в своей руке ее маленькую ручку.

Юлиан Семенов был уже известен по телесериалам, и не только по телесериалам... Он был известен своей приближенностью к высшим эшелонам власти и яркой, одаренной натурой. Он был старше нас — ему было около сорока лет. Своей манерой общения, довольно непринужденной, он производил впечатление заядлого матершинника, мистификатора и авантюриста. Но на более глубоком уровне, на дне души, брезжили какие-то иероглифы, которые мы не могли разобрать.

Дунька со сверстниками бегала по кромке моря, а Бахус продолжал свой рассказ:

— Еще перед восходом солнца мы с Хемом садились в лодку и плыли в бесконечность ловить рыбу. А! Какой он гениальный человек! С каким искусством он жарит рыбу на камнях, с таким искусством можно любить только женщину. А потом мы ездили с Хемом на Кубу к Фиделю. Сейчас либо мы немедленно пересаживаемся в тень, либо нас ёбнет солнечный удар! — заметил предусмотрительно Семенов, и мы все, как крабы, переползли по гальке в тень.

— Однажды в Италии мне удалось взять интервью у Отто Скорцени, одного из ближайших соратников Муссолини. За мной следили, предупреждали... сыпались угрозы... но «майор Пронин» вышел сухим из воды.

На нас действовали все эти отдаленные географические названия, как теплая водка в жаркий полдень. Тогда в Болгарию, которая считалась не заграницей, как курица не птица, можно было пробиться только сквозь «шпицрутен» партийных ячеек, где несчастных советских товарищей с садистическим восторгом мешали с дерьмом, задавая вопросы типа: «Когда состоялся второй съезд РСДРП?» или «Сколько залпов дала «Аврора» в революцию семнадцатого года?». А она, как выяснилось, нисколько не давала. Но это не важно. Важно то, что «шпицрутен» и ответы на идиотские вопросы были необходимым условием для того, чтобы допрашиваемый купнулся в Черном море на территории Болгарии.

— У меня есть доступ к архивам, я много знаю, и за границей за мной всегда следит недремлющее око ЦРУ,— добавил Бахус.

Пьяные от этой информации, мы лежали на горячей гальке, как трупы.

— Сегодня вечером — ко мне, на дюжину шампанского,— пригласил всех нас Семенов высоким голосом.

Он донесся до меня через музыкальную границу моих мыслей, которые плотно окружили меня и отделяли, раскинувшуюся на камнях, ото всех присутствующих.

«Какой потрясающий человек! Надежный! Необыкновенный! Как в опере! — пели мои мысли под завораживающие звуки флейты, под звон бубнов и колокольчиков.— Вот это мужчина! Ведущий! Он возьмет меня за руку и поведет в желтом сарафане, потому что он — ведущий... Поведет он меня в рощу, но не в березовую, потому что мы не в России, а в Древней Элладе. И приведет он меня в виноградную рощу на склоне горы. Мы подойдем к серебряной чаше и будет нам дано испить солнечной виноградной влаги. Ах, какая в нем сила!»

— Актрисуля, ты в ударе или в солнечном ударе? Все время что-то про себя мурлыкаешь? Истина — в вине, поэтому я вас жду вечером к себе после тенниса. Ради бога, после тенниса! У меня тьма работы, но вот эта граница между трезвостью и опьянением меня безумно возбуждает... как в любви: «Пусть будет сердце страстью сметено, пусть в чаше вечно искрится вино!». Я жду вас на дюжину шампанского!

Мы снимали дом на горе, который стоял прямо над самым писательским Домом творчества. Поднимались и спускались мы всегда по узенькой крутой тропинке, вдоль которой стояли в цвету белые камелии, как свечи, торчали в упругих атласных зеленых листьях еще более белые магнолии. На тонких танцующих деревцах с изящными листьями висели розовые гранаты. Тревожили воображение пальмы, будили осязание кипарисы, и глаза не уставали наслаждаться видом моря — этой синей юбкой с белой кудрявой оборкой. В нашем доме было несколько прохладных комнат, где и расположилась почти вся наша компания. Мои друзья — Туровские, Галина с Мишей, и их друзья — Максим с женой, Вадик с девушкой Наташей, красивой, соблазнительной, с фигурой потомственной гетеры. Мы, нащупав в ней куртизанское начало, прозвали ее Матильдой. Двое из нашей команды — Витя и Петя — жили внизу, под горой, в трехэтажном особняке у некоего Коли, приятеля Семенова. Прежде Коля был начальником охраны Хрущева, после падения Никиты Семенов перетащил его в Гагры. Тут он разжился, завел вольер с десятком борзых, которых каждый день, как рассказывали с недобрым чувством Витя с Петей, кормил черной икрой — из большой кастрюли загребал по столовой ложке «черной грязи», и с баскетбольной меткостью икра попадала, как в сетку, в миску к собаке.

Я проснулась в своем доме на горе, на террасе.

Еще было прохладно, слышен прибой и, глядя на виноградные кисти, которые свисали надо мной, я потянулась к ним рукой, отщипнула несколько спелых темных ягод, они лопнули у меня во рту — и тут я вспомнила сон, приснившийся ночью. В своем единственном желтом развевающемся сарафане, похожим на тунику, не касаясь верхушек деревьев, — магнолий, камелий, пальм в черной шляпе с широкими полями, с красивым пышным страусовым пером — я парю над землей. «Черная шляпа,— вздрогнула я.— Это нехорошо, ох, как нехорошо». Встала, надела на себя желтый сарафан, взяла кипятильник, привычным жестом влезла в белые босоножки и поскакала с крутой горы к морю. У куста розового олеандра остановилась. Я не могла менять наряды — у меня их не было, поэтому реванш за однообразие гардероба я брала цветами. Каждый день в моих волосах, в хвосте, появлялись новые цветы. Тут я наломала целый букет олеандр, прицепила их к хвосту и поскакала дальше вниз.

Еще рано, пляж пустынный, галька холодная. Стою одна в голубом купальнике с бабочками, подаренном мне Андреем. Не отрываюсь от горизонта. Сейчас нырну. Вдруг сзади слышу голос:

> Татьяна, здравствуй,
> Привет, бонжур,
> Ты не напрасна —
> Ля мур, ля мур!

Оглядываюсь, с балкона машет мне рукой, улыбаясь, с короткой бородкой, которая скрывает его круглые щеки, Семенов.

— Подожди, сейчас я выйду! — кричит он.

Шуршит галькой, подходит, оценивает букет розовых цветов в волосах, который так велик, что касается моей загорелой морды.

— Таитянка,— вместо Татьянка каламбурит он,— поплыли в море... Я тоже ночь сегодня не спал, сейчас, на лодке, пока Дунька спит. Ну что, актрисуля?

«Актрисуля» подумала: осторожно! Про него говорят — блядун по убеждению. Но какой надежный! Как Андрюшка говорит — ведущий! Настоящий ведущий! А вслух сказала: «Поедем!».

Тут, как в сказке, появляется старик-грек с седой головой, с огромными глазами и высохшим загорелым телом. Каким-то ключиком он открывает замочек, падает цепь, лодка свободна.

Мы уже далеко в море. Синяя гладь да божья благодать! Я села на весла в голубом купальнике на загорелом теле с букетом розовых олеандр в хвосте. Он ловит рыбу, часто оглядывается на меня, пристально и серьезно смотрит. Чувствует клев, вытаскивает рыбешку, бросает ее на дно лодки.

— Актрисуля, ты знаешь что-нибудь о странностях любви? — снимая рыбу с крючка, спрашивает он меня. Потянулся к баночке с наживой и небрежно поцеловал меня в колено. Меня тревожит он, его близость, волнуют его мысли, волнует то, что я ему нравлюсь, что мы вдвоем посреди бескрайнего моря, что для меня на почте нет писем до востребования из Пярну: видать, уже впился там, на севере, в какую-нибудь кривоногую балерину... И такая досада на него, что отпустил меня на юг, в эту тропическую жару, совсем одну — бороться с искушениями!

На дне лодки набралась уже целая куча маленьких рыбешек, и Семенов предложил позавтракать. Достал соль, оторвал рыбешке голову вместе с внутренностями, посолил и съел. Сырую. Я взяла рыбешку профессиональным жестом, как заправский рыбак, оторвала ей голову вместе с брюшком, посолила и съела.

— Знаю ли я о странностях любви? — спросила я, в очередной раз заглатывая сырую рыбку. — Только о странностях я и знаю! — безудержно засмеялась, вспомнив всю драматургию нашей любви с Андреем.

— Любовь — это абсцесс. Неважно, на каком она расстоянии — далеко или близко, как ты сейчас. Ты ведь и близко, и далеко! — сказал Семенов. Ему, конечно, было известно, что я каждый день хожу на почту и жду писем от Миронова.

— Есть женщины, — продолжал он, — которые пробуждают в мужчине максимум чувств, они влекут с непреодолимой силой, вопреки преградам, препятствиям... Если случается взаимная любовь, то они вызывают в мужчине максимум ощущений, какие только есть на белом свете... Такие женщины никогда не становятся привычными, всегда новы, неизвестны. Любовь к ним необъяснима... — поднял со дна рыбешку, по пути поцеловал мне другое колено, оторвал ей голову и съел. Вода вокруг синела как лазурит, солнце стало печь так, что тема любви начала выходить за пределы разговоров. Он то нечаянно дотрагивался до моей руки, то нажимал своей босой ступней на мою босую ступню и очень сосредоточенно смотрел в область груди. В какую-то минуту я опять попала в Древнюю Элладу — танцую с ним в виноградной роще, увитая плющом, распеваю вакхические песни, и вокруг нас в воздухе плывут музыкальные инструменты — поющая флейта, вздрагивающий бубен, и под звон колокольчиков мы приближаемся к заветной чаше:

> До того как мы чашу судьбы изопьем,
> Выпьем, милая, чашу иную вдвоем,

— поет мне Бахус, нежно касаясь губами моего уха. В эту прекрасную идиллию в виноградной роще как-то неожиданно въехала черная шляпа с большими полями, с красивым, пышным страусовым пером! Я очнулась.

— Семенов, мне приснился сон. Он преследует меня по пятам! Вон! Смотрите! На горизонте! Видите? В развевающемся желтом сарафане, похожем на тунику, я бегу по волнам в черной шляпе с широкими полями, с красивым пышным страусовым пером! Видите?

— Ты забыла букет розовых цветов в хвосте, — сказал, смеясь, Семенов.

— Во сне его не было! Семенов, это страшный сон! Я его боюсь!

Семенов проглотил рыбу и сказал:

— По Фрейду это — желание и невозможность полового акта.

Мы засмеялись, и мое видение испарилось.

Через неделю еще более загорелые, лоснящиеся от солнца и моря сидим на пляже. В середине опять восседает Бахус. Я принесла целую плеть виноградной лозы и повесила ему на грудь, как гирлянду. Виноград, пронзенный солнцем, казался драгоценными камнями.

У Семенова потребность исповедоваться:

— Когда я работал спецкором в Америке, про меня в газете «Нью-Йорк таймс» писали: цепная собака Кремля. Там, наверху, в ЦК, совсем другие игры. Сейчас сочиняю детектив о русском разведчике в гитлеровской ставке. Кремль — это модель. В принципе все везде одно и то же.

Максим вытянул с балкона канисстрочку красного вина, и мы все по очереди сделали по глотку.

— Ребята, если мы сейчас не сплаваем, нас ёбнет солнечный удар,— заявил Семенов, снял с шеи гирлянду из виноградной лозы, и мы бросились в море.

В один из ежедневных традиционных вечеров, которые Семенов называл «на дюжину шампанского!», мы после тенниса пришли к нему в номер. Дунька с круглыми коричневыми глазами молча сидела на диванчике. У стены, как всегда, стояли двенадцать бутылок шампанского. На столе — открытая пишущая машинка «Колибри», на которой он работал над «Семнадцатью мгновениями весны». Балкон был открыт, мы сидели кто на стульях, кто на полу, с полными шампанским толстыми гранеными стаканами; на море бушевали волны и с восхищением и раскатом заливали берег. Я смотрела на Бахуса, держа в руках граненый стакан, он остановил на мне взгляд и как-то смущенно произнес:

— Ну что, ребята... «Татьяна, здравствуй, привет, бонжур, ты не напрасна — ля мур, ля мур!» Актрисуля...— что-то хотел сказать, раздумал, очень значительно посмотрел на меня и опрокинул в себя стакан. От его взгляда я опять превратилась в ведóмую вакханку, увитую плющом, пьющую, танцующую, восклицающую — ах, какой сильный! С ним рядом можно было быть беззаботной и легкой, легкой! Надежный! Ведущий! — как в опере опять пели мои мысли... Господи, как хорошо! Капает дождик, бушуют волны, смеркается... Я совсем пьяная и чувствую себя музыкальным инструментом... Сейчас вылечу с балкона в своем желтом сарафане и брошусь от счастья в волны! Охладиться!

Встала, пошла в уборную, долго мыла лицо холодной водой. Когда я появилась, Максим спрашивал у Семенова:

— Юлик, ты не знаешь, кто по прекрасной повести Брянцева «По тонкому льду» сделал такой говенный сценарий?

— Я, Максимушка,— ответил Семенов, не моргнув глазом.— У меня были большие долги за дачу в Коктебеле. Я же беспартийный, а беспартийным...— вдруг стал он бить на жалость.

— Ну в партии ты состоишь, Юлик, сам знаешь — в какой.

— Это так... символически...— ответил Семенов.

— Символически! — не унимался Максим, раскачивая шампанское в граненом стакане.— Стучать-то все равно приходится!

Жуткая пауза, после которой Семенов говорит:

— Это совсем другой уровень.— И снял тему.— Максимушка, я тебя приглашаю завтра рано утром порыбачить в море.

— Завтра рыбачить, а сейчас купаться! Смотрите, как фосфоресцируют волны! — сказала я. Была уже ночь. Бросились на пляж — все были молоды, и неуемная энергия искала приключений. Над нами стояло непостижимое в своем великолепии небо. Мы задрали головы и увидели такой августовский звездопад — хвостатые, светящиеся звезды с неуловимой скоростью носились по небу, чертили свой чертеж. В состоянии эйфории мы скинули с себя одежды и голые бросились в бушующие волны.

Поздно вечером вернулись в свой дом на горе и застали драматическую картину: из угла в угол метался Вадик, бил ногами по стульям и что-то выкрикивал. С трудом его усадили, и он отрывисто, злобно вглядываясь в одну точку на стене, рассказал: сбежала Матильда! С Колей и его собаками на какую-то другую дачу в неизвестном направлении. Сука! Потом как-то обмяк и тихим голосом сказал Туровскому:

— Почему я один должен страдать? Вот, хозяйка принесла виноград, целое блюдо — ешьте!

Туровский, со свойственным ему чревоугодием, взял кисть, всю ее положил в рот и дико закричал — весь виноград был смазан аджикой.

Несколько дней подряд по утрам Семенов с Максимом ходили в море ловить рыбу. Рано утром каждый день к лодке подходил старый седой грек с огромными глазищами и высохшим загорелым телом. Открывал ключиком замочек — освобождал цепь...

В желтом сарафане с букетом белых олеандр в хвосте бегу на почту. Простояв в очереди к окошечку до востребования, выхожу на улицу, покупаю в пакетике инжир и несусь в своей желтой развевающейся тунике к Бахусу на пляж, поедая по пути приторные и вязкие плоды смоковницы. Семенов меня уже ждал. Сегодня у нас заплыв, почти что в Турцию. Переодеваюсь в купальник с бабочками и плывем. Далеко, далеко в море, легли на спину, тихонько подгребая руками, и начался словесный соблазн в водной стихии.

— Ты знаешь,— сказал он,— чем отличается жизнь от искусства? Это как вино и виноград. Поэтому Господь выбрал своим любимым растением виноградную лозу.

Я чуть не утонула от смеха:

— Семенов,— смеялась я,— если вы не пьете, то обязательно говорите о вине, даже в море... Когда Господь выбирал виноградную лозу, он думал не об искусстве, а об искусстве прожить жизнь. Каждый должен выпить свою чашу вина, потому что человек в процессе жизни должен перебродить...— тут я нырнула в бирюзовую бездну, он за мной. Вернувшись на поверхность, отплыла от него на безопасное расстояние.

— Ты не свободна,— резюмировал он.

— Свобода развращает,— ответила я.

— Итак, преобразиться из винограда в вино — это новый виток в сознании.

Семенов нырнул, надолго исчез в воде, потом неожиданно возник рядом, как подводная лодка.

— У Бога в вине символически скрыта тема преображения,— договорила я и опять отплыла от него на безопасное расстояние.

— Твой белый букет просолился в морской воде,— сказал он, и мы взяли курс к берегу.

— Ты знаешь, как делается вино? — спрашивал меня он, легко двигаясь по волнам.— Есть такая мушка, дрозофила, она попадает в виноградный сок и он, твою мать, начинает бродить, превращается в вино, так что дрозофиле цены нет! Ты, как дрозофила, способна преображать, будоражить, будить. Только жаль, я не вписываюсь в твои планы.

— Мне самой надо пробудиться,— ответила я, вышла из воды и растянулась на горячей гальке. Закрыла глаза и впала в негу от усталости, от пронзительных солнечных лучей, от звуков флейты... вздрогнул бубен, зазвенели колокольчики, и я кружусь, как вакханка с чашей вина, в желтом сарафане, развевающемся в виде туники... в черной шляпе на голове с красивым, пышным страусовым пером.

— Нет! Это какое-то наваждение! — вскрикнула я и резко встала.— Семенов, почему я сама себе мерещусь в желтом сарафане и черной шляпе? У вас такого не бывает?

— Бывает,— сказал Семенов и процитировал Блока: — «И каждый вечер друг единственный в моем стакане отражен!» Это «Незнакомка» — единственное, что я знаю у Блока.

В этот день он нам всем объявил: мол, завтра выйдет его статья в «Правде» и чтобы мы не мешкали и с утра купили газету в ларьке. Кто-то рано утром сбегал купил «Правду», и мы увидели название его статьи: «Пол — сын Миклуха». Рассказ начинался так: «В Индонезии, на острове Борнео...» Далее шло описание рыбной ловли Семенова с Максимом Айзерманом в городе Гагры. Не забыл он и старика-грека с огромными глазами и высохшей кожей.

В один из дней устраиваем на горе в нашем доме на открытой веранде, увитой виноградом, вечер поэзии. Семенов с Дунькой явились в точно назначенное им время — 17 часов 07 минут. Его неотступно преследовала эта цифра.

— Понимаешь,— говорил он мне,— 17 — в доминанте — 8! А это уже другой виток, начало новой октавы.

На открытой веранде, на большом столе, в ожидании стоит пока одна трехлитровая банка домашнего вина «Изабелла». Трещат цикады, шуршат в траве и листьях бесконечные тысячи насекомых. Небо — фиолетовое. Море лежит перед нами как вкопанное. Галина сидит на табуретке, как скульптура эллинки, в светлой рубашке, в шортах, надетых на великолепные, загорелые, выставочные ноги. Я стою в своем желтом сарафане с гроздьями винограда в хвосте, намекая на дрозофилу и преображение. Семенов идет прямо на меня, не отрывая глаз, в майке, на которой написано: «Make love, not war» — занимайся любовью, а не войной — начинаем тянуть вино, читать стихи.

У меня сохранились напечатанные на пожелтевшей папиросной бумаге стихи Бахуса, которые он читал в этот вечер. Почти девичьим голосом, на высоких нотах он начал:

> Семнадцать часов 07 минут,
> Понятия не рифмуемые —
> Выдумал на свою голову,
> Как ни крути,
> За подлежащим стоит сказуемое
> И светофоры всегда на пути.
>> Господи, спаси нас, Господи,
>> Спаси нас, Господи, спаси...
> Театр поддается ли ритмике?
> Сколь многотруден процесс...
> Старые, значит, битые,
> И не учтен интерес...
>> Слушаю всех внутривенно,
>> Будто в предутренний час
>> Слушает утка измену,
>> Дробью пробитая в глаз.
> Все мы распяты глупостью,
> Всем нам знаком процесс
> Полураспада тупости,
> Полуобъема трусости,
> Полуизмены мужеству
> И далекой любви — абсцесс.

«Далекой любви абсцесс» или воспалительный процесс сидел рядом в образе вакханки с виноградными гроздьями в волосах, и блестели глаза, и стучало сердце под пение цикад. Рядом сидела Дунька — маленькая девочка, на которую уже была возложена килограммовая сложность жизни... Мне нравилась эта девочка, меня восхищала в ней, такой маленькой, мудрость — совсем не по возрасту — и внутренняя решимость с готовностью перенести все, что ей предложит судьба. Стемнело, и я прочла стихи, посвященные Дуньке:

> Мне нужны дожди и ливни,
> Ликость белая церквей,
> Радость скорби,
> Тайность рифмы,
> Фиолетовость морей.

Божественная Евдокия!
Лучами сотканная
Прозрачность сотовая,
Гладь и стихия,
Из сказок собранная, —
Вы — Евдокия!
Вы перед миром глубокотайная
Простите вихри и бред покаянных.
Простите сложность
Килограммовую,
На вас возложенную
Судьбой и Богом!
Шары расходятся —
Ударь их кием.
Ценой обходится
Быть — Евдокией!

Дунька встала, подошла ко мне, посмотрела на меня, нагнув голову, обошла сзади и, поедая мои гроздья винограда, прицепленные к хвосту, спросила:

— Это вы про меня написали?

— Про тебя, — ответила я.

— А я — не Евдокия. Это меня папа так зовет — Дунька. А на самом деле я — Даша.

— Это не принципиально, — сказал Семенов. — Главное — все понятно. Что-то не хочется расставаться, спустимся вниз? У меня есть чача! А Витя с Петей могут у Коли, в его отсутствие, найти в подвале трехлитровую баночку черной икры. Это штраф за то, что он умыкнул Матильду.

— А мы ее и так каждый день едим, — сказали вместе Витя с Петей. — Вместо собак. У него, у Коли, — медовый месяц, а у нас — икорный.

Спустились вниз — Семенов, как всегда, с Дунькой за ручку, пришли в номер, положили ребенка спать, взяли чачу и отправились на пляж под звездное небо. Витя с Петей принесли штрафную банку икры, лаваш, зеленый ткемали. Стояла глухая ночь. На море — штиль. Я смотрела на Большую Медведицу и вспоминала: «Пей, Танечка, шампанское из этого ковшика, даже когда я умру». Мы молча сидели под звездным небом, лишь слышен был звук наливаемой чачи в граненые стаканы. Оттого вдруг таким резким показался переход Бахуса, он перепил, вдруг вскочил, стал бегать, рыдая, по пляжу, как раненый зверь.

— Почему? Почему, почему, почему, почему, почему меня так не любят?! Почему нас, евреев, так не любят на этой земле?! Почему?! Почему меня не любят?! — выл он, не переставая бегать по гальке.

Мы бежали за ним и на разные голоса кричали, что мы его любим, восхищаемся им и таких щедрых и прекрасных не встречали никогда в жизни! Он рыдал все громче, куда-то в темную ночь бежал по гальке и кричал звериным криком, захлебываясь от слез, чтобы мы его оставили в покое. Потом молча сидели у кромки моря, положив ноги в воду — он тихо плакал, закрыв лицо руками.

— Я не стою вашей любви,— говорил он нам, всхлипывая,— вы такие бескорыстные. Я заложил душу дьяволу и пропиваю ее с ним. А он меня обманет! Он всегда обещает золотые горы, а платит разбитыми черепками. Я бы отдал все, чтобы быть на вашем месте... Все! — Бросился на спину и уставился в звездное небо. По его вискам текли слезы. «Какая польза человеку, если он приобретет весь мир, а душе своей повредит?!»

— Звездное небо над нами и нравственный закон внутри нас! Это истина, которую я предал! — прошептал он.

Я сидела, дрожала от холода и от жалости к нему и думала: «Вот тебе и ведущий! Вот тебе и надежный человек! Все они — дети. Ведомые дети. И самое главное — кто ведет. Женщина управляет мужчиной, мужчина управляет миром, каков мир — такова и женщина. Таня, меняйся!»

Через три года судьба вознесет его на волну славы, которую ему принесут «Семнадцать мгновений весны», а еще через несколько лет (после того как падет «Бессмертный батальон», начиная с Брежнева) он будет равнодушно выброшен новыми хозяевами за борт жизни и, чтобы сохранить хотя бы видимость своей нужности, превратится в «бандершу» и будет принимать у себя на даче уцелевших «друзей» из ЦК — центральной котельной, как он выражался, подавая им алкоголь и девочек, которые приезжали к нему, как из пожарной команды, по первому звонку. И будет сознательно топить в пьянстве свою жизнь.

На следующий день Бахус извинился за вчерашнее и сообщил, что уезжает в Сочи на телевидение — давать интервью. Очень просил не пить без него прощальную заначку чачи — он вернется быстро, через два дня. Сообщил нам, в котором часу смотреть его интервью, и обещал нам делать «масонские» знаки: по очереди хватать себя за мочки уха, дотронуться до кончика носа и, обращаясь к нам лично, сказать по телевидению то, что его в данный момент волнует.

Мы сидим у экрана. Боже мой! Семенов! В майке, в которой он ходит по пляжу с надписью «занимайся любовью, а не войной». Хватает себя то за одну мочку уха, то за другую, потом за кончик носа и в конце говорит:

— Сейчас разгар творческой работы. У нас действует целая группа, и я пользуюсь моментом и обращаюсь: «Ребята, не горячитесь без меня, я приеду!»

Он приехал, но ненадолго. Кончался август. Все разъезжались, проводили мы и Семенова с Дунькой. Стояли и долго махали руками вслед белой «Волге», отъезжающей в аэропорт.

Разум скорбит и не принимает компромиссов, на которые пошел в жизни наш друг Бахус, а сердце — независимое и эмоциональное — несет память о том прекрасном гагрском лете и продолжает любить его так, как мы любили его тогда — бескорыстно, с оттенком восхищения.

Пляж опустел. Я сидела одна на берегу моря и в который раз перечитывала Андрюшины письма, которые приходили ко мне из Пярну на протяжении всего августа месяца.

Письмо первое

Таня, здравствуй!
Я, конечно, понимаю, что у тебя нет ни минуты свободного времени, чтобы выполнить свои многочис-

ленные обещания написать мне письмо. Я не в претензии, отдыхай, наслаждайся морем и жизнью. Я приехал сюда только 12 числа, так как, естественно, кино меня задержало, но здесь прекрасно, погода пока очень жаркая, купаюсь, мало разговариваю и общаюсь. Все-таки меня не забывай, черт знает, что может еще с нами произойти. Просить тебя быть сдержанней, и скромнее, и серьезней бесполезно даже в Москве, ну а уж там, среди цикад, кипарисов и черных усов это вообще бесполезно, поэтому я себя не обольщаю. Будь здорова, не забывай. Целую тебя, Андрей.

На обратной стороне конверта вопль в форме шутки: «Жду ответа, как луна ждет ракету».

Письмо второе

Милая Танечка!

Ты себе не представляешь, как я обрадовался, получив от тебя письмо, даже вначале боялся его читать, не знал, что ты там напридумала, но зато потом... Тюня, ты мне снишься каждую ночь, просто кошмар, я очень скучаю, родненькая моя. А может и хорошо, что мы с тобой: один на севере, другой на юге. Живу и отдыхаю я прекрасно, очень спокойно, все время с отцом и с Плучеками, они очень интересуются тобой, а еще больше после того, как отец принес твое письмо. Ты уж за теннисом и шашлыками не забывай меня. Я ужасно хочу приехать к тебе, но не знаю, нужно ли это делать, ты же знаешь мой кретинский характер, но вдруг потом в Москве все будет хорошо, ведь природа не может долго пребывать в противоестественностях. Как бы я мечтал, чтобы все, что ты пишешь про свою жизнь в Гаграх, было правдой, и я верю и все-таки (знаешь меня хорошо) не очень верю, бог тебя там знает, да вот эти мои сны с твоим участием, а они действительно каждый день. Я не пью, не курю, не сутулюсь и не ем вкусненького (*сотрапе тиа?*), мечтаю скорее сожрать тебя. Красивенькая Танечка, будь скромней, пожалуйста, не суетись, не доказывай себе, что можешь жить без меня месяц и больше. Если я приеду, то приеду, если нет, то все равно я тебя *обожаю, и ты все равно люби меня немножко. Но посмотрим?!*

Ты видишь, что делает расстояние и времечко, так бы черт с два ты услышала от меня такое, дорогушечка сисястенькая!!!! Стал какой-то половой не Маньяк, а Таньяк! (Внимание, фрейдисты!) Вот и сейчас, думаю, дурак, пишу ей, а она там ой, ой, но это я так думаю, потому что я...

Письмо третье

Танечка!

Совершенно неожиданно наш общий знакомый (?!) Петя едет к тебе. Несколько слов хотел тебе написать. Мы здесь с Шуркой остаемся совершенно одни, это прекрасно. Очень скучаю, дорогая моя, надеюсь, скоро уже увидимся. Если будет настроение, напиши мне еще разочек, мне это жутко приятно. Очень скучаю, не дождусь, когда увижу твою мордочку и личико. Я, как идиот, не мог вспомнить, где я его видел, его и его бороду, а потом, вот тебе раз. Ты видишь, все вокруг напоминает о тебе. Пишу сейчас с совершенно пустого пляжа, волны, ветер, как в плохом кино, но все равно чудно. Отдыхай и не забывай, родненькая моя. Когда ты будешь в Москве? Я приеду 7-го.

Обнимаю и целую всю... всю... конечно же идиот Андрей.

Глава 32

ШАРМЁР

Я — черная, как мулатка, после южного солнца, Андрей — с золотистым прибалтийским загаром, в усах! Пшеничных! О! Как ему это идет. Едем в машине с дачи, на которой провели два счастливых дня после разлуки. Едим яблоки штрифель из сада. Сочные, откусываем со звенящим звуком.

— Ты знаешь,— говорю я,— когда мы едим яблоки, то проигрываем одну из самых главных сцен мировой истории.

— Сейчас появится Бог и спросит меня: ты зачем ел яблоко? Я же тебе не разрешил! — смеется Андрей.

— А ты ответишь: это не я, это она мне велела... так что история начинается с предательства мужчины.

— И с безбожием и беспределом женщины. Зачем ты первая яблоко съела и меня туда втянула? Но история и кончается предательством!

— Ты имеешь в виду Иуду?

— Конечно! — ответил Андрей.

— Неправда. История кончается, и очень грустно, для Иуды, а для всего человечества, вроде нас с тобой, только начинается. Через тернии — к звездам. Смерть — воскресение! Какой тут конец?

Мы ехали на спектакль «Фигаро», которым открывался сезон. «Женитьба Фигаро» — этот спектакль был самой любимой иллюзией Андрея, в которую он с наслаждением нырял и чувствовал себя в полной безопасности и был там счастливым победителем. Он сверкал своими зеркальцами, нашитыми на костюме, пускал «зайчиков» в зал, под музыку Моцарта стремительно летал по сцене, наизусть зная свою жизнь в этом спектакле, и — прекрасный озорной конец. На сцене, в его любимой иллюзии, было ярко, светло, и его обожали зрители.

А жизнь пугала своей неизвестностью, с неуверенным и медиумическим характером он боялся каждого нового часа, каждого нового дня и постоянно повторял: «Все, что ни делается, — все к худшему». Поэтому заполнял до отказа свои сутки — радио, телевидением, концертами. По природе он был очень привыччив — привыкал к форме жизни, к форме отношений, к форме и чертам лица, которые были рядом. Это приносило ему успокоение.

Сыграли «Фигаро». После спектакля Чек собрал всех участников в комнате отдыха, он был чем-то раздражен, наверное гормональное, и заявил громко, во всеуслышание оскорбительным тоном:

— Гафт, я к вам обращаюсь, я не могу видеть, когда вы появляетесь на сцене! Вы не граф, а какая-то урка!

Гафт молча встал, вышел из комнаты отдыха, написал заявление об уходе и больше никогда не переступал порог театра. Для спектакля это была огромная потеря, так как Андрей и Гафт своими руками в неистовстве создавали спектакль, и Гафт был фантазером и блестящим исполнителем Графа. С его уходом спектакль потеряет остроту смысла и действия. Андрей срочно стал искать по Москве, в театрах — замену. За последние два года он сформировал почти новую труппу в театре, и теперь его взгляд остановился... назовем его Шармёр. Шармёру сделали предложение от имени дирекции, и он, не мешкая, унюхав в этой ситуации что-то для себя выгодное, оказался в стенах театра Сатиры.

Изобразительный Музей имени Пушкина на Волхонке. На первом этаже стоит гипсовая копия Давида Микеланджело. Гипсовые кудри, спускающиеся на капризный лоб, прямой точеный нос, под ним красиво очерченный изгиб эротического рта... Тело подробно рассматривать не будем, потому что оно уже в движении — ноги вдеты в серые брюки, на торсе белая рубашка с галстуком, сверху синий блейзер с золотыми пуговицами. Гипсовое лицо приобретает человеческую окраску: умные бархатные глаза цвета шоколада с большими веками, нежный румянец на щеках, волнистые черные волосы, обрамляющие всю эту красоту... Он выходит из музея, оказывается в московской квартире в центре застолья, открываются эротичные, красивой формы губы, и «Давид» произносит:

— Блядь, сука, поставь бутылку на место, я сказал... Родные, сейчас все быстро выпьем по анпёшечке! За др-р-р-р-ррррружбу! — Это образ Шармёра, который влился, именно влился вместе с бесконечным потоком алкоголя и мата, в наш и без того замусоренный этими пороками коллектив.

Со второго, женского, этажа летели вопли:

— Красавец! А какой добрый! Да еще умница! Ошибаетесь, это маска, там все очень вялое — противоречила опытная одалиска. Нет! Нет! Он такой остроумный, представляете: «Песня нам помогает жить, а юмор выжить!» Потрясающий мужик!

У всех сучек поднялись ушки и хвосты, и пронесся визг восторга. Все жмутся, трутся возле него, бегут в буфет — посидеть за столиком, полазить глазами по видимым и невидимым частям тела, бессознательно елозя зубами по нижней и верхней губе, выдавая эротическую нервозность. У нас кто новый — тот и молодец! Но новый человек несет с собой, даже не зная того, радость или горе, раздор или дружбу, цветение или растление. Помимо его внешних черт проглядывались и внутренние. Как говорила Кукушкина в «Доходном месте», «он почтителен и есть в нем этакое какое-то приятное искательство к начальству. Значит, он пойдет далеко». Он далеко пойдет в своем искательстве к начальству и будет «блаженствовать», как Молчалин. Ну что же делать, если нет других, более открытых и эффективных способов существования?

Почти что одновременно с Шармёром, который влился в наш театр, влился в страну фильм Феллини с безумным названием «Восемь с половиной». Под управлением Феллини в лице Марчелло Мастроянни мы получили почти что военный приказ — каждый достойный и уважающий себя мужчина обязан иметь несколько любовниц одновременно и хотя бы одну левую семью. Этот «приказ» воссоединился с образом Хема в свитере с бородой, который еще до появления Феллини втянул нас в дремучую пьянку. Самым невинным и прекрасным в этом экстремально-аморальном западном натиске был композитор Нино Рота. Его неземная музыка, тоскующая по нормальному, здоровому человеку, заставляла отставлять рюмки, баб, левую семью, становиться в круг, браться за ручки и цепочкой (как у Феллини), наступая на пятки впереди идущему, ходить друг за другом под та-та-та-тара, та-ри-ра-ри-ра-ра и чувствовать себя счастливыми детьми — без прошлого и будущего.

Наконец, после множества репетиций для Шармёра наступил экзамен — спектакль «Фигаро».

Моцарт: «Мне день и ночь покоя не дает мой черный человек».

Под музыку Моцарта черноволосый Граф — Шармёр облачился в парчовый сюртук, белые чулки обтягивали его тонкие ноги, на голове — белый парик с бантиком в хвосте. Конечно, подведены глазки, намазаны реснички, подведен ротик, припудрен носик. Он на сцене. Через три часа, в конце действия, все поняли: Шармёр — Граф в спектакле «Фигаро» с треском провалился.

— Провал! Провал! Он же бездарен! Разве можно сравнить с Гафтом? Это какая-то сопля на плетне! — кричали все те, кто недавно, доходя до степени сумасшествия, восторгался им и терся боком об его, приодетый в синий блейзер, торс.

На сцене он был ленив, вял, произносил текст как будто делал кому-то одолжение, в отличие от стремительного, дерзкого, умного Гафта. Да что сравнивать! Худсовет во главе с Чеком молчал. Чек звенел ключами, и решение снять Шармёра с этой роли висело в воздухе. Но если Шармёр не очень умнó выглядел на сцене — в жизни, вне сцены, он взял реванш. После спектакля он немедленно пригласил к себе домой в высотный сталинский дом (стиль «вампир») на Котельнической набережной избранных из театра на банкет. Закатил банкет, прижал Зинку (он ко всем обращался на ты — видать, какие-то комплексушки, — и жена главного режиссера, зеленоглазая Зина, с первой минуты превратилась для него в Зинку) в темном углу, закатил ей юбку, одной рукой держась за грудь, другой стал стаскивать с нее трусы. Зинка была польщена, обескуражена, хихикала, как дурочка, то и дело поднимала трусы обратно, пока кто-то не вошел и не пригласил их к столу. Оба, довольные таким ходом дела, поправляли свои трусы и прически, и воодушевленная Зина Плучек, приступая к десерту, невзначай подумала: «Зачем мне этот десерт? Я готова поменять все, все, даже этот десерт на Шармёра и устроиться прямо на этом столе на глазах у всех вместе с ним в виде бутерброда».

Ее желание могло немедленно материализоваться, так как в ней таились темперамент и хулиганство: однажды в набитом людьми троллейбусе, будучи еще молодой, она опрокинула бидон со сметаной, которую только что приобрела, на голову предполагаемой сопернице.

Но Шармёру, к великому сожалению, надо было только подретушировать свой провал, и снятие и поднятие нижнего белья с Зинки служили ему только средством реабилитации. Какие циничные мужчины, однако!

Вечером все обожрались до отвала, наслушались его мата, Зинка еще два раза ощутила себя желаемой, да так, что лопнула резинка в трусах, и на следующий день в театре прозвучало: «Ввод Шармёра в роль Графа великолепен! Он настоящий Граф — и в жизни, и на сцене». Ему даже дали денежную премию. Прошло время, Шармёр обнаглел на сцене в роли Графа, и эта наглость в сочетании с микеланджеловской красотой стала приниматься зрителем. Так, с помощью Зинкиных трусов и грудей он вписался в роль ведущего артиста театра.

Вписаться-то он вписался... но в нем стало происходить что-то странное, то, чего он не ждал. Ему никогда не отказывала ни одна женщина, он всегда был первым, лучшим и самым красивым. Но это в другом театре. А тут на сцене рядом с ним порхал в самоупоении, срывая аплодисменты почти на каждой фразе, не такой красивый, белобрысый, с крепкими крестьянскими руками и ногами, с длинным носом и выпученными глазами Андрей Миронов. Шармёр чувствовал, как чувствует женщина, что он не любим, не так любим, как этот белобрысый Андрюшка.

У бедного Шармёра разболелась грудь на нервной почве, и в кулисах души, в вечернем платье, в золотых перчатках, родилась и сразу заявила о себе Зависть. В вечернем, потому что родителю во тьме ее не видно и можно сделать вид, что ее нет! А золотые перчатки, чтобы в приступе зависти цветом золота удушить соперника, не оставив следов.

Отталкивая друг друга локтями, Акробатка и Галоша, новые артистки театра, стремительно бежали на четвертый этаж к кабинету худрука — кто первый ворвется, раздвинет молнию в ширинке и потелебонькает то, что телебонькать уже нечего. А за это они получат роль! роль! Ох, роль! — это самое главное на том отрезке жизни, который протягивается у людей с детства до старости... если протягивается.

«У времени в плену» — так назывался спектакль, который ставил Чек. Это была компиляция Штейна на тему революции и двух войн. Всеволода Вишневского должен был играть Андрей Миронов, Сысоева — Анатолий Папанов, Ларису Рейснер и Ольгу Берггольц захватили после удачного штурма четвертого этажа и двигания молнии туда-сюда две артистки — Галоша и Акробатка. Спектакль был посвящен столетию Ленина. А мне, упорно не заходящей в кабинет худрука, как обычно, достался стульчик в репетиционном зале, в темноте.

Поэтому после распределения ролей в этой пьесе, попав в раздел «и другие действующие лица», я сидела у себя на Арбате, в Трубниковском переулке, дом 6, квартира 25, положив руки на мраморный подоконник, и смотрела в сад. Трепались на ветру уже порыжевшие листья тополя. У меня стучало в висках: какой год без роли, он меня сознательно, потирая свои вороватые ручонки, губит, губит, убивает! Я в тупике. Кто мне может помочь? Где искать выход? Раздался телефонный звонок.

— Але,— с другой стороны провода прозвучал знакомый голос, я чуть не закричала...

Татьяна, здравствуй,
Привет, бонжур,
Ты не напрасна,
Ля мур, ля мур!

— Семенов! — воскликнула я с радостью.

— Актрисуля, надо встретиться! Мы не договорили в Гаграх о самом главном.

— Хорошо,— сказала я,— только через полчаса. Я вас жду на кружке возле Спасо-хауса, у самого желтого тополя.

Быстро умылась горячей-холодной водой, мокрой кожицей свеклы мазнула по щекам — самый естественный румянец, мазнула этой же кожицей по кончику носа, для озорства выражения, и села подводить, с мылом и пудрой, рощу ресниц вокруг глаз. Надела черный блестящий плащ с белыми отворотами и белой широкой рейкой, обрамляющей загорелую шею. Натянула белые сапожки, воткнула заколку в пышные выгоревшие волосы, вдела в уши медные серьги с вставленным в эту медь зеленым стеклом — под хризопраз. Повертелась вокруг зеркала, с удовлетворением оценила себя, подушилась подаренными мне Андрюшей духами «Шанель № 5» и бегом спустилась с третьего этажа. Выйдя из подъезда, пошла медленным шагом, не торопясь. Он шел мне навстречу. По-дружески крепко обнялись, поцеловались, я укололась о щетину его бороды. Мы были совсем другие, нежели в Гаграх. Исчезла безмятежность и так украшающая жизнь и лицо беззаботность. Сели на скамейку под самым желтым тополем. Неподалеку бегали дети с ведерками и лопатками. Над куполами запущенной поленовской церкви летали и каркали вороны.

— Актрисуля,— он взял мою руку,— актрисуля! Я влюблен в тебя, как Гитлер во власть. Я ничего не хочу знать о твоей личной жизни и ничего не могу рассказать тебе о своем браке, ты умница, ты все понимаешь. После того как я укатил из Гагр, я заболел. То, что написано в стихах — «далекой любви абсцесс»,— превратился в очень сложное заболевание. Блядь, у меня — гангрена. Либо ты будешь со мной, либо мне необходимо ампутировать душу и сердце. Я куплю тебе квартиру, осыплю золотом, да просто, как Юпитер, являюсь к тебе в виде золотого дождя, в буквальном смысле... ты будешь ходить по драгоценным камням... Я сделаю для тебя все! А я могу сделать. Ты ни в чем не будешь нуждаться... станешь самой богатой женщиной Москвы.

— Семенов, вы что, меня покупаете? — засмеялась я.

Перспектива дорогой содержанки, которую нарисовал мне Бахус, воспринималась как оплеуха.

«Татьяна в тишине лесов одна с опасной книгой бродит...» — вдруг услышала я вредный голос.

Он продолжал с еще более вредным оттенком:

«Дурочка! Не надо было читать в детстве Пушкина и Тургенева».

Обладателем этого вредного голоса оказался маленький чертенок, агент дьявола, который прогуливался рядом, подслушивал наш разговор и, задев меня своим коричневым хвостом, нырнул под скамейку.

«А действительно,— думала я,— как говорит Магистр: «Не надо ни в чем себе отказывать!» и стать продажной бабой! Может быть, мне кто-то посылает выход, тот самый выход, который я искала, страдая на мраморном подоконнике». Сволочь под скамейкой опять хлестанула меня хвостом и скрылась. Передо мной всплыло лицо Андрюши, каждую черточку я знала наизусть: ведь столько раз я его рисовала! На нем лежала такая печать страдания! Нет! Нет! Буду пить чай и есть хлебушек — свой путь я уже выбрала. Опять всплыло страдающее лицо Андрюши, и я закричала:

— Нет! Нет!

— Что нет? — спросил Семенов.

— Нет времени. Надо бежать на репетицию.

Нет, я вру. Не надо бежать на репетицию. Я не сказала ему, что не люблю его, не хотела обидеть... Я знала, как это больно.

— Семенов, вы что, с ума сошли? — начала я свою речь.— Закидали меня золотом, драгоценностями, квартирами... Лучше пошли на Арбат, выпьем шампанского в кафе «Риони» и утолим свои страсти. Вы мне расскажете о Дуньке, о маленькой Олечке.

В «Риони» мы выпили бутылку шампанского, к теме моей роли содержанки больше не возвращались. Расстались, помахав друг другу руками, с грустной, прощальной улыбкой.

Через неделю — звонок:

> Татьяна, здравствуй,
> Привет, бонжур,
> Ты не напрасна,
> Ля мур, ля мур...

«Однако, какой настойчивый»,— подумала я. Командным тоном он заявил:

— Татьяна, едем завтра со мной, на моей белой «Волге», стремительной, как большевизм, в Питер. Жить будем в роскошной, только что открывшейся гостинице «Аврора», рядом с этим ублюдочным крейсером.

— Семенов,— ответила я,— это не предложение, а какая-то Курская дуга! К сожалению, я больна, лежу в постели.

— Я сейчас приеду!

Я, конечно, солгала и, зная его скорость, немедленно облачилась в пижаму и намотала на шею розовый кружевной теплый платок, который был мне очень к лицу. Легла в кровать совершенно ненакрашенная, чтобы не искушать. Семенов явился с пакетами, ящиками фруктов, вином, лекарствами и всякой всячиной.

Он сел рядом со мной, стал гладить по голове, говорить, какая я красивая, что он меня вылечит, и мы поедем и плюнем на все. Притворным сиплым голосом я сообщала, что у меня болит горло, может быть это даже дифтерит: ощущение такое, что в горле все сшили иголками и нитками. Я театрально закашлялась, еще раз пробасила слово «дифтерит», но он схватил ладонями мое лицо и впился в губы.

— Боже мой,— кричало все во мне,— сейчас явится Андрюшка, и тогда, страшно подумать, начнется «последний день Помпеи». Я с силой оттащила его от себя, выскочила из постели и совершенно здоровым звонким голосом заявила:

— Семенов, если бы мы встретились несколько лет назад... Я не хочу вас обидеть! Вы же тонкий человек — неужели вы не понимаете? Поезжайте в Ленинград без меня!

Он резко встал и с преувеличенным пафосом, скрывая свою обиду и поражение, проговорил, грассируя и вытянув руку, как Ильич:

— «Оптимизм воли, пессимизм разума, живое наблюдение, абстрактное мышление, и к практике!» — Ленин.

Вышел вон из комнаты, и больше мы никогда не виделись.

Андрей был воодушевлен ролью Всеволода Вишневского. Матросня, гражданская война, революция — все это бурное, самовольное, не знающее границ политическое хулиганство находило отклик в его душе. Забронированный с детства страхом перед матерью, шарканьем ножек, целованием ручек, нехлопаньем дверей лифта, здесь, в роли Всеволода Вишневского, он наконец-то ощутил свою истинную сущность, которая до этого прорывалась только в отношениях со мной да в некоторых ролях, где он отдыхал, как в санатории, будучи самим собой.

Шармёр сразу стал душой нашей компании. Вечером после спектаклей мы собирались у него на Котельнической набережной, и он всегда встречал нас в затертом махровом полосатом халате, в домашних тапочках на босу ногу. Как соловьиные трели разливался его мат, разливалась водка по стаканам — какие там рюмки! Он становился в центр, якобы на сцену, доставал скрипку, на которой пытался играть в детстве, прижимал ее подбородком и наканифоленным смычком начинал «скрипичный концерт». Он пел песню своего детства и аккомпанировал себе на скрипке, вернее сказать — скрипел.

— Дети разных народов, мы мечтою о мире живем, в эти грозные годы мы за счастье боро-о-о-о-о...

Это была очень высокая нота, он ее совсем не вытягивал, и если принять во внимание полное отсутствие слуха, то все это вызывало смех. После этого Магистр умолял поскрипеть на скрипочке мотивчик его любимой песенки:

«Тихо вокруг, только не спит барсук, яйца свои повесил на сук и тихо танцует вокруг». Шармёр пытался доставить удовольствие Магистру, но в ноты этого ночного вальса никак не попадал. Тогда кто-то предложил — хватит скрипеть, давайте куда-нибудь поедем. Быстро одели Шармёра, пересчитали в карманах деньги и через минуту мчались в такси на Ленинградский вокзал. В последнюю секунду вскочили на подножку уходящего поезда. Завтра выходной — четверг,— и почему бы молодым «джигитам» вместе с женами не отправиться в северную столицу? Утром вышли на Невский. В радостном возбуждении в кафе «Ленинградское», что на Невском, опохмелились коньяком и кефиром, съели горячие сосиски и под лозунг Магистра — «Надо делать что хочется и ни в чем

себе не отказывать» — помчались в Царское Село.
В екатерининском дворце мы почти бегом пробежали
все анфилады комнат, вышли на солнечный свет,
утопая в желтых листьях, походили вокруг лицея,
подошли к памятнику Пушкину, вольно сидящему
на скамейке, Андрей остановился, шевельнул ногой
пышный ворох... Казалось, желтыми были не только
листья — желтизна отражалась в воздухе, в небе,
в наших глазах... И разные формы этого желтого
летали, летали вокруг нас.

— «Не дорого ценю я громкие слова...» — Андрей
вспыхнул строчками Пушкина. Потом были и «Желание славы» и «Я вас люблю, хоть я бешусь» и многое, многое другое. Магистр и Шармёр с долей цинизма в душе и румяные от коньяка и воздуха дамы,
стояли, завороженные этой неправдой. Нет, это неправда, что он такой неподдельно искренний, вдох-
новенный, непосредственный, беззащитный и... гениальный! Неправда, что к нему вдруг слетелись все
формы желтых листьев с территории Царского Села.
Неправда, что подул ветер и приподнял его над землей
в золотом шуршащем облаке! Неправда! А если правда, то это очень обидно.

Проголодались. Пришли на станцию. В палатке
женщина-олигофрен продавала в гремучих целлофано-
вых пакетах, как точно определил Магистр, «подарки». Купили «подарки» — в каждом по два яйца и два
куска черного хлеба. Купили каждому по чекушке.
Вышли на трассу — ловить машину. Ловля машины
всегда удавалась Магистру: он обладал пугающей ши-
ротой — предлагал такую сумму денег, от которой ни
один шофер не мог отказаться. В этот раз поймали
похоронный автобус, сели вокруг несуществующего
покойника и начали трапезу или «поминки» с чекушка-
ми, яйцами и черным хлебом.

Вечером — прием у Кирилла Ласкари. Кирочка
съехал с мансарды, женился на очень-очень знаменитой артистке, годящейся ему в матери, и жил вместе
с ней и ее сыном, которого, если в него не очень
внимательно вглядываться, можно было иногда назвать и папой. Итак, все вместе они жили в одном из
дворов Достоевского в большой квартире с роялем,

и эта квартира вдруг напомнила мне Петровку, 22. Оказывается, как необходимо получить в жизни — в любой форме — то, что отняли в детстве. Вечером мы сели в «Стрелу», и она понесла нас в сторону Москвы.

Глава 33

ПОТЕРЯ РЕБЕНКА

Я беременна! У меня будет ребенок! — внутреннее ощущение такое, будто я отправляюсь в счастливое путешествие. И никаких вам абортов! Все! Как мне ему об этом сказать? Он сразу втянет меня на орбиту рассуждений о том, как это сложно... и что он сам еще не знает... вроде он тоже не совсем взрослый... Или просто заорет: «Нет! Нет! Нам еще рано!». Почему у меня все так сложно? — с этими мыслями я стояла в очереди за селедочным маслом в «Кулинарии» ресторана «Прага».

Пошла пешком по Арбату. Улыбаюсь от умиления, что во мне зародилась жизнь, и мы уже идем вдвоем по улице, пройдет лет десять, думаю я, и вокруг меня будет бегать белобрысый парень с круглыми голубыми глазами, толстенький, а папа... о папе пока думать не будем. Зачем нам отрицательные эмоции?

На Новинском бульваре у Девятинского переулка в новом, ужасающем по архитектуре доме жил Червяк с женой и только что родившейся маленькой девочкой. По этому радостному поводу мы приглашены в гости. Сидим за низким, модным тогда столом. У Андрея — циклотема: он говорит только о Всеволоде Вишневском, которого репетирует, потому что, когда он говорит, к нему приходит решение той или иной сцены, озарение по поводу рисунка характера. Это его прием, он делает так всегда — проверяет на зрителях свои соображения, идеи, всех втягивает в этот шланг под названием «У времени в плену», и все, наперебой, участвуют, как будто им играть этот спектакль! Напротив сидит его друг, Ворон, однокурсник, сбивает патетику темы язвительными насмешками над Мироном, шуточками-издевками, циничным смешком. Андрей сразу отводит глаза в сторону, в пол и... замолкает. Включаюсь, как всегда, я и посылаю обратный удар, защищая крылом своего «птенца».

— Завидовать нехорошо! — говорю я вслух, глядя прямо в глаза Ворону.— Все эти шуточки, издевки, подковырки — что-то, ох, не дружеского стиля! И означают полное моральное и творческое бессилие. Никто не виноват, что тебя в театре Вахтангова не завалили ролями. А будешь вести себя так оскорбительно — перестанут приглашать в гости.

Посидела пять минут, довольная своей речью, и вышла в другую комнату. Мне стало нехорошо. Села на диван, в темноте, и стала бороться с надвигающейся тошнотой. Вошел Андрей:

— Что с тобой?

— Нет... ничего... просто посидеть хочется в темноте.

— Ты расстроилась? Что-то случилось?

— Нет...

— Я знаю, что-то случилось! Тюнечка, тебя кто-то обидел?

— Нет... Я беременна, меня тошнит, и поэтому я здесь сижу.

Не успела я подумать: сейчас разразится вой в форме: «Ой, нет, я не хочу!», как увидела, что он со свойственной ему прыгучестью стал прыгать, чуть не касаясь потолка, и кричать:

— Я счастлив! У меня будет ребенок! Как я счастлив! Все само решилось! — Напрыгался, сел со мной рядом на диванчик и сказал: — Я знал, что природа не может долго находиться в противоестественности, что-нибудь она придумает!

Я сидела в изумлении, прижав руки к груди, и думала: «А я-то как счастлива! Никогда не знаешь, что от него ждать».

Нам нравилось обсуждать, какое имя мы дадим малютке.

— Абрамчик или Варфоломей,— смеялся Андрей,— я знаю — будет мальчик.

— Нет уж, пусть он будет Дрюсенок,— предлагала я.

— Или Тюнька,— добавлял он.

— Нет, Андрюшечка, именами родителей и предков детей называть нельзя: они берут на себя всю их греховную карму. Ведь раньше детей называли по святцам — по имени святого, который и будет всю жизнь охранять и защищать своего подопечного.

Единственное, что омрачало радость,— реакция матери, и он со дня на день откладывал разговор с ней.

Мы ходили в Третьяковскую галерею, чтоб «напитать» ребенка красотой. Однажды ему пришла в голову идея — читать малютке Пушкина. Он открыл книгу и выбрал «Сказку о золотом петушке».

Поскольку в театре я перестала участвовать в спектаклях с танцами, поползли слухи, что Егорова собралась рожать. Одна из «доброжелательниц» сообщила об этом по телефону в очень тонкой, садистической форме Марии Владимировне, и начались события, ради которых нас и соединил Бог.

После репетиции в театре меня просят к городскому телефону.

— Але,— и слышу голос Марии Владимировны:

— Таня,— говорит она очень спокойно и вежливо.— Вы не могли бы сейчас зайти на Петровку. Мне хотелось бы с вами поговорить.

— Хорошо, я зайду,— говорю я, и у меня подкашиваются ноги.— Буду через 30 минут. До свидания.

Две подружки — Субтильная и Наташа — ждут меня в гримерной. Я сообщаю им с ужасом:

— Звонила Мария Владимировна. Сейчас иду к ней. И почему я должна перед ней отчитываться, когда моя родная мать обо мне ничего не знает?!

— Ты успокойся, ничего лишнего не говори, не дай себя спровоцировать,— говорит Наташа, а Субтильная добавляет:

— У тебя васнецовские глаза, и серый волк вынесет вас сквозь лес в тридевятое царство! Мы никуда не уходим — будем тебя здесь ждать.

На Петровке, 22 подхожу к двери с медной табличкой, на которой выгравировано с одной общей большой «М» — Миронова и Менакер. Табличка, которой ни у кого больше на дверях нет, всегда включает в сознание: «Внимание! Здесь живут очень важные люди!» Это дорогой своеобразный психологический ярлык на «вещь», как теперь говорят — лейблочка. Звоню в дверь — открывает Мария Владимировна. Она в голубом халате, на голове — сооружение из бигуди, обтянутое сеточкой, что на языке символов означает — плевала я на тебя, кто ты такая, чтобы я перед встречей с тобой переодевалась и «раскручивалась».

— Раздевайтесь,— сказала она.

Я разделась. Села на «свой» зеленый диван. Она стояла напротив у буфета красного дерева.

— Мне сказали, что вы беременны. Это правда?

— Да.

— Что вы собираетесь делать?

— Родить ребенка.

— Но вы знаете, что Андрей не может на вас жениться?

— Почему?

— Потому, что ему еще рано! Ему надо делать карьеру, а не заниматься детьми!

— Ну-у-у-у... Пушкину дети не помешали стать гением.

Тут ее передернуло, но она взяла себя в руки и произнесла:

— Вы знаете, что Андрей не хочет иметь детей?

— Я знаю, что он прыгал, прыгал от счастья, узнав об этом событии.

Тут она почти закричала:

— Вы обязаны сделать аборт!

— Мне мама не разрешает,— соврала я кротко.

По выражению лица Марии Владимировны я поняла, что мне надо быстро одеться и ретироваться. В дверях попрощалась и, спускаясь вниз по ступенькам, услышала крик глубоко обиженного человека:

— Имейте в виду — вы не получите ни копейки!

Я вышла на улицу, содрогаясь от холода, от беседы и от последней фразы, поймала такси и поехала в театр, где меня ждали подружки.

А на Петровке за дверью с табличкой «Миронова и Менакер» происходило следующее. Выкрикнув последнюю фразу о «копейках», она хлопнула дверью и осталась в квартире наедине сама с собой. Сначала она воткнула ногти в подушечки ладоней, подошла к окну, посмотрела, как я иду по двору, кинула мне вслед проклятья, взялась было машинально рвать бигуди на голове, раздумала, подошла к буфету, налила себе рюмку рябиновой, выпила и горько заплакала. Она рыдала так, как в детстве рыдала маленькая Маруся по красному чемоданчику, который выбросила в окно и так смертельно обидела ее этим Ритка Ямайкер. Она рыдала так, что ее целеустремленный нос покраснел, разбух от слез и уже потерял бойцовский вид. Достала из шкафа накрахмаленный белый платочек, но и он потерял форму, пропитавшись насквозь слезами — хоть выжимай! Она села в изнеможении на диван и продолжала вздрагивать от рыданий — ведь у нее отнимали любимого, единственного Андрюшу. Отнимают! Этот глагол «отнимают» и еще что-то непроявленное терзало ее сознание, она никак не могла справиться с этим терзанием и, упав на подушку, заснула отчаянным сном.

А во сне — стоит она на сцене, все сверкает, блестит, играет, на голове ее корона, а на плечо накинуто волшебное блестящее одеяло. Ей рукоплещет зал, которому нет конца и края, он безграничен, рукоплещут звезды и планеты, поскольку нет потолка, а есть небо. Она стоит, кланяется во все стороны, поднимает голову, кланяется небосводу и, приложив руку к сердцу, благодарит луну, которая ради такого случая кивает ей своей желтой головой. Неожиданно на сцену жизни падает с неба коляска с ребенком. Раздаются аплодисменты. Зал в восторге кричит: «А-а-а-а-а!». Ребенок оказался очень бойким, выскочил из своего гнезда, бросился к героине, сдернул с нее корону, нахлобучил на свою голову и стал тащить ее волшебное одеяло на себя. Коляска самоходом поехала на артистку и вытеснила ее со сцены. «Отдай одеяло!» — кричит она малютке. Но уже поздно. Она, как Золушка, уже вне сцены, в пыльных углах кулис, в стареньком, незаметном платье. Ее никто не видит. Ей никто не рукоплещет. Ее все забыли. А видят на сцене ребенка в короне, с перекинутым через плечо волшебным одеялом, который громко смеется. Она беззвучно кричит: «Он отнял у меня все! Власть, силу, славу! Меня никто не будет любить, потому что теперь не я главная, а он!».

«Он займет мое место,— подумала она, проснувшись в слезах,— и надо сделать все, чтобы этого не случилось!» Тут же зазвонил телефон. На ловца и зверь бежит. По ту сторону провода болтливая знакомая принесла на хвосте новость: «Ой, летом была на юге, в Гаграх, это такая сказка, единственное «но» — галька вместо песка, изныли все подошвы ног. Кстати, видела каждый день на пляже вашу Таню... Андрюшину... очень хорошая девочка, с хорошей фигуркой, все время смеется, вокруг ходил Юлиан Семенов». У Марии Владимировны мгновенно щелкнул в голове включатель, и она сосредоточенно уставилась в неведомую даль. Обработав информацию в своей мозговой лаборатории, она с удовлетворением вздохнула. На следующий день ничего не подозревающий Андрей открыл дверь с медной табличкой на Петровке, 22. Мама вышла из кухни опять же в халате с мясорубкой в руках. Мясорубка была так накалена и пропитана агрессивностью своей хозяйки, что казалось, сейчас откроет пулеметную очередь.

— Мама, что случилось? — испуганно спросил Андрей.

— Я всегда знала, что ты сволочь (сволочь это было своеобразным объяснением в любви), но что до такой степени дурак, не предполагала! В кого? — завопила она.

— Да в чем дело, мама?

— В том, что этот ребенок не от тебя! А от Юлиана Семенова! — выпалила она.— Вся Москва знает, кроме тебя! Ты что, хочешь стать посмешищем?

— Это неправда!

— Идиот! Именно это и правда! Кто на юге отказывается от романчика, да еще с Семеновым! В кого ты такой идиот?!

Ночью Андрею снились кошмары. Он три раза скатывался с кровати под стол и совершенно разбитый пришел на репетицию. После репетиции он ворвался ко мне на Арбат с измученным лицом, у него тряслись руки:

— Ты должна немедленно, пока не поздно, сделать аборт!

— Что?

— Я тебе повторяю,— кричал он как невменяемый,— ты должна немедленно сделать...

— Хватит! — оборвала его я.

— Завтра должна сделать! — продолжал он.— Иначе будет страшное.

— Не надо меня пугать, пожалуйста, что ты как с цепи сорвался?

— Ты в Гаграх с Семеновым, и ребенок не от меня...— еле выговорил он.

— Ты бредишь, не приходя в сознание. Я тебе рассказала все! Я тебе писала, хотела, чтобы ты приехал. Да мы ни одной минуты там не были наедине, только когда плавали в море. И всего лишь от того, что я ему нравилась и он мне нравился, я не могла забеременеть. Люблю я одного тебя. И ты это знаешь. И меня ты знаешь и знаешь, что я не умею притворяться. Неужели ты думаешь, что я способна на такое коварство и низость?

— Нет! Вся Москва говорит об этом!

— Ерунда! Не вся Москва, а несколько сплетниц.

— Нет! Ты должна это сделать! — И он до боли сжал мне руку.

— Не смей делать мне больно! И слушай меня внимательно. На известном всем «Титанике» везли мумию египетской прорицательницы очень древней династии фараонов. Покой мумии охраняли священные амулеты с изображением бога Озириса с надписью: «Очнись от своего обморока, в котором ты находишься, и один взгляд твоих глаз восторжествует над любыми кознями против тебя». Саркофаг с мумией был запечатан и охранялся. Один из помощников капитана поддался искушению и вскрыл саркофаг. Он нарушил табу. «Титаник» пошел ко дну. И совсем не из-за айсберга! Женщина, которая носит в себе ребенка,— тоже табу. С ней нельзя плохо обращаться. А кто посмеет — пойдет ко дну. Очнись от обморока. У тебя гипноз неведения.

Я даже представить себе тогда не могла, что автором этого коварного сочинения была его мать. Да и он тоже. Зазвенел входной звонок, кто-то из соседей открыл, и без стука на пороге моей комнаты оказалась домработница Марии Владимировны Катя, маленького роста, шепелявая в застиранном шерстяном красном платке. Юркнула в комнату, быстро все оглядела и стала лопотать:

— Я... тута... меня Мария Владимировна послала... за Андрюшею и проверить, чисто ли у тебя? Пыль-то небось есть.

— Кать, ты садись, может, чаю хочешь? — спросила я у нее.

— Нет,— сказала она, переминаясь с ноги на ногу в страшных ботинках.— Я не могу задерживаться, а то мене влетит! Я его должна забрать.

— Забирай! Заверни во что-нибудь!

— Чаво?

— Ничаво! — передразнила я ее.

Андрей сидел красный, злой, вдруг встал и выпихнул бедную Катю за дверь, матерясь, коленом в зад. Я мечтала только, чтобы он без крика и без рук скорее ушел. Меня клонило в сон. Я положила голову на подушку, свернулась калачиком и закрыла глаза, дав ему полную свободу выбора. Он схватил куртку и вылетел из квартиры.

С этого дня я поняла: ждать мне от «них» хорошего — нечего. Плетью обуха не перешибешь! У меня в характере не просматривалась машина класса «Бульдозер», как у Марии Владимировны, и я не владела такими приемами, как она. Я даже не знала о них. Поэтому решила тихо уклониться в сторону. Мне даже пришла в голову мысль уехать! Но куда? И, главное, на какие деньги? Ведь в театре я получала копейки. Атака началась с другого фланга. Позвонила Цыпочка и милым голосом пригласила меня погулять — совсем как в Питере, только тема другая.

— Танечка,— сказала она, улыбаясь, и на щеках появились обворожительные ямочки.— Танечка, сделай аборт! Это необходимо. Тогда он на тебе женится!

Я всплеснула руками:

— Как вы могли догадаться, что я мечтаю выйти

замуж за человека, который через вас, как через посредника, предлагает мне убить своего ребенка?

— Это не он, то есть... я хотела сказать, почему так резко — убить?

— До свидания! — помахала я ручкой и зашагала по мокрому асфальту Арбата.

В театре на женском втором этаже навстречу мне шла Пельтцер и кричала:

— Ребенка захотела! Ты что — над ним издеваешься? Сделай аборт, твою мать! — и задела по животу: как секретарь парторганизации имела на это право. Впрочем, не только она — на женском этаже задевали по моему животу все, кому было не лень.

— Егорова! Тебя вызывает Чек. В кабинет! — сообщает помощник режиссера Елизавета Абрамовна.

Поднимаюсь на четвертый этаж — вхожу.

— Садись, Таня,— говорит он, поглаживая свою лысину. Притворно вздохнул и начал: — Видишь ли, я хочу тебе посоветовать — сделай аборт! Сделай, и я тебе дам роль Вертолетской!

Эта роль была эпизодом в дешевеньком спектакле «Женский монастырь».

— Вы знаете, что-то мне эта роль не очень нравится,— не успела я начать торговаться, как открылась дверь, энергично вошла зеленоглазая Зина и, как милиционер, спросила:

— Давайте разберемся! Что он тут тебе советует?

— Аборт советует сделать в обмен на роль Вертолетской.

Она обдала его презрительным взглядом и сказала:

— Не слушай никого. Пойдем отсюда. Рожай, я тебе помогу.— Взяла меня за руку и вывела из кабинета.

Боевые действия закончились, наступила тишина. Малюсенький вовсю развивался, и тема аборта перестала фигурировать. Начался новый этап в жизни. Андрея мотало в разные стороны. Когда его приматывало ко мне на Арбат, он кидался в ноги: «Прости, прости, я так тебя... вас люблю... я кретин!». Смотрел на часы, говорил, что малюсенькому пора спать, на ходу сочинял колыбельную песенку, пел, а потом мы тихо сидели, пили чай с малиновым вареньем, горел маленький свет, было уютно и тепло.

> Когда я в вязаной фуфайке,
> Чай разливая, к тебе льну,
> То мир мне кажется Клондайком,
> С которым я иду ко дну!

— Все будет хорошо,— говорил он.— Строится кооператив на улице Герцена, и в конце концов мы будем там все жить в двухкомнатной квартире.

Однокурсница Маша Вертинская прислала мне в поддержку беременное платье, прелестное — темно-зеленое в желтых мимозах. Мы с Андреем продолжали ездить в гости, я всегда сидела поодаль, повернув глаза внутрь себя, а Андрей, смеясь, рассказывал всем:

— Танечка надела это беременное платье на следующий день!

Он вдохновенно читал стихи, входил в новую роль отца и, встретив однажды на улице красавицу Марию Васильевну Брунову, таинственно улыбаясь, сказал:

— У Танечки сейчас такой период — она вяжет. Какие прекрасные шали она вяжет и как быстро! Хотите?

Вдруг все изменилось. На Петровке атака Андрея достигла апогея, мамой был сделан укол в орган воли, и мама подожгла бикфордов шнур.

В Москве в артистической среде появилась некая Регина, с королевским именем и душой прачки. Она работала в УПДК, была крайне нехороша собой, даже не так нехороша, как что-то отвратительное лежало на ее лице. Она была стукачкой и просочилась в кинотеатральную среду, одновременно ловя информацию и жениха. Задаривала всех дорогими подарками, становясь таким образом желанной в каждом доме, устраивала обеды со жратвой из своего посольско-дипломатического управления, с блоками «Мальборо», за одну пачку которого не очень морально устойчивый гость мог ей и отдаться. Не ведая того, она стала жертвой стратегии и тактики Марии Владимировны.

Однажды, получив дорогой подарок, Мария Владимировна сообразила, что сразу может убить двух зайцев. Наполучить подарков на всю оставшуюся жизнь и одновременно жахнуть в меня, беременную, ядром из царь-пушки — свести Регину с Андреем. Она намекала стукачке, что, мол, мечтает иметь такую невестку, и та профессиональным жестом развешивала уши и ввозила в квартиру телеги презентов.

Приближался Новый год. Андрей пулеметной речью сообщил мне:

— Так, все меняется, сейчас ничего не могу тебе сказать, все в напряжении, время покажет, а пока я исчезаю на неопределенное время.

Доброжелатели сообщили по телефону, что мама, папа, Андрей и стукачка будут встречать семейный праздник на даче в Пахре.

31 декабря я нарядила елку, съела мандаринов под аккомпанемент воображения — как они там расселись за столом, на даче, наливают шампанское, смеются надо мной, а мама все приговаривает: «Она ни копейки не получит!». Мандарины оказались вкусные, без косточек, а воображение — горькое. Легла в постель, почитала Цветаеву: «Враз обе рученьки разжал — жизнь выпала копейкой ржавою!» — и заснула, не дождавшись полуночи.

Утром приехала мама, я еле успела натянуть на себя широкий халат, чтобы она не заметила мой живот. Она и не заметила. Навестил Миша Туровский с огромной сумкой фруктов. Тут же я выскочила из комнаты в ванную, разрыдалась от добра, умылась и вернулась назад.

Утром 2 января ко мне вошел совершенно незнакомый человек. Он был очень статичен. Не раздеваясь прислонился к стене. Молчал. Я вглядывалась в искаженное, даже нельзя сказать лицо — это была овальная плоскость, на которой, потеряв свои места, метались уши, нос, брови, глаза, губы... Умные люди говорят, что самые страшные болезни те, которые искажают человеческие лица. Я с трудом узнала Андрея. Передо мной стоял тяжелобольной человек. Видно, «ядро из царь-пушки» сильно садануло его по совести, и от взрывной волны с лица выскочили все черты и разбежались в разные стороны.

— Я нарушил табу. Мне приходит конец. «Титаник» теперь неизбежно должен пойти ко дну,— сказал он чужим, глухим голосом.— Зачем я это сделал? Почему я это сделал?! Но уже поздно! Все свершилось!

Этого мне никогда уже не переделать! — кричал он в ужасе. Бросился к часам, стал неистово переводить стрелки назад, опустился на стул.— Нет... ничего нельзя сделать.— Опять глухо сказал он.— Ты добрая, ты-то меня простишь, я знаю... Бог мне не простит! И я себе этого не прощу и буду всю жизнь жить с ощущением катастрофы в душе. Как ты выглядишь?! Ты белая, как скатерть! Одни глаза на лице, ты так похудела. Что я наделал! Что я наделал! — рыдая, говорил он.

Мне его стало жаль, у меня разрывалось сердце, глядя, как разрывается сердце у него.

— Не горюй ты так,— утешала я его.— Я на тебя не сержусь. Наверное, Богу так угодно, чтобы мы страдали.

8 января на Волковом переулке Андрей устроил мне пышный день рождения. Были и Магистр, и Шармёр, и Пудель с Субтильной, которая после каждой рюмки читала стихи: «Крошка сын к отцу пришел и спросила кроха: «Водка с пивом хорошо?» — «Да, сынок, неплохо». У меня ломило поясницу, и я все время уходила за книжную полку — полежать.

На следующий день мы, счастливые, еще крепче связанные страданиями, смотрели в Большом французский балет «Собор Парижской богоматери». Нас потряс танцор, исполняющий партию Квазимодо. А еще через два дня пошли меня «гулять», я поскользнулась и упала навзничь, спиной на ледяной тротуар. Еще через два дня...

Андрей играл «Фигаро», а у меня начались страшные боли. Соседка моя, простая женщина Тонька, вызвала скорую помощь. Я сообщила Пуделю, что мне очень плохо и меня забирают в больницу, передай Андрею. В какую больницу — не знаю, пусть позвонит соседке — спросит. Приехала скорая, сказали, что везут меня в Тушино, и затолкали в машину. «Но может быть, поближе,— умоляла я,— я могу потерять ребенка!» В роддоме в Тушине меня осмотрели и вынесли приговор: спасти ребенка нельзя! И добавили: «Не надо было травиться!». Кинули меня в коридор на стертый кожаный диван с серыми простынями. Сутки в страшных мучениях я рожала ребенка, заранее зная, что ему не суждено жить. Нянечка постоянно мыла пол вокруг меня и агрессивно опускала в ведро грязную тряпку — мне в лицо летели брызги черной воды с осуждениями: «Сначала с мужуками спят, потом детей травят, убивицы!». Я зажимала зубами губы, чтобы не кричать от боли, а в тот момент передо мной прогуливались пузатые пациентки «на сохранении», в байковых халатах, преимущественно расписанных красными маками, в войлочных тапочках. Они ходили вокруг кучками, показывали на меня пальцами, заглядывали в лицо и хором кричали: «Ее вообще надо выбросить отсюда! Таким здесь не место. Травилась! Травилась! Травилась!». В их глазах было столько ненависти, что если бы им разрешили — они с удовольствием убили бы меня. Сутки промучавшись в коридоре на ненавистных глазах всей больницы, я осталась без ребенка.

В операционной лежала на столе на холодной оранжевой клеенке и услышала, как два врача-женщины переговаривались:

— Это — мальчик, посмотри...

— Поверни лампу,— сказала другая.

Из последних сил я поднялась на локтях, увидела своего безжизненного мальчика и упала, потеряв сознание.

Очнулась уже в палате, на кровати, возле окна. Видать, уже заслужила место — не как собака в коридоре. Была ночь. Все беременные спали безмятежным сном. Вдруг, с остротой, я осознала все, что со мной произошло. Хотела крикнуть и не могла — онемела. Тогда положила на свое лицо подушку, накрылась с головой одеялом и зарыдала. Я рыдала, и передо мной всплывали картины: озеро в Риге, рассветы, мы прыгаем по цветам, стога сена, маки и васильки вдоль дороги, утопленница, конечно, конечно, это был знак! Горящий камин, мы читаем вслух книги, золотая осень, танцы на мосту с георгином, Большая Медведица с шампанским, «каблук» с пирожными, свадьба зимой в саду на даче, танго у Александрова, письма: «Танечка, не доказывай себе, что можешь жить без меня неделю и больше», сон, сон с черной шляпой! С высоким, пышным страусовым

пером! Вот она — черная траурная шляпа! Все уже
предначертано! Вдруг вспомнила Виќтора, который
написал мне на программке дипломного спектакля,
мы играли в «Оглянись во гневе» Осборна, Джимми
и Элисон. Элисон потеряла ребенка! И зачем он написал тогда на программке: «Пусть в твоей жизни
никогда не повторится судьба Элисон!». Зачем он это
написал? — выла я. И почему я в юности все учила
стихотворение Блока: «Весной по кладбищу ходила
и холмик маленький нашла, пусть неизвестная могила узнает все, чем я жила». Предчувствие своей
судьбы? Вся моя жизнь разыграна по каким-то не-
понятным для меня нотам! Чья это партитура?
Я знаю — чья! И закричала, затыкая рот углом подушки, чтобы никто не проснулся: «Бога нет! Я тебя
не признаю!».

Наутро врачам доложили, что я рыдала всю ночь,
трясся матрас, и я никому не давала спать. Тут кого-то
осенило: наверное, она не травилась!

Мне передали записку от Андрея на неровном клочке бумаги: «Тюнечка, родная, не плачь! У нас еще
будет семь детей! Твой Андрей». От этой записки со
мной случилась истерика, стали давать капли, таблетки, колоть уколы, пока я не отключилась.

На Петровке, 22 в тот же день увезли Менакера
с тяжелейшим инсультом. Мария Владимировна была
бодра и, сложив руки за спиной, как военный после
одержанной победы, повторяла: «Наконец-то дошли
мои молитвы!» Кому она молилась? Андрей методично бился головой о стену и кричал: «Тройной бульон
для Тани! Ей плохо! Катька, ты слышишь, что я тебе
говорю? Тройной бульон из трех куриц! Для Тани».
И продолжал биться головой.

— У тебя отец в больнице! — кричала ему мать. —
Подумай о нем!

— У меня в больнице Таня! И нет ребенка! —
кричал он, продолжая биться головой о стену. —
Это я виноват! Я! Тройной бульон! — И скатился
по стене на пол.

Стою одетая в ординаторской. Врачи мне говорят:

— За вами приезжал артист Миронов, мы думали,
вы уже ушли, поэтому он уехал.

Тут у меня начался нервный припадок — я задыхалась от рыданий.

— Истеричка! Хватит орать! С чего ты так себя распустила? — сказала одна из медицинского персонала.

Раздался телефонный звонок.

— Хорошо, что вы позвонили! Мы ошиблись. Она здесь. Приезжайте, забирайте ее.— Это был Андрей.

Я вышла на улицу. Теперь это была совсем другая я, другой белый свет, другая жизнь. Молча села в машину. Поехали на Волков. По пути он осторожно начал въезжать с разговорами:

— Танечка, когда мне сказали, что ты ушла,— я так испугался, думал, ты утопилась в реке... с моста... который мы проехали.

Я сделала комбинацию из трех пальцев на правой руке и поднесла эту комбинацию прямо к его носу.

— Видел? Не дождетесь!

Дома я лежала в постели и плавала в реке из слез и молока. Андрей накупил бинтов и два раза в день перебинтовывал мне грудь, по совету врачей. Делал он это профессионально, ловко, как будто всю жизнь только этим и занимался. Потом уходил в ванную, и я слышала, как он плачет. Когда я оставалась одна, звонила стукачка и требовала Андрея. Так, пролежав десять дней, я позвонила соседке Тоньке, попросила взять такси и приехать за мной. Через полчаса я забрала свои вещи и, ничего ему не сообщив, вернулась на Арбат. Вошла в комнату — упала на кровать, как спиленное дерево.

Глава 34

ПАХНЕТ ВЕСНОЙ

На двадцать шестом году жизни, в возрасте Анны Карениной, я безжизненно сидела на диване, поджав под себя ноги и укрывшись пледом, безучастно смотрела в окно. Там играли снежинки — с легкостью встречались, расставались, вихрем поднимались вверх

и, падая, рассыпались в разные стороны. Жизнь казалась бессмысленной, театр — пугающим концлагерем,
где горящими щипцами выжигали все, не оставляя ни
йоты духовных средств к существованию. Я искала
любовь в своей пустыне и не могла найти — она
исчезла. В дверь постучала соседка Тонька, она работала в кассах Курского вокзала, годилась мне в матери, была полная, чуть кривая на один бок — добрая
и очень несчастная женщина.

— Тань, ты жива? Я тебе борщка принесла — по-
ешь-ка! Да не убивайся ты так! У бога своя бухгалтерия! Он знает, что делает. Потом ты меня вспом-
нишь... Считай себя самой счастливой! Ешь, ешь борщ,
смотри, какой красный.

— Ох, Тонечка, это моя Хиросима! — вздыхала я.

— Да никакая не Хиросима! Отстань! Бог терпел
и нам велел... кого любит, того и наказывает... Ты от
него, от бога-то, не отрекайся! Ешь, ешь, я тебе потом
киселю принесу, красотулечка ты моя, одни глаза торчат!

Я рылась в книгах, пыталась найти ответ на то,
что со мной произошло: «Не во гневе, не для наказания посылает нам Господь скорби и болезни, а из
любви к нам. Хотя и не все люди и не всегда понимают это. Зато и сказано: «За все благодарите».
Я зло усмехнулась и подумала: благодарить за то,
что у меня отняли ребенка! «Любовь по природе своей
трагична»,— читала я дальше. «Климат мира небла-
гоприятен для настоящей любви, он слишком часто
бывает для нее смертелен». «Существует глубокая
связь между любовью и смертью. Это одна из цент-
ральных тем мировой литературы». «Любовь и смерть
самые значительные явления человеческой жизни».
«Соловьев устанавливает противоположность между
любовью и деторождением. Смысл любви личный,
а не родовой». «Только несчастливая любовь заслу-
живает интереса». «Свойство всякой сильной любви —
избегать брака». «Любовь есть путь реализации человека на земле». «Человеческое лицо есть вершина
космического процесса».

— Да уж,— подумала я. Встала. Посмотрела на
себя в зеркало.— Какой неудачный космический про-

цесс,— вслух сказала я,— особенно неудачна его вершина: бледное, измученное лицо с запавшими глазами и сухой, как будто обветренный, красный рот.

Любовь есть путь реализации человека на земле,— повторяла я.— Человека нет,— разговаривала я сама с собой,— меня просто не существует, любви нет, и нет пути, и нет сил стоять на ногах.— Я покачнулась и с трудом добралась до дивана. Вдруг встала, и тут как-то помимо меня, сами собой сложились в известную комбинацию три пальца правой руки, и, вытянув фигу вперед, впервые за долгое время с твердыми нотами в голосе я произнесла: — Вот вам! Видели?!

Вошла Тонька с кастрюлей горячего жидкого клюквенного киселя, налила мне в чашку.

— Красотулечка ты моя! Пей! Тебе силы нужны, бог тебя от большой беды выручает, а ты не понимаешь. Вкусный кисель-то? Пей... А то сейчас этот придет... твой артист... всю кастрюлю оглоушит. Лучше б ты за Витьку замуж вышла! Помнишь, после Риги-то как они тебя рвали после спектакля у театра... один за одну руку, другой за другую? А вообще если ты хочешь пожить — живи одна! Муж, какой бы он ни был, чемодан без ручки — и нести тяжело, уморишься, и бросить жалко, а потом уж и невозможно.

В те дни моя бедная и несчастная соседка Тонька, которая всегда была чуть-чуть под мухой, спасла меня своей доморощенной философией и человеческим теплом.

Андрей репетировал «У времени в плену». При каждом звуке он вздрагивал, все время щипал себе кожу верхней части ладони, глубоко и прерывисто вздыхал и, как в омут, нырял на сцену, пытаясь спастись от самого себя. Когда объявили конец репетиции, он сидел один в темном зрительном зале. Закрыл глаза и попал в поток наваждения: вот он идет с мамой, Марией Владимировной, за ручку, а рядом Таня с его ребенком, тоже за ручку. Он смотрит то в одну сторону, то в другую, и слышит железный голос матери: «Выбирай мать! Я — или она! Двух матерей быть не может!» Он очнулся в испарине. В темноте подошла

Инженю с остроумным, как ей казалось, вопросом, комментируя мое падение на лед.

— Мирон, скажи, чем ты тротуары поливал? — и засмеялась низким мужским смехом. Мирон вздрогнул, горько усмехнулся, улыбнулся криво, чтобы не дай бог не прочли, что происходит в его душе. Опять закрыл глаза и спросил свое наваждение: «Почему я должен выбирать? Почему никто не выбирает, а я должен выбирать? Зачем меня надо так мучить? Я так могу и не выдержать! У меня разрывается голова! Это же — Таня, почему я должен выбирать между вами, мама?» — «Потому что я родила тебя для себя. И ты в моей полной власти. У Менакера уже был сын».

Он опять очнулся в испарине, спустился в раздевалку и поехал на Арбат.

Тонька принесла ему тарелку с борщом. «На, ешь, голодный, небось». Он молча ел борщ, потом она принесла ему кружку горячего клюквенного киселя с белым хлебом, поставила на стол и, взяв освободившуюся тарелку, ушла на кухню. Он пил кисель, громко отхлебывая, отламывал белый хлеб.

— Ты когда в театр выходишь?

— Не знаю. Когда выпишут врачи. Хоть бы вообще не выходить!

Меня так же, как и его, ранило, что наша любовь, наша жизнь, наша трагедия — на обозрении у всех. И в театре все ждут! С нетерпением! Когда я явлюсь на репетиции, чтобы злорадно посмотреть мне в глаза. Я уже слышала змеиный шепот, визг и сатанинский хохот. Он сидел передо мной, допивая кисель, а я ненавидела его, его волосы, его голос, его бесцветную родинку на левой щеке.

— Ты меня ненавидишь? — застал он врасплох.

— Мне нужно побыть одной некоторое время.

— Я знаю, что это значит. Я сам во всем виноват. Я не смогу жить без тебя. «Я утром должен быть уверен, что с вами днем увижусь я», — сказал он и попытался улыбнуться.

— Зачем я тебе нужна? Скажи? Ведь столько вокруг тебя вертится всяких барышень!

— Я не знаю. Это что-то ирреальное. Я бы даже

хотел, чтобы тебя не было в моей жизни, чтобы так не страдать. Но у меня не получается. Это вне меня.

«Самое страшное,— подумала я,— я бы тоже хотела, чтобы тебя не было в моей жизни, чтобы так не страдать. Но у меня не получается. Это вне меня».

— Миронов, налить тебе еще киселя? — спросила Тонька, открыв дверь.

— Налей, очень вкусно.— Тонька налила киселя и ушла.

— Ты знаешь, в чем мое несчастье,— говорил он.— Когда я был ребенком, совсем маленьким, родители все время репетировали дома. Я подглядывал в щелочку из своей комнаты. Они постоянно репетировали, играли, и мне вся жизнь представилась игрой. У меня отсутствует граница между жизнью и театром. И вот я доигрался. Я страдаю до раскрытия зубного нерва. Мне кажется, что я сейчас уйду со сцены, и все кончится. Но эта страшная игра оказалась жизнью, и ты страдаешь, маленькая моя, вместе со мной. Я должен искупить свою вину перед тобой и перед собой, иначе я пропаду. Но как — я еще не знаю.

Пригревало солнце. Пахло весной. Жгучая боль в груди притупилась и появилась надежда на выздоровление. В булочной на углу Калининского проспекта и Садового кольца встретили Александрова.

— Здравствуйте! — широко улыбнулся он.— Рад, рад, рад вас видеть,— говорил он и крепко пожимал наши руки.— Сейчас идем ко мне!

Поднялись к нему. Прошло всего лишь два года, а казалось — целая вечность: от нашей беспечности и веселья не осталось и следа. Изменился и он — чуть сгорбился, похудел, и глаза были как будто не в фокусе. Александров поставил чайник и посмотрел на часы. Мы засмеялись, вспомнив его: «Итак, уже двенадцать — можно начинать!». Он накинул на маленький столик белую салфетку, которая шарахнула меня воспоминанием о больнице. Достал коньячные рюмки, коньяк, налил, поднял бокал и сказал: «Ну что ж, опять весна! За это и выпьем!». Мы выпили по глотку коньяка и рассказали все, что с нами произошло.

Отвернув голову в сторону и смотря в стену, как будто сосредоточиваясь, он говорил:

— Есть маленькая притча: если Богу кто-то понравится — тому он дает все. А если Бог кого-то полюбит — то все у него отнимает! Я говорил вам: у вас кармическая встреча, и никакого отношения она не имеет к пошлому, обыденному браку. Я говорил вам, что вы будете платить долги. Но лучше быть плательщиком, чем получающим! Мудрый философ, проданный в рабство, воскликнул: «Благодарствую! Очевидно, могу заплатить древние долги!» Император, прозванный Золотым, ужасался: «Роскошь преследует меня. Когда же смогу заплатить долги мои?» Простите за назидания, но слушайте свое сердце — только через него может дойти до вас зов судьбы. Но у многих теперь мозг в XX веке, а сердце — в каменном. Кстати, Андрюша, как твоя машина?

— Прекрасно, спасибо! Я вам очень признателен за то, что вы тогда не побоялись одолжить мне такую большую сумму денег. И я отдал свой долг. Вовремя. Спасибо.

Александров заразительно засмеялся:

— Долг ты отдал не мне, а своим родителям!

— Как?

— Родители дали мне свои деньги, просили их тебе одолжить.

— Зачем? — растерянно спросил Андрей.

— Зачем, я не знаю. Интерпретировать ты будешь уже сам.

— Они боялись, что я им не отдам,— с грустью сказал Андрей.

— Не знаю, не знаю, я просто выполнил их просьбу и благодаря этому провел много счастливых дней с вами.

— А как вы? — спросила я.— Что важного произошло у вас за два года?

— Я катастрофически старею и, кажется, собираюсь «выйти из цепи без следа, без наследства, без наследника».

Он остановил на моем лице свои несфокусированные глаза:

— Главное, дети мои, самопознание — это залог

успеха в жизни, не внешнего, конечно. Тогда ничего не страшно. А я скоро уйду...

— Мы тоже пойдем,— сказал, спохватившись, Андрей.

— Да нет, совсем, может быть, это наша последняя встреча... Я бы хотел вам пожелать справиться со всем тем, что вам предложит судьба, и не променять любовь... ни на что... иначе тогда жизнь — вы ее проиграете...

Глава 35

СЫН, ЖЕНИТЬБА, МАМА, ТРУП...

После драматических событий моей жизни, после болезни я пришла в театр. На сцене, весело болтая и переговариваясь, уже готовая к репетиции, стояла вся труппа. Я вышла одна из задней черной бархатной кулисы, как из преисподней, и остановилась посредине. Наступила мертвая тишина — все повернулись в мою сторону. Хлопо́к в ладоши. Начало прогона, первого и второго акта. Артисты любили финал первого действия — накал гражданских эмоций, по сцене марширут солдаты и матросы под оркестр, исполняющий марш «Прощание славянки».

Андрей в синем кителе вылетает на авансцену и вдохновенно кричит:

— О, моя любимая гражданская война!

Все шепотом комментируют — это он про Таньку.

После двух подряд закрытых министерством спектаклей —«Доходное место» и «Банкет» — Магистр взялся за незатейливую пьесу венгерского драматурга Дьярфоша «Лазейка». Прочли пьесу на труппе — ощущение удручающее. Мне кинули кость: ну, мол, мы не такие злые, раз с ней такое случилось, пусть поиграет немножечко, и я получила роль Мари — эпизод. Чек потирал с удовольствием ручонки — пьеса ужасающая, Магистра ждет провал, и ему, главному режиссеру, никто не будет теперь угрожать своим талантом.

Начались репетиции. Магистр, как всегда вызывающе талантливый, взмахнул волшебной палочкой, и уже в июне на сцене театра Сатиры появился дивный спектакль с новым названием «Проснись и пой».

Это все касалось внешней жизни театра. А в жизни души происходили события, которые не поддавались никаким волшебным палочкам, и я, всегда готовая к регенерации и веселью, пробуксовывала.

«Он отступился от меня в самый трудный момент!» — кричало мне мое сердце. Сидим рядом, он чуть сзади, смотрит на меня как всегда внимательно. Изучающе. Поворачиваюсь к нему и резко сообщаю:

> Мой профиль — дело прошлое!
> Теперь смотрю на вас
> Глазами очень сложными —
> Анфас!

— Танечка, успокойся! Успокойся!

И я успокоилась. Даже стала сторониться его. Он мне стал неприятен физически. Избегала встреч, разговоров и звонков. На все его домогательства и вопросы отвечала коротким: «Нет!» Мне необходимо было избавиться от его тирании, но это значило избавиться от него! Я искала выход, мне надо было сделать выбор. Мне надо было выбирать свободу вместо тирании, узурпаторства и насилия. Верно говорили древние: «Тиран — сам раб. Воля к власти, к могуществу — всегда рабья воля. Падшесть человека более всего выражается в том, что он тиран. Ревность есть проявление тиранства в страдательной форме. Человек должен стать не господином, а свободным. Свободный ни над кем не хочет господствовать!»

Только два совершенно свободных человека могут быть счастливы! Тема рабства, свободы и выбора прокрутилась в моей голове как пластинка, и в который раз кто-то дал мне указание: «Таня, надо немедленно измениться!». Подошла моя очередь в буфете.

— Пожалуйста, яичко под майонезом и кофе.

Он стоял рядом, я делала вид, что не замечаю его, это приводило его в ярость и бешенство. Я села за один стол, он — за другой. Под кофе и яичко под майонезом я незаметно поглядывала на него и думала: одна половина моей души уже свободна от тирании, а вторая половина души льнет к этому безумному, неуравновешенному, одновременно коварному и сердечному, патологически нуждающемуся в любви человеку.

Выходной день — четверг. С утра — нервные звонки в дверь. Ворвался в дом.

— Что я должен сделать, чтобы ты меня не избегала?

На улице март. Я надеваю пальто, шапку, шарф и выбегаю на улицу. Он — за мной. Знаю, что сейчас начнет в бешенстве сжимать мои руки, так, что останутся синяки. В таком состоянии я его боюсь и скорей бегу на Садовое кольцо. Он не отстает. Неожиданно вскакиваю в отходящий троллейбус и уезжаю без него. Только я с облегчением вздохнула, как вижу, он подъезжает к следующей остановке на такси, врывается в троллейбус, я выскакиваю в последнюю минуту в другую дверь. Он стучит в кабину к водителю, чтобы его выпустили — его выпускают. Тут подъезжает следующий троллейбус, я вскакиваю в него, он — за мной. Сколько мы поменяли троллейбусов, сколько проехали остановок, вскакивали, выскакивали — мне не удалось от него вырваться. Он обладал свойством захватчика и никогда не выпускал из рук то, что не хотел выпустить. Это ему передалось от матери, и они оба виртуозно владели этим даром.

— Я не могу больше бегать за тобой, не могу видеть, как ты меня не замечаешь, — как ты собой владеешь! Мне это не дано! Поедем, подадим заявку. На Хорошевское шоссе.

— Зачем? — спросила я.

— Ты что, за меня замуж не хочешь? Врешь!

— У меня двойственное ощущение: кто-то внутри говорит — хочешь, а кто-то говорит — не хочешь.

— Сумасшедшенькая, неужели тебе не интересно один раз попробовать пожить замужем?

— Я уже пожила замужем.

— Почему я об этом не знаю?

— Потому, что нам некогда, мы все время в процессе...

— Кто же был этот несчастный?

— Виртуозно играл на рояле Шопена. Но у него

была мама, помешанная на нем. Аналогичный случай, все та же модель. Мой одноклассник повесился. Мать с бешеной любовью к нему заставляла его выбирать — между ею и его любимой девушкой. Он не выдержал этой пытки. — Подошел троллейбус, так как все эти важные вопросы жизни обсуждались на остановке. Я было бросилась впрыгнуть в дверь, но он меня остановил.

— Вот поэтому я тебя прошу, поедем на Хорошевское шоссе.

Поехали. Вошли в загс, сидят все те же — со взбитыми прическами, алюминиевыми глазами и недобрыми лицами.

— Опять вы пришли? В том же составе! Прям какой-то театр!

Мы, давясь от смеха, заполнили бланки, и нам назначили регистрацию брака на 15 апреля.

— Мама, я женюсь! — сказал он.
— Только через мой труп! — сказала она.
— Мама, зачем так страшно?
— Только через мой труп, — повторила она.

Сын попытался логично изобразить свое намерение:

— Я хочу жениться, потому что я уже не мальчик. Я хочу остепениться. Мне уже 29 лет! Я хочу иметь свой дом.

— Ты дурак! Ты хочешь, чтобы тебя ограбили!
— Кто кого собирается ограбить?
— Слушай мать! Тебя ограбят! Сейчас строится квартира на Герцена, там наши кровные деньги! У тебя ее отберут, и ты останешься с голой жопой на снегу!

В конце концов предсказание матери сбылось через несколько лет. Только грабительницей оказалась не я.

Эти незатейливые диалоги повисали в квартире на Петровке и каждый день отравляли атмосферу ядовитыми испарениями. Мама повторяла сыну, что его намерения и разговоры так отравляют ее жизнь, что к моменту бракосочетания яд переполнит ее бунтующее сердце и она всех накажет своим летальным исходом. В воздухе уже, как молния, сверкала тема — сын, женитьба, мама, труп.

Опять на какой-то троллейбусной остановке, жестикулируя руками и ногами, он рассказывал о преследующей теме «сын, женитьба, мама, труп»! Мы вскакивали в троллейбус и продолжали на ходу, в толкучке обсуждать, как спасти жизнь Марии Владимировне.

— Давай сейчас это отложим,— говорила я.— Не надо терзать маму, тебя, меня. У меня сейчас нет сил на перемены, на дипломатию с Марией Владимировной, я еле хожу, я качаюсь, поэтому тема «сын, женитьба, мама, труп» может завершиться моим летальным исходом. Попробуем с третьей попытки? А? Мы же артисты, мы репетируем! — Кто-то наступил мне на ногу, я закричала, турнула обидчика в бок, и мы выскочили из троллейбуса. Мы стояли и смотрели друг на друга — в глазах у нас маячил вопрос: кататься нам дальше в троллейбусах по Садовому кольцу или нет?

Я взяла его под руку, и мы пошли пешком.

— Ты знаешь,— заговорщически сказала я,— один голландский ученый-химик, открыл формулу любви. Когда люди на подъеме, испытывают друг к другу чувство любви, выделяется целебное для космоса вещество — $C_8H_{11}N$.

— Да! У нас что-то в последнее время плохо с этим $C_8H_{11}N$,— сказал, улыбнувшись, Андрей.

Троллейбусы с бесконечным катаньем в них помогли нам обрести прежнюю радость, и химическая формула $C_8H_{11}N$ сильно стала подзаряжать космос.

— Едем на днях в Архангельское! Есть карпов. Ты же любишь! — сказал Андрей. Ездить в Архангельское — наша традиция. Мы всегда там гуляли ранней весной, как сойдет снег.

Едем на машине вчетвером — мы с Андреем и его однокурсник Ворон с Певуньей. У них длительные отношения или роман. Прошлись по парку, разбитому по типу Версаля. Голые ветки деревьев, стволы, в которых уже началось сокодвижение. В свежем сыром воздухе витает весть о воскресении природы. Подошли к Москве-реке, долго смотрели на воду — для Андрея это водотерапия. Наконец мы в ресторане. Он совсем пустой. Я в черном свитере, в серой юбке с кожаным поясом. Певунья в чем-то бордовеньком. Но лучше всех одеты были официантки. А-ля рюс. До полу расшитые шелковые сарафаны, под ними рубашки с широкими рукавами и на голове — кокошники с лентами. Сидим в ожидании карпов в сметане. Андрей и Ворон встают и уходят звонить. Я метнула взгляд на шелковые сарафанчики с кокошниками и предложила Певунье свой план.

Ровно через пять минут в душной маленькой комнате я раздела двух официанток, и мы с Певуньей, натянув на себя рубашки, сарафаны и кокошники, вышли в зал. В руках я, как инициатор этого розыгрыша, несла огромный поднос с карпами в сметане. Не успели мы приблизиться к столу, где уже сидели наши кавалеры, как Певунья резко, я бы даже сказала, по-хамски вырвала у меня поднос из рук и предстала перед кавалерами во всей красе. «Этот жест выдает человека низкого происхождения», — невольно подумала я. Считается, что дьявол прячется в мелочах. Вот эта мелочь, которой выдала себя Певунья, окажется руководящим принципом ее жизни.

Переодевшись из официанток в «штатское», я с удовольствием съела огромного карпа в сметане, а Андрей не любил рыбу и с еле сдерживаемым отвращением копался в костях.

Приехали в Москву. Ворон пригласил к себе. Он жил в общежитии театра Вахтангова на Арбате в коммунальной квартире из нескольких комнат. Его комната была почти пуста — стол, стул и кровать. Там с ним в это время обитала Певунья. Что-то еще выпили, и вдруг она запела, прямо уставившись на Андрея. Это был Окуджава. Она как будто объяснялась ему в любви, вытягивая: «Господи ты, мой Боже, зеленоглазый мой!» Пела она в тот день хорошо, Андрей ей давно нравился, она охотилась за ним и поэтому в «зеленоглазый мой» вложила все свое охотничье желание. Но Андрей на эту охоту не прореагировал: он нагулялся, надышался, выпил и хотел спать. Мы добрались до Петровки:

— Что-то в ней есть злое и жестокое,— прокомментировал он нашу поездку, и мы, свернувшись клубками на зеленом диване, под революционным фарфором заснули мертвым сном.

Десятое мая. 30 градусов жары. Аномалия. Деревья зеленеют на глазах, и видно и слышно, как лопаются почки и разворачиваются листья. Внезапное возбуждение природы задевает людей. Я с утра на репетиции спектакля «Проснись и пой» с Магистром. Подхожу и тихо шепчу ему: «Вчера вечером все — Андрей, Шармёр, Пудель — гуляли у Курилок на даче в Малаховке. Я приехала сюда с посланием — они требуют сворачивать дело и мчаться на такси в Малаховку».

Через несколько минут Магистр уже стоял внизу и ловил машину. Подошла его жена Нина с фиалковыми глазами, а я на проходной по телефону слушала объяснения хозяина дачи Миши Курилко, как нам проехать. Через двадцать минут мы уже приближались к заветному месту. С правой стороны виднелся огромный песчаный карьер, после которого, как нам объяснили, надо было повернуть налево. Только мы поравнялись с песчаным карьером, как на середину дороги наперерез нам выскочили чеченцы. В черных бурках, в мохнатых папахах на голове, они размахивали шашками в воздухе. Таксист в испуге остановился, а мы лишились дара речи, поскольку в чеченцах узнали Андрея, Шармёра и Мишу Курилко.

В нашей компании, как в шайке, появилось несколько неписаных законов. Первый — в любое время дня и ночи (особенно ночи) открыть дверь внезапно нагрянувшим гостям и немедленно накрыть стол. Второй — в обязательном порядке тосты по кругу. До утра. И третий — желательно по возможности чаще переодеваться. Все три закона прошли испытание временем и проверены на практике. Особенно интересен был третий закон. Иногда Андрей приносил из театра усы, брови, носы с очками. Долго примерял перед зеркалом, потом приклеивал усы, брови, надевал темные очки и, подняв воротник, ехал на встречу к метро

Октябрьская. Там его ждали в не менее карнавальном стиле уже взрослые мужики, отцы детей — Магистр и Шармёр. Они играли в шпионов, «передавали друг другу секретную информацию», очень осторожно, чтобы их никто не застукал. Так же таинственно расходились.

Пережив шок с чеченцами, мы оказались на даче у Курилок. Миша Курилко — потомственный художник, его жена Рита, таджичка с раскосыми черными глазами,— любительница застолий и мужского пола. Сидим за огромным старинным прямоугольным столом. Полумрак. Камин. На стенах — картины. В углу стоят рыцарские доспехи. Андрей встает, снимает с «рыцаря» голову-шлем, садится за стол в шлеме, поднимает забрало и опрокидывает туда рюмки с водкой. Рюмки все антикварные — расписанное золотом стекло,— елизаветинские, екатерининские. Утром с похмелья кто-то начнет разбивать их о стволы берез. А пока они наполняются алкоголем и доживают свои последние часы. В природе аномалия — 30 градусов жары,— и аномалия передается людям.

Лето. Сидим на обрыве на нашей любимой скамейке в Барвихе. Пьем кефир из бутылки с зеленым колпачком. Под нами плавно течет Москва-река. Уже давно отцвели сирень и шиповник. Мы молчим и смотрим вдаль. У нас новая волна отношений. У него в характере есть очень важная черта, которая ищет выражения. Ему необходимо кого-то жалеть. Кто-то — это я. Он купается в этом жалении. Эта окраска души придает ему сил, и он обретает гармонию. Он жалеет меня. У него есть основание. Он видит, что рана не затягивается и я не перестаю страдать. То туфли мне купит, то еще какую-нибудь ерунду.

— Видишь, уже четыре года прошло, как мы вместе,— говорит он.— Кто бы мог подумать?! Видишь, несчастья не разделяют людей, а наоборот. Я купил тебе путевку в Югославию в туристическую поездку. Поедешь на Адриатическое море, покупаешься, тебе надо развеяться, отдохнуть. Только ты не переставай любить меня.

Глава 36

ПЕВУНЬЯ ВЫХОДИТ НА ОХОТУ

— Он упал! Он свалился в воду! Между кораблем и пристанью! Блядь, пижон несчастный, с сигаретой в зубах, глаза в небо — и вместо трапа он вступил в никуда, прямо рухнул в воду! — С кудахтающим смехом рассказывал Шармёр о летней поездке с Андреем в Болгарию.— А ты? Почему такая недовольная? Он тебе целый чемодан замшевых тряпок привез! — обратился он ко мне.— Сейчас по анпёшечке быстренько выпьем за дрррррружбу!

В театре начался новый сезон, и в честь этого мы все сидели у Шармёра на Котельнической набережной. Раньше, до встречи с Андреем, он много лет потешал людей (ведь на редкость остроумный человек) парным конферансом со своим другом Корнишоном. Впрочем, какие в театре друзья? В этом террариуме «единомышленников»? И когда Андрей махнул им рукой, и они перебрались в театр Сатиры на площадь Маяковского, Шармёр смекнул, что ему выгоднее блистать в лучах «поцелованного богом», как тогда говорили про Андрея, нежели просто стоять рядом на сцене с ничтожным флюгером Корнишоном. По обычаю вяло плюнув на своего прежнего партнера, он предательски переполз к блистательному Миронову, подпитывая свое болезненное тщеславие. Но зависть, которая родилась в кулисах его души, в вечернем платье, в золотых перчатках, тянулась к сонным артериям нашего героя, и Шармёр уже смотрел на «поцелованного богом» как на свою будущую жертву, хотя внешне этого не выдавал. И только несколько любящих Андрея глаз засекли это намерение, и из уст Белинского вырвалась характеристика Шармёра: «Да это же двоюродный брат Мефистофеля!».

А Андрей, ничего не подозревая, испытывал к Шармёру чувство благоговения, радостного восторга, он был доверчив и не замечал, как новый «друг» в парном конферансе, на сцене и в жизни, превращает его из Фигаро в Шарикова, как он наслаждается своей властью, помыкает им, спаивает и незаметно использует в своих интересах. За свою жизнь Шармёр научился элегантно рушить людям судьбы.

Интересно было наблюдать, как Магистр, Андрей и Шармёр гуляли.

Магистр на «гулянье» — залихватский, открытый, изобретательный, неожиданный. Его постоянная фраза: «Надо удивлять!». На репетиции, на сцене — собранный, закрытый, жесткий, властный, лаконичный.

Андрей на «гулянье» — упивающийся жизнью и весельем, как в наркотическом состоянии, простодушный, мечтательный. Его постоянная фраза: «И это прекрасно!». На сцене — одержимый, вдохновленный отдающий себя до последней капли. Соревнователен.

Шармёр на «гулянье» — вялый, ироничный, себе на уме, с незримым счетчиком — не проиграл ли? Его любимая фраза на все явления жизни: «Клиника! Госпитализировать!» На сцене — точно такой же.

Однажды в период увлечения Андрея Шармёром ехали из Питера в Москву. Я задержалась, прощаясь с кем-то у вокзала, бегу по перрону, догоняю Андрея, и — передо мной фреска. Впереди важно и медленно, как павлин, ступает по платформе Шармёр в плаще, в клетчатой шляпе с маленькими полями, в зубах — пыхтящая трубка, в руках — трехлитровая банка с грибом (эпатаж зрителей). Следом за ним семенит на полусогнутых под тяжестью двух чемоданов — своего и Шармёра — Андрей. У меня внутри все кипит от такого «распределения ролей», сдерживая негодование, ставлю чемодан Шармёра на асфальт, подхожу к нему и предлагаю нанять другого носильщика. Ах, как ему не понравилось это разоблачение и я!

По театру ходили разговоры, Чек задумал поставить спектакль-мюзикл «Милый друг» по Мопассану с Мироновым в главной роли! Андрей, вдохновленный образом Жоржа Дюруа, бурно обсуждает эту тему с композитором Кремером, вечерами мы с ним мусолим страницы романа, он в восторге от всех женщин, он уже мечтает о встречах с Мадленой Форестье, Клотильдой де Морель, госпожой Вальтер и, наконец, с Сюзанной. На женском этаже строятся небоскребы предположений, кто будет играть всех его возлюбленных? По всем театрам Москвы несется слух о постановке «Милого друга», и к площади Маяковского течет поток артисток, жаждущих играть с Мироновым! В сногсшибательном мюзикле!

Из этого потока показалась, охваченная многолетней тайной охотой, головка Певуньи. Она решилась на активные боевые действия по захвату объекта. Под «Милого друга» она решила перейти из театра Советской Армии в театр Сатиры. Объявили день просмотра актрисы, собрали худсовет. Через час все разошлись. Певунья потерпела фиаско — в театр ее не взяли. Пела она неплохо, но артистка была средняя, а в театре в то время девать было некуда своих красивых, одаренных и прекрасно поющих актрис.

Милая Певунья, ей придется подождать еще несколько лет до почти физического захвата вожделенного объекта.

И вдруг этот замысел был кастрирован главным режиссером, грубо, неэстетично, и, обливаясь кровью от обиды и боли, он, замысел, в последний раз взвыл тенором и сдох. Андрей часами стоял под животворящим душем, повторяя любимые куски из «Милого друга» (он уже знал их наизусть),— ему трудно было смириться с тем, что вот так, волей одного человека, на взлете, произошла катастрофа, и останки его фантазий на тему Жоржа Дюруа были заколочены в гроб.

У Чека был бухгалтерский ум, он просчитал бешеный успех «поцелованного богом», и в недрах его бессознательного появился сигнал опасности.

Этот сигнал проявился неожиданно. Они с зеленоглазой Зиной в очередных гостях у подданных наедались и напивались. Стол был уставлен множеством диковинных сортов шампанского, и надо, чтобы Зина спросила Чека, имея в виду сорт шампанского: «А ты брют?» У Чека в голове этот вопрос выскочил в форме: «И ты, Брут!» И завертелась паранойя, да еще он опрокинул «брюта», и паранойя ему продиктовала: замысел кастрировать и вколотить в гроб.

Умер секретарь парторганизации театра Женя Кузнецов. Гроб с телом стоит на сцене, поскольку он важная партийная фигура, обыкновенных артистов хоронят в фойе. Звучит траурная музыка. У гроба в почетном карауле стоит 90-летний артист Тусузов Егор Бароныч, маленький, похожий на кузнечика, десятилетиями провожающий своих коллег на тот свет. Я в зрительном зале и уже собираюсь ретироваться, как слышу Папанова, который рыкающим «волчьим» голосом говорит: «Не страшно умереть! Страшно, что у твоего гроба будет стоять Тусузов!» Эта сакраментальная фраза, которую подхватит и будет повторять всегда весь театр.

Внезапно в зал вбегает Андрей, ищет меня, тащит вниз с лестницы в фойе, приставляет к стене, впивается в меня взглядом, щупает волосы, руки, плечи, шею... Я стою изумленная, с высокоподнятыми бровями, на что он, часто-часто вздыхая, говорит:

— Танечка... это какой-то кошмар... Мне приснилось, что ты умерла... Я так кричал... нет... нет... нет... Это такой ужас! Это неправда! Я не смогу без тебя жить...— и уткнулся в мое плечо.

В то время он был в зените славы. Снимался в фильме «Достояние республики», получал несметное количество писем, перед ним открывались все двери, при виде его люди на улице или столбенели от счастья, или бросались к нему с какими-то обрывками бумаги, чтобы он оставил свой автограф. А про одну поклонницу я сочинила четверостишие: «Ах, Андрюша, ах, Миронов. Вот вам лоб мой на ветру! Распишитесь — ваш автограф я вовеки не сотру!» Он смеялся, злился, его охватывали приступы гордыни, раздражительности. Внутренне он начал выделять себя из всего населения земного шара. Если четыре года назад он спрашивал меня: «Скажи, я артист не хуже, чем Табаков», то теперь он устремил свой честолюбивый взор на другой континент — в Америку 20-х годов. Ему не давал покоя американский итальянец Рудольф Валентино. В Госфильмофонде мы пересмотрели все фильмы с его участием — романтический герой, модный тип тех лет. Античные черты лица, каноны античной головы и тела. Андрей раскопал про него все: в восемнадцать лет он был садовником, официантом, наемным танцором ночного клуба. Снимался с 1918 по 1923 год. В 1926-м — умер. Тридцати одного года от роду. Это были первые немые фильмы, и он, Рудольф Валентино, узаконил новый тип кинозвезды — романтического любовника. Его ранняя смерть вызвала массовую истерию и самоубийство поклонниц. В день его похорон на могиле началась перестрелка, и выглядело это так эффектно, с оттенком экзотики и безумства... Андрей был в восторге и начал «прикидывать» свою жизнь к судьбе Рудольфа Валентино.

— О! Танечка,— говорил он мне,— представляешь, я умираю, и на моей могиле стреляются все девушки нашей страны! Очень эффектно!

— На меня не надейся! — говорила я, складывая три пальца правой руки в уже знакомую комбинацию, и подносила к его длинному носу.

— Ты вообще никогда не умрешь,— смеялся он.— Ты всех похоронишь и останешься на земле одна!

Американский итальянец не давал ему покоя, и он незаметно для себя поддерживал массовую истерию поклонниц и всем своим видом и взглядом каждой женщине от семнадцати до восьмидесяти лет мимолетно давал понять, что она — одна-единственная и неповторимая на целом свете, втайне надеясь, что и эта придет на его могилу и пустит себе пулю в лоб. Он был медиум, и мысль о ранней смерти не раз приходила ему в голову.

— Андрюша, мне надоела эта жизнь! Эта болтовня, скачки, выпивки. Я хочу смотреть в окно и молчать. Ведь ты так можешь стать обыкновенной погремушкой. Ты то слушаешь музыку, то говоришь, то играешь... Тебе не хочется помолчать? Считается, что у человека в двух полушариях мозга — левом и правом — существует параллельный аппарат. Одно полушарие мозга заведует информационным знанием, другое — глубинным. И если человек все время работает на информационном поле, то по второй трубке не дозвониться — занято! И глубинным мыслям никогда не пробиться! Поэтому святые, монахи брали обет молчания, и к ним являлось такое знание, что ни в одной книге не прочтешь и ни в одних гостях не услышишь. Я очень тебя прошу, не стань погремушкой...

— Танечка, с тобой так трудно.

— Зато потом хорошо!

6 ноября 1970 года. Гуляем у Шармёра, праздник Октябрьской революции. Программа все та же. Шармёр со скрипкой в полосатом махровом халате, худые ноги в тапочках, проскрипел на одной струне «Дети разных народов, мы мечтою о мире живем...» Уже столько выпили! Я пошла на кухню и тихо стала выливать из двух бутылок водку в раковину... Что началось! Крики! Междометия! Как я могла?!

Шармёр схватил меня и, чтобы обезвредить посадил себе на колени, а я громко стала всем объяснять:

— Англичане говорят так: Шик, Чек, Шок! Что это значит? Объясню. Каждой женщине необходимо иметь трех мужчин — для шика, для чека и для шока! Вообще-то у меня Монблан отчаяния! Поэтому я начала писать произведение. Начинается оно так: «В ноябре в саду летали бабочки и куры!» Вы знаете, я никогда не знаю, чего хочу, но не успокоюсь, пока этого не достигну.

Я была немножко подшофе, говорила медленно и выразительно. Я все время подпрыгивала на коленях у Шармёра, который катал меня как ребенка, «по кочкам, по кочкам, по гладеньким дорожкам, прыг-скок, прыг-скок!» — И вообще,— продолжала я,— все, что очень трудно дается, в конце концов становится противно! — Не успела я договорить «противно», как получила по уху. Дрюсечка был уже в состоянии огненного бешенства, сорвал меня с колен Шармёра, и началась потасовка. Господи, какие это были счастливые минуты нашей жизни! Что-то хватали со стола, кидались друг в друга предметами, он сорвал с меня мой алый бант, а я вылила ему в карман пиджака полстакана водки. Пока он это осознавал, я выскочила из квартиры Шармёра и бросилась к лифту, открыла дверь, он влетел за мной, хлопнул дверью, нажал кнопку, и мы понеслись вверх. Этажей было много, движение лифта перевело бешенство в другое русло. Мы обнялись и поцеловались. Нажимали кнопки лифта то вверх, то вниз — мы целовались, и нам совсем не хотелось выходить. Через тридцать минут на лестничной площадке нас ждал Шармёр:

— Я думал, вы убили друг друга!

— С какой стати? — спросила я.

— «Эту песню не задушишь, не убьешь!» Да, Тюнечка? — сказал Андрей, и мы, обнявшись, вошли в квартиру.

Продолжаем «гулять» у Шармёра, который, глядя на нас, кричит: «Клиника! Госпитализировать!»

Магистр запел на тему дня: «Ленин всегда в тебе, в каждом счастливом дне...» Все хором выкинули лозунг: «Едем на Красную площадь! Ура». Переоделись: мужчины — в женское, женщины — в мужское. В кухне взяли метлу, насадили на конец палки красного пластмассового петушка — игрушку сына Шармёра. Поймали такси и оказались на Красной площади. Стоял ноябрь, а мело как в феврале. Крупные лепешки снега летели с бешеной скоростью. Мы подошли к памятнику Минину и Пожарскому. Андрей остановился, вытянул руку в сторону мавзолея, как Минин, и на всю Красную площадь прочитал:

> Смотри-ка, князь,
> Какая мразь
> У стен кремлевских улеглась!

Воодушевленные этим политическим выпадом, мы сбитой кучкой, четким шагом, наперекор снежной буре направились к мавзолею Ленина, размахивая метлой с наконечником из красного пластмассового петушка.

Стоя у мавзолея, Магистр запел: «В городском саду играет духовой оркестр. В мавзолее, где лежит он, нет свободных мест». Ля, ля, ля, ля, ля, ля, ля, ля...

Часовые стояли, не моргнув глазом. Метла с петушком переходила из рук в руки, кто-то начинал ею мести заснеженные булыжники Красной площади, другой, подняв петушка над головой, прямо перед входом в склеп, кричала: «Ку-ка-ре-ку! Ку-ка-ре-ку!» — вторили ему все, и эхо разлеталось по пустынной Москве.

Переговорив с помощью петушиного крика с автором катастрофического эксперимента, который уютно устроился в мавзолее, махнули ему в последний раз метлой и через 15 минут оказались на Волковом переулке. Стол накрылся, как скатерть самобранка. Андрей включил музыку — Нино Рота из «Восьми с половиной», которая стала нашим гимном. Шармёр срежиссировал — быстро все за ручки, по кругу, на слабую долю. Танцевали вдохновенно по кругу, то в одну сторону, то в другую, до рассвета. Когда стало светать, Пудель, оглушенный алкоголем и радостью жизни, вприсядку, выбрасывая ноги вперед, изображал луноход. Заряженность энергией была такая мощная, что не могли усидеть на месте, выскочили на улицу и попали в поток демонстрации на Пресне. Магистр, выхватив из рук незнакомого демонстранта красный флаг, пристроился к колонне и, шагая как на параде, держа гордо перед собой государственный символ, орал во всю глотку:

> Пока я ходить умею,
> Пока я дышать умею,
> Пока я глядеть умею
> Я буду идти вперед!

Швырнул этот флаг обратно обалдевшему демонстранту и вышел из колонны. Чудом мы остались на свободе. Как нас не посадили?

Завтракали с транзитными пассажирами, инвалидами и нищими в столовой Белорусского вокзала — макаронами и водкой.

— Мне не нравится, что ты сидишь у Шармёра на коленях! — говорил мне тихо Андрей под холодные макароны.

— А ты мысленно лежишь у всех женщин в постели! — отвечала я.— Тоже мне Самсон! Или не только мысленно?

— Танечка,— говорил он, давясь макаронами и запивая их водкой,— запомни, у меня есть две женщины на свете — ты и все остальные!

Шармёр наступал мне под столом на ноги: я ему нравилась и чувствовала, как он ввинчивает в меня свои черные зрачки. Я нравилась всем друзьям мужского пола. Они — давно женатые, кто по расчету, кто по любви, на их браках лежала печать времени и привычки. А тут рядом мы — пылкие, бурные, восторженные, любовь так и бьет из нас фонтаном, и, конечно, мужчинам хотелось приобщиться не только визуально, но и физически к той, которая так будоражила всю гормональную систему. Алый бант, который торчал в то время в моем хвосте, вызывал несколько волнующих ассоциаций — тореро, коррида, бык!

Глава 37

АНДРЕЮ — 30 ЛЕТ

Что мне хотелось в преддверии нового, 1971 года? Выть! «Как избавиться от памяти? От потери ребенка? От его предательства? Прощаю... прощаю... прощаю... Но как забыть? Как?! Эта проклятая память, как от нее избавиться? Только переступить через кашу сырого снега, подойти вплотную к серому зданию и удариться башкой об угол дома! Чтобы вылетели мозги! Монблан отчаяния и омуты слез!» Облокотившись рукой о стену дома, который и не подозревал о моих чувствах, уткнулась в нее головой и зарыдала. «Не могу жить в ненависти, я погибаю. Господи, миленький, помоги!» Достала носовой платок из сумочки, зеркальце, посмотрелась в него, вытерла следы черной краски — постарела, появились морщины скорби. Навздыхалась, положила валидол под язык и, хлюпая носом, направилась вниз по Горького в магазин — покупать подарки. Мимо меня парами во главе с учительницей прошли каникулярные дети, я алчно смотрела на чужих детей — один их вид вызвал ощущение, что по живому телу старательно режут ножом. Опять накинулось отчаяние: «Ну почему это должно было случиться именно со мной?» — закричала я.

Новый год мы встречали опять в Доме актера всей компанией. Родители Андрея забронировали стол в противоположном конце зала. После сцены на Петровке — «Вы не получите ни копейки» — прошел год, и после моей драмы жизни с родителями я ни разу не виделась. Печенкой я чувствовала, что она следит коршуновским взглядом за нашими отношениями и ждет, когда настанет час клевать труп нашей любви.

Страдания стали перерастать в болезнь. В театре я играла тридцать три спектакля в месяц, репетировала опять с Кларой «Обыкновенное чудо» Шварца и чувствовала, что в 26 лет таю, как Снегурочка, и совершенно лишаюсь сил. Но... Новый год взбодрил — красивое платье цвета перванш, впереди на темно-синем поясе огромный синий бант. Голова в локонах, ресницы, слава Богу, на месте. Опять люстры, люстры, люстры... Очередное третирование меня:

— Таня, зачем ты так красишься?

— Андрюша, это некоторый полет над обыденностью, дендизм, перед тем как лечь спать — умоюсь.

— Танечка, надо быть скромнее.

— Ты меня все время редактируешь! — взорвалась я.— Знаешь, что такое телеграфный столб? Это — отредактированная елка. И если бы я была нескромной, то давно бы уже бултыхалась на диване у Чека.

Меня злило, что он замечает только то, что на поверхности, и не видит того, что происходит у меня внутри. Меня злило то, что он не видит, каких героических усилий мне стоит проживать каждый новый день, злило то, что он не понимает: уже год как я убита и кто-то вместо меня ходит, говорит, двигается, смеется! А он, всеми обожаемый, всеми любимый, замученный поклонницами, оглушительной славой и аплодисментами до того, что ему невдомек прочитать в моих глазах неизбывное горе, ему невдомек, что я смотрю на него уже из невозвратной стороны! И во мне появляется чувство враждебности к нему.

— Андрюша, можешь купить мне шубу в новом году! — заявила я агрессивно после первого бокала шампанского.

Он засмеялся, потому что в этом «купить шубу» было неожиданное требование обиженного ребенка и болезненная жажда внимания и опеки. Магистр предложил не сидеть, а махнуть на вокзал и вскочить в поезд, который едет неизвестно куда, но Шармёр в ленивой манере отмел это предложение, дамы были на редкость в хорошем настроении — ворковали между собой, началась беспроигрышная лотерея, а я продолжала умирать от горя и тоски и, чтобы как-то развеяться, стала мысленно примерять головные уборы сидящему напротив меня Шармёру.

Внутри меня вдруг зазвучала обволакивающая негой восточная музыка, и на черных волосах Шармёра появилась клетчатая «арафаточка» с двумя обручами вокруг головы. «Ничего, — подумала я, — но попробуем еще что-нибудь... Турецкий тюрбан, закрученный, как морская раковина с острой макушечкой, — чародей из мультиков! Флорентийский берет с пышным пером — не выражает сути. Буденовка с красной звездой посредине, с ушками — карикатура! Ой нет! Немецкая каска — подходит! И вдруг само собой вместо каски на голове появляется высокий белый поварской колпак! Вот это да! Колпак поднимается вверх, улетает, а на совершенно лысой голове сплошь, как на пне опята, растут уши. Сквозь них пробиваются маленькие рожки. Рожки растут и вырастают в рога. «Двоюродный брат Мефистофеля!» — вспомнила я определение Белинского. «Только в новый год может такое привидеться», — подумала я, мысленно отменила ему уши и рога, и тут же на голове его завились темные волосы под его черные очи. «В нем даже пороки привлекательны», — не успела подумать я, как резко обернулась и увидела, глаз в глаз, сверлящий меня с противоположного конца зала взгляд Марии Владимировны.

— Сейчас будем расширять сосуды, — сказал Шармёр. — По анпешечке за др-р-р-р-р-ужбу! А др-р-р-ружба — понятие круглосуточное!

— Хлобысь! — воскликнул Магистр и опрокинул в себя полстакана коньяка.

— Внимание! Дамы и господа! Леди и джентльмены! Рогоносцы и рогоносицы! Сейчас перед вами выступит знаменитый певец — Джон Бубби, что в переводе на русский значит Ваня Бубнов!

— Или бубновый валет! — не без ехидства заметила я.

— Используя свои уникальные возможности гипнотизера и медиума, Ваня Бубнов доводит своих пациентов до восторга и исступления, что нередко приводит участников этого опасного эксперимента к смерти. Как подсказывает статистика — умирают лучшие. Остальное — бессмертно! — договорил артист Миронов пулеметной речью свой монолог, двинулся к сцене, где его давно ждали, взял микрофон, аккомпаниатор бросил пальцы на клавиши, и началась его любимая тема в музыкальном исполнении «Любовь — не картошка!». Я сидела каменная на стуле, с огромным синим бантом впереди, смотрела на него, как он выразителен — на шапку русых волос, синьковые глаза и вопреки своей острой враждебности к нему почувствовала: «Господи, ужас!!! Как я его люблю!!!»

Марта Линецкая, заведующая литературной частью, которая любила мужчин, шесть пирожных эклер сразу и революционные песни, корпулентная дама, пышная блондинка, с коротким носиком, придающим ей девчоночье выражение лица, сидела у себя в кабинете с Магистром. В красивых пальцах с маникюром торчала дымящаяся сигаретка. Они тихо, но заинтересованно говорили. Если бы можно было посмотреть на них сквозь стену, то стало бы ясно — они затевают интригу, и вся эта «фреска» напоминает «совет в Филях». Дело в том, что в молодости у Марты был роман с драматургом Николаем Погодиным, и ей пришла в голову идея — пьеса-компиляция-попурри на тему произведений Погодина. Перегнувшись через стол, на котором лежала вся ее большая грудь, она шептала Магистру, что, если Погодин придет к Чеку с ее подачи, тот утопит эту идею немедленно, так как у нее с Чеком «разногласия». А если Погодина предложит Магистр — сопротивлений не будет. Так и поступили, и в театре начались репетиции спектакля «Темп-1929».

Марточкины «разногласия» с Чеком носили в последнее время репрессивный характер. Все развивалось, как обычно, по одной и той же схеме. Много лет подряд она, как крепостная, писала статьи за Чека, а он делал остальное — подписывался под ними и получал деньги, денежки, деньжонки! Как в сказке о рыбаке и рыбке, он стал зарываться, однажды оскорбил ее в лицо как женщину — ведь крепостная, все стерпит. Но она оказалась не крепостная, она не позволила себе простить ему это и заявила, что статьи теперь пусть пишет «Петр Иванович», а она умывает руки. Чек был в таком бешенстве от, прямо сказать, революционного жеста подчиненного ему лица, что в злобе схватил стул и швырнул в Марточку — слава богу, она резко отвернулась.

С этого момента он стал методично, с наслаждением садиста ее травить. У него было много иезуитских методов — например, на собрании «дать по морде», чтобы привить общий принцип, полностью отстранить ее от работы, делая вид, что ее вообще не существует, выгнать из кабинета под названием «Литчасть» и устроить там склад ненужных вещей. Марта обладала редким чувством собственного достоинства: не шла ни на какие поклоны, подачки и унижения, поэтому травля удваивалась и утраивалась. Это была настоящая война. Силы были неравные — она была измучена, истощена, ее отчаянные попытки сохранить себя, свое достоинство увенчались тяжелой, неизлечимой болезнью, в результате которой она, так и не сломленная этим жалким садистом, умерла в тот же, страшный своими потерями, 1987 год.

Но пока идет 1971 год. Все живы, Марта сидит в буфете с пирожными, кофе и курит. Входит Чек. У нее начинает в руках дрожать сигарета, и я понимаю, каких усилий стоит ей продолжать делать хорошую мину при плохой игре.

— Тань,— говорит она мне, сидящей рядом.— У тебя чувствуется надрыв...

— Да! У вас тоже рука дрожит, в которой сигарета, впрочем, и другая, в которой пирожное...— Мы обе смеемся.

— Ты должна выжить,— говорит она.

— Конечно,— отвечаю я.— Это вам не «Американская трагедия». Это «Златокрылая птица Феникс»! У меня дома висит эта картина, мне подарил кузен-художник — самая настоящая птица Феникс, возрождающаяся из пепла.

Приближался день рождения Андрея — его 30-летие. Отмечать решили в Доме литераторов, на Герцена, в отдельном кабинете на втором этаже.

В театре днем и ночью репетировали «Темп-1929», и в день тридцатилетия Андрюши была назначена вечерняя репетиция. В свободные от репетиций минуты я сидела в гримерной у зеркала и выводила ресницы. Без четверти девять в тончайшем замшевом сарафане, расклешенном, надетом на голое тело как платье, поверх — треугольная, модная тогда, вязаная шаль цвета брусники, на шее — тяжелые украшения, привезенные из Югославии, ресницы касаются лба, прическа — сессон, я вошла с Магистром в Дом литераторов и по его глазам поняла, что сегодня я — Клеопатра, Нефертити и царица Савская одновременно. Открыли дверь банкетного зала на втором этаже. Все сидящие за столом обернулись и замерли. Несколько секунд мы стояли в дверях, как картина в раме, потом сели на оставленные нам места. Андрей заерзал на стуле, глядя на меня угрожающим взглядом,— его охватила бешеная ревность. Через десять минут Мария Владимировна, полоснув меня острием глаз, подняла Менакера, и они демонстративно ушли.

Система Андрюши, в которую были вплетены так разумно господом Богом все его нервы, распалась на отдельные части, кусочки, обрывочки, и ее устройство перестало функционировать. Его миролюбивая душа не могла вынести этой пытки — в этот вечер конфликтер мама то и дело гладила его кувалдой по голове: «И Таня, как картина в раме, замерла с Магистром в дверях, вдвоем!» Он сжал в руке белую накрахмаленную салфетку. Я подошла и преподнесла ему подарок — старинный медный круглый тульский самовар с клеймом — «Капырзин с сыновьями». Он посадил меня рядом с собой и потребовал, чтобы я никуда не двигалась. Все уже «накачались», атмосфера была на редкость непраздничной. Тревога висела в воздухе, и все решили поехать в мастерскую к Збарскому. На улице Воровского, у большого серого дома в стиле модерн, остановились машины. От ночной мартовской сырости меня стало знобить, я подошла к Андрею и тихо сказала:

— Мне тут недалеко до дома, Андрюшечка, мне очень не по себе, знобит, пойду-ка я...

Он тут же схватил меня за воротник, я вырвалась

и побежала по проезжей части улицы, за мной бежал он, за ним с криком бежали Пельтцер, Энгельс, Энгельсова жена, Збарский, Мессерер — все это напоминало Олимпийские игры в сумасшедшем доме. Наконец, меня поймали, уговорили, я пошла в мастерскую.

Поздно ночью совершенно измученный своим тридцатилетним рубежом Андрей сидел с всклокоченными волосами и безумным взглядом смотрел в одну точку. У меня сжималось сердце от жалости к нему:

— Посмотри,— сказала я ему.— Ты похож на портрет Мусоргского кисти Репина.

Глава 38

УРАГАН РАЗЛУКИ

Я свалилась. Меня свалила болезнь. Лежала и не могла встать. Приходили врачи, пожимали плечами, что-то прописывали, уходили. Я таяла на глазах — не могла поднять ни рук, ни ног. Андрей привозил трех куриц и просил соседку Тоньку варить мне тройной бульон. Я сама пыталась делать на себе опыты: три дня пила один только шалфей — считала его волшебной травой и прибегала к нему в трудные минуты. То брала кусочек магнита и устраивала его на темечко, место, где находится шишковидная железа glandula pincalic — телепатический орган. Закрывала глаза и слушала, какие советы с неба притягивает магнит. Советы притягивались такие — выбор... радейте. Я сосредоточивалась, все записывала, анализировала. Андрей называл меня Павлов и собака Павлова в одном лице. Однажды привез молодую врачиху. Она мне задавала вопросы, все записывала, записанное подчеркнула и поставила диагноз:

— У вас — рак.

Вымыла руки, оделась и ушла. Через два часа этого же дня я стала совершенно здоровой. Это была шокотерапия. Я встала, шатаясь от количества потерянной крови, оделась и пошла на улицу. Бродила по темным переулкам, смеялась, гладила стены домов, вспоминала, какие слова из космоса притянул магнит — «выбор», «радейте», и тут же их осознала. Болезнь поставила меня перед выбором — жизнь или Андрей. Он все это давно чувствовал, его разум затмевало безумие: любым способом он решил не выпускать меня из своей судьбы.

Он стал ночами врываться в мою квартиру, а я, без сил, запиралась изнутри, и соседи говорили, что меня нет дома. Тогда он объезжал все московские дома, разыскивая меня, потом возвращался на Арбат, вырывал дверь с корнем, хватал меня, спящую, с кровати — я летела, как перо, в угол, а он начинал под кроватью, в шкафах искать соперника. Потом срывал все картины со стен, бил об колено, и они с треском разламывались пополам. Потом это безумие превращалось в нежнейшую нежность, и в один из таких периодов мы поехали на студию Горького на просмотр картины «Достояние республики». После просмотра он был счастлив. Мы сидели у Энгельса и отмечали это событие.

Потом совсем поздно сидим на кружке возле Спасо-хауса и моего дома. Апрель — теплый. Ночь. Полная луна. Яркие звезды. Перед нами чернеет поленовская церковь, заброшенная, пустынная, с выдранным сердцем. Вокруг темнеют крепкие стволы тополей. Он встает, романтично вскидывает руки вверх и негромко начинает читать четверостишия из его любимых стихов:

> Ты так же сбрасываешь платье,
> Как роща сбрасывает листья,
> Когда ты падаешь в объятья
> В халате с шелковою кистью...

Вдохновение нарастает:

> Ну, притворитесь! Этот взгляд
> Все может выразить так чудно!
> Ах, обмануть меня не трудно.
> Я сам обманываться рад!

Сделал пируэт вокруг себя:

> Засыпет снег дороги,
> Завалит скаты крыш,
> Пойду размять я ноги:
> За дверью ты стоишь...

> Как будто бы железом,
> Обмокнутым в сурьму,
> Тебя вели нарезом
> По сердцу моему!

А я завершила:

> Но кто мы и откуда,
> Когда от всех тех лет
> Остались пересуды,
> А нас на свете нет!

В зеленом свете луны, в космическом уединении, мы кружили вокруг всех тополей сада, и этот зеленый свет луны делал нас легкими, воздушными, нездешними, свет падал на стволы, и они тоже казались зелеными.

— Давай послушаем, как начинается жизнь,— предложила я.

Мы прислонились ухом к стволу и слушали, как по венам дерева поднимается сок. У нас был лунный поток нежности: мы обвили руками гладкую кору старого тополя, долго стояли с ним в обнимку, стали целовать пахнущий горечью ствол и под зеленым светом луны вдруг припали друг к другу в поцелуе с таким чувством трепета, чистоты и восторга, которое не испытывали за все пять лет.

— Таня, вот ключи от Петровки и от Волкова. Я уезжаю на съемки в Ленинград. Приеду через десять дней, в конце апреля. Буду звонить. Веди себя прилично!

И уже с порога:

— Прошу тебя, ничего не выдумывай: все уладится! Уже достраивается кооператив на Герцена. Все решится само собой. Только потерпи. Деньги тебе оставляю, ешь как следует, тебе надо набираться сил. И шубу куплю.

Через несколько дней меня вызвали на кинопробу на студию «Мосфильм». Там, покинопробовавшись, в длинном коридоре я встретила приятеля Сатковича. Он был с другом, неким Сценаристом, фильм которого недавно прошел в главной роли с Банионисом, получил множество премий и считался новым веянием в нашем киноискусстве. Сценарист сразу же пригласил меня в кафе «Националь» поужинать. Я немедленно согласилась. И уже вечером я сидела в кафе «Националь», ела рыбное ассорти с маслинками, икорку с горячими калачами, пила шампанское и слушала излияния своего визави. Он сын известного театрального художника, потом режиссера, совсем недавно переехал в Москву из Питера, там осталась его жена, но она меня совсем не интересовала. Меня интересовал он, Сценарист, воспитанный, умный, ироничный, истинный питерец, которого я рассматривала в данном случае в роли домкрата, который может наконец-то вытащить меня из пучины любви и страданий.

— Вы любите оперу? Хотите послушать Пуччини «Тоску»?

«Какая телепатия», — подумала я и ответила:

— У меня в жизни пучины тоски, так что лучше что-нибудь веселенькое...

— Может быть, пойдем завтра в Дом кино?

Озарение, что его мне посылает Господь Бог, слилось с чувством решимости, и на его предложение пойти в Дом кино я ответила: «Да!» Это означало, что нас вместе завтра увидит вся Москва, и, следовательно, я рву цепи и расстаюсь с Андреем навсегда!!! — гда, гда, гда, гда, гда, гда, гда, гда, гда! — эхом отдавалось под куполом моего черепного устройства.

Мы стали ходить в Дом кино каждый день, и я видела изумленные лица тех, кто был много лет рядом с нами (со мной и Андреем). Общество любило события такого рода, смаковало их и потирало ручонки.

Самое страшное — предстоящая встреча с Андреем. Ломит сердце и заходится от ужаса. В день его приезда выбрала нейтральную территорию — буфет в театре. И попросила подругу Наташу посидеть рядом со мной до окончания «сцены».

Обзвонив и объехав все квартиры и не найдя меня, он ворвался в театр. Он уже все знал.

— Танечка, можно тебя на минуточку! — сказал он голосом с эсэсовскими нотами.

— У меня нет секретов от Наташи. Садись. Говори. Вот ключи. — И положила на стол приготовленные ключи от двух квартир.

Он схватил меня за руку так, что вырваться было невозможно, и потащил по коридору в свою гримерную. Нет сомнений, что меня не было бы в живых, если бы не вся вымазанная краской стремянка, которая стояла в коридоре перед его дверью. Шел ремонт. Он попытался протиснуться между ней и стеной, и в этот момент потерял бдительность — я вырвалась и убежала в буфет. Он за мной! Он был разъярен, а я кричала: «Все! Все кончено! Бери ключи! Не подходи! Все кончено!!!»

Он вдавил меня в стеклянную витрину буфета, она куда-то поехала вместе с нами, потом вдруг сдернул шелковую занавеску с окна, схватил меня за волосы и стал трепать. Кто-то стал нас разнимать, хватать его за руки — его крепкие запястья и кулаки мелькали перед моим носом, — вся картина напоминала деревенский фольклор. Он ударил по стулу ногой и под бешеный и горький крик «Блядь, сука! Ненавижу!» выскочил из буфета.

Глава 39

АНТУРИЯ

Я проснулась под утро, брезжил рассвет, открыла глаза, пыталась понять — где я? Машинально, еще сквозь сон, обняла лежащую на соседней подушке голову и вскрикнула — вместо роскошных русых волос я ощутила холодную гладкую лысину. С бордюром. Сценарист вздрогнул от этого вскрика, приподнялся на локте и спросил:

— Что с тобой?

— Ой, как страшно, сон приснился! — И отвернувшись в другую сторону, тихо, как промокашкой, стала вытирать пододеяльником слезы.

Мое отчаянное настроение того времени выражалось в скупых обрывках рифмы, которые выскакивали из меня ежесекундно: «Иду по лестнице — хочу пове-

ситься!». «Как с нелюбимым я причитаю — целует,
я до 10 считаю!»

Сценарист оказался милейшим человеком, подку-
пал меня своей образованностью, любознательнос-
тью. Мы ходили по музеям, он рассказывал о художниках, я узнала, что трещины на картинах, на старом
полотне, называются — крокеллюр! Мы ходили на
Красную площадь, и у мавзолея Ленина он рассказал
мне, что по проектам Щусева было построено 99 церк-
вей, и если бы была построена еще одна, он был бы
причислен к лику святых, но сотым проектом оказался
мавзолей, он же пергамский алтарь, — нечистый попу-
тал. Тут же он предложил мне войти в это до боли
знакомое здание и у гроба старика мумифицирован-
ного впился в меня поцелуем.

— Лучше у лобного места, — сказала я, отрывая
его как пиявку.

— Что за извращение?

Он был старше меня на десять лет, это мальчишес-
тво меня раздражало, как, впрочем, и все остальное. Но
увы, приходилось все это терпеть, как терпят горькое
лекарство.

Он был знатоком антиквариата, всегда, везде, всюду переворачивал блюдца, чашки, тарелки вверх ногами: смотрел маркировку. Говорил тихо, ходил не-
слышно. Комиссионные магазины того времени были
завалены посудой заводов Гарднера, Кузнецова, По-
пова, и мы часами простаивали у прилавков, пока он
не выуживал из этой ценной смеси елизаветинский
бокальчик или петровский штоф. Профессионалов было мало, продавщицы — невежественны, и поэтому
такой ас антиквариата, как Сценарист, мог за копейки
приобретать музейные вещи.

На лето он снял дачу по Савеловской дороге на
берегу канала. Ему, конечно, надо повесить медаль за
отвагу — так мужественно он выносил все мои психо-
эмоциональные проявления. Я в буквальном смысле
металась из угла в угол этой дачи, набивая себе синяки
на теле, скребла по бревнам ногтями, вдруг принималась рыдать с воем, то заливалась таким смехом, что
вяли цветы под окном. В общем я была похожа на
сумасшедшую. Тогда в мою голову впервые закралась

мысль, что любовь это не розы и не шипы, как говорят, а — неврозы! Слава богу, дачный сезон закончился, и мы очутились вновь в Москве.

В один знаменательный день моей жизни он принес Бунина. В училище мы проходили Бунина, я даже знала наизусть «Песнь о Гайавате»: «Если спросите, откуда эти сказки и легенды с их лесным благоуханьем, влажной свежестью долины, голубым дымком вигвамов...» Но эти знания были поверхностны — Бунина надо пережить. И, теперь моя исстрадавшаяся душа припала к этим томам, к потрясшим меня рассказам: «Ида», «Руся», «Муза», «Натали», «Последнее свидание», «Визитные карточки» и «Жизнь Арсеньева». Когда я дочитала последние строчки «Жизни Арсеньева» — «Недавно я видел ее во сне — единственный раз во всю свою долгую жизнь без нее... Я видел ее смутно, но с такой силой любви, радости, с такой телесной и душевной близостью, которой не испытывал ни к кому никогда», — я застонала и бросилась к телефону скорей позвонить Андрюше! Рассказать, что есть Бунин и нам надо скорей его читать! Устроившись на кровати, подставив к стене подушки! И вдруг опустились руки как плети, как обухом по голове саданула мысль, что мы не вместе, что пронесся между нами ураган разлуки и не читать нам вместе никогда! И Бунина тоже!

Сценаристу больше нравились рассказы «Сны Чанга» и «В Париже». А когда он внес в мою комнату желтый финский холодильник «Хелкама», я написала стихи:

> Ну что мне мысли ворошить?
> Задернуть занавеску — просто!
> Немного изменить прическу
> И платье новое купить!
>
> Не упираться грустью в стены!
> Не дергать рук в позавчера,
> Усвоить твердо вкус добра,
> Увидев вас кричать — ура!
> Вступая в день под звук Шопена!

По Арбату большими шагами идет Антурия. Это русская Мэрилин Монро — блондинка с голубыми глазами, но все черты лица крупнее, сильнее, упрямее. На ней светло-коричневое пальто с фиолетовыми суконными вставками, но такое ощущение, и оно будет всегда, что на ней надето красное. Мы пять лет провели вместе, в одной компании, но кроме «здрасьте» и «до свидания» ничего не произнесли. А теперь бросились друг к другу, как на Красной площади в фильме «В шесть часов вечера после войны». Война была позади, у нее — со своим Художником, от которого появился малютка, у меня — с Артистом, от которого не появился малютка. Мы купили шампанского в магазине «Консервы» и пошли ко мне в коммунальную квартиру. Выпив бутылку шампанского, мы поняли, что очень нравимся друг другу. На мое предложение, не реанимировать ли ей отношения с Художником, все-таки ребенок, она отвечала:

— Это все равно что делать педикюр больному гангреной.— И чихнула. Я сказала: «Будь здорова», но рано сказала, потому что она тут же стала чихать — быстро-быстро, мелко-мелко, подряд раз 15. Я была изумлена, поскольку никогда такого феномена не видела. Чтобы я навек не осталась в изумлении, она объяснила мне, что она всегда так чихает. Это свойство выдавало некий вирус детскости. Мы — обе артистки (она актриса театра Вахтангова) — были начитанны, любознательны и... свободны. Свое «лекарство» в лице Сценариста я не считала отношениями с большой буквы. За нами ездили и ходили целые хвосты кавалеров. Я познакомилась с ее мамой — знаменитой артисткой, певицей большого театра Марией Петровной Максаковой. Высокая женщина с прямой спиной, всегда идеально уложенные волосы, скупые движения, мало слов, очки с большими линзами, которые скрывали от мира таинственную жизнь души. В доме на стенах — подлинники Поленова, Нестерова, Айвазовского, много изысканных антикварных вещей, рояль и невпопад стоящие современные светлые шкафы. Я всегда спрашивала:

— Мария Петровна, зачем вам столько шкафов?

— А! — бодро отвечала Мария Петровна.— Мы живем по-московски!

Иногда мы сидели за старинным овальным столом с желтой лампой, на свет лампы слетались мотыльки мужского пола. Мария Петровна, мельком скользнув по ним глазами, на следующий день спрашивала нас:

— Что у вас за кавалеры?

— А у вас какие были? — задавала встречный вопрос я.

— Якир, Тухачевский!

Подряд несколько раз мне снился один и тот же сон: поле с пылающими на нем красными цветами. Посреди поля — Бахчисарайский фонтан из шампанского, внутри которого стоит Антурия в образе Заремы. По обеим сторонам фонтана, как часовые, стоят Якир и Тухачевский. Они поют: «Но где Зарема, звезда любви, краса гарема?» Из Бахчисарайского фонтана, из струй шампанского, выходит обнаженная Антурия, идет по красным цветам и поет, как в опере: «Мне не нужны Якир и Тухачевский — хочу шампанского и пламенной любви!»

Шампанское можно было купить, а вот любовь... «Только раз бывают в жизни встречи, только раз судьбою рвется нить...»

Вечерами, когда Антурия играла спектакли, Мария Петровна рассказывала мне тихо всю свою жизнь.

Родилась она в Астрахани, в детстве пела в церковном хоре, в юности исполняла совсем незначительные партии в астраханской опере. В Москве в те годы жил некий Макс Карлович Максаков, педагог, антрепренер. Он всегда находился в неуемном состоянии поиска молодых дарований. Однажды Макс Карлович оказался в Астрахани, и, конечно, они с женой в первый вечер посетили оперу. Жена Макса Карловича обратила его внимание на юное создание, коим оказалась Мария Петровна, обладательница пленительного голоса. Дальше все произошло как в сказке: жена Макса Карловича внезапно умерла прямо в Астрахани, и он вернулся в Москву с юной ученицей — Марией Петровной. Тут проигрался миф о Золушке. Тыква превратилась в карету, Астрахань в Москву, и Золушка оказалась в изысканной, полной антиквариата квартире с педагогом и впоследствии мужем, который был старше ее на несколько десятилетий и на такое же расстояние опытнее и умнее. Молодая певица оказалась, к счастью, честолюбивой и на редкость работоспособной. Прошло два года титанического труда у рояля — занятия голосом и только голосом! Никаких гостей, встреч, никаких звуков извне. Эти годы можно назвать посвящением в таинство искусства. Макс Карлович скрывал свое сокровище, и только поздними вечерами, когда улицы становились пустынными, они выходили дышать свежим воздухом.

Однажды вечером, по прошествии двух лет, Макс Карлович приехал домой и сказал: «Мусенька, я привез тебе черные фетровые ботики (которые были писком моды в те годы и которые потом покинули эту моду с грустным названием «Прощай, молодость»!), завтра едем показываться в Большой».

На следующий день Мария Петровна Максакова в черных фетровых ботиках вошла в Большой театр, вошла в историю Большого театра, вошла в историю русской оперы.

Начались годы счастья — роли, успех, признание, слава! Знаменитая Кармен. Макс Карлович решил, что премьеру «Кармен» Мусенька должна петь в провинции, в Тбилиси, чтобы у певицы была возможность распеться и разыграться в роли. В день премьеры «Кармен» у Мусеньки на глазах у всех раздулась щека — флюс! Спектакль не отменили и решили загримировать и вторую щеку под флюс. С жуткой болью, с двумя раздутыми щеками Кармен вышла на сцену. Через полчаса пения на сцене совершенно исчезла боль и пухлой щеки как не бывало. Срочно пришлось избавляться и от второй пухлой щеки. Поистине — велика сила искусства.

Молодая Мария Максакова обладала редким вкусом — всегда изысканно одевалась и умела носить костюмы. Невозможно забыть, как она была хороша в шелковом платье цвета veu rouse — увядшая роза,— у пояса сбоку был брошен маленький букетик пармских фиалок. Она была в расцвете своей женской красоты, в расцвете таланта. Это была настоящая Далила, и когда она исполняла арию Далилы из оперы Сен-Санса «Самсон и Далила» «От счастья замираю!

От счастья замираю!», то от счастья замирала не только она, но и все, кто ее слышал.

Но ничто не вечно под луной. Самый драгоценный человек на свете — Макс Карлович — ушел из жизни. Она не осталась одна и приняла предложение дипломатического работника.

Времена пошли дикие и мужа Мусеньки «взяли», «убрали» и «расстреляли». У нее появился новый статус — «жена врага народа». Родилась дочь. Она придала ей силы и смысл жизни, но темные силы не унимались — в конце концов ее полностью вытеснили из репертуара. Она не выдержала. У нее отнялись ноги, год она пролежала в постели. Но, как известно, религия формирует личность. Бог дал Марии Петровне могучую волю. Она встала, изящным жестом накинула на плечи белую оренбургскую шаль и появилась на сцене с совершенно новым репертуаром — русские народные песни. И получила такое признание, о котором и не мечтала.

В 1952 году Марии Петровне исполнилось 50 лет. В почтовом ящике она обнаружила невзрачный конверт — там на тонкой, узенькой, как ленточка, папиросной бумаге было напечатано, что, «с сегодняшнего дня вы свободны от службы в Большом театре». Пришел 1953 год. Курс политики изменился, и через три года после получения гнусного конверта Марии Петровне предложили спеть в Большом прощальную «Кармен». Конечно, это был риск. Три года актриса не выходила на сцену. Но она решилась. В тот день к театру нельзя было подойти. Толпа заполнила все площади и улицы. Зрители сидели на люстре. Это был настоящий прощальный триумф! А потом годы преподавания, смирения, тишины. Сегодня, в постатеистическое время, когда нас окружают обломки и руины человеческих душ, приходит понимание и возврат к вечным ценностям, к которым принадлежала и личность Марии Петровны, ее пленительный неповторимый голос.

11 августа 1974 года великой певицы не стало. Отпевали в церкви Воскресения в Брюсовском переулке. Службу вел молодой тогда еще, с синими пронзительными глазами отец Питирим. Когда похоронная

«Мамаша Кураж», в роли Катрин.

«Чудак-человек»

«Пена»

«Женитьба Фигаро», в роли Керубино.

Отец Татьяны Егоровой Николай Михайлович со своей матерью, 1935 год.

Мама Татьяны Егоровой Валентина Ивановна, 1933 год.

Александр Менакер и Мария Миронова, 50-ые годы.

Александр Менакер, 1930 год.

Мария Миронова, 1930 год.

Мария Миронова, 60-ые годы.

1985 год, Сочи. Слева направо: Михаил Дорн, директор театра, Татьяна Егорова, Андрей Миронов.

Дача в Пахре.

Лыжи в сарае лежат до сих пор.

У Марии Владимировны в Пахре на даче, 1995 год.

Татьяна Егорова у себя в имении, 1997 год. *Египет. Луксор. 1998 год.*

85-летний юбилей Марии Владимировны Мироновой, 1996 год.

*Рисунок внука Андрея Миронова — Андрея, который он подарил
Татьяне Егоровой в 1999 году.*

процессия вошла в ворота Немецкого кладбища, вдруг откуда-то материализовались странные существа. Они сидели на верхушках чугунной ограды вдоль всего кладбища — это были древние старушки, ее поклонницы, напудренные, с подведенными бровями, в обветшалых шляпках, черных рваненьких нитяных перчатках, и все то время, пока Марию Петровну несли к месту последнего упокоения, к могиле Макса Карловича — на вечную встречу, древние старушки кричали:

— Прощай, Кармен! Прощай, Кармен! Прощай, Кармен!!!

Так закончился земной путь редкой певицы, великолепной и мужественной женщины, и, оборачиваясь назад, хочется заметить одну деталь: как важно вовремя получить в подарок черные фетровые ботики.

Песня из моего сна «Мне не нужны Якир и Тухачевский, хочу шампанского и пламенной любви» явно стала руководить нашими поступками. Сценарист уже перевернул всю антикварную посуду вверх ногами в доме Антурии, за ним потянулась цепочка новых кинознакомых, с которыми мы за большим овальным столом упивались шампанским и запрятанным вглубь отчаяньем.

Глава 40

«Я ОБЪЯВЛЯЮ ЕЙ ВОЙНУ И ЖЕНЮСЬ... НА РУСАЛКЕ»

Андрей остался на странице, где описана была бурная встреча в буфете, ураган разлуки и последнее «Ненавижу!». В приступе ревности и бессилия, в отместку, он каждый день перед моим носом и перед носом театра демонстрировал новую девушку, а когда понял, что все это — холостые выстрелы, укрылся на даче.

— Она меня бросила! Меня! Меня нельзя бросить, меня можно только потерять! — твердил он избитую фразу, закрывшись в своей маленькой комнате, и курил одну сигарету за другой. Ему казалось, что весь мир, вся Москва показывают на него пальцем и кричат: «Ну что, знаменитый артист, получил по носу? Получил от ворот поворот?»

Его голова разрывалась от того, что в нем происходило понимание, осознание всей жизни: «Столько лет я бился за Славу, которая должна была избавить меня от мук и сомнений, я стремился к ней, потому что знал, что только она, Слава, как египетская пирамида или как вера в Бога, выведет меня из границ бытия, вознесет на уровень неразрушимости и вернет мне все! Она меня обманула или я обманулся сам, потому что я лежу здесь один, отвергнутый, нелюбимый, ненужный! И это после всего, что у нас с ней было?! Я убью их обоих! Нет! Я отомщу!» — И тема мести стала прокручивать разные варианты в его сознании.

А бессознательная часть его души горевала. Он лежал навзничь на диване, смотрел на уже отцветшие кусты сирени и беспрестанно вытирал руками слезы: «Я сам во всем виноват, до чего я ее довел, сколько она страдала, и тот проклятый Новый год, я нарушил табу, и корабль пошел ко дну...» Вспомнил, как вместе читали «Доктора Живаго» и закричал: «Что я наделал? Отдал! Отрекся! Уступил! Броситься бегом, вдогонку, догнать! Вернуться!» Вдруг весь обмяк: «А все потому, что мама!» — со злобой подумал он.

— Иди обедать! — услышал он голос матери из кухни. Вышел из комнаты — бледный, осунувшийся. Она смотрела на него иронично:

— Что ты так убиваешься из-за этой шлю...

— Не смей ничего о ней говорить! — закричал он. Встал, бросил ложку в суп так, что разлетелись брызги по всей кухне, и вышел вон.

«Вы ее видели? Кого? Новую артистку! Чек взял в театр! Куда берут? Своих некуда девать! Длинная с белыми волосами, говорят, снимается! Ой, какие ножки, какие ручки! Красивая, но такая аморфная! Ноги иксом, жила в театре Маяковского с древним стариком Штраухом, обобрала его с ног до головы, теперь у нас кого-нибудь оберет. У нас старичков много...» — это шли разговоры в театре о Русалке, которая приплыла в сатировский водоем покупаться и что-нибудь выловить.

Андрей увидел ее и сразу понял — это как раз то, что мне надо! Немедленно на ней жениться! Наплевать, что я ее не люблю, главное — отомстить и реабилитироваться! Я смогу увлечь ее и себя на поставленную задачу. Война! Я объявляю войну! Той, которую ненавижу и люблю! И пусть она обгрызет себе все локти и рыдает кровавыми слезами! Я устрою ей ежедневную пытку — видеть нас каждый день с Русалкой вдвоем в театре!

Русалка и не предполагала, что попала под горячую руку его мести. Это все происходило на плане зримом, а на незримом — он бессознательно искал себе наказания, хотя и не понимал этого. У него был здоровый, непрогнивший корень совести, и совесть искала искупления греха. «И сказал Давид Господу — тяжко согрешил я; и ныне молю тебя, Господи, прости грехи раба твоего. Когда Давид встал на другой день утром, то было ему слово Господа: три наказания предлагаю я тебе; выбери себе одно из них, которое свершилось бы над тобою».

— Миронов женится на Русалке! Нет! Вы слышали? Когда? Говорят, осенью! А-а-а-а-а-а-а-а-а! Любит Таньку, а женится на Русалке! Назло женится-то! Ох! Интересно! Что будет!!! — темпераментно обсуждали в театре.

Мама, Мария Владимировна, собрала всю информацию о «девушке» — там были и Штраух, и очень много других мужских фамилий, но главное — пугала мама невесты. Она была секретарем парторганизации театра Гоголя и, следовательно, носила невидимые миру погоны.

— Ты с ума сошел! На ком ты женишься! И ежу ясно! — но этот истрепанный текст не производил на сына никакого впечатления. В конце концов мама удовлетворилась мыслью, что эта женитьба окончательно разорвет его отношения с этой... с синим бантом: Русалка у нее не вызывала такой мучительной ревности.

Шармёру все это тоже было приятно. Все-таки больно постоянно видеть перед глазами влюбленных людей, когда сам ты лишен этого чувства. Он видел, до какой степени растерзан Андрей, как он мучается, заставляя себя «увлечь на поставленную задачу», и какая все это неправда! Но не пытался ему помочь, а превращал все это в фарс. Мать изображала трагедию, а Чек, Ушка и Цыпочка наслаждались происходящим, как наслаждаются великолепным десертом. Это были минуты счастья для Чека: его попранное мужское самолюбие торжествовало — не захотела быть со мной, так не будешь и с ним!

Наступила осень. И день свадьбы. С утра в моей коммунальной квартиру с амурами раздался телефонный звонок. Это был Андрей:

— Таня! — кричал он.— Танечка! Я не хочу! Я не пойду! Та-а-а-а-ня! Я не хочу! Я сейчас приеду! Та-а-а-а-а-ня!

— Иди, иди, проштемпелюйся! Помучайся, это ненадолго! — жестко ответила я.— И никаких приездов!

Бросила трубку, посмотрела на амуров и выругалась: «Подколесин хренов!»

Наши гримерные находились на одном этаже, там же и городской телефон, вокруг которого сидели и разговаривали артистки в свободное от сцены время. Русалка обычно говорила громко — для публики, как, впрочем, она делала все. Говорила она об интимных подробностях ее роскошного нижнего белья, бесконечные километры разговоров о тряпках и в конце обычно добавляла: «Как она его распустила!» (это я). Смотрела на всех свысока, двигалась важно, а, как известно, важность есть уловка тела, чтобы скрыть недостаток ума. Через месяц я поняла: она просто классическая дура без юмора и без таланта.

А через два месяца Андрей прибежал к отцу и заявил:

— Папа! Я больше не могу! Я погибаю!

— Расходись немедленно! — сказал отец.

— Я буду смешным в глазах у всех, ведь прошло только два месяца! Хотел отомстить ей, а отомстил себе. Что делать? Что делать?

Делать приходилось вид брака, а на меня бросать пламенные взоры. Но от меня эти пламенные взоры отскакивали как от стенки горох.

Устроить это брачное представление у меня под носом, на глазах у всего театра, и это после моей трагедии с ребенком! Нет! Это очень жестоко! Не прощу никогда!

Энергия мести подогревала меня, глаза блистали огненным блеском, щеки рдели, ум обострился, и я принималась бурно хохотать без всякой причины. До Русалки наконец-то дошел весь смысл ее брака, она возненавидела меня: жил-то он с ней, а думал только обо мне. Они переехали в двухкомнатную квартиру на улицу Герцена — кооператив наконец-то построился, но она не унималась и спрашивала всех сквозь зубы: «Что она все время улыбается?!»

Антурия с киноделегацией прилетела из Марокко. Привезла оттуда чудные коричневые высокие ботиночки. Приближалась зима, и она сетовала на то, что надеть совершенно нечего — ведь ничего не продавалось в те времена. Сколько было счастья, когда я принесла ей шубу из кролика, привезенную кем-то из-за границы — белую, в абстрактных пятнах, миди. Я уже стояла в дверях, уходила, она в этой белой кроличьей шубе обняла меня, и мое пальто покрылось сединой меха. Кролик оказался изменчив и лип к каждому, к кому она прислонялась.

Через два дня после этого события я стою на тротуаре на Арбате, пережидаю поток машин и вдруг! В темно-синей новейшей «Волге» мимо меня плывет профиль Антурии, она сидит на первом сиденье в меховой шапке, как боярыня, рядом господин... Только успела посмотреть вслед машине, а на ней красного цвета иностранные номера! «Господи! Когда же она успела? — подумала я.— Ведь только позавчера виделись, и никакой иностранной машины не было в помине! Ну, засекла!»

Так в нашу советскую, обгрызенную этой властью жизнь вошел латыш немецкого происхождения — Петр Игенбергс, по-домашнему просто Ули. Он влюбился в Антурию, как Петрарка в Лауру, но, слава Богу, в их отношениях не было необходимой для литературы дистанции. Ули стал бывать в доме, и в этот же самый момент из дома исчезли все друзья и знакомые. Страх, боязнь посадок, пыток, ссылок за знакомство с иностранцем — все это крепко было впаяно в мозги советского человека. Когда раздавался звонок в дверь ее квартиры, мы в один голос произносили: «Все! За нами пришли!» Но эта страшная участь нас миновала. Передняя часть темно-синего элегантного пальто Ули частенько вызывало улыбку: оно все было в светлом меху. Уж слишком крепко он прижимал Антурию к сердцу в ее кроличьей шубке. «Если Антурия меня разлюбит, я уйду в йоги!» — говорил он.

Начался настоящий пир жизни — флаконы французских духов, горы черной икры, джин, тоник, «Мальборо», соленые орешки, какие-то пластинки наклеивались на лоб — тут же на этой пластинке выскакивала температура тела, уже не говоря о чемоданах, которые привозил Ули из Германии. Собирались несколько знакомых Антурии, она ставила чемодан посреди комнаты, открывала и начинала, как фокусник, выбрасывать оттуда вещи с возгласами: «Это тебе! Лови! Это — тебе! Это — тебе!». И так, пока чемодан не становился пустым.

Вообще-то, как говорят по-русски, Антурия была с бусорью. То она, как в моем сне, в поле, с пылающими на нем красными цветами. Посреди поля Бахчисарайский фонтан из шампанского. Из него выходит обнаженная Антурия, идет по красным цветам и поет: «Мне не нужны Якир и Тухачевский — хочу шампанского и пламенной любви!» То вдруг «фонтан» переставал бить, она попадала в темный поток мыслей, становилась угрюмой, садилась на старинную консоль, предназначенную для мраморного бюста, сидела, не двигаясь, часами, как изваяние в музее, в синем длинном вязаном платье и смотрела на мир с такой колючкой в хрусталике, что этой колючкой царапала даже вазу с розами, стоящую на рояле. И не приведи, Господь, попасться ей в это время на глаза.

Глава 41

НАМ НИКУДА ДРУГ ОТ ДРУГА НЕ ДЕТЬСЯ!

Наступил 1972 год. Я подняла бокал с шампанским и прочла: «Я пью за разоренный дом, за злую жизнь мою, за одиночество вдвоем! И за тебя я пью! За ложь меня предавших губ, за мертвый холод глаз, за то, что мир жесток и груб, за то, что Бог не спас!»

Магистр взялся ставить пьесу Брехта «Мамаша Кураж и ее дети». Пьеса была выбрана для Татьяны Ивановны Пельтцер, а мне досталась роль Катрин — немой. Чек потерял бдительность и решил, что роль немой мне вполне подойдет, не подозревая о том, что Брехт написал ее для своей жены Елены Вайгель, чтобы она объехала с ней весь мир.

Начались репетиции. Отныне вся моя жизнь была посвящена этой роли. Я должна была взять реванш за пять безработных лет. Чтобы быть в актерской форме, я сидела на диете, каждое утро делала зарядку до седьмого пота, спортивной ходьбой добиралась до театра, смотрела на Магистра как на господа бога, ловила каждое его слово и старалась мгновенно выполнить на сцене то, что он просил. А он просил:

— Татьяна Николаевна, в этом спектакле все могут ходить спустя рукава (вдруг с волевыми нотами в голосе) — только вы здесь нервный центр! Все зависит от вас! Все три часа, пока идет спектакль, вы должны заряжать зал!

И бросил мне в руки уже приготовленную реквизиторами куклу — завернутого в одеяло грудного ребенка. «Вот оно что,— подумала я, вздрогнув— будем эксплуатировать трагические события жизни. Как в спорте — нужны физические и психические нагрузки».

Андрей репетировал Хлестакова в «Ревизоре» с Чеком. Премьера состоялась в марте. Все актеры играли сами по себе, играли прекрасно, но решения спектакля не было.

17 мая состоялась премьера «Мамаши Кураж». До этого спектакль сдавали худсовету, в котором состоял и Андрей. Когда я вышла с глазами, полными слез, с грудным ребенком на руках и стала, глядя в зал, спускаться с лестницы — у Андрея свело вены и на какую-то долю секунды остановилась кровь. Роль Катрин в этом спектакле стала моей победой. Я взяла реванш! Я была единственная как оголенный нерв и мое сердце три часа разрывалось в немоте роли, будоража и заряжая энергией зал.

— Егорова, браво! — кричали после окончания спектакля. Пельтцер, уходя за кулисы, ревниво ворчала: нашли кому кричать «браво».

На следующее утро после премьеры мы вылетели на гастроли в Болгарию. Половина труппы театра, в том числе и Русалка, осталась в Москве.

Это был счастливый май месяц. Патологически гостеприимные болгары — каждый день корзины с клубникой, корзины с черешней, неправдоподобные букеты роз, улыбки, встречи после спектакля, «Плиска» и сливовица. Мы ходили кучкой — Магистр, Шармёр, Андрей, Таня Пельтцер и я. Мы не могли расстаться. Я в белом брючном костюме и Татьяна Ивановна в белом платье шли впереди, сзади трое «джигитов», и мы с Пельтцер начинали петь в голос на всю Софию: «Мы наденем беленькие платьица, в них мы станем лучше и милей!»

После спектаклей вечерами мы отправлялись в огромные «ангары», где устраивались встречи с актерами. Там были американцы, англичане, французы. Посреди зала огромная сцена, где все танцуют. Ощущение свободы, радость жизни в другой стране, в дру-

гом городе (в театре это называли синдром коман-
дировочного) кинули нас в объятия друг к другу, и мы
с Андреем бросились танцевать! Вокруг нас в стран-
ных движениях — кто во что горазд — крутились не-
знакомые люди, и Андрей кричал им во всю силу
своего голоса: «Это моя жена! Это моя же-ена!»
Как будто это им было интересно. Но интересно
это было мне — что же у него происходило внутри?
Что в нем так кричало? Я смеялась, я была счастлива
и незаметно ускользала от него совсем в другом
направлении.

Однажды ранним утром перед гостиницей «Со-
фия», в которой мы остановились, вся площадь до
отказа заполнилась людьми. Они что-то неистово кричали. Мы распахнули окна и услышали, как вся площадь скандирует, обращаясь к Папанову, который
озвучивал волка в любимом зрителями мультсериале:

— Ну, заяц, погоди! Ну, заяц, погоди!

По приезде из Болгарии собрался худсовет, и мне
повысили зарплату за роль Катрин, в которой я каждый спектакль рвала свое сердце и после исполнения
которой три дня лежала бездыханной. Повысили зарплату на пять рублей. С 90 на 95 рублей.

Прошло лето, прошли гастроли в Киеве ⟶ открылся новый сезон. Сверху спустили указ — ставить кол-
хозную пьесу, и взялись за пьесу Макаёнка «Таблетка
под язык».

Итак, чтобы приобщиться к колхозной жизни, артистов, участвующих в спектакле, вместо репетиции
решили отвезти в один из колхозов Солнечногорского
района.

Октябрь. Мы в автобусе мчимся по шоссе ранним
солнечным утром. В окнах мелькают желтые и красные листья. Председатель колхоза, все руководящие
партийные лица встретили нас радостно, как обычно
всегда встречают артистов. Экскурсия наша началась
с птицефермы — в клетках сидели кудахтающие куры
и ни одного петуха. Жорик Менглет, наглядевшись
на это куриное царство, вдруг громко, на всю пти-
цеферму спросил у сопровождающих нас колхозниц
в белых халатах:

— Скажите, пожалуйста, а у вас яйца со спермой? Я не вижу ни одного петуха!

Сопровождающие колхозницы в белых халатах нервно взвизгивали и в пылу гормонального смеха отвечали:

— Ой! Что вы! Ой, ну, Гегорий Палыч, скажете!? Без спермы! Через укол оплодотворяем. Каждый вечер! Новая технология!

— Вот это да-а-а-а! — изумлялся Менглет.— Каждый вечер! Вот это технология!

Тут я почувствовала рядом с собой знакомое плечо. Повернулась — Миронов. Прижал меня к клетке с курами, сделал обольстительное лицо — я наизусть знала весь комплект его масок — и сказал тихо:

— Пойдем, ты покудахтаешь, а я — ку-ка-реку!

— Нет, ну как же яйца без спермы?! — продолжал возмущаться Жорик Менглет.

— Теперь пройдемте в коровник! — предложила одна из колхозниц в белом халате. Все с надеждой посмотрели на Жорика, что, мол, и в коровнике он разберется с надругательством над природой.

Вышли на улицу, солнце пригревало — пахло землей, скотиной, сеном. Невдалеке стоял стог.

— Пойдем поваляемся...— опять услышала у себя над ухом приглашение Миронова. Я посмотрела на него, подняв брови, озорно и вопросительно и направилась к коровнику. В свинарнике наслаждались видом поросят и хрюканьем. Миронов опять оказался со мной рядом и тихо хрюкал мне в ухо.

Наконец, экскурсия окончена, нам предоставили 30 минут — прогуляться по краю леса перед банкетом. Мы делегацией возвращаемся из леса — Андрей рядом со мной, в руках у нас охапки кленовых веток с неправдоподобными красными и желтыми листьями формы звезды — в тот день к нам слетелись кленовые звезды прежней любви.

На банкете мы сидели напротив и не отрывали глаз друг от друга. Лес, стога сена, пылающие листья, сочный воздух вдруг обнажили в нас все чувства, которые мы так усердно прятали. В наших глазах, как на экране, мы видели такую любовь, наши лица расплывались в такой глупой и счастливой улыбке, что расстояние разлуки между нами, длиною в полтора года, становилось короче и, казалось, вот-вот исчезнет!

Произносились тосты — за нас, за них, за удои, за яйца (со спермой! — добавлял Менглет), за творческие свершения, за поросят!

— За нас с тобой! — еле шевеля губами, чтобы никто не слышал, добавлял к каждому тосту Андрей.

Ночью в этом же автобусе возвращались в Москву. Было темно, тихо, кто-то спал. Вдруг Андрей вскочил со своего места, схватил меня за руку, поднял с сиденья, и мы под собственный джаз-голос стали лихо танцевать, поднимая ноги вверх, едва не касаясь крыши в этом узеньком автобусе. Мы находились в состоянии экстаза, как всегда, когда бывали вместе. Подъехали к театру поздно — все быстро разошлись. Стоим вдвоем у освещенных витрин с ветками клена.

— Садись. Я тебя довезу, — глухо сказал он.

Я села, и мы помчались по Садовому кольцу. Единственное, что он произнес так же глухо:

— Я потерял тебя и потерял радость жизни.

Мы посмотрели друг на друга — сжалось сердце: нам было так хорошо, как бывает хорошо людям, когда они созданы друг для друга.

У моего подъезда вышли из машины и лицом к лицу столкнулись со Сценаристом. Он, как аргус, как ревнивый муж, поджидал меня, заранее предполагая такой сюжет. Андрей замахнулся на него, сжал в воздухе кулак, с трудом себя преодолевая, бросился в машину и с пронзительным визгом шин, на бешеной скорости умчался из переулка. Сценарист посмотрел ему вслед, молча сел в свой красный «фольксваген» и спокойно, без визга шин тоже уехал.

Я долго стояла, прислонившись к стене дома, с охапкой кленовых веток, смотрела в тьму и думала: «Это меня Бог спас».

Через две недели кто-то в театре громко сказал: «Русалка в этом спектакле участвовать не будет — она ждет ребенка».

Глава 42

ХОЧУ ШАМПАНСКОГО И ПЛАМЕННОЙ ЛЮБВИ! — СВАДЬБА АНТУРИИ

«Приду в четыре,— сказала Мария»,— вдруг процитировал Маяковского невпопад своему настроению Чек. Он затаился у себя на четвертом этаже в кабинете и нервно стучал кончиком карандаша по столу. Магистр, его ненавистное имя, его спектакли, растущая популярность у артистов — все эти мысли впились когтями в голову главрежа — невозможно оторвать.

— Они все с ума сошли,— шептал, свистя сквозь зубы, Чек.— «Пойдете за мной босиком по горящим угольям?» — нагло спрашивает Магистр, и это стадо артистов орет: «Пойдем!!!» А за мной никто не пойдет даже по ковровой дорожке. Измена! Все уходят из-под власти! И Миронов — знаменитый киноартист, я ему уже не нужен. Нет! Зачем же мне дан такой изворотливый ум? Меня не съесть!

Но вдруг опять накатывалась тревога и опять уходило из-под ног с таким трудом выкованное годами мироощущение — «Сегодня я Наполеон. Я полководец и больше!» Он закрыл лицо своими маленькими зверюшечьими ручками, и вдруг ему показалось, как в кабинет вламывается Магистр с толпой артистов, они медленно идут на него, босиком, по горящим угольям, и вместе со стулом выбрасывают с 4-го этажа. Его! На остров Святой Елены!

«Не хочу на остров Святой Елены! Не хочу! Хочу сидеть в театре Сатиры на четвертом этаже! Я — Наполеон! Все на колени предо мной, чтобы ростом казались меньше...» — вертелось в воспаленном мозгу Чека.

В этот период застоя пришла в театр мода на производственные пьесы. Магистр взялся за пьесу Азерникова «Чудак-человек». На роль, после успеха Катрин, я уже не надеялась, да в этой пьесе ее и не было. В распределении вдруг увидела свою фамилию. Я была назначена на роль старухи-секретарши, которая появляется в самом конце спектакля и произносит монолог. Магистр ловко провел Чека. Роль секретарши оказалась чуть ли не главной. Чтобы как-то украсить скучную производственную тему, Магистр решил показать этот образ в развитии — с 20 до 60 лет. И я, постепенно взрослея, должна была появляться на сцене через каждые десять минут, меняя свой образ — в новых париках и экзотических нарядах.

— Где моя любимая артистка Татьяна Николаевна? — говорил Магистр в микрофон на весь театр и предлагал мне написать самой текст к каждому выходу на сцену. Что я с удовольствием и сделала.

По театру ходила аморфная Русалка с растущим животом. В недрах моей души шевелились страшные чувства, а его, Андрюшу, я просто громко ненавидела, перестала замечать. Такими средствами я защищалась еще от одного удара в игре под названием «канадский хоккей», где ставками были наши жизни.

На улице Неждановой продолжалась бурная жизнь. Мы с Антурией с трепетом и восторгом бегали на спектакли к Любимову — Таганка была единственным местом, где мы чувствовали себя вне этой системы. Пылающая Антурия постоянно репетировала в театре, много играла, и ее отношения с иностранцем носили неровный характер. Он продолжал угрожать уйти в йоги, если она его разлюбит, и мы иногда принимали его предложение — прийти к нему в «Метрополь», где он жил. Он выбегал из номера в буфет что-нибудь нам купить, и мы, прекрасно понимая, что нас подслушивают, общались молча, жестами. Потом вдруг Антурию посещало озарение, она начинала безудержно хохотать и на мой вопрос: «Что ты смеешься?» она, захлебываясь смехом, отвечала: «А что, если нас не подслушивают, а за нами подглядывают? С потолка или из клозета?»

Новый год встречали у нее дома, с женихом. Она сидела за роялем, как ангел — вся в розовом кисейном платье, с нежным голубым бантиком на высоко подобранных волосах и пела старинный романс:

> Эх, да пускай свет осуждает,
> Эх, да пускай клянет молва!
> Кто раз любил, тот понимает
> И не осудит никогда!
> И не осудит никогда!

Со стен на нас смотрели Нестеров, Поленов, Айвазовский, а в Антурию безумным взглядом впился иностранец Ули, который уже два года пытался ее уломать выйти за него замуж.

— Что делать? Страшно! — говорила она мне. — Затаскают!

— Лучше быть женой иностранца, чем его любовницей, — возражала я резонно. — Неужели тебе не хочется мир посмотреть?

Неожиданно с нее съезжал ангельский образ, появлялась та самая бусорь, она начинала моноложить, всех «цеплять», советовала Ули немедленно уходить в йоги и вообще всем советовала куда-нибудь пойти подальше. Потом ей это надоедало, она опять «влезала» в ангелоподобие, говорила тихим голосом, улыбалась красиво очерченным ртом и с мудростью прожитой жизни резюмировала:

— Они все одинаковые, с ними надо попроще — подай, прими, пошел вон.

Потом садилась за рояль и продолжала недопетый романс:

> Ты уезжаешь, друг мой милый,
> И не воротишься назад!
> Тебя люблю я с той же силой
> И повторять могу сто крат:
> Эх, да пускай свет осуждает...
> Эх, да пускай клянет молва...

27 марта 1973 года в День театра состоялась свадьба. После утреннего спектакля я бежала что есть мочи на улицу Неждановой, едва успевая на это торжество. Овальный стол был раздвинут и накрыт так, что такое накрытие и во сне не могло присниться. Прибыли из Германии деревья с цветами, просто цветы, масштабы которых не умещались в наше сознание. Двухлетний Максим, сын Антурии, в синем костюме с киской, смотрел на свою мать с изумлением. В белом платье, как облако, с флёрдоранжем в волосах, она казалась сказочной феей, которая превратила одним движением

пальчика серые будни в фантастическое шоу. Было много гостей, через одного — стукачи, много иностранцев из посольства, и на свадьбу приехала знаменитая Зина Игенбергс — мать Ули. Я сделала Антурии подарок — на репсовую ленту повесила старинную серебряную медаль с надписью «За отвагу».

Итак, «молодые» узаконили свои отношения, и буквально через несколько дней на лестнице образовалась очередь из гостей, которые раньше отсиживались по щелям, а теперь жаждали дружить с новобрачными. Что ж, после официального брака ничего никому не грозило и можно было спокойно приходить в дом, сидеть, трепаться, качать ногой, курить вожделенные «Мальборо», упиваться джином с тоником и жрать ложками икру.

В апреле 1973 года состоялась премьера спектакля «Чудак-человек». На худсовете Чек устроил Магистру неприличную сцену с криком и визгом:

— Вы свои личные отношения переносите на сцену! Это вам не лавочка! И все это воо-о-о-още нехудожественно! Снять с Егоровой все костюмы! — кричал Чек.

Всеми способами он унижал и выдворял Магистра из театра. А его фаворитка Галоша умело пользовалась его слабостями и постепенно заглатывала его в свою пасть.

Но у Магистра был ум полководца и хитрость лиса — он не отдал мои костюмы, и я, как назло, блистала в этом спектакле. В последнем монологе старухи-секретарши я получала столько аплодисментов, сколько другие артисты не получали за весь спектакль. Это опять была моя победа. Вся Москва ходила смотреть, как они выражались, на молодую Машу Миронову — так мы были похожи внешне и по манере выражения, хотя внутренне были с разных планет.

Сразу после премьеры вылетели на гастроли в Ташкент. Апрель, начало мая, солнце, базары — горы клубники, зелени, помидоров, огурцов, свобода! Восточное вкрадчивое гостеприимство. Жили в одной гостинице. Ташкентская земля пробудила в артистах пылкое желание любви. После спектаклей с вечера до утра на всех этажах не переставали хлопать двери. Консьержка, сидящая на этаже, с мучительным выражением лица спросила одного артиста: «Скажите, а семьи-то у вас у кого-нибудь есть?».

Русалка осталась в Москве — она была на сносях. Андрей забегал к Акробатке, которая всегда, без всяких сложностей заполняла паузы его неустроенной жизни. Она из множества всех его женщин любила его без требований и без претензий. Я же ненавидела его, сохраняла дистанцию, четко зная, что беременная женщина — это табу.

В номере Наташи и Субтильной организовали night club. На окне зубной пастой Магистр написал night club, и, включая настольную лампу, он махал красным полотенцем, изображая таинственный свет ночного клуба. В этом «клубе» пили шампанское, курили наркотики — одну сигарету на всех по кругу, танцевали. Но и тут Андрей не мог удержаться от сцен. Будучи женатым и имея жену на сносях, он меня ревновал ко всем, как Отелло. С кем-то я танцевала, он меня оторвал от партнера (при том, что я с ним год не разговаривала) и зашаркал со мной ногами на маленьком пятачке гостиничного номера. Акробатка резко отвернулась, схватила стакан с шампанским и жахнула его об пол балкона. Какие страсти!

Руководство Ташкента предоставило нам самолет для экскурсии в Самарканд. Потом к гостинице подъехал автобус с ящиком водки и закуской. «Избранные» отправились в горы на границу с Китаем. На берегу стремительной горной реки Магистр (любил широко гулять) снял с себя куртку и бросил в воду. Его примеру последовали Шармёр, Корнишон — они снимали с себя все что могли и швыряли в реку. Только один Андрей был сдержан и остался при всех своих хороших вещах.

В середине мая театр вернулся в Москву. У нас с Антурией начался новый этап в жизни. Мы обе любили учиться и поступили на курсы английского языка по методу Лозанова. У нас собралась симпатичная компания, и мы получили новые английские имена. Она — Руфь Смит, я — Шила Бёрден. В свободное время мы ездили вдвоем по всей Москве на синей «Волге» — она тренировалась в вождении машины.

— Масла нет! — вдруг кричала она посреди улицы. Через некоторое время опять:

— А! Бензин кончился!

Едем дальше, на Пушечной улице:

— Ой, что делать?! Вода закипает!

Мы выскакивали из машины, открывали бампер, оттуда взмывал фонтан кипятка! Находились какие-то милые тетки из столовой, они тащили ведра холодной воды пополам с лапшой и заливали бак.

Едем по Калининскому проспекту. Еле двигаемся — пробка. Остановились. Справа — роддом имени Грауэрмана. И в эту самую минуту из дверей выходит Русалка с ребенком на руках, в комбинированном платье в белую точечку, рукава фонариком. На тротуаре стоит компания — Андрей, Шармёр, Пудель, Субтильная. Встречают.

— Антурия, едем! — говорю я.

— Я не могу! Видишь — пробка!

Так мы стоим несколько минут, и я думаю: «Зачем ты мне, Бог, посылаешь такие испытания? Или я всегда должна быть рядом в самые главные минуты его жизни? Мистика!»

Они сели в машину и двинулись точно вслед за нами. Я видела в панорамное зеркальце его растерянное выражение лица.

Глава 43

РАЗЛУКА С МАГИСТРОМ. ПРАГА!

— Вы слышали? Магистр уходит из театра? Теперь он главреж театра Ленинского комсомола! Да-а-а-а, он не дремал! Наверное, возьмет кого-нибудь с собой? Да когда это он успел? Да он все эти годы землю носом рыл, только чтобы вырваться от Чека! В общем, он уже не может быть при ком-то, он самостоятельный режиссер. Да-а-а-а, просто Белогубов из своего «Доходного места», — разносилось по театру.

Прощальный банкет в буфете. У многих расстроенные, растерянные лица. Он поднял бокал с шампанским:

— Я с невероятной грустью прощаюсь с вами со всеми... с этим театром... годы, проведенные здесь, можно сравнить только с первой любовью... я благодарен всем, кто был со мной рядом...— и незаметно и тихо мне прошептал:

— Еще неделя, и меня увезли бы отсюда с инфарктом.

Все! Праздник в театре кончился.

Рядом, но уже в тумане, присутствует Сценарист. Предлагает купить мне кооперативную квартиру.

«Нет уж! — думаю я.— Стать содержанкой?»

И отношения неслышными шагами уходят из нашей жизни.

У Жорика Менглета — юбилей! Банкет в Доме архитекторов. Полумрак. На столе горят свечи. Играет маленький оркестр. Я в модных темно-розовых брюках, в синем батнике, поверх из тончайшей замши маленький жакетик сизого цвета. Глаза как две фары, впереди копна челки, на затылке маленький узелок волос. Духи, духи, духи... Вот за одним столом уже кто-то упал — перепился, вот и за вторым свалилась дама... другая дама...

Тут в меня впился, как клещ, Андрюша. Он так меня завернул в танце, что его нос попал в мой глаз. Мы стали смеяться до слез, и я не пыталась вырваться, а наоборот. Тут я услышала истерический крик Русалки. Мы про нее забыли — мы были опять счастливы. Он подошел к ней — она вцепилась в него, пытаясь нахлопать пощечин, он увернулся, послал ее, она, громко крича, повернулась и, хлопнув дверью, ушла ни с чем.

Было поздно. Я вышла из Дома архитекторов и решила пройтись переулками домой. За мной шел Андрей. Догнал. Пошли рядом. Молча. Он закурил и стал исповедоваться мне, как священнику:

— Так жить больше не могу... Все порушу! Все! Это не брак. Мы живем просто на одной территории...

Какой я дурак! Хотел отомстить тебе, а отомстил себе. Я боюсь их! Ее и ее мать! Они заявили, что посадят меня за мои высказывания о советской власти. Они шантажируют меня — говорят, что у них есть записи на пленку, когда я кляну эту власть... Подумать только! Они меня записывают! Как они оскорбляют маму по телефону. Какой я идиот! Отец давно мне сказал, чтобы я бежал... Я погибну... я не могу так жить в этом густопсовом вранье и мании величия. Она считает себя великой артисткой. Господи, ты видела, как она кулак засовывает в зубы в этом знаменитом фильме? Там все больное и безумное, и такая бездарность... во всем. Квартира, красная мебель там останется: она мне ничего не отдаст! Там такая алчность! Убегу в трусах, босиком... Пусть я останусь без квартиры... и вообще без всего... Все порушу! Все!

Было тепло. Стояли у подъезда.

— Сам решай. Я тебе тут не советчик,— сказала я.

Он взял кисти моих рук в свои — все сжимал и разжимал, все сжимал и разжимал. С отчаянием и надеждой смотрел на меня, и в его глазах опять мелькнул трагический кадр.

— Вот уже семь лет, как мы простаиваем у этого подъезда. Смотри, кошка прошмыгнула...— сказала я и ушла, оставив его наедине с его кошмарным браком.

Мне было тридцать лет, и за мной всегда неслась орда кавалеров. Я мысленно выстраивала их во фрунт, пробегала глазами по лицам и вытягивала одного на некоторый период жизни. Мне нужен был хороший собеседник, а если он таил все внутри, не мычал, не телился — сразу подлежал увольнению. Проходило два месяца, кавалер становился неинтересен, и так всегда. Я понимала, что это синдром похмелья моей любви, мягко переходящий в невроз.

Новый, 1974 год встречали у Антурии. Я была с одним из Сатириков. Вообще-то их было два, работали в одной упряжке, потом стали делиться, как инфузории. Один из них впоследствии оплодотворил всю мировую классику, а второй, с годами теряя волосы и юмор, мелькал на экранах телевизора и вызывал чувство соболезнования по поводу безвременно умершего в нем таланта.

Итак, мы сидели у Антурии, в центре стола — Мария Петровна, для нее это был последний Новый год.

На следующий день я узнала, что Андрей в гостях у другого Сатирика, услышав, с кем я встречала Новый год, орал в отчаянии, повторяя одну и ту же фразу: «Как она могла? Как она могла? Как она могла?» Мы не были вместе уже три года, поэтому реакции белобрысого Отелло заставляли меня вздрагивать, пороли мои нервы: я хотела его забыть, а он делал все, чтобы этого не случилось.

В этот период жизни он меня совсем не интересовал: я глубоко и горько переживала разлуку, творческую, с Магистром. Я надеялась, что он не оставит нас, возьмет несколько артистов, с которыми ему полюбилось работать, с собой — так поступали все режиссеры, переходящие из театра в театр. Но прошло время, и моя надежда сдохла. Я поняла, что осталась на растерзание Чека. Вот тут-то он сведет счеты и поглумится над нами. Но оборотничество, свойственное характеру зависимых артистов, сыграло им на руку, и они обернулись опять подданными, кто немедленно, после ухода Магистра, кто постепенно. Я была лишена этого дара и ждала электрического стула или дыбы.

Андрей снимался у Эльдара Рязанова в «Невероятных приключениях итальянцев в России», репетировал впервые в новом качестве режиссера вместе с Шармёром незатейливую пьеску.

— Театр едет в Италию! В Италию! Невероятно! Везут «Клопа» Маяковского. Все друг друга отталкивают локтями — тут все способы хороши, только бы выехать — «хотя бы спицей в колеснице, но за границу! В Ниццу! В Ниццу!»

На собрании театра Чек, глядя с холодной злобой и местью в мои глаза, объявил:

— Все поедут в Италию, а вы будете играть спектакль «Чудак-человек» своего любимого режиссера Магистра!

О! Отомстил!

Шармёр был занят в «Чудаке», но «некоторое искательство к начальству» завело его на четвертый этаж в кабинет к худруку — там он похныкал, поныл, поунижался, пообещал и вышел участником поездки. Я стояла насмерть и не променяла спектакль Магистра на поездку в Италию. Из Италии театр перемещался на гастроли в Чехословакию, куда меня допустили, и я, нисколько не ущемленная таким ходом дела, думала: «А! Обойдусь и Чехословакией!»

Этой же осенью, войдя в театр, я услышала:

— Русалка его застала с Акробаткой! Ха-ха! Не может быть! А дальше? Он эту Русалку видеть не может, что тут непонятного? Она его выследила, устроила скандал с дракой... он убежал... они обе таскали друг друга за волосы... потом поставили чайник и стали пить чай. А в этот же момент Миронов в своем доме на Герцена «случайно» уронил ключи в шахту лифта... Браку финито!.. Даже несмотря на ребенка! Да кого дети держат? Там брак и не начинался! Теперь он живет у матери. Убежал с Герцена в одних трусах, ничего с собой не прихватив. Какую же надо было устроить ему жизнь, чтоб мужик голый бежал, сверкая пятками! Да она просто многозначительная дура. Дура-то дура, а роскошную квартиру с мебелью отхватила. Я же говорила, что она и у нас кого-нибудь оберет! — этот смешанный монолог звучал как обратно перематывающаяся пленка.

— «Ну вот и все,— подумала я.— Недолго музыка играла!» — и пошла на репетицию с песней: «Пой, Андрюша, так, чтобы среди ночи ворвался ветер, кудри теребя, поиграй, чтобы ласковые очи, не спросясь, глядели на тебя!»

Прага. Ноябрь. Окна магазинов — в рождественских украшениях. Свечи, мадонны, цветы. Костелы. Чистота. Артисты варят в номерах гостиницы на плитках омерзительные супы из пакетиков, а на сэконом-

ленные деньги бегут в магазин — прикрыть голые
задницы.

В один из вечеров в банкетном зале в гостинице —
со свечами и хрусталями, люстрами и бокалами —
прием с представителями чехословацкой культуры.
Стою с прямой спиной, улыбаюсь всем, в новомод-
ном джинсовом длинном костюме — юбка-банан, на
ногах элегантные черные замшевые сапожки на тон-
ком каблуке. В руках хрустальный бокал с коньяком.
Только я сделала движение с улыбкой в сторону незнакомого чеха, стоящего рядом, как между нами
вырос Андрей.

— Девушка, что вы здесь делаете? — спросил он
меня.— Можно с вами познакомиться?

— Я — журналистка,— ответила я в тон.— Хотела
бы взять интервью. Может быть, у вас?

— Буду счастлив! У меня масса времени!

— Как вы считаете, что важнее в искусстве — как
или что? — начала я.

— Кто! — ответил он.

— Любимый художник?

— Тот, кто вам нарисовал ваш носик!

— Композитор?

— Бизе-Щедрин! Но безе лучше отдельно. В виде
пирожного.

— Цвет?

— Вашего белья. У вас какое? Можно посмотреть?

— Однако, вы нахально себя ведете. Любимое
блюдо?

— Кофе с сигаретой и...

— Город?

— Прага!

— Имя?

— Татьяна, русская душою, сама не зная почему,
любила рюмку коньяку.

— Время суток?

— С 9 вечера до 9 утра, начиная с сегодняшнего
дня.

— Любимая архитектура?

— Кровать,— и добавил.— Теперь я холост и надеюсь, вы не откажетесь выпить со мной чашечку
кофе. Немедленно уходим отсюда.

И на глазах изумленной публики мы покинули банкетный зал.

Тихо играла музыка. Горела свеча.

Посреди номера стоял открытый чемодан, рядом с чемоданом стояла я, совершенно голая, в сапогах, и он, вытаскивая один за другим бесконечное количество разноцветных шелковых итальянских платков, завязывал их на всех частях моего тела. Платками были перевязаны руки у предплечий, локти, кисти, шея, наискосок, как шаль, платок закрывал одну грудь, а другая — вызывающе торчала, еще один платок лег на бедра, я качнула ими, пошла танцевать восточный танец. Не снимая этого наряда, я пила кофе, курила сигареты — внутри происходили бурные монологи, в движениях была осторожность, глаза блестели грустной радостью.

— Что будет дальше? — сказали мы в один голос.

Мы лежали, обняв друг друга. Было неясно — смеемся мы или плачем, и он все вскрикивал:

— Таня! Это ты? Не может быть! — трогал меня руками, как слепой, и все повторял до утра: — Таня? Это ты? Неужели это ты, Танечка? Да развяжи ты эти платки, наконец...

Сделав несколько акробатических трюков — мостик, колесо, шпагат,— Акробатка, которая не расставалась с ним в Италии, прислонила ухо к двери и пыталась понять, что же там происходит?

Андрей, напившись к утру коньяку, пел:

> Вернулся я на родину,
> Шумят березки стройные.
> Три года я без отдыха
> Служил в чужом краю!

— Танечка,— говорил мне Андрей,— прошу тебя, я тебя очень прошу, я так отвык от этого, прошу тебя, нарисуй мне лицо.

Я рисовала ему лицо нежно-нежно, вдруг ему становилось щекотно, он вздрагивал, смеялся, в эту ночь мы так и не заснули.

В театре на спектакле, проходя мимо, он, загадочно улыбаясь, бросал в меня фразу из «Ревизора»: «Душа моя, Тряпичкин, со мной такое произошло!» Ох, мы были на подъеме! Мы провели медовую неделю. Он говорил:

— После Риги наш любимый город — Прага! Давай здесь останемся! Попросим политического убежища, устроимся в театр. Я буду рабочим сцены, а ты реквизитором. Бросить всех! Забыть все! А как же мама?

После этой фразы мне показалось, что ко мне подъехала гильотина. Мама! Я совсем забыла про маму, и эта «радостная» весть вернула меня в реальную действительность и заставила посмотреть на все другими глазами.

Глава 44

УДАЧНАЯ ОХОТА ПЕВУНЬИ

— Слушай, как там Миронов? — спрашивала меня Певунья при встрече в Доме актера. — Развелся или не развелся?

«Как там Миронов?» — она спрашивала всегда и у всех. Но теперь ее это особенно волновало — у нее родилась дочка, но отношения с отцом ребенка не сложились, и она воспитывала малютку одна.

У Андрея началась новая жизнь на улице Танеевых у родителей. Музыкальная система, динамики занимали почти всю комнату. Это создавало неудобства для Марии Владимировны, тем более она была раздражена ситуацией — коту под хвост такую квартиру на Герцена! Она стоила стольких трудов и денег!

— Обобрали! Я говорила, что тебя ограбят!

Каждый вечер она сидела в прихожей, где стояли книги, и судорожно ждала сына. Менакер устал от жизни, плохо себя чувствовал и уже не мог соответствовать ей, конфликтеру, во взрывных ситуациях. А вот Андрей — воспламеняющийся и заводной... Он приходил домой очень поздно — спектакль, потом гости, потом еще гости, и уже с порога начиналось:

— Я тут с ума схожу! Я не знаю, что мне думать! Где ты шляешься, сволочь?!

Андрей тут же поддавался на провокацию, тоже начинал кричать:

— Мне уже не пять лет! Не надо меня все время ждать и проверять! Я не ребенок! У меня такой ритм жизни! Хватит! Мне надоело!

— Ах, тебе надоело?! — кипела Мария Владимировна в этом животворящем для нее конфликте.

Он находился в отчаянии. Из огня да в полымя! Вернуться назад на Герцена — лучше в петлю. Жить с матерью — они не могли ужиться, они очень похожи — невмоготу!

А я? Я опять ускользала. Я разрывалась пополам. Одна моя часть рвалась к нему, а другая — от него. «Я не справлюсь с этим образом жизни, с матерью, а она будет всегда кружить вокруг нас на метле, и я его возненавижу в первые два месяца. «Рудольф Валентино», кинолюбовник, театральный кумир! А дома — тиран, узурпатор и психопат. Он опять меня закабалит, и я буду сидеть при нем как собака Баскервилей. «Таня, не наступай на одни и те же грабли! — шептал мне инстинкт самосохранения.— Сиди тихо. Жизнь сама все поставит на свои места». И она поставила!

Однажды вечером с улыбкой и песней в квартиру на улице Танеевых впорхнула Певунья. Как заблестели глаза у Марии Владимировны! Она сразу налила рябиновой, они крепко выпили, и Певунья увезла к себе домой артиста Миронова. «И с ним была плутовка такова». Она была на вершине счастья — наконец-то ее охота увенчалась успехом. Ему некуда деваться! И ее ненасытное тщеславие было удовлетворено. Она форсировала получение двухкомнатной квартиры, а пока они вдвоем, как родители, решили заняться концертной деятельностью. В психиатрии это называется принудительное повторение — повторение судьбы родителей. В декабре они уже уехали в Ленинград на первый совместный концерт.

Андрей мечтал о нормальной семье, ему показалось, что вот наконец-то все может получиться. Певунья — хваткая, деловая, хозяйственная. И главное — увлечь себя на поставленную задачу, а задача — сделать дом, семью, место, куда бы он мог спокойно приходить и чувствовать себя хозяином.

Они как одержимые играли концерты, а я писала рассказы, очерки... Вызвала Шармёра, прочитала ему рассказ, он послушал и сказал:

— Иди на Цветной бульвар в «Литературную газету», на пятый этаж. К Веселовскому. Он — главный редактор шестнадцатой полосы. Отдай ему это, напечатает. Будет приставать.

Так я и сделала — пошла на Цветной бульвар, поднялась на пятый этаж к Веселовскому — это был лесной рыжий человек. Приставал, но рассказ напечатал. 25 июня 1975 года состоялась моя литературная премьера. «Бедная Лиза» назывался мой рассказ на шестнадцатой полосе «Литературной газеты». Так по-разному мы с Андреем отметили новые повороты жизни — он растрачивал свой блистательный Божий дар, трепал его в концертах, зарабатывая деньги, а я сконцентрировалась на даре литературном и выскочила из артисток в писательницы.

На репетиции зеленоглазая Зина в зрительном зале размахивала газетой и провозглашала:

— Рассказ Егоровой в «Литературной газете»! Напечатан рассказ Егоровой! В газете! Кто бы мог подумать!

Привожу этот рассказ, который наделал тогда столько шуму.

БЕДНАЯ ЛИЗА

— Лиза, вы... вы, Лизочка, прелесть, — говорил я, сидя за столом многолюдного ресторана.

Модная Лиза, экстравагантная, красные ноготки на тонких пальцах, черное платье и красный длинный шарф. Ресницы касались лба. Глаза, огромные, изумленные, смотрели на меня с надеждой.

— Лиза, вы горящая головешка, нечаянно брошенная в мою жизнь! Это какое-то наваждение, какая-то страсть!..

Она тихо промолвила:

— Под силой страсти мы подразумеваем такую страсть, предмет которой так необходим для нашего счастья, что без обладания им жизнь кажется невыносимой. Гельвеций.

И глядя в мои остановившиеся глаза, добавила:

— Французский философ восемнадцатого века, эпоха Просвещения...

И засунула себе в рот ветку петрушки.

Я быстро наполнил наши бокалы шампанским и постарался перевести разговор в другое русло:

— Вы любите живопись, Лизочка? Вчера я был на выставке «Шедевры европейской...»

— Да, конечно,— перебила она.— Учиться можно только на шедеврах. Настоящий шедевр можно узнать по такому бесспорному признаку: в нем ничего нельзя изменить. Поль Валери.

Я нежно коснулся ее руки:

— Лиза, руки-то какие холодные! Замерзли? Нет? Наверное, сердце горячее? — спросил я, заглядывая ей в глаза.

— Схоластическое восприятие мира,— холодно отпарировала она.— Сердце? Наши сердца — высохшие ячейки. А любовь, друг мой, это зодчий вселенной.

Акции мои падали. Я мучительно напрягал свою память, припоминая, что читал в последнее время. Я хотел вспомнить хоть какого-нибудь писателя, но ничего кроме «Солнечный круг, небо вокруг» в голове не вертелось.

— Солнечный круг, небо вокруг,— сказал я.

Она зловеще-снисходительно улыбнулась:

— Лозунг Горация. Отважься быть разумным!

«Золотые слова»,— подумал я и стал нервно шарить по карманам, ища спасительную сигарету. А она сидела, глядя на меня своими неподвижными глазами, и выклевывала с тарелки длинными тонкими пальцами то морковку, то горошек, отщипывала маленькие кусочки теплого калача.

Я закурил. «Сейчас или никогда! Дерзай!» — сказал я себе.

— Так вот, посмотрите в окно, Лизочка, как прекрасен этот мир... Посмотри... посмотри... Я хочу...

Я хочу... чтобы, так сказать, день начинался и кончался тобой. Одиночество — страшная штука...

— Все талантливые люди одиноки.

Добрый человеческий голос неожиданно появившейся официантки вывел меня из оцепенения:

— Бифштексики можно подавать? Прожаренные или с кровью?

— С кровью,— сказала Лизонька.

Я испуганно посмотрел на нее и заказал себе коньяк. Сочувственно мне улыбаясь и очищая с ноготка оторвавшийся кусочек лака, она нежно пропела:

— Ах, вы эдакий эпикуреец! — Я пил рюмку за рюмкой. Постепенно стекались люди. Они шумели, разговаривали, смеялись!!! Я видел, как смотрели мужчины на мою спутницу. В голове стучало. Передо мной были уже две... три... четыре Лизы, и все они наперебой говорили потухшими голосами классиков.

— Напрасно вы мешаете коньяк с шампанским. Надо выбрать что-то одно,— как будто издалека звучал ее голос.— Умение различать необходимо для обладания наслаждением.

— Кто?! — угрожающе спросил я.

— Эпикур, Эпикур. Я неоэпикурейка, только не путайте меня с язычницей.

Теперь я уже понимал, что положение мое безнадежно.

Она, таинственно заглатывая орешки, вызывающе посмотрела на меня и, звякнув браслетиком, ехидно произнесла:

— Ум — это звучащая лишь в унисон струна. Лабрюйер.

— Чтобы день начинался и кончался тобой! — с отчаянием прорвалось у меня наружу. Затравленная память моя восстала, и я стал кричать:

— «Ум хорошо, а два — лучше!», «За твоим языком не поспеешь босиком!», «Знает и ворона, что нужна оборона!», «Сердце с перцем, душа с чесноком!»

— Вы просто пьяны,— жалобно начала она, оглядываясь по сторонам.

— Пьяный проспится, а дурак никогда! — кричал я в экстазе.

И в тот момент, когда она сложила губки, чтобы оскорбить меня пронзительной цитатой, я поднял рюмку коньяка и с наслаждением прочитал свои первые стихи:

> Лиза, да ты просто дура!
> Начиталась Эпикура!

Тут она взвизгнула, бросив на меня полный слез уничтожающий взгляд. Это был ее собственный голос, прекрасный и неповторимый. Я стоял, раскачиваясь, как матрос на палубе, с рюмкой в руке. И когда она была уже у дверей, не обращая внимания на посетителей, я крикнул:

— Завтра в пять позвоню! Лиза! Лизонька! Голос природы, которому мы внимаем, самый прекрасный голос в мире!

— Монтескье! — услышал я сзади. Передо мной стояла официантка, подавая счет.

Глава 45

А МЫ ОПЯТЬ ВМЕСТЕ!

Чек вопреки Зининым восторгам по поводу моего литературного успеха озлился и один за другим снял все спектакли Магистра из репертуара. Я практически оказалась без единой роли. Но этого было мало. Перед моей гримерной каждый день садистически вывешивали мои экзотические костюмы из «Чудака» — они были все разрезаны либо вдоль, либо поперек. Я прижимала руку к сердцу и сгибалась в три погибели от боли.

Еще несколько рассказов были напечатаны в «Литературной газете» — на этом моя эпопея с рыжим, в веснушках, Веселовским закончилась. Я задумала написать пьесу.

«Ищи путь, все более отступая внутрь; ищи путь, смело выступая наружу. Не ищи его на одной определенной дороге... Достигнуть пути нельзя одной только праведностью, или одним религиозным созерцанием, или горячим стремлением вперед... Ищи путь, пробуя всяческие испытания...» — гласила древняя мудрость.

У меня появилось время, и я стала анализировать свою жизнь, свои поступки, себя. Где-то на периферии моего сознания толклись слова: Андрюша... белый конь... «Жигули»... Певунья... выгода... опять белый конь, на котором он за мной не заехал в этой жизни, променял коня и любовь на антикварную люстру, а я не могу забыть моего несчастного ребенка и тот страшный год! Не могу! Хоть режь! И враждебность к нему заполняла миллионы моих клеток.

В августе этого же года мы вылетели на гастроли в Алма-Ату. Брат мой с женой работали за границей, приехали из Ирана и воткнули в один чемодан несметное количество рулонов иранского синтетического материала разных цветов, химических, с люрексом. Рулоны — розовые, зеленые, синие, желтые, голубые. На них нельзя было смотреть — сразу начинали слезиться глаза.

— Танюша, может, там, в Казахстане, кто-нибудь это купит? — попросили меня родственники.

«Танюша» не отказалась от рулонов и на полусогнутых тащила их в далекий Казахстан.

Ох, какой красивый город Алма-Ата! Чистый. Цепь гор со снежными вершинами, горные журчащие речки с невиданными кустами, усыпанными белыми цветами, «Медео», красочные базары.

Как-то разговорилась с казашкой-буфетчицей — не нужен ли вам материальчик? Очень красивый! Заграничный! Она пришла в мой номер, ахала, охала, потом сказала: «Я возьму полметра на кофточку». Я подумала: «Если так будет двигаться торговля, то мне надо будет сидеть здесь года два или три, чтобы продать все». Тут мелькнула идея, и я, взяв два рулона и двух артисток с собой, чтоб не было скучно, отправилась в комиссионный магазин. Зашли сразу за «кулисы».

— Девочки... здрасьте... мы из театра Сатиры... вот вам билетики на спектакль... Нам надо толкнуть материал,— тут я достаю рулон и продолжаю,— отрежьте себе, каждая, на платьице или на костюмчик.

Как вы думаете, у вас это пойдет? У меня таких еще восемь штук.

— Несите,— сказали «девочки» с раскосыми глазами. И я принесла, совершенно не надеясь, что этот кошмар может кто-нибудь купить.

Через девять дней позвонили из магазина и пригласили прийти получить деньги: все продано!

Я получила огромное количество денег — запечатанные пачки из одних замусоленных трешек.

— Кто же это все купил? — робко спросила я, предполагая, что это могли быть новобрачные.

— У нас в такие материалы покойников заворачивают,— сказали раскосые «девочки».— Это очень важно — в последний путь уйти в красивом.

По этому торжественному поводу невероятной сделки артистки сидели в моем номере и «купались» в шампанском.

— Царство им небесное! — периодически выкрикивала Субтильная, имея в виду завернутых покойников.

Так проходила материальная сторона жизни, но была и романтическая.

Я опять сидела в ванной в номере Андрея, он занимался своим любимым делом — тер меня мочалкой, шампунем мыл голову, вытирал насухо, потом мы менялись местами — я терла его мочалкой, выливала шампунь на его роскошные волосы. Вышла в комнату, совсем голая, за полотенцем — оно осталось на стуле — и засекла «разведку» — за окном номера, выпадая одновременно из человеческого облика и с территории своего балкона, маячило лицо Корнишона. Он сосредоточенно вслушивался и вглядывался во все, что происходит в номере у Миронова.

— Андрюшенька! Бунин! Бунин! Надо немедленно читать Бунина!

И мы читали «Лику».

— Что с тобой? — спрашивал он меня, видя, как на меня вдруг накатывает туча. От Бунина я переносилась в свою жизнь, начинала плакать, потом рыдать и говорить сквозь слезы:

— Я ничего не могу забыть! Я не могу забыть эту историю с ребенком... как я лежала на этом столе...

и ты... тогда меня предал... не могу... и сейчас ты меня предал...

— Тюнечка, я не знаю, что мне думать... ты сама все время от меня бежишь...

— Потому что я боюсь, у меня уже рефлекс собаки Павлова...

— Тюнечка, ты меня бросила сама, а если мы будем вместе, ты меня возненавидишь и опять бросишь... Я не могу больше так страдать... Мы все равно любим друг друга... Кто же у нас отнимет нас...

Зазвонил междугородний телефон. Певунья.

— Мне некогда! — резко и хамовато ответил ей Андрей.

И мы опять впились в книгу. Уходя, я сказала:

— Не стоит так разговаривать с женщиной, с которой живешь. Перезвони.

На следующий день он подошел ко мне и отчитался: «Я перезвонил». После спектаклей мы ездили в горные рестораны, в аулы, ночами купались в бассейне на «Медео», парились в бане и совершенно отключились от московской жизни. Шармёр все это замечал, вынюхивал и пытался вбить клин в наши отношения. Это был типичнейший Швабрин из «Капитанской дочки» Пушкина.

— Таня,— подошел однажды ко мне бледный Андрей,— так нельзя поступать и говорить такое нельзя!

Я быстро выяснила в чем дело и поняла, что это низкая интрига завистливого Шармёра.

По коридору гостиницы шагает Субтильная на каблуках, я беру ее за руку и говорю:

— Сейчас идешь со мной!

— Куда?

— Увидишь!

Входим в номер Шармёра. Он лежит под белой простыней. Вечер. На тумбочке — бутылка коньяка и стаканы. У меня внутри бушует смерч Торнадо. Сажусь рядом. На стульчик в изголовье. Субтильная — у стены в кресле, у торца кровати. В ногах.

— Ты же непорядочный человек,— начинаю я спокойно.— Хоть ты и напялил на себя маску добренького — рога-то проглядывают! Ох, не добренький ты! Возлюбленная твоя — зависть, на какие страшные поступки она тебя толкает! Ты одновременно мудак, Яго и подлец.

Он лежит под белой простыней, как завернутый покойник, и ни одна жила не двигается на его лице.

— Ты не только подлец — ты нравственный шулер! Как же ты Андрея ненавидишь, завидуешь! Это и ежу ясно, спаиваешь его, наушничаешь. У тебя куча ушей на голове (вспомнила я Новый год).

Субтильная на нервной почве беспрерывно моргает глазами — у нее тик.

— В общем, диагноз,— продолжаю я,— мерзавец студенистый!

Шармёр не шевелится. Я подхожу к столу, беру с него большую вазу с цветами и швыряю в открытую балконную дверь на улицу. Сажусь на стульчик. Он не реагирует. Стук в дверь. Дворник:

— Это из вашего номера сейчас ваза вылетела?

— Да вы что? — отвечаю я.— У нас тут больной, мы его навещаем.

Дворник уходит. Тогда я предлагаю:

— Давай выпьем! За др-р-р-р-ужбу, по анпёшечке! Ты же любишь коньячок! — И наливаю нам по пол-стакана коньяка.

— Давай чокнемся! — Он берет стакан, я продол-жаю.— Когда чокаются, надо в глаза смотреть, нич-тожество! — И плеснула ему коньяк в лицо. Он вско-чил с кровати совершенно голый с криком: «В глаза попала! Глаза!» — И бегом в ванную мыть свои за-брызганные коньяком очи холодной водой. Через ми-нуту он, как раненый вепрь, выскочил в комнату, схватил меня, бросил на кровать и стал душить. Номе-ра в гостинице крохотные, поэтому, нагнувшись и схватив меня за шею, он невольно водил своей голой задницей по носу Субтильной.

Я совершенно не удушенная, лежала на кровати, смеялась и говорила:

— Совсем душить не умеешь! Какие у тебя руки слабые!

Он порвал, конечно, все побрякушки, висящие на моей шее, я с трудом собрала остатки и, уходя, не-брежно заметила:

— Кстати, для чего я приходила? Совсем забыла... Не стоит мне портить жизнь и делать гадости. Со мной это опасно. Мне нечего терять.

Мы вышли. Субтильная прислонилась к стене коридора совершенно ошарашенная.

Глава 46

СПОРТИВНЫМ БЕГОМ ОТ ЛЮБВИ

В отношениях между Чеком и Андреем прошмыгнула кошка. Чек нервничал, когда его артисты уходили из-под власти. А тут Андрей наконец-то обрел «ведущего», и «ведущий» повел его по дороге, в конце которой брезжило неслыханное и невиданное материальное богатство.

Они с Певуньей, как две белки в колесе, разъезжали по стране, зарабатывая деньги. Когда кто-то у Певуньи спрашивал:

— Зачем вы столько ездите?

— Деньги зарабатываем! — бойко отвечала Певунья.

— А зачем вам столько денег?

— Как зачем? Вещь какую-нибудь купим!

Так Андрей свой талант, свои духовные ресурсы менял на вещи, на эту бутафорию жизни. Очень невыгодный бартер.

Отец, Александр Семенович, умолял его остановиться, но его голос пропадал на фоне громкой концертной деятельности.

В театре происходили перемены. На одном из банкетов Аросева, знаменитая пани Моника, приняв стакан алкоголя для смелости, бросилась на шею Чеку, тем самым продемонстрировав известную поговорку: «Если ты не можешь задушить своего врага — обними его!» Она его так крепко «обняла», что он не мог вырваться из ее объятий все остальные годы. Она брала реванш напористо и средства для достижения цели — стать главной артисткой театра — не выбирала. Труппа навсегда простилась с той Олей, которая прожила десять мученических, отверженных лет в театре.

Чек все больше и больше попадал под влияние своей фаворитки Галоши. Ее задача была убрать с дороги всех: «Подумаешь, Миронов! На которого ставят все спектакли! Хватит! Теперь будут ставить спектакли на меня!»

Тут и принялись за постановку «Горе от ума». Это был спектакль-пародия, где Софью играет здоровая баба, выше всех ростом, с 45-м размером ноги, со скрипучим голосом, и любовь Чацкого вызывала недоумение у самого Чацкого и у зрителей. Особенно были «изысканны» спектакли, когда Галоша играла Софью, будучи на 9-м месяце беременности. Это было совершенно новое решение пьесы и новое ее содержание, где беременную от Молчалина Софью пытались спихнуть влюбленному дураку Чацкому. Бедный Грибоедов и бедный Миронов — последнему невмоготу было играть в новом «варианте»: он мучился, страдал и иногда, доходя до отчаяния, просто проговаривал текст. Кончилось это, как известно, криком Пельтцер в микрофон в адрес Чека: «А пошел ты на хуй, старый развратник!» Все народные и заслуженные затаились, сидели тихо, думая про себя: «Ну, до нас-то очередь никогда не дойдет». Меня склоняли на всех собраниях, издевались, вводили в массовки, объявляли выговора, вычитали деньги из зарплаты, лишали минимальных заработков — концертов. И все молчали.

Андрей ходил по театру замкнутый, сосредоточенный. Его мысль носилась где-то в другом месте. Жизнь с Певуньей казалась стабильной, они рьяно принялись за устройство дома, она очень старалась, все терпела — ведь они еще не были расписаны, прожив уже три года. Теперь она тоже ездила за рулем и, удовлетворяя свое ненасытное тщеславие, принимала у себя всех его знаменитых друзей.

Она была из кагебешной семьи, и для нее дом Марии Владимировны и сам Андрей представляли

другую ступеньку социальной лестницы, на которую
ей очень хотелось взобраться.

Однажды возле театра мы сели в его машину и поехали в Барвиху. Стояла опять весна! Скамейка наша
оказалась цела, но немножко покачивалась и скрипела.
Тоненькие зеленые листики развернулись сердечком
и символизировали вечную любовь к нам. Желтые,
пышные головки одуванчиков покрыли всю землю
и вызывали детскую радость. Все так же плавно под
нами неслась вода Москвы-реки. А вдали, за рекой,
голубая дымка...

Андрея что-то мучило: он чувствовал неприязнь
Чека, все понимал про Галошу. Эта мышиная возня
в театре истощала его. Ему было не по себе. Чувство
горечи отпечаталось на его лице.

— Ой...— вздохнул он.— Как здесь хорошо. Какая
у тебя сейчас жизнь, Танечка?

— Пьесу пишу.

Он засмеялся.

— У тебя не очень хороший вид. Тебя измотали
концерты. Остановись,— сказала я.— Не променяй
первородство на чечевичную похлебку!

— Да, да... Я устал,— заметил он грустно.

— А как ты живешь?— спросила я.

— Да... по-разному...

— А почему ты не женишься на ней?!

— Какая разница? Гражданский брак... Мы же
жили так с тобой пять лет.— Вдруг он засмеялся и сказал: — Я боюсь. Боюсь, что все изменится
к худшему. У меня и так ничего нет. Я опять все
потеряю.

— Нет, Андрюшечка, должно быть понятие чести — если живешь с женщиной, надо на ней жениться.
Мне очень хочется, чтобы ты был порядочным человеком.

Этот текст обычно по драматургии жизни должна
говорить сыну мать. Но она не знала этого текста.
У нее был другой репертуар.

— Ты ненавидишь мою Машу?— спросил он.

— Сначала ненавидела, но я себя ломаю. Она
ни в чем не виновата. Может, когда-нибудь я ее
и полюблю.

— Певунья говорит, что из всех женщин боится только тебя.

— Слышала бы она сейчас, как я тебя уговариваю на ней жениться.

Он положил свою руку на мою, теребил пальчики, и мы долго и молча смотрели в голубую даль.

Вскоре после нашей беседы он решил зарегистрировать свои отношения с Певуньей. Приезжая в Ленинград к Темиркановым, он говорил:

— Все... все... все... Я женюсь!

Жена Темирканова, Ирочка, пыталась его остановить:

— Андрюша, подожди... не ошибись! — Певунья им не очень нравилась, Ирочка считала, что в ней много фальши, лжи... а жаргон?! Parvenu!

— Андрюша, у нее дегенеративные реакции,— говорила она.— Ты помнишь, мы сидели в «Астории» вчетвером, ты сказал, что у меня красивые плечи — Певунья вскочила, рыдая, и убежала. Это же дегенеративные реакции, а потом ты сам ужасался... Помнишь, мчались в «Стреле», вы с Юрой наперебой читали стихи, было такое ощущение полета, а вернувшись в свое купе, она тебе устроила скандал по поводу того, что у нее нет таких ботинок, как у меня... Так что подумай!

— Нет, нет... я женюсь... все! Я решил. Главное — она маме нравится.

И ни слова о любви или о каком-нибудь другом близлежащем чувстве. И женился. С моей легкой руки.

А я бежала спортивным бегом от любви. Романы в моей жизни не переводились, и все это была игра, и все это облекалось в поиски близкой души. Мужчины приходили в мою жизнь как экскурсанты — ничего не взяв и ничего не оставив. Все отношения развивались по одной и той же схеме с разными оттенками и быстро себя исчерпывали.

Вот, например, Мик, журналист из Риги. Между нами диалог:

Он. Много лет я не был в таком смятении, как сейчас. Ни с кем не испытывал духовного родства, как с вами.

Я. Знаете, когда встречаешься с человеком, всегда надо думать о том, как будешь с ним расставаться.

Он. Боюсь, что наши отношения могут принести много горя... нам либо одному из нас. Бежим от великой любви!

Я. Присоединяйтесь, я уже давно бегу.

Он. Я хочу вас запомнить, я хочу вас присвоить!

Я. Запоминайте.

Он. Я вас не могу поймать, ощутить, понять... Вы — красивая, вы от меня ускользаете. Я бы хотел вас спросить: почему вы не отказались продолжать наши отношения?

Я. Моя профессия накладывает на меня отпечаток.

Он. «Истина — конкретна!» — как говорит Ленин.— И целует в коленку.— Итак, вы сексуальна, индивидуальна и двойственна. Развита. Интеллект, как граница, между вашей сущностью и той манерой, с которой вы общаетесь с людьми.

Потом розы — красные, белые, розовые... в ресторане достает мою грудь из сарафана и целует при всех. Позер. Записал в записной книжке на букву «Л» — любимая — мой телефон.

Я в Москве. Он звонит из Риги на букву «Л». Я морщусь, потом смеюсь, а внутри — мне никто не нужен! Приехал из Риги — опять розы, вьется ужом, делает предложение, боится отказа и ждет моей реакции. А я молчу, как баран, и думаю — хоть бы он сейчас испарился! Как я хочу спать, и одна!

С этим кончено. На горизонте другой экскурсант.

Он. Милая, возлюбленная.

Я. Томительный Восток течет в моих жилах. Знойная Аравия — там умирают от любви. Любящий должен разделить участь любимого!

Он. Пусть этот день будет знаменательным! Было предчувствие, что что-то должно произойти... и был странный вечер. Мы пили Абу-Симбел.

Я. Я болею без тебя, и в горле ком, я думаю: «Как мне с тобой хорошо». Ты произносишь: «Как мне с тобой хорошо!»

Он. Возлюбленная моя! Я вспоминаю то солнечное утро, когда мы были вместе... я догнал тебя...

Я. Удивительное солнечное мартовское утро, ты догнал меня на дороге — я забыла свои «драгоценности».

Он. Они там всегда теперь будут висеть. У нас сплелись улыбки навсегда... Мы мало спали, но чувствуем себя прекрасно. Значит, все правильно. Возлюбленная моя!

Потом мой дом. Обед. Он говорит: «Очень вкусно!» А мне скучно. Привез три гвоздики, одна сломанная, как будто с кладбища.

Я (раздраженно). Да что вы все время говорите о каких-то идиотах! И в постели сразу смотрите телевизор!

Он. Родная моя!

Я. Где уж!

А потом написал пьесу — героиню списал с меня — «Я стою у ресторана, замуж поздно, сдохнуть рано». За одной из бесед Драматург в отчаянии признался:

— Беда! Эфрос репетирует моего «Дон Жуана», и у самого финала артист Даль все бросил, развернулся и ушел. Дон Жуана в Москве нет! Репетировать некому!

— Есть! — говорю я. — Миронов! Это то, что вам нужно.

Так Андрея Миронова Эфрос пригласил в свой спектакль, и я, можно сказать, подарила ему счастье репетиций с выдающимся режиссером, спектакль и возвышенные дни его жизни. Так уж получилось, что я всегда заботилась о нем и помогала.

А вот еще один экскурсант замаячил на горизонте. Я вибрирую. Скоро, вероятно, мы с ним тоже «коснемся крыльями», и я буду сидеть нога на ногу, в наманикюренных пальчиках — сигаретка, качать ногой и пугать его своими монологами:

— Ах, интересно, кем вы станете в моей жизни? Сорняком? Удобрением? Садовником? Трансформатором? H₂O? Ангелом? Гипотенузой? Катетом? Синусом? Косинусом? Пылью или ветром?

И дальше — спортивным бегом от любви.

Глава 47

АНДРЕЙ БОЛЕЕТ В ТАШКЕНТЕ

Я не верю! Получила отдельную квартиру! Сделала ручкой своим амурам на Арбате и переехала на проспект Вернадского в 16-метровую хрущобу. Квартира досталась старая, грязная, и мне понадобились геркулесовы силы, чтобы все отскрести, отмыть, сделать капитальный ремонт и превратить эту пчелиную соту в игрушку.

Незадолго до получения ордера (так боялась, что не получу) в один из мартовских дней раздался звонок во входную дверь. Я открыла. Вломилась рожа, очень неприятная, в черном тулупе — сует мне в нос красную книжку, там написано КГБ. Не успела я проглотить охапку воздуха, как он влез в мою комнату и уселся на стул, нагло раздвинув ноги. Я дрожала, как заяц, как овечий хвост, как осиновый лист на ветру. В голове, как в рекламе, мелькали слова: мама, КГБ, ужас, вербовка, позор, они могут сделать все, что угодно!

Я открыла холодильник, достала полбутылки «Каберне» и предложила:

— Не хотите выпить?

— Я на работе не пью,— ответил он.

У него оказался гнусавый голос, который выдавал психическую неполноценность. Глазки бесцветные, сошлись в одной точке у носа, который и носом-то назвать нельзя,— что-то в виде розетки с двумя дырками.

Я налила себе, спасаясь от страха, бокал вина и стала пить глотками. Сразу полегчало, перестала дрожать и сказала:

— Я вас слушаю.

— Налейте мне тоже винца...— загнусавил он.

Налила ему «винца». Выпил залпом.

— Вот вы на работе и пьете! — констатировала я. — Как вы в КГБ-то оказались, такой парень симпатичный? — спросила его я, давясь от отвращения.

— Я учился в Плехановском... мне предложили... я пошел...— Исчерпывающий ответ.— А чё не идти-то?

— Тут, наверное, платят лучше? — продолжала я допрашивать его.

— Конечно! — сказал он, не отрываясь от бутылки вина.

Я поняла его взгляд, набулькала ему еще. Опять выпил.

— Вы где отдыхаете? — спросил он гнусаво и загадочно.

— Обычно в Латвии... на берегу моря.

Тут он положил свое тело на стол, перегнулся пополам, сделал свои рачьи глазки страшными и прошептал (видать, их там так учили):

— А в Сибирь не хотите?

— Я там была, и не раз,— сказала спокойно, имея в виду гастроли.— А вы? Не были? Вот вам бы туда и поехать! — посоветовала я с подтекстом. Он с опаской посмотрел на меня, вытащил из кармана тулупа «Приму» и хотел закурить.

— Нет! — сказала я строго.— У меня не курят. И вообще мне пора в театр. Подъем! — И, одеваясь, подумала с горечью: какие же дешевые кадры подбирает себе это КГБ. Прямо обидно!

Идем по улице, мне кажется, что на меня все смотрят — я с кагебешником! Все показывают на меня пальцем.

— У вас бывают левые концерты в театре? — начал он.

— Здрасьте! Я-то откуда знаю. Я не играю ни левых, ни правых. Лучше прямо скажите, что вам от меня надо? — спросила я в упор.

Обволакивая меня убойным дымом сигареты «Прима», он загнусавил:

— Знаете... вы... артистка... могли бы нам помочь...

— Чем?

— Я вам расскажу,— оживился он.— Мы вам даем

«девочку», вы с ней сидите в ресторане «Националь», стреляете иностранных «мальчиков».

— Поняла. Дальше.

— Знакомитесь, для того чтобы выведать информацию...

— Так, так, ну?..

— Клеите их, проводите время — рестораны, жратва, деньги, белье...

— Ну а дальше? Пошла раз в ресторан, два, три... а потом он мне говорит: поднимемся ко мне выпьем джинчику с тоником? Мне идти?

— Идите, идите! — бодро говорит гнусавый.

— Ну поднялась я... Выпили... и он меня на кровать заваливает! Что мне делать?

— В морду! — возмущается агент.

— Тогда я информацию не выведаю!

У него на лице смятение.

В общем он предложил мне стать иностранной проституткой и тем самым помогать органам.

— В вашем театре многие нам помогают! — разоткровенничался он.— Мы все можем. Мы и заслуженных даем, и народных.

— Поищите кого-нибудь другого. У нас столько желающих!

Тут мы подошли к театру Сатиры, я вскочила на ступеньки, как на безопасную территорию...

— Когда увидимся? — спросила меня эта мерзость.

— Пошел отсюда, ничтожество! Не смей никогда ко мне близко подходить! Пошел вон! Что стоишь?

Целый месяц он звонил мне и угрожал по телефону матом, а потом меня не взяли на гастроли в Югославию — его «святыми» молитвами.

Андрей за эти годы снялся в нескольких фильмах, где эксплуатировал одну грань своего таланта — поверхностного соблазнителя женских сердец. Он снялся в «Соломенной шляпке», «Небесных ласточках», «Двенадцати стульях», «Обыкновенном чуде» Шварца. Тип сердцееда вызывал восторг массового зрителя, а он страдал от того, что его не приглашали в свое кино ни

Михалков, ни Тарковский, ни другие серьезные режиссеры.

Он стал болеть. Вдруг зачастил ко мне на проспект Вернадского, в мою «соту», читал мои пьесы, спал перед спектаклем. Я пыталась развеселить его своей болтовней:

— Мне нужно жить минимум 500 лет! — говорила я.— Я ничего не успеваю. Да, да, да!

100 лет я потратила бы только на любовь к тебе!

100 лет только на музыку!

100 лет на медицину!

100 лет на живопись!

100 лет на путешествия! Кстати, привези мне лыжи с дачи! Они мне нужны!

— Нет, Танечка, не привезу. Ты еще туда приедешь. Кто знает, может быть, мы там проведем счастливую старость? Вместе.

Осень 1978 года. Малые гастроли в Ташкенте. Я в Москве, и, как под дых, известие:

— Миронов в Ташкенте умирает. У него что-то с головой!

Что? Говорят, клещ укусил! Какой клещ? Менингит! У меня подкосились ноги. Вся трясусь. Бегу к Наташе — она только оттуда вернулась,— слушаю и плачу, а в груди громко бьется сердце, и я кричу внутри себя: «Какая же я сволочь бесхарактерная, ну почему я не могу его разлюбить? Ну почему? Я ведь так стараюсь...» — и вместе мешаются в платке и слезы, и сопли, и вопли.

А в театре все знают и продолжают трепаться:

— Говорят, уже прошел кризис... выживет? Что же, это такое у него было, интересно? А Певунья-то? Вылетела к нему и в первый же вечер пела на эстраде: не терять же ей время зря... Она-то и знает, что у него было! Ей-то врачи сказали, а ему, конечно, нет! Она его заездила! Да-а-а-а...

И сезон открылся без него, как-то странно, грустно, без блеска.

Вспоминаю строчки из его письма: «Танечка, не пытайся жить без меня неделю и больше!» И опять водопад слез и доходящая до грани срыва боязнь за его жизнь.

Через несколько месяцев он появился в театре — чужой, незнакомый, отрешенный человек.

Сидит у меня дома у торца старинного орехового стола и нервничает:

— Это безумие! — говорит он.— Она меня заставляет, чтобы я удочерил ее дочку! Я к девочке хорошо отношусь, люблю, но я не хочу! Будут две Маши Мироновы! Это же — Гоголь! Я не могу выразить, но что-то чувствую в этом недоброе. Не хочу я удочерять! Ну не хочу! У нее есть отец. Господи, ну что они меня так терзают?! Или это потому, что я...— дальше он не договорил, какая-то страшная мысль подползла к нему, он затих и долго безжизненно смотрел в окно.

Весной он уже носился по театру оживленный, с новой идеей. Он пришел к Чеку:

— Вот пьеса «Трехгрошовая опера», я хочу ее ставить!

Чек улыбнулся, одобрил, и Андрей каждый день влетал к нему в кабинет воодушевленный предстоящей постановкой, рассказывал решение спектакля, выкладывал свои соображения по поводу той или иной сцены, музыкальных номеров, он хотел сделать спектакль совсем в новом стиле... Он был так заряжен этой идеей, что зарядил и Чека, и тот, впитав в себя все идеи азартного Миронова, в один прекрасный весенний день заявил Андрею:

— Ты не будешь ставить этот спектакль. Ты еще не дорос. Этот спектакль буду ставить я.

Через пятнадцать минут Андрей сидел у меня на Вернадского за торцом овального стола и рыдал. Сначала он рыдал из-за «Трехгрошовой оперы», из-за предательства, а потом рыдания поменяли регистр, и мне почудилось, и мне послышалось, что он рыдает о чем-то большем, чем эта гнусная воровская история! Напоила его валокордином, открыла окно, положила спать. Сама сидела на кухне и отгоняла страшные предчувствия, которые ползли ко мне изо всех углов и щелей. Я почему-то вдруг связала его болезнь в Ташкенте и требование Певуньи немедленно удочерить ее дочку.

Тем временем Чек распределил роли в пьесе Брехта — Андрей, конечно, Мэкки-Нож, а я вместе с остальными «девушками» от 25 до 60 назначена на роль проститутки.

На первую репетицию собрались в БРЗ.

— Проститутки, бляди...— громко говорит Чек.— Идите сюда, ко мне поближе, чтобы я я вас всех видел.

Ну что, проститутки, будем работать! — И засмеялся пошленьким смешком. Тут на глазах произошло оборотничество. Вдруг он обернулся милым седым старичком, который ласковым голосом сообщил:

— Знаете, я решил никого не мучить, если кому-то не нравится роль — откажитесь. Я не буду иметь никаких претензий.

С самого начала я была заведена обращением — проститутки, бляди. Он будет год глумиться над нами, каждый день ходить на эту бессмысленную пытку, лучше я пьесу напишу, подумала я. В зале стояла напряженная тишина. Я встала, отчетливо и громко при всей труппе заявила:

— Пользуюсь вашим предложением и отказываюсь от роли проститутки. Мне это неинтересно. Когда у вас найдется более серьезная работа, дайте знать. Всего доброго. До свидания.— И не ожидая никакого одобрения, стуча каблуками, вышла из зала.

За этим поступком потянулась цепь оскорблений, иезуитских преследований, но я уже научилась уходить от пеленга и сама пугала их всех так, что, когда входила в театр, разносилось по этажам: «Егорова идет!».

В мае сижу в своей прелестной квартире — звонит телефон. Снимаю трубку:

— Танька, что ты сейчас делаешь? — Менакер!!!

— А что,— говорю,— Александр Семенович, у вас есть предложения?

— Конечно! Приходи к нам. Сейчас!

— Что купить? Как обычно, лимон и бородинский хлеб?

— Да, да...— и слышу издалека голос Марии Владимировны.

Пришла в новую квартиру на Танеевых. После Праги мы с Андреем часто бывали в ней. Сейчас в розовом костюме, загорелая (на балконе), воодушевленная (писала пьесу) села на диван под революционный фарфор. Мы не виделись почти десять лет, не считая одного мгновения, когда встретились случайно на Арбате с Марией Владимировной и прошли мимо, не поздоровавшись. Я видела, как они удивленно смотрели на меня — как же, не пропала, не спилась, а стала другая, даже лучше.

Мило болтая, мы провели два часа, и, когда я уходила, Мария Владимировна сказала: «Таня, приходите!» Еду в метро — ощущение, что побывала во времени десятилетней давности: опять этот рояль, эти тарелки и родители... Однако какой Менакер миротворец. И что бы это все значило? И опять страшные предчувствия поползли ко мне изо всех углов и щелей.

Глава 48

НА ПРОСПЕКТЕ ВЕРНАДСКОГО ПОД АБАЖУРОМ

1980 год оказался бурным и насыщенным. 8 января, в день моего рождения, Андрею пришла в голову идея пойти в ЦДЛ. Пригласил Марту Линецкую и меня, и вечером мы втроем отправились туда на просмотр фильма «Сталкер» Тарковского.

Фильм длинный, провидческий, надо шевелить мозгами все три часа, чтобы уловить мысль Тарковского. Немного озадаченные после картины, мы сели в машину, отвезли Марту и поехали ко мне на Вернадского выпить по бокалу в честь моего дня рождения. В эти дни он был холост — жена в отдаленной географической точке пела.

Овальный стол, коричневая скатерть, хрустальные бокалы из Праги, красные тарелки... На одной стене — иконы, на другой — большая картина в белой раме

«Натурщица в розовом» работы моего кузена-художника. Абажур над столом.

Пьем коньяк, говорим о фильме, под абажуром уютно. Он дотронулся до него рукой и абажур закачался, как маятник. Он смотрит на абажур, а я на него — грустный, изможденное лицо с налетом маски. Я спрашиваю:

— У тебя что-то случилось?

— У меня конфликт лица и маски. Я очень болен...

Я знаю о его болезни, но мне кажется, он говорит о чем-то другом.

— Надо врача хорошего,— продолжаю я.

— Меня бог наказывает, я был у врача.

— И что он сказал?

— Он сказал... «куда несет нас рок событий»...

— Все говоришь общими словами. Андрюшенька, ты очень изменился! Надо что-то делать, менять внутри, говорят, даже мебель надо постоянно двигать в квартире, чтобы не застаивалась. Ты знаешь, у меня на правом плече сидит ангел и говорит: «Крестись, крестись!» Я чувствую, мне надо бежать в церковь и креститься. Это самое главное в жизни, не театр, не карьера... И ты бы крестился! — говорю почему-то все это полушепотом.— Святые говорят, что в мир мы приходим больные и наша задача— исцелиться... Нас спасет только Господь Иисус Христос.

Андрей вдруг оживился и стал рассказывать:

— Я никогда никому не говорил, даже родителям, но я помню! Меня нянька крестила, Анна Сергеевна. Старуха. В детстве я так болел, а она очень верующая: крестила окна, меня крестила на ночь... Родителей не было по полгода, она любила меня до беспамятства. Конечно, она меня крестила тайком. Помню, как в тумане, куда-то меня окунали, я орал, было холодно...— Засмеялся и сказал: — Больше всего на свете я боюсь Бога, маму и Ольгу Александровну Аросеву!

Я подняла глаза — на нас смотрела икона Владимирской Божией Матери, да так пристально, что стало нехорошо.

— Андрюша, давай перекрестимся и помолимся перед иконой, а то посмотри, как она на нас смотрит. Мы осенили себя крестом и помолились вслух, как умели, своими словами — мы не знали ни одной молитвы.

— Я в детстве ненавидел кошек,— вдруг сказал он.— Тер их все время головой о камни.

— Это я знаю. Ты мне всегда рассказываешь об этом.

— Меня это мучает. Таня! — вдруг окликнул он меня как-то странно, как будто я была далеко.— Таня! Единственную, кого я любил всю свою жизнь, это — тебя!

Под теплым светом абажура это признание прозвучало не как объяснение в любви, а как вскрытие раны.

— Видишь, жизнь устраивает нам какие репетиции...— засмеялся он.— Мы все время вместе, рядом, но в разных ролях — то я от тебя скрывал левые походы, как от жены, теперь у меня другая жена, и я скрываю тебя от нее.— Он встал, начал ходить по квартире в поисках пыли, неопрятности, неровности: он созрел для замечаний.— Ты для меня стала драматургом! — вдруг заявил он.

— Да! Я уже три пьесы написала. Это мои дети. А надо — семь. Помнишь, ты мне писал записку: у нас будет семь детей? А ты... что для меня? Какой-нибудь шкаф красного дерева купишь, двенадцатый по счету, но для себя!

— Это Певунья одержима вещами... ой, ужас!

Мы спали, обняв друг друга. Мы уже перешли огненную линию страстей, и эти чистые объятья соединяли крепче, чем десять тысяч страстных поцелуев. А утром он кричал из ванной:

— Таня! Сколько десятилетий тебе говорить, что пасту надо выдавливать из тюбика снизу!

Той ночью мне снился сон. Андрей на сцене театра в черном костюме Гамлета и произносит одну и ту же фразу: «Быть или не быть, быть или не быть?» Тут с двух сторон из-за кулис на него шагает мебель на человеческих ногах — шкафы красного дерева и старинное бюро, кушетки карельской березы, кресла, стулья, буфеты, граммофоны, люстры, столы — она обступает его все ближе и ближе, он пытается выскочить, не может, она сжимает, сдавливает, он, задыхаясь, кричит: «Быть или не быть?» Мебель сплющивает его. А вместо него над мебелью появляется голубая лента, она в воздухе завязывается в бант, и этот бант одиноко парит над сценой. Перед всей этой бутафорией жизни появляется Певунья, раздутая до размеров шкафа, и резко поет: «Ля-ля-ля-ля-ля-ля-ля-ля-ля-ля, жизнь прошла кое-как стороной, ля-ля-ля-ля-ля-ля-ля-ля-ля, лишь колышется бант голубой!»

Я проснулась в ужасе, посмотрела, кто рядом со мной — слава Богу, Андрей, а не голубой бант. Заснула. Пошла вторая серия сна. Я выхожу на сцену и громко объявляю:

— На мысли, где бы достать денег, я трачу столько энергии, что на количество этой энергии можно построить мощную электростанцию! И все равно — финансы поют романсы!

На сцену выходят на человеческих ногах финансы — трешки, пятерки, десятки, сторублевки. В одной руке у них микрофон, другую руку они вызывающе ставят в бок и поют романс:

> Ни малиновые вазы,
> Ни брильянты, ни цветы,
> Ни рубины, ни алмазы
> Не спасут от нищеты!
>
> Раз однажды бедный нищий
> Постучался в дверь мою —
> Я сама ведь голодаю!
> Голодаю, но пою!
>
> Ни малиновые вазы,
> Ни брильянты, ни цветы...

В то время мой дом был для Андрея эмоциональным убежищем. Дома с женой происходили традиционные сцены — она самоутверждалась, бесконечно унижая его, причиняя ему боль жестокими и злыми словами. Но у него была своя жизнь, у меня — своя. Я не была и не хотела быть с ним связанной. В феврале в саду «Аквариум» на земле белее белого лежал снег и играл блестками каких-то химических соединений. Мы стояли с Андреем рядом, я быстро, быстро говорю:

— Я... сейчас... пока... не звони... меня не будет

дома. Буду жить какое-то время в другом месте... Меня интересует судьба Валенштейна... Шиллер, пьеса «Лагерь Валенштейна» в трех переводах. И вся немецкая поэзия... Он переводчик... Это — университет! Поэзия всего тысячелетия, от лирики вагантов до Петера Вайса «Убийство Марата». Я вся горю от волнения: Шиллер! «Ах, только тайная любовь бодрит и будоражит кровь!» — И убежала.

Теперь в театре он стал окружать себя икебанами из молодых артисток.

Жизнь в театре под управлением Галоши становилась невыносимой. И в один и тот же период Андрей и я, не сговариваясь, попытались уйти из театра.

Я сидела в главном управлении культуры в кабинете заведующего театрами и рыдала. Это было неожиданно для меня, и эти рыдания расшифровали бездну отчаяния, в котором я находилась. Я с трудом справилась с собой, чтобы выразить свою мысль.

Мне было предложено на выбор два театра. Я остановилась на одном из них. По звонку из управления культуры мы встретились с главным режиссером, он был рад моему приходу в театр: у меня была репутация хорошей актрисы. Он берет меня в свою труппу! Господи, наконец-то я избавлюсь от Чека, от нищенской зарплаты, которую мне специально никогда не повышали, от всей этой помойки, от этого чуматория! Я ходила к чудотворной Казанской иконе в Елоховский собор, просила Царицу Небесную устроить мою жизнь.

Через неделю главный режиссер театра, который брал меня в свою труппу, был со скандалом изгнан из театра этой же труппой. Я осталась волею судьбы домучиваться в своем чуматории.

Андрей в то же время на последнем издыхании от оскорблений и издевательств Чека бросился к Магистру в Ленком. Уже все было готово к тому, чтобы ему перейти в этот театр, они с Магистром даже обсудили вариант постановки новой пьесы о Кромвеле, и вдруг решение изменилось: Кромвель отменяется и отменяется театр Ленком.

Так высшие силы удержали нас рядом, так нам вместе не удалось покинуть театр, и мы вдвоем остались доживать в нем до самого главного события в нашей жизни.

Это все идет насыщенный 80-й год. Война в Афганистане. Живодерня. Андрей Дмитриевич Сахаров один на всю страну бесстрашно кричит о бессмыслице этой войны, о ее преступности. За это его ссылают с женой Еленой Боннэр в Горький. Поистине «Горе от ума»!

Весна. В театре репетируют «Трехгрошовую оперу». Андрей окунается в жизнь лондонского рецидивиста Мэкки-Ножа. Я зашла в зал посмотреть, как идет репетиция. Подсел Андрей.

— Ну как? — спрашивает он.— Похож я на рецидивиста, на бандита?

— Ты втянешься и что-нибудь на себя накликаешь,— говорю я ему.

— Вчера был худсовет. Всем зарплаты повысили, а тебе — нет. Клянусь, я их так уговаривал, я так просил за тебя — бесполезно! А во-о-от, если бы я был бандитом, у тебя было бы все! — сказал он с интонацией Мэкки-Ножа.

У нас был канал, не Беломорско-Балтийский, а соединяющий наши души, наше сознание, и мы всегда чувствовали то, что происходит с одним из нас. На меня тут же пошел его поток — я окунулась в его бандитскую жизнь. Он, как главарь, сидел во главе стола, я рядом, он всем заявляет:

— Поскольку ей не повышают зарплату — сегодняшняя добыча вся ее! Бери!

— Андрюша, пожалуй, я пойду, на меня что-то это произведение давит.

Он засмеялся, и мы расстались.

Через несколько дней, на Троицу, возвращалась поздно ночью из гостей. Субтильная с Пуделем доехали до Бронной, она внесла его в подъезд, а я осталась одна в три часа ночи на Садовом кольце. Подъехало такси. Впереди, рядом с таксистом, сидит довольно молодой мужчина. Я мнусь, мнусь, страшно — ночь и таксист не один. Наконец, решаюсь и сажусь на заднее сиденье. Выяснилось, они едут в мою сторону. Разговорились. Впередисидящий оказался офицером из Афганистана. И через три дня улетал назад, на войну.

— Как вы можете людей убивать! — воскликнула я.

— Я же присягал, и если я откажусь, меня посадят в тюрьму.

— Лучше пятнадцать лет отсидеть в тюрьме, чем убить человека.

Он повернулся в мою сторону, и я увидела красивый профиль.

Я говорю, что скоро уже мой дом, и вдруг он начинает нервничать.

— Я знаю, меня убьют, я не вернусь, там так страшно, бедная моя мать. Вы здесь отсиживаетесь. Вы правда актриса? Я вас умоляю, завтра, то есть уже сегодня вечером, прошу вас встретиться со мной на час, выпить бокал шампанского. Меня все равно убьют.

Во мне поднимается чувство вины перед ним, напротив торцом стоит гостиница «Дружба», и я, пробираясь внутренне сквозь какую-то подозрительную неуверенность, обещаю ему:

— Завтра я приду сюда в восемь часов вечера.

На следующий вечер подхожу к ресторану в назначенное время. Никого. Вдруг вижу мой ночной спутник выскакивает из такси, быстро направляется ко мне совсем не военной походкой — в нем какая-то суета, беглый взгляд. В зубах — дешевая папироса и что-то во мне говорит, что я влипла. В историю! Боже мой! Криминальная личность! — проносится в моей голове. Поздоровались. Вошли в ресторан. Он мне вручил подарок — оборванную книгу «История шпионажа». Он знаком со всеми швейцарами, и с ними на «ты». Сидим за столом. У меня начинает стучать башка — давление, от страха. Достаю из сумки таблетку — запиваю шампанским. К нашему столу подходит некто Михаил, а-ля Смердяков, с верхними сплошь стальными зубами. Страшное поле напряжения между ними. Они говорят на жаргоне, междометиями — я ничего не понимаю. Михаил ретируется, и тут я спрашиваю «офицера» в упор:

— Ты сколько лет просидел в «Афганистане»?

— Догадалась! Догадалась! — закричал он.— Как ты догадалась?!

— За что сидел?

— За валютные операции, за воровство, клянусь, мы на мокруху не идем! Ты меня осуждаешь?

— Нет, не осуждаю. Только жаль, что ты так непрофессионально работаешь. Литературу надо читать.

— Я потрясен! Ты меня не осуждаешь? Ты такая доверчивая! Космически. Мы вчера с таксистом с дела ехали. Ты правда артистка?

— Правда.

— А я главарь шайки рецидивистов по кличке Латыш, ну а так Лева Домбровский.

— Почти что Дубровский! — говорю я.

Подходит Михаил со стальными зубами, делает знак, приглашает в другой зал, мы встаем, а рецидивист по кличке Латыш продолжает:

— Как нас неправильно сажают! Я бы создал совершенно новый метод! У меня все разработано. Как нас бьют в МУРе! Сколько я пережил. Скажи, Мишка, я сделал когда-нибудь кому-нибудь подлость?

«Странный вопрос»,— подумала я.

Входим в маленький зал. За длинным столом сидит вся шайка. Мы садимся в торце этого стола, и он представляет меня этой малине:

— Познакомьтесь, это — моя жена!

Вся малина смотрит на меня с хищным уважением. Латыш продолжает, стоя:

— Они все будут следить, чтобы с твоей головы не упал ни один волос. Мишка предупредит весь район, чтобы тебя не трогали, оберегали!

Наконец мы на улице. Он меня провожает. У меня дрожат все поджилки — думаю, сейчас как накинется! А он что-то записал на клочке бумажки, протягивает мне.

— Возьми телефон Михаила. Если что-нибудь случится или я понадоблюсь — звони.— Посмотрел на меня в упор: — У тебя есть трудности? Тебе нужны деньги?

Я чуть не заплакала: ни один человек, кроме рецидивиста, не задал мне такого вопроса.

— Хочешь, я ради тебя ограблю квартиру министра? Мы грабим только коммунистов, а на суде скажу, что все пропил.

— Что же ты себя сам сразу на суд программируешь? — возмутилась я.

— Мне у тебя надо брать уроки. Ты мне не дашь свой телефон?

— Запиши,— говорю я дрожащим голосом.

— Я вчера выиграл в карты два билета на концерт. Пойдем? Я хочу дарить тебе цветы!

— Нет. Не пойду,— говорю я.— У нас разные пути. Ты служишь дьяволу. А я пытаюсь служить Богу. Я буду просить у Бога, чтобы ты раскаялся. Я не хочу тебе читать мораль и говорить: «Оставь эти дела». Ты не сможешь. Ты повязан. До свидания.

— У меня был сегодня самый счастливый день в жизни! — кричит он из темноты.

На следующий день мы с Андреем стоим в раздевалке после «Фигаро».

— Ты себе не представляешь, как я вчера вечером репетировал Мэкки-Ножа! Было ощущение, что я вышел за пределы театра, был в шайке — это какая-то мистика, это вне меня, я никогда не смогу это повторить! Возьми цветы, мне сегодня столько подарили.

И кладет мне в руки огромную охапку роз.

Через год Левка Латыш позвонил мне, поздравил с праздником 7 Ноября и сказал:

— Я тебе благодарен. Я не могу сказать, что я иду в ногу в общем марше со всей страной, но я изменил свою жизнь.

Глава 49

МЫ В КНИГЕ ЖИЗНИ НА ОДНОЙ СТРАНИЦЕ

25 июля как выстрел в горло прозвучала страшная весть — умер Володя Высоцкий! «Мы не умрем мучительною жизнью, мы лучше верной смертью оживем!» Цепная реакция потрясения охватила всю страну. Че-

рез три дня небольшая кучка артистов собралась у дверей театра во главе с Цыпочкой; она — известная
актриса, у нее пропуск, и она может нас провести
в театр на Таганке на похороны сквозь непроходимый
кордон. Похороны превратились в акцию протеста
против существующей власти. Вдруг распахнулись
двери театра Сатиры, на ступеньки выскочил возму-
щенный директор и стал истерически кричать: «Ос-
тановитесь! Не смейте туда ходить! Я вам запрещаю!
Не смейте! Это безобразие! Я вас всех перепишу!»

Мы у театра на Таганке. На крышах домов сидят,
стоят люди. Все близлежащие площади и переулки до
отказа набиты людьми. Мы пробираемся в помещение
театра. Посреди сцены гроб с... ним. Его отпевал отец
Александр Мень — через несколько лет его убьют
топором по голове.

Возле гроба стоит Андрей. Возложил цветы. Ему
осталось жить семь лет.

После этих похорон мне стал сниться странный сон.
Снится Андрей, но в образе Спартака. Восстание происходит на сцене Большого театра. Андрей танцует
партию Спартака в одноименном балете. В римской
короткой светлой тунике он в три прыжка пересекает
сцену, за его спиной — изгибающиеся в развевающих-
ся туниках римлянки. Спектакль в Большом театре
в моем сне состоит из двух частей. Начинается вторая
часть — это уже не балет, это — опера, но тоже «Спартак». Андрей в роли Спартака поет на авансцене арию,
призывающую рабов к восстанию.

Этот сон приходит ко мне пунктуально раз в месяц
в течение последующих лет.

— Андрюша! — говорю я при встрече.— Я изумлена! Ты мне все время снишься в роли Спартака
в Большом театре — то ты танцуешь партию Спартака в балете, то поешь в опере... А я думаю во
сне — нет предела его таланту: он и балерун, и опер-
ный певец.

Он смеется и говорит:

— А мне снятся совсем другие сны... Будто я наве-
щаю Машу. Прихожу на Герцена, там «салон» — сидит Русалка в центре с сигаретой и бокалом вина,
вокруг нее тьма каких-то темных личностей. Мужики

курят, пьют, едят... Прямо на стенах в комнате, как в магазине, развешаны пальто, платья, платки, кофты, лежит гора сумочек. Она поворачивается ко мне и говорит на повышенных тонах:

— У нас нет денег! Мы с Машей голодаем! У нас даже хлеб не на что купить! И эти вещи приобрести я должна, но мне не на что! Выходит маленькая Маша из другой комнаты тоже с бокалом, с сигаретой, на каблуках. Я кричу: «Как ты воспитываешь дочь? Что здесь за бардак! Одни тряпки на уме!» Маша спокойно отвечает: «Папа, мама говорит, что нам обязательно нужны для жизни все тряпки и гора сумочек!» Вот такие сны мне снятся, Танечка, тоже очень часто,— говорит с грустью Андрей.

Однажды ко мне приехал деловой человек, по рекомендации, с гладким лицом и сделал предложение:

— Я уезжаю в Америку, мне нужна жена. Там одному начинать очень трудно. Вы порядочный человек, я знаю, выходите за меня, а там я сделаю все, чтобы вы были счастливы.

Перед его приездом я пересчитала мелочь в кошельке: хватит ли мне на метро? И одни долги! Как в том анекдоте: «Скажите, если вы выиграете огромную сумму денег, что вы сделаете? — Я? Долги отдам! — А остальные? — А остальные потом!» Ах, как мне вдруг захотелось в Америку! Это так далеко и мне никогда туда не попасть!

Мчимся на его машине на спектакль в театр. По дороге он меня спрашивает:

— Вы могли бы меня полюбить?

Я не могу ответить и снимаю тему каким-то глупым вопросом:

— Вы умеете играть в буриме? — наигранно весело спрашиваю я.

— Когда-то...— удивляется он.

— Начинайте,— толкаю я его локтем.

Он почесал в голове и начал:

— Что думают дельцы и гонщики авто?

— Как из поющих птиц скроить себе манто! — продолжила я.

В тот момент я считала себя поющей птицей, которую насильно заставляют петь, а петь может птица, только когда она любит! Этот странный вопрос — «Вы могли бы меня полюбить?» А вдруг смогла бы! Уехала бы в Америку, народила там трех ребят, ездила отдыхать во Флориду, имела свой дом, три машины, и в конце концов от этого счастья и изобилия — спилась бы... нет, будем доживать тут. И зачем мне обманывать его и себя — полюбить я не могла.

— Таня, мы с Левой и Никитой уезжаем,— произнесла Наташа, стоя у окна гримерной. Как она похудела, осунулась, чего стоило ей это решение! — Никита сказал, что, если его возьмут в армию, он наложит на себя руки...— И заплакала.

Уезжали с болью, с надрывом, с разрывом всех связей — ведь уезжали, как мы тогда думали, навсегда. Опустела гримерная, опустела часть сердца, которую заполнить не мог никто. Цепная реакция эмиграции не прекращалась.

18 декабря 1980 года по театру разнеслась весть — Андрей Миронов удостоен звания народного артиста. Этим же вечером в малом зале театра — банкет. Все нарядные, на «котурнах», Андрей не прекращает произносить слова благодарности. Наш с ним канал работает безупречно — в зале больше ста человек, но он не отрывает глаз от меня, я от него, и вместе со словами благодарности в мои глаза из его глаз струится свет.

Постепенно зал пустеет — лежат одинокие бутерброды, стоят пустые рюмки, загашенные окурки в блюдцах... Мы сидим рядом с Певуньей. У нее впереди клок незакрашенных седых волос, глаза с красным ободком, помятое лицо...

— Тяжелый случай,— сквозь зубы произносит она, повернув глаза в сторону своего мужа.

«За что боролись, на то и напоролись»,— подумала я, попрощалась, поблагодарила и уехала домой.

30 декабря состоялась премьера «Трехгрошовой оперы». В финале спектакля — Андрей на авансцене, в черной шляпе с накинутой на него петлей. По ходу пьесы петля исчезает: Мэкки-Нож — свободен! А в мо-

ем сознании петля затягивается туже, я пытаюсь ее разорвать руками, снять, но она затягивается все туже! С неприятным и скорбным чувством выхожу из зала.

Это произошло в Новосибирске — бывший город Новониколаевск, на гастролях. Стою на берегу могучей реки Оби, ветер... ангел все сидит на правом плече и шепчет: «Крестись, крестись...»

Пришла в церковь на службу. Чудная деревянная церковь, иконы намоленные, общая исповедь. Священник, редкого красноречия, исповедует горячо — рвет сердце, душу. Стою, реву:

— Господи, да прости ты меня, окаянную, убогую, никчемную, блудную дуру. Господи! Зачем ты выбросил меня на эту землю как в штрафной батальон, на столько дней и ночей и не сказал, как жить!

На следующее утро в центре Сибири в деревянной церкви вместе с грудными детьми я приняла святое крещение от отца Иоанна.

Стою на ветру на берегу бескрайней синей реки Оби и чувствую: «Свершилось! У меня есть Бог! Я спасена!».

Наступили тяжелые дни нашей жизни. В феврале умерла моя мама, а 6 марта умер Александр Семенович Менакер. Я прибежала в театр — вечером шел спектакль с участием Андрея, вошла в гримерную, он стоял спокойный, мы бросились навстречу, крепко обняв друг друга, зарыдали.

На следующий день я нанесла визит Марии Владимировне. Вошла в квартиру. Она, как всегда, сидела в «книгах», в сеточке на голове, в халате. Вокруг нее несколько знакомых дам. Уже в который раз она рассказывала: «Саша собрался прогуляться, вышел из комнаты, приложил руку к сердцу, сказал «Маша!» и упал... Таня! — вдруг закричала она, увидев меня.— Та-а-ня! Простите нас! Простите... простите!»

Я сначала даже не поняла, о чем она... Посидела, собралась уйти.

— Нет! Таня! Поставьте чайник, пожалуйста...—

На языке ее символов это означало — не уходите, мне нужно, чтобы вы были рядом. Я пошла ставить чайник. Приехали Андрей с Темиркановым.

— Вы не знакомы? — спросил Андрей.

— Нет, нет,— хором ответили мы.

— Так познакомься, Юра! Это — моя любимая жена!

Через час «любимая жена» вышла из квартиры на улице Танеевых. Я шла и думала: как странно — мы в книге жизни на одной странице — родители и те умирают друг за другом, как будто сговорились. А Мария Владимировна со своим «Простите!»? Однако она не простой человек — как в ней глубоко сидит чувство вины, о котором я и не подозревала. «Не ладно что-то в датском королевстве!»

Жизнь идет. Давно уже под давлением Марии Владимировны дочь Певуньи из Марии Николаевны превратилась в Марию Андреевну. Нажали на Андрея — удочерил. Растут две Маши — не в любви, а во вражебности. Умер Менакер, и никому не хватает ума их соединить.

Андрей одержим режиссурой — ставит спектакли в театре, играет, записывает диски, поет, болеет, болеет!!! Я снимаюсь у Райзмана в фильме «Время желаний». Андрею Бог послал Алексея Германа. «Мой друг Иван Лапшин», роль Ханина — после всех канотье, песенок в окружении девчушек и цветков — пронзительно-трагическая роль. Нельзя сказать, что он ее сыграл — он просто отдернул занавес своей души.

Опять звонят:

— Здравствуйте, это из Комитета госбезопасности. Надо увидеться.

Соглашаюсь. Назначаю свидание у кинотеатра «Звездный» — рядом с домом. Уже нестрашно. Страшно всегда только в первый раз. На следующий день выглядываю, как Штирлиц, из-за угла — как он там выглядит нонешний кагебешник? Надо же «приготовить» манеру поведения. Кстати, о Штирлице. Говорят, он упал с 18-го этажа, но чудом зацепился за 9-й, наутро чудо распухло и мешало ходить.

Я вырастаю перед оперативником.

— Здрасьте! — Мы идем по проспекту Вернадского. Это уже совсем новое поколение чекистов. Куртка, белая рубашка, галстук, кейс. Не хамское лицо. Говорит:

— Ваши друзья уехали, эмигрировали. Поддерживаете с ними отношения?

— Да.— А то он, думаю, не знает.

— А вы знаете, что они работают на радиостанции «Свобода»?

— Знаю. (Они осели в Париже, а работают в Мюнхене.)

— Они предают родину.

Тут я останавливаюсь и приказным тоном четко говорю:

— Ваши документы! А то, знаете, сколько проходимцев тут околачивается? У меня был один...— Он вынул книжку из грудного кармана и провел перед моим носом.— Нет,— говорю я, доставая бумагу и карандаш,— я должна знать, с кем имею дело.— И переписала все данные.

— Итак,— говорит он,— что делать, чтобы ваши друзья не работали на «Свободе»?

— У меня есть идея. Пошлите меня туда к ним, я их уговорю!

Он задумывается, а я мысленно уже бегаю по Мюнхену и сижу во всех кафе Парижа.

— Я посоветуюсь с начальством и позвоню.

Через некоторое время чекист позвонил, сказал, что доложил начальству — оно думает.

К этому времени мной уже написано 4 пьесы — все удивляются. Ох! Ах! Не может быть! Да это никто не поставит! Здорово! В общем одни восклицания и никаких действий. Тут появляется мой однокурсник, бывший главреж лермонтовского театра в Алма-Ате, читает пьесу под названием «Мой прекрасный Джентльмен!», смотрит на меня:

— Таня, это же комедия, фарс, это для вашего театра! Надо ставить. И идет с этой пьесой к Чеку. Ходит Иванов к нему два месяца подряд. Чек говорит то «да», то «нет», то «нет», то «да». Наконец я сама решила поставить все точки над «i» и поднялась на 4-й этаж в пыточную.

Вхожу, передо мной в глубине за столом сидит Чек. Справа от меня — рояль и на белой стене портрет Мейерхольда. У Чека счастливое выражение лица — он млеет и листает журнал.

— Здравствуйте,— говорю я.

— Иди сюда... Что ты боишься?

Я подхожу к столу, он, не меняя выражения лица, хватает меня цепкой зверюшечьей лапкой прямо между ног за это самое место и говорит:

— Посмотри, тебя это не возбуждает? — и дрожащей свободной ручкой перелистывает порнографические страницы «Плейбоя».

Я спокойно сообщаю, что меня ни растление, ни порнография и вообще ничто не возбуждает, и продолжаю:

— Вы бы убрали руку, а то мне так стоять неудобно...

Конечно, о пьесе говорить уже не пришлось. Уходя, я взглянула на портрет Мейерхольда с шарфом вокруг шеи и обратилась к нему мысленно:

— Всеволод, и кто только к тебе не примазывается! И как ты на все это равнодушно взираешь? Дал бы ему раз коленом под зад!

Глава 50

МЫ С АНДРЮШЕЙ НА НОВОМ ВИТКЕ ЖИЗНИ

Галоша влюбилась! В артиста театра — Жору. А Жора влюбился в Галошу. Что тут сделалось с Чеком! Его фаворитка, одалиска, наложница. «Сколько я потратил на нее времени и сил! Я сделал ее артисткой, а она оказалась блядью!» Ну, конечно, поменяла лысого рамоли на прекрасного молодого Жору! Как из браншпойта сыпались оскорбления и в адрес Жоры, и в адрес Галоши. Чек беснуется, ведет себя как Фома Опискин, травит их, мучает... Галоша бросает ему в морду роль Раневской, которую репетирует, и вместе с Жорой уходит из театра.

На роль Раневской в «Вишневом саде» вводят молодую, совсем еще неопытную актрису Раю Этуш. Неожиданно для всех на премьере она сверкает своим талантом рядом с такими матерыми артистами, как Миронов и Папанов. Когда Андрей со сцены говорил: «Господи, когда же кончится эта длинная несчастливая жизнь?» — мурашки бегали по коже от того, что это был вопрос самого Андрея, а не Лопахина.

В конце декабря 1984 года состоялось событие — премьера спектакля «Прощай, конферансье!», который поставил Андрей Миронов. Спектакль оказался ярким, искренним с зарядом высокого благородства человеческой души. В режиссерской жизни Андрея это была огромная победа. Шармёр был подавлен успехом «друга». Шармёр понимал, что Андрей вот-вот может стать главрежем театра, а он, Шармёр, останется просто артистом — он не мог этого допустить!

История рассказывает, как Ришелье просил, стоя на коленях у Корнеля, чтобы тот продал ему своего «Сида». Какой мощный двигатель — зависть и тщеславие.

А что творилось с Чеком! Он плакал от бессилия, от злости и дрожал от страха. Опять возникла тема пребывания его на 4-м этаже. Его самолюбие сплошь покрылось язвами: Андрей давно был для него соперником.

Страх и зависть затмили его разум, и, вместо того чтобы за руку с гордостью ввести Андрея в мир режиссуры, он принялся за его уничтожение и тем самым проиграл свою жизнь.

Тяжелый 1985 год. Со своими пьесами я обила пороги всех театров, всех министерств, пытаясь разгадать технику этого «жанра». В дневнике пишу: «Жизнь катастрофически проходит мимо. Депрессии, надрывы, как от них избавиться? Снится каждый день Андрей. Он в больнице. Перенес тяжелейшую операцию. Вчера была у него. 20 лет... 20 лет... Бедный, больной, измученный и еще все впереди. Выгнать бы всех, протереть пол, открыть окна, и пил бы он из моих рук соки да травы. Слава богу, принесла ему трехлитровую банку выжатых своими руками лимонов, апельсинов и грейпфрутов, а у него в холодильнике один компот из сухофруктов, больничный, и плавленый сырок. Принесла ему фиолетовых гиацинтов. Что же это за горе такое, быть привязанной мне к нему уже 20 лет».

В театре надо мной глумятся — уничтожают финансово, морально и делают все, чтобы я вообще сдохла. Летом меня не пустили в туристическую поездку в Париж, объяснив это тем, что у меня нет заложников — детей, мужей, матерей, отцов. Впервые освободили от гастролей в Минске, куда я оказалась тоже невыездной.

В последний день перед отпуском поднимаюсь к директору и очень внятно сообщаю ему:

— Подумайте о моем положении в театре, а я подумаю о вашем пребывании в нем.

Вернулась домой, села за свой овальный стол и написала три письма в КГБ приблизительно такого содержания:

«Директор театра своим поведением давно подрывает авторитет и честь советского народа. На гастролях в Германии, будучи в историческом городе Эрфурте, где встречались Наполеон и Александр, он вывез в машине с декорациями голую немку, прикрыв ее портретом Ленина, который нам подсунули немецкие «друзья». Там же, в машине, он с немецкой девкой и Лениным предавался любви всю дорогу. Из Москвы за границу девок он не вывозит, а вывозит вольфрам и молибден, которые там меняет на ртуть — он освоил производство градусников. Не говоря уж о том, что он постоянно перевозит через границу такую наркоту, как димедрол и феназепам... Недавно доставил немцам три плана аэродрома — Норильск, Житомир, Внуково...»

Новый сезон открылся для меня совершенно по-другому: дирекция извинилась передо мной за то, что меня лишили гастролей, хоть я была занята в спектаклях, вывесили приказ о возвращении мне денег. Директор ходил вокруг меня кандибобером, все ласково приговаривая: «Татьяна Николаевна, ну Татьяна Николаевна, мы же столько лет вместе работаем»,— говорил он, чуть не рыдая. Я вернула себе все, что у меня отняли, и опять стала ездить на гастроли.

Круто менялась политика в стране. Бессмертный батальон весь вымер, к власти пришел Горбачев, и в лексиконе советского народа появилось слово «гласность». «По России мчится тройка — Мишка, Райка, перестройка!»

И мы мчимся по России на гастроли в Томск. Андрей взялся за трудную пьесу Салтыкова-Щедрина «Тени», где сам репетирует роль Клаверова. Перед гастролями состоялся первый показ «Теней» Чеку, тот расстрелял Андрея оскорблениями — чудовищно, непрофессионально, самодеятельность при жэке или драмкружок при тубдиспансере!

Андрей всю эту трусливую несправедливость со спектаклем переживает в себе. Сидим в его номере в Томске, как двадцать лет назад, разучиваем роль. Потом как-то само собой я оказалась у него на коленях, голова моя прижата к его груди, и он меня покачивает. А я рукой глажу его волосы:

— Не обрезай волосы впереди: этот чубчик не твой стиль. Твоя прическа — на косой пробой, как в «Бриллиантовой руке».

Он меня целует нежно-нежно в им же сотворенную горбинку на моей переносице. В окно на нас смотрят звезда и народившийся месяц. И опять в нашей душе летают бабочки и стрекозы счастья... И мы вместе с ними летим из центра Сибири на какую-то планету, где переплетаются поцелуи и замирает сердце и, дрогнув, губы опять сплетаются с губами, и по гостиничному номеру разливается блаженство.

— Танечка, родненькая моя, что ты со мной делаешь? — шепчет он.

— Летим, летим, не отвлекайся, закрой глаза!

— Летим в постель!

— А ты мне шубу все-таки так и не подарил! — начинаю упрекать его я.

— Я тебе, Танечка, жизнь подарю.

— Тебе лишь бы деньги не платить! — смеюсь я, еще даже и не ведая, какую правду он говорит. Он ведь медиум.

— Ты не выполнила моей просьбы, — упрекает он меня, продолжая целовать в переносицу.

— Какой?

— Я тебя просил, писал: не доказывай себе, что можешь жить без меня ни месяц, ни больше...

— А я доказываю?

— Ты все время себе это доказываешь. Но у тебя это не выйдет!

Вдруг он вскрикнул — я потянулась поцеловать его в бесцветную родинку:

— Ой! Ты мне надавила... ой... ой... ой... на шов послеоперационный!

— Говори мне в левое ухо, — громко сказала я. — А то я правым ничего не слышу... — Мы смеялись до слез, а я изображала Наину из «Руслана и Людмилы», пища и шепелявя:

> Что делать, — мне пищит она, —
> Толпою годы пролетели.
> Прошла моя, твоя весна —
> Мы оба постареть успели...
> Конечно, я теперь седа,
> Немножко, может быть, горбата;
> Не то, что в старину была,
> Не так жива, не так мила...

— Нарисуй мне лицо, — просит он и в предвкушении счастья закрывает глаза.

Я рисовала пальчиком его такое уставшее и постаревшее лицо.

— Андрюша, у тебя как будто корка на лице: оно такое твердое, как маска.

— Я же актер, Танечка, и в жизни, и на сцене... — произнес он с болью. — Вот и маска! Как я неправильно живу! Все надо поменять! Вон, видишь, звездочка в окне? Подмигивает нам, как это прекрасно!

Потом, через несколько лет после его смерти, между Юпитером и Марсом откроют новую звезду и дадут ей имя Андрей Миронов.

Перед спектаклем стоим на берегу реки Томь, обнявшись. Ветер, бескрайная сибирская даль. И вдруг он, как много лет назад, говорит:

— Все порушу... все... я сейчас бы сбежал, но ведь она меня голым по миру пустит. Давай здесь останемся... в Томске...

Наступил 1987 год. Это год полета с обрыва в пропасть. В январе не выдержало, разорвалось сердце у нашего любимого администратора, друга Гены Зельмана. В банкетном зале ресторана «Баку» на улице Горького, который был заказан к его 50-летию,— поминки. Говорят ушедшему Генке то, что не успели сказать при жизни, деревянные руки с трудом поднимают стопку с водкой. Я никогда не видела Андрея таким: уже почти все разошлись, а он выскакивает все время на середину зала с оголенными нервами, говорит, говорит. И что-то еще, что его так пугает... Потом сидит на стуле, резко отмахивается руками от... перед ним ничего нет, а он отмахивается, в страхе отстраняется и все бормочет этому невидимому:

— Нет, нет, я не хочу! Нет! Я не хочу! — кричит он.— Я не хочу! Мне еще рано! Нет!

Ему плохо. Ему невмоготу. Последний год он почти все время у матери — спит днем, обедает, молчит, загадочный и грустный. Летом он отдыхает в санатории «Сочи», я — в латышской деревне. Он просит меня писать ему письма. Передо мной в саду роща из разноцветных георгинов. Выбираю бордовый как воспоминание о том дне, осенью, когда мы нашли его на дороге, танцевали на мосту и пели самый короткий романс. Вкладываю в письмо лепестки, и пухлый конверт летит с севера на юг.

17 марта 1987 года Андрей выпустил спектакль «Тени». Руководство облило весь спектакль и самого режиссера грязью.

В день 25-летия работы в театре Андрей, на котором держался весь репертуар, сидел на кухне у Марии Владимировны и говорил:

— Мама, меня даже никто не поздравил и на доске объявлений не вывесили. Ведь сегодня 25 лет, как я работаю в этом театре.

А я упорно ходила с чемоданами своих пьес по Москве в надежде, вернее в безнадежности, куда-нибудь их пристроить.

В середине мая мы с Андреем вышли вместе из театра, сели в его «БМВ» и помчались по Рублевскому шоссе в Барвиху. Я принесла ему книгу Аксенова «Остров Крым». Остановились в соснах. Обошли маленький магазинчик и вышли на обрыв. На месте скамейки остались только два столба. Перекладина исчезла — наверное, сгнила. Мы стояли и смотрели в голубую даль. Над нами бушевала врубелевская сирень.

— Я очень хочу сыграть Сирано де Бержерака...— сказал он.— Хотя я устал и вообще больше ничего не хочу играть. Я хочу выскочить из этого колеса, куда-то скрыться. Ведь театральный успех не означает жизненного успеха. И зачем я вообще родился? Не забывай этого места, здесь мы всегда были счастливы.

Заквакали наперебой лягушки.

— К дождю,— сказала я. И мы вернулись в Москву.

Купили пьесу! У меня! Министерство культуры! За 1500 рублей! Это огромные деньги. Это было признание меня как драматурга на государственном уровне. Я сразу приобрела пишущую машинку, отдала долги, а остальные — потом!

В начале июля театр двинулся на гастроли Вильнюс — Рига. Все как 21 год назад, только в обратном порядке. Все в театре одновременно повернули голову в мою сторону: как же, пишет и еще за это деньги получает! Драматург!

Глава 51

ВНЕЗАПНАЯ СМЕРТЬ НА СПЕКТАКЛЕ В РИГЕ

Июль. Вильнюс. Гостиница «Гинтарас». Передо мной в окне — купола, купола, купола, и православные маковки, и католические в виде тиары. Христианство отрывает нас от земли и тянет в небо, думаю я. Город чудный, чистый — сказка! И социализм здесь приемлем. Артисты говорят, что в каждом магазине — колбаса. Была нынче в католическом костеле, слушала орган, алтарь увенчан скульптурным алебастровым распятием, рядом два ангела, возносящие Иисуса Христа к Богу-Отцу в небесный голубой сонм. Сегодня под звуки органа дал мне Бог постичь глубину, трагизм, торжество и радость мистерии Христа.

На рынке продается клубника с кулак и фиалки самых нежных оттенков.

Приехали в Вильнюс американцы, и нам вместе с ними удалось пересмотреть все спектакли Некрошюса. Потрясение. Андрюша ходит на спектакли с Машей. Ей уже 14 лет. Смотрит на нее нежно, теребит пальчики — она ему очень дорога. Он страдает от того, что недодал ей многого в жизни. Он любит и ту, другую Машу, которую удочерил.

Перед отъездом на гастроли кто-то сказал приемной Маше, что Андрей — не родной ее отец. Как он кричал на улице своим поклонницам: «Зачем вы это сказали? Кто вас просил? Она же еще маленькая! Ей рано это знать!»

А сейчас мы стоим все у театра Некрошюса. Я — в элегантном черном брючном хлопковом костюме с косой.

— Танечка, носи всегда черное, тебе так идет! — говорит Андрей.

Рядом с ним, прижавшись, стоит Маша — тоненький цыпленок. Я смотрю, и к горлу подкатывает ком от нежности к ней.

Через несколько дней труппа театра в автобусах переезжает в Ригу. Закладываем чемоданы в боковое багажное отделение автобусов. Гам, сутолока, шутки... Ко мне подходит Пепита — она уже давно сделала выстрел во «французской опере» — знаменитая Катарина в «Кабачке 12 стульев», муж ее главреж одного из театров Москвы, растет сын, и Заратустра — Елена Семеновна — продолжает изрекать ценные советы в виде путеводителя по жизни.

— Тань,— говорит она мне пухленьким ротиком,— сижу тут как-то в «рафике» одна — собираемся на концерт, входит Мирон, садится впереди меня, сидим, ждем. Вдруг он оборачивается и говорит: «Моя жена похожа на мать, такая же хозяйственная». Тань,— говорит Пепита,— и отвернулся! Я думаю: что это с ним? Посидел так некоторое время, потом обернулся и сказал мне: «А любил я только Таню!». Почему он это мне сказал? Как странно!

Через несколько дней я сижу в своем номере в гостинице «Даугава» в Риге на берегу реки. Высоко. Восьмой этаж. Вечер. По Даугаве плывут все в огнях пароходы, и в старом городе уходят в небо подсвеченные высокие башни костелов. Вспоминаю сон, который мне приснился 16 февраля этого года. Стены сплошь выложены мрамором и помещение в виде конуса. Там впереди — стойка, прилавок, тоже из мрамора. На прилавке одна-единственная ваза с цветами, такими, которых я не видела никогда в жизни. Я даже вскрикнула: «Ах!» И увидела бирку на цветах, там были написаны цифры — 16887. Подсчитала от середины февраля 168 дней — получилась середина августа, ну а 87 — это 87-й год. Сижу и думаю, глядя на Даугаву, что же должно произойти?

9 августа не прилетел на спектакль со съемок Анатолий Дмитриевич Папанов. Разорвалось сердце в Москве. Пришли к его жене Наде Каратаевой в номер, сообщили эту страшную весть — заметалась, закричала, завыла, вдруг вытащила чемодан, стала с себя стягивать платье, все повторяя: надо скорей надеть черное... скорей... черное! Траур... ведь Толя умер... скорей черное...

— Надежда Юрьевна, выпейте таблетки успокаивающие...— предложил кто-то.

— Нет! Я не хочу быть спокойной! Я хочу чувствовать свое горе и переживать его!

Труппу как подкосило. На лицах у всех невыразимое горе. А Андрей просто сказал:

— Следующим буду я.

В этот месяц в Риге и Юрмале собрались все, кто был с ним близок. Жил он у Марии Владимировны в санатории «Яун-Кемери», Певунья с дочкой жила в гостинице «Юрмала», а Русалка с Машей в Майори.

Дирекция обратилась к Андрею с просьбой выручить театр и играть вместо спектаклей, в которых был занят Анатолий Дмитриевич, свои сольные концерты. Андрей был очень загружен на этих гастролях, но не мог отказаться выручить театр и не мог не выручить Толю Папанова, с которым его связывало необъяснимое чувство любви и дружбы.

14 августа с утра на теннисном корте в «Яун-Кемери» Андрей сыграл в теннис, принял душ и поехал в Ригу.

Вечером я пришла на спектакль «Фигаро». За кулисами стоял Андрей — как будто ждал меня. Взял мои руки в свои — сжимал, разжимал, сжимал, разжимал и сказал:

— Танечка, этот спектакль я играю для тебя! Я посвящаю его тебе! Не оставляй маму.

Зазвенели звонки, все бросились на сцену, зазвучала музыка Моцарта. Время отбивало минуты — для Андрея кончался навсегда спектакль «Фигаро», и без перехода, на этой же сцене, скоро, вот-вот, начнется новый спектакль с ним же в главной роли. А пока за кулисами Шармёр ходит, сжимая голову руками: «Ой, голова болит, давление»,— стонет он. Я смотрю на Андрея, он за кулисами, у самой сцены в свете — я не смею к нему подойти — он рядом, но где-то так далеко, остановившиеся глаза и выражение лица такие, будто ему кто-то вынес смертный приговор. Мне передалось все, что он чувствовал. Сижу в антракте на подоконнике в гримерной и выкрикиваю отдельные слова:

— Умирают! Здесь все умирают... Андрюша... заездили... убийцы... им все равно... сволочи... какой день подряд... он не сходит со сцены... Один! За всех! Преступники... Человек не может физически это выдержать!

Наконец последнее действие. Все на сцене. Фигаро — в черном атласном костюме с вшитыми зеркалами — они пускают зайчиков в зал.

Текст Фигаро: «Теперь она оказывает предпочтение мне...» Он подносит руку к голове и рапидом, заплетая ногу за ногу, уходит навсегда из этого спектакля.

Пауза. Я кричу: «Занавес». Он медленно начинает сдвигаться. Я не жду... Вижу, Шармёр уже за кулисами подхватил Андрея, я же лечу через четыре ступеньки с третьего этажа к администратору. Влетаю:

— Мамед, скорей «скорую помощь»... Андрей не доиграл спектакль...

И обратно, через четыре ступеньки наверх. За кулисами на двух черных столах лежит Андрюша, голова свешена, я подбегаю, беру его голову в руки... В этот момент на сцену выходит артистка Гаврилова и объясняет: «Андрею Миронову плохо, он не может доиграть спектакль».

Взрыв аплодисментов, которые не прекращаются, аплодируют не артисту, играющему Фигаро, аплодируют умирающему Андрею Миронову — за мужество и за жертву, которая есть самый высокий показатель любви. Его голова, в которой рвется сосуд, лежит на моих руках, из последних сил он закидывает ее назад, и в последний раз встречаются два карих и два голубых глаза. Он смотрит на меня, и в его глазах: «Танечка, этот спектакль я играю для тебя!» Потом начался бред. В бреду он говорил: «Жизнь... бороться...» Приходили врачи, делали уколы. Приехала «скорая». Все давно разошлись. Только мы с Машей, дочкой, которая была на этом спектакле, стоим в темном дворе театра возле машины, где лежит он с кислородной маской на лице.

— Беги скорей к дяде Шуре в машину, они поедут в больницу, потом тебя домой отвезут.

И она побежала. А я бежала, забыв о транспорте, по мосту через Даугаву в гостиницу.

Ночью никто не спит. Утром в церкви на коленях прошу Матерь Божию о спасении его. Опять сидим в номере. По телефону идут краткие сообщения: отказала почка, отказала другая. По частям перестают жить его органы.

Вечером, это суббота, спектакль «Клоп». Звоню в режиссерское управление и сообщаю, что на спектакль не приду. Я не то что не могу играть, я не могу ходить. Жизнь театра продолжается, Шармёр, заметив мое отсутствие на спектакле, кричит:

— Докладную на Егорову!

Вечером после спектакля опять сидим в номере. Молчим. По телефону сообщают два слова — все так же.

В три часа я заснула. Только я заснула, как кто-то постучал мне в окно. Встаю с постели в ночной рубашке и думаю: кто это может мне в окно стучать на восьмом этаже. Небо бледнеет, брезжит рассвет. Подхожу к окну — там Андрей. Улыбается. Он висит в воздухе, и дальнейший наш разговор происходит только на телепатическом уровне.

— Выходи,— говорит он,— полетим!

— Я в ночной рубашке... как? Мне переодеться?

— Нет! Мы облечемся в свет и полетим.

У него в руке новый тюбик зубной пасты и новая зубная щетка. Я спрашиваю: «Мне тоже взять зубную пасту?» — «Нет,— говорит он,— ты не бери, тебе не надо, ты скоро вернешься, а я — надолго».

Я открываю окно, мы беремся за руки и летим! Непередаваемое ощущение полета. Он — в развевающемся серебряном свете, я — в развевающемся золотом. Держась за руки, мы вылетаем на побережье — прохладный ветер приятно обдает нас, а развевающийся, как туники, свет помогает полету. Вот пляж, здесь мы когда-то, 21 год назад, загорали, купались. Сейчас он пустынный и холодный; мы летим дальше, попали в полосу тумана, а когда вышли из нее — оказались в «Яун-Кемери», летим над санаторием, подлетаем к окну — там на белой подушке лежит голова седой старенькой мамы — Марии Владимировны. Она тревожно спит. Андрей долго-долго с любовью смотрит на нее, и мы улетаем. Летим над макушками сосен, уже кричат чайки, пролетаем небольшой домик на берегу моря. «Там Маша спит»,— говорит Андрей и улыбается. Рванул ветер и понес нас дальше к озеру в сторону Саулкраста. Еще не взошло солнце, мы парили над озером, которое 21 год назад соединило нас навсегда. Парили над свинцовой гладью воды, в тишине было слышно, как падают шишки и резко кричат странные птицы. Мы набрали высоту и полетели назад в Ригу. Сделали несколько торжественных кругов над парком, в котором мы когда-то прыгали и рвали цветы. Все на том же месте стояла ива, шелестя своими длинными ветвями. Перелетели через Даугаву, остановились у моего окна, Андрей открыл створку, и я влетела в комнату.

— Танечка, мне очень хорошо,— сказал Андрей.— Только я кошек теперь не смогу тереть о камни.— Помахал мне рукой с зубной щеткой и пастой и исчез.

Резко зазвонил телефон. Я проснулась и вскочила с кровати — 6 часов утра.

— Але!

Мамед:

— Таня, я не хотел раньше звонить, Андрей скончался сегодня в 3 часа 30 минут.

Пришла Рая Этуш. Я лежу. Она сидит рядом.

— Рая, вот этот сон, помните, я вам говорила, с цифрами — 16887. Это значит 16.8.87. Это мне был дан знак за полгода. А я не разгадала. Значит, все предопределено! Все предопределено! Все кем-то предопределено! — плачу я.— Все разыграно как по нотам!

Уезжает сегодня Лева Оганезов, аккомпаниатор Андрея, зовет в номер проститься, помянуть. Я выпиваю рюмку коньяка, и начинают литься слезы, их никак нельзя остановить, вдруг осознаю, что его больше нет, и кричу на всю Ригу:

— Андрюша-а-а-а-а-а-а-а-а-а-а!

Очнулась в своем номере. Дышать невозможно. Ощущение, что по всему телу внутри — скрученная колючая проволока. За мной приехала моя приятельница Зина — она отдыхала в гостинице «Юрмала» и увезла к себе, чтобы я тут не сдохла, как она выразилась.

Утром я проснулась опять с колючей проволокой внутри и с ощущением непоправимой катастрофы в жизни. Зина пошла на взморье — бегать, а я вышла на балкон, села в кресло, как старое избитое чучело. Вдруг внизу появляется Певунья в красном платье в мелкий цветочек, в лаковых красных туфлях. Рядом прыгает ее дочь — Маша. Она стоит вся в красном, закусив губу, прищурив глаза, в которых происходит бухгалтерский подсчет. Она уже вся в делах. Ждет машину Андрея — «БМВ».

Театр продолжает играть спектакли. Театр не объявил даже траурный день! Они не перестают оскорблять его и после... Я заявляю дирекции: поскольку траурный день не объявлен, отказываюсь продолжать гастроли.

А Шармёр быстро очнулся от своей головной боли и в день смерти Андрея играет на «крышке гроба» своего друга пошлейший спектакль «Молчи, грусть, молчи!». Как же! Освободилось место! У него больше нет соперников, и теперь он может занять место главного режиссёра и наконец-то расположиться на четвертом этаже. Конечно, Андрей ему это простил. Но сам Шармёр не простит себе этого до конца своих дней.

Рига взволнована. К театру подходят латыши и в возмущении бросают директору:

— Была война, были фашисты, у них был свой театр, и когда умер их любимый артист — они объявили траурный день. До свидания!

20 августа похороны. Дали специальный самолет. Из труппы почти никто не полетел — у них концерты. Разве можно поменять деньги на похороны Андрея Миронова, который рвал свое сердце двадцать пять лет на сцене театра Сатиры?

20 августа. Москва. Утром на рынке покупаю величиной с большую шляпу георгины на длинных ногах. Еле пробралась в театр. Все забито людьми. Тревожные глаза, плачут. Милиция, красные повязки. Дождь.

Гроб стоит на сцене. Надо подойти. Страшно. Какие скорбные складки на его лице! Какой же ценой оплатил он свое место в жизни? Нервная система автоматически отключается — иначе не выстоять. Идут непрекращающиеся потоки людей с цветами. Я беру эти цветы — складываю к гробу. В зале вижу Марту Линецкую. Она умирает, пришла из больницы, чтобы попрощаться с Андреем. Кто-то меня хватает за рукав, смотрю — давние поклонницы Чахотка и Джоконда!

— Тань, Тань,— умоляют они меня,— ну пусти нас... нам надо подойти к нему.

Я поднимаю их на сцену, и они идут проститься со своим кумиром.

Гроб выносят из театра. Я иду сзади и успеваю,

поднявшись на цыпочки, в последний раз дотронуться до его роскошных волос.

— Таня! — слышу рядом голос Марии Владимировны.— Вам не трудно принести мне пальто из администраторской?

На языке ее символов это значит: не уходи, будь рядом, ты мне нужна!!!

Поминки в Доме актера. В этот же день я улетаю назад в Ригу: у меня там остались вещи, и я хочу побыть на побережье, в деревне, одна несколько дней. Подхожу к Марии Владимировне и говорю:

— Мать, когда вернусь в сентябре, позвоню и приду.

— Хорошо, отец,— отвечает она.— Приходи.

Она каменная. Не пролила ни одной слезы, а я рыдаю во сне и не перестаю вопить наяву:

— Как мне жить теперь без тебя, Андрюша-а-а-а-а-а-а-а?

На берегу моря в Латвии после похорон Андрюши я прожила одна десять дней. Как инвалид, я переставляла ноги с утра — поставить чайник. Выпивала чаю, закрывалась в своей комнате и ничком лежала в постели до самого вечера, пока не стемнеет. Больно мне было видеть белый свет! И когда опускалась тьма на землю, я накидывала на себя брезентовый плащ до пят с капюшоном, в карман — пачку сигарет, спички и всю ночь до рассвета бродила по твердому песчаному берегу моря... далеко-далеко... только слышно было, как чиркает в ночи спичка и вдруг всполыхнет огонек. Курила одну за другой и пыталась постичь все, что произошло.

Что произошло, Господи? Объясни мне! Почему мы с Андрюшей расстались там же, где и встретились — в Риге на сцене. На той же самой сцене через 21 год. Вот и разгадка снов, которые приходили семь лет подряд — он на сцене театра Оперы и Балета то танцует, то поет Спартака. И Спартак погибает... Господи, почему у тебя такая беспощадная драматургия? За мной по песку каждую ночь ходила чайка, как собачка, и жалобно пищала, как будто все понимала и плакала вместе со мной. Завершился круг...

Почему он мне сказал: «Танечка, этот спектакль я посвящаю тебе»? Что это значит? Нет, смерти нет! Мы просто сбрасываем «пальтишко», а душа мчится, летит к себе домой, туда, где нет зла, зависти, страха, смерти.

Начался прилив, подошла к воде, ладонями стала черпать воду и прикладывать ее к лицу. Села на холодный песок, мокрыми руками провела по волосам и вслух сказала:

— Кончились репетиции. Теперь я научилась любить тебя, Андрюша! Но почему всегда все так поздно?

Глава 52

10 ЛЕТ С ЕГО МАТЕРЬЮ МАРИЕЙ ВЛАДИМИРОВНОЙ

День открытия сезона в театре — убийственного, смертельного 1987 года. Октябрь. Мы с Субтильной пришли с визитом к Марии Владимировне. Она сидит в «книгах» с сеточкой на голове. Все время нервно теребит руками халат. В глазах растерянность.

— Какое же я ничтожество,— говорит она.— Были же порядочные люди — Маяковский, Фадеев...

— Вы хотите стреляться? — спросила я.

— Хочу, но нечем...

Субтильная стала рассказывать:

— Эта мерзость, Чек, сегодня на открытии заявил, что, мол, они умерли и разрушили его творчество. Теперь наступил звездный час для тех, кого он не «видел», теперь они будут блистать и играть все роли, как Миронов и Папанов. Даже не почтили память вставанием. А потом все во главе с Чеком поехали на могилу...

Мария Владимировна вскрикнула:

— Он смел пойти к Андрюше на могилу?!

Потом как-то сложилась, как зонтик, помолчала, вскинула свои острые голубые глаза, посмотрела в трагическую бесконечность и сказала:

— Андрей — это моя Хиросима!

«Нет! Не может быть! Так не бывает! — кричало все во мне. — Это мой текст, это я так сказала, когда потеряла ребенка 16 лет тому назад! Я сказала — это моя Хиросима... Господи, что же это?»

— Я человек недобрый, — констатировала она. — Теперь буду еще злее.

«Господи, куда же еще-то злее?» — думала я.

— Спасибо, что меня навестили, — сказала она низким голосом.

Мы поняли, что аудиенция окончена, встали, попрощались и ушли.

Через несколько дней раздался звонок.

— Але! — услышала я сильный, волевой голос. — Таня, здравствуйте! Это Мария Владимировна. Когда вы придёте? — очень требовательно заявила она.

— Ну, когда? Давайте в субботу. Что вам захватить?

— Захватить мне ничего не надо, а купить, — сказала она поучительно, — лимон и половину бородинского.

— Какой у вас код? — спросила я.

— У меня нет кота.

В театре оживление: все готовятся к тому, что Чек вот-вот начнет лепить из них Миронова и Папанова. И, наконец, к ним придет слава, славонька, славочка! Уж скорей бы! Так хочется!

Меня пугают — гнать! Гнать! Гнать из театра! За то, что отказалась в Риге от спектаклей в минуты трагической смерти Андрея. Успокоились на том, что вычли из зарплаты деньги за 4 дня «прогула».

3 ноября умирает Елизавета Абрамовна Забелина, 5 ноября — Марточка Линецкая. В фойе бесконечные гробы, похоронная музыка, завешены черным зеркала. Я на последнем издыхании. На похоронах Марты я уже не могу стоять — сижу на стуле, вокруг меня лужа слез. Я ем, пью, разговариваю, сплю, хожу в магазин — из меня беспрерывно автоматически льются слезы.

Жизнь раскололась пополам — до смерти Андрея

и после. В «после» — сплошная тьма, надрыв и нет ни цели, ни выхода, ни спасения. Его так не хватает, потребность видеть его — мучает, ходим с Субтильной на кладбище, жмемся друг к другу, туда идем — мне 43 года, обратно — 86. Потом — пить водку, плакать, говорить о нем...

Ночью звонит Мария Владимировна и требовательно спрашивает:

— Почему вы мне не звоните?

Прихожу к ней на улицу Танеевых. Там ее старинная знакомая Антонина Сергеевна Ревельс, великолепная балерина, которая всю жизнь работала в ансамбле Утесова и, когда Утесов потерял всех своих близких, стала его женой. Зовут Антонину Сергеевну Ревельс за глаза все только Тонькой.

Стоят они передо мной рядом — такие разные... Мария Владимировна статичная, маленькая, крепкая, тяжеловес... Если скажет что-то — весомо, громко, поучительно, поставленным голосом, а Тонька — худышка, вертлявая, маленькая, с высокими скулами, раскосыми глазами.

— Как я теперь буду встречать праздники? — восклицает с горечью Марья (так я ее называю). Когда умер Менакер, я даже не знала, как за квартиру платить.

Раз в месяц приходит Маша Миронова, дочь Андрея, и Марья вручает ей деньги, за отца, чтобы та достойно могла доучиться.

— После смерти Андрея,— говорит она,— я ничего не соображала и сейчас-то... Певунья быстренько мне сразу после похорон на следующий день подсунула бумажки на подпись, там и гараж, и его квартира, он ведь с ней не соединил лицевой счет... Слава Богу, я у нее для Машки хоть магнитофон выцарапала. Врет все, сказала мне, что поедет на хутор утешаться, а поехала в Голландию развлекаться. Зачем врать? Как я теперь буду жить и на что?

Смотрю на нее и думаю: «Господи, какая старенькая, одинокая и несчастная. Ведь ей 77 лет!»

— Говорят, что театр хотят назвать именем Андрея Миронова.

Марья жестко ответила мне на мое предположение:

— Говорят, что кур доят, пришли, а сисек не нашли!

Когда я с ней — ощущение, мираж, что Андрей еще жив: у нее такая же белая кожа, крепкие запястья и эти синьковые глаза с большими веками. В комнате Менакера — мемориал. Там фотографии, вырезки из газет, цветы, костюм Фигаро, в котором Андрюша ушел в мир иной, его гримерный стол... Я всегда туда вхожу — постою, потрогаю костюм, положу руку на гримерный стол.

Уже декабрь. Сидим вдвоем с Марьей в «книгах». Я читаю ей стихи Волошина: «С Россией кончено. На последях».

— Я его знала,— говорит она.

— Наизусть? — спрашиваю я.

— Лично! — Диапазон времени между нею и мной. Стоит в комнате, смотрит на коллекцию революционного фарфора, который они собирали с Менакером, и говорит:

— Обдеру все стены к такой-то матери! — И через два дня приходят из музея и «обдирают», как по живому.

У нас с Марьей странная, еще не осознанная потребность друг в друге. Перед Новым годом мы вдвоем с ней в метель, под ручку, тесно прижавшись, идем на кладбище. Если бы мне сказали об этом тридцать лет назад! Стоим перед холмом вдвоем, молчим. Потом шмонаемся вдвоем по Арбату, пустынно, холодно, приходим домой, пьем чай, сидим друг против друга и давимся от слез.

31 декабря. Встречаем новый, 1988 год. Я сижу рядом с тарелкой для Андрюши, на которой лежит его визитная карточка с его же надписью красным фломастером: «Мамочка, с Новым годом!» За столом Певунья со своей дочкой, друг дома Федор Чеханков, критик, давний друг Менакера и Марии Владимировны Поюровский с женой. На рояле — большой портрет Андрея, вокруг цветы, глаза живые и улыбаются... Новый год, цветы, гости, нет только его... Он лежит в промерзлой земле на Ваганьковском кладбище.

В театр не хожу — болею. То грипп, то ангина, то ангина, то грипп. Непрекращающийся поток слез. Мою ими пол. В январе в Москву из Питера приехал Белинский. Узнав о том, что составляется книга об Андрее «Глазами друзей», возмутился: а почему в списке нет Тани? Она же пишущий человек! И притом самый близкий. Я написала статью об Андрее.

Пока писала, сама вышла «за пределы обыденности», «в другие сферы» и, поставив точку, почувствовала, как вдруг «приземлилась» на свой стул, как будто меня там раньше не было. Я вся горела. Вышла на кухню, выпила воды и, войдя в комнату, остановилась у зеркала, оказавшись спиной к окну. Увидела себя с больным бледным лицом в лихорадках, с седой прядью надо лбом. И вдруг вздрогнула. За моей спиной кто-то был! Кто-то находился в комнате за моей спиной! Я резко повернулась и увидела... густую, извилистую волну «тумана», ускользающего в окно... как тогда в Риге... после нашего полета с Андрюшей... тогда он исчез точно так же... Значит, он был здесь... мы были вместе...

В мае, перед гастролями в Ленинград, сидим у Марьи. Тонька принесла ей котлеток, я — мороженое.

— Продлись, продлись, очарованье,— говорит Тонька, облизывая ложку с мороженым, и, уловив секунду, когда «Машенька» отвлеклась, положила виртуозно себе в тарелку еще порцию. Марья наворачивает с удовольствием мороженое и бранится:

— Мы будем лишены поколения! Все играют на гитарах, гитары держат на яйцах, и они по ним бьют. Почему немцы не вошли в Москву? — громогласно продолжает Марья.— Вошь увидели! Они же чистоплотные, а у нас грязь, все хрустят вшами. А это для них страшнее танков и «катюш».

— Машенька,— прорывается Тонька,— мороженое чарующее, мимолетное виденье.

Звонит телефон:

— Да! — говорит Марья.— Здравствуйте. Что

я делаю! Я совершенно одна! — восклицает она, глядя прямо нам в глаза.— Да кто ко мне придет? Я одинока! — разговор кончается, мы продолжаем есть мороженое.

— Мария Владимировна, как же вы одна, когда мы тут сидим? — спрашиваю я осторожно.

— А вам какое дело? Вы сейчас уйдете домой и «рухнете», а я буду всю ночь бродить одна по квартире, я не могу «рухнуть», как вы! Гуля выговаривает: «Я вам звонить не буду, сами звоните, когда вам надо, потому что вы как с цепи сорвались...»

— Машенька,— говорит Тонька жалостливым голосом,— меняйтесь! А то одна останетесь! Машенька, подумайте: ведь все надо теплыми руками отдать.

Гастроли в Питере, впервые без Андрея. «Астория» на ремонте — в черных сетях, как в трауре. Все напоминает о нем. Была в гостях у Кирочки на улице Герцена, в мансарде. У него прелестная жена, уже 10-летний сын, тоже Кирилл. Сижу под портретом Андрея, а Кирилл рассказывает, смеясь, голосом брата:

— Как ни приедет, все говорит одно и то же: «Все порушу, все порушу, но ведь она меня голым по миру пустит!»

— Кирочка, налей мне, пожалуйста, еще чаю, кипятку... У тебя замечательный мальчик...

19 октября, еще до книги, принесла Марье журнал «Театральная жизнь» со своей статьей «Андрюша, я хочу, чтобы ты был бессмертен». Она прочла и заплакала. На обложке журнала портрет Андрея, а на обратной стороне — «Троица» Рублева. Она сокрушается:

— Я его не крестила, как же это так получилось, время такое было.

— Андрей мне поведал,— говорю я,— что нянька Анна Сергеевна его крестила, даже вспоминал, как его окунали в воду, он весь дрожал.

— Да будет вам врать-то! — заходится она. Потом

сосредоточенно думает и говорит:— Она набожная была, любила его до беспамятства, он все болел, и нас по полгода в Москве не было. Может быть, и крестила. Да-а-а-а-а,— задумавшись, сказала она,— вам он это рассказал, а матери нет. Значит, я плохая мать. Какова есть, не на ярмарку несть.

— Да нет,— продолжаю я,— дети никогда родителям ничего не рассказывают, не делятся, а потом — вы все время орете, вы же неласковая.

— Вы — ласковая! Вам бы только сюсюкаться! Восхищалка, небесная гляделка!

Вместо революционного фарфора на стене появились на полочках сырные доски. Арбат напоминает парижский Монмартр — везде художники, картины, картины! Оживление! Марья с Тонькой все свободное время проводят в поисках уличных гениев. Художники, завидев издалека фигуру Марии Владимировны, выстраиваются по стойке смирно и кричат: «Идет! Идет!» А «идет» — значит купит. У нее отменный вкус, она покупает ценные картины, которые заполняют зияющие пустые места в ее квартире. С каждым днем она становится все популярнее и популярнее — летят письма со всех концов страны: «Москва, матери Андрея Миронова».

На нас с Марьей после смерти Андрея начинают сыпаться события как из рога изобилия, как будто это он, оттуда, помогает нам.

Как она мечтала работать в драматическом театре, и ее приглашает в свой театр Олег Табаков, в 78 лет! В это же время в Москву на «Стреле» летит из Питера Белинский, мы с ним идем обедать, и он говорит:

— Напиши детскую сказку, я поставлю.

Теперь в Москве в театре Вахтангова он занимается постановкой спектакля «Стакан воды» Скриба. В роли герцогини — Антурия. Она ему задает бесконечные вопросы:

— Как мне выходить на сцену?

— Переждав аплодисменты,— спокойно сообщает ей Белинский.

— Что я здесь делаю? Какое у меня действие? — продолжает она мучить его.

Белинский так же спокойно отвечает:

— Не будем копать глубоко, чтобы не попасть в шахту метро.— Роль герцогини Мальборо оказалась одной из лучших ролей в репертуаре Антурии.

Итак, я еду писать сказку в Щелыково, в Дом творчества артистов, в Костромскую область. Это бывшее имение Островского, где он написал много пьес и загадочную «Снегурочку».

Пишу детскую сказку с пословицами и поговорками Даля, брожу по окрестным деревням и однажды, перейдя речку Сендегу, поднялась в гору сквозь сосновый бор и увидела — один, два, три дома, где-то скрыты в кустах, а передо мной на солнце пылают ярко-желтые величавые вязы. И екнуло сердце — как будто место родное. Нашла покосившуюся избушку, сговорилась купить ее за 200 рублей и, написав сказку, счастливая приехала в Москву.

Сижу у Марьи, рассказываю про запах земли, про травы, про вязы золотые и вспоминаю:

— Как же написал Есенин (запела): «Отговорила роща золотая...»

— Я его знала,— говорит Марья.

— Наизусть? — спрашиваю я.

— Нет! Лично знала,— говорит Мария Владимировна.— Всегда был пьян, в белом пиджаке, влюблен в тетю, Марию Ивановну. На Рождество перевернул блюдо с гусем и на обратной стороне написал экспромт.

Подходит к роялю, перебирает цветы возле портрета Андрея и вдруг говорит:

— Я устала от того, что его нет!

— И я устала,— говорю я.

— Отчего устала? Кобеля хлестала? — орет она на меня.

— Что вы заводитесь? Устала! Добывать денег устала, мотаться устала, жить устала!

— С чего вы устали? — задирается она.

— Вы в метро ездите? Нет! А я каждый день в метро мотаюсь! Вы знаете, что это за пытка!

— Я в метро только один раз была — когда ленточку разрезала.

— А мы дети войны,— вдруг начинаю плакать я.— Мы все хилые и несчастные. И рождены от живых демонов — наши родители в руках даже Библию не держали, а как выжить без Бога? — Я уже захлебываюсь в слезах. — Я Библию и Евангелие только недавно открыла, если б я раньше знала... Спасет нас только Бог и Пречистая Дева Мария, мы-то уж не спасемся, поздно, уже грехи свои не отмолить. И Андрюша, что ж, виноват был, если у него не было никакого руководства духовного. Ой, какой же у нас гипноз неведения! Чайку мне не дадите?

— Поставьте, — с испугом сказала Марья. — Мне вас на улицу страшно выпускать — плачете, орете, выкрикиваете, как сумасшедшая! Будет вам тут театр-то разыгрывать!

Я схватила сумку и ушла. Иду во тьме и думаю: «Зачем я к ней хожу? Что это за отношения? Что они мне хорошего сделали? И почему я все время раздваиваюсь и не могу простить, почему?!» И такая злость меня охватила. Через некоторое время приходит ответ — гордыня. Нет смирения истинного. Она такая одинокенькая, старенькая, и Андрюша просил: не оставляй маму! Какие тут счеты! Трудно, трудно, какие же Бог мне устраивает испытания!

31 декабря иду к Марье на Новый год с бутылкой шампанского, с коробкой шоколадных конфет. Марья нам с Тонькой подарила по ночной рубашке, хоть и недобрая. Тонька уже клоунирует — в пестром халате, на голове — красная панама, поверх панамы — корона из фольги и серебряная змейка — год Змеи.

— Из репертуара Руслановой! — сообщает Тонька: — «Соловей кукушечку заманил в избушечку, накормил ее крупой — раз за сисечку рукой».

У Марьи к Тоньке приступ нежности — она гладит ее по голове и читает стихи:

— Вы прекрасны словно роза, но есть разница одна: роза вянет от мороза, ваша прелесть никогда.

Так раньше в альбомах писали. Потом они поют вместе на два голоса: «Ах попалась, птичка, стой, не уйдешь из сети!» Вечер удался. Мы остались одни. Марья опять драматически восклицает:

— Как я одинока!

— Я тоже одинока,— говорю я.— Только вы недавно, а я всю жизнь. Вообще одиночества нет, это выдуманная проблема. Всегда рядом ангел-хранитель.

— Но он же не пойдет за хлебом! — практически рассуждает Марья.— Таня, я не знаю, что делать с памятником?

— Все, что угодно,— отвечаю я,— но главное — там должен быть крест, как положено. Это символ вечной жизни. Мария Владимировна! Мне приснился сон: бежит Андрюша ко мне навстречу с букетом желтых цветов, такой радостный, и позвонили из министерства, сказали что купили сказку!

— А мне он не снится,— говорит она мрачно.— Наверное, я мать плохая.

Лето 1989 года. Наконец-то у меня собственность — покосившаяся избушка за 200 рублей в деревне Сергеево рядом со Щелыковом. Народ там не московский, не стертый, все пьют самопляс, потом всю ночь обнимаются с деревьями, а в 6 утра стук в мое окно: «Николаевна, опохмели, дай полечиться». Говорят все на «о» — забавно, образно. Становлюсь фермером — копаю грядки, сажаю, и какой же восторг и счастье, когда из земли ползут маленькие зеленые листочки.

25 августа 1989 год — открытие сезона в театре. Пусто, чуждо, безрадостно. Пошли с Субтильной на Ваганьковское кладбище — уже стоит памятник. В середине — пробитый вдоль всей мраморной плиты воздушный крест. Внизу, поперек креста,— две бронзовые розы.

4 сентября вся труппа собралась в большом зале — накрыт длинный стол, на нем огромный торт, разные яства, напитки. Поодаль стоит кресло, обитое серым шелком, из «Фигаро», к которому почти на руках (он уже не может ходить) выносят Чека. Ему 80 лет. Юбилей. Играет оркестр. От него уже издалека веет смесью запаха тлена с земляничным мылом. Он сидит, как

мартышка, в кресле, на котором сидел Андрей в спектакле «Фигаро». Очень символично. Начинает:

— Я, я, я, я, я, я... уже больше тридцати лет возглавляю этот театр... Каких я набрал хорошеньких женщин! Хи-и-хи-хи-хи. И всех оценил Шармёр! Хи-хи-хи-хи-хи..

Ни одного слова ни об Андрее, ни о Толе Папанове. Всплывает в памяти 16 августа 1987 года. Одна артистка постучала в номер к Чеку и сообщила: «Андрея не стало...» Зеленоглазая Зина всплеснула руками:

— Есть же бог на свете!

И у меня созревает решение: я не могу находиться здесь, когда Андрюшу постоянно оскорбляют после смерти. 2 октября я поднялась на четвертый этаж, написала заявление об уходе, передала секретарю, даже не зайдя к директору, спустилась в буфет — выпила чашку кофе, посмеялась со всеми и спустилась в раздевалку.

— Таня,— окликнула меня дежурная.— Вам пакет, из издательства «Искусство».

Я открыла пакет — там верстка статьи об Андрее. Схватила пакет, прижала к груди и вылетела из театра.

Через 20 дней я ехала за трудовой книжкой. На эскалаторе станции площади Маяковского меня стало рвать. Еле добежала до подворотни. Непросто дался мне этот 21-й год в театре.

В ночь на 14 февраля на улице Горького горит наш дом — Дом актера, горит наша жизнь, наша молодость, наше счастье.

Мария Владимировна Миронова уже играет в театре Табакова, и ни одна газета не обходится без ее интервью. Я у нее дома. Происходит диалог с корреспондентом:

Он. Нам нужен Дом актера!

Она. Конечно!

Он. А где?

Она. Замечательное здание есть, где раньше находился Английский клуб, потом музей подарков Сталина, а теперь...

Он. Музей революции. Там ведь музей революции.

Она. А зачем нам отдельное здание? У нас вся страна — музей революции!

Корреспондент уходит. Мария Владимировна по обычаю впадает в трагедию:

— Я одинока! Я сына потеряла! Вам этого не понять! У меня нет перспективы!

— Я такой чайник видела! — с трудом просовываясь в паузу, говорю я.

— Какой? — спрашивает она с конкретным любопытством, мгновенно сбросив свою тему и пафос трагедии.

— Большой заварной чайник, огромный, завод ЛФЗ — вы знаете, с двумя медальонами.

— Какими? — как в КГБ, допрашивает она меня.

— В одном медальоне — Петр I и в другом. Вы же любите и чайники, и Петра.

— Купите! — требовательно говорит она мне. — Вот вам деньги.

Я с облегчением вздыхаю, потому что чайником отвела ураган страстей, под которыми мы погибли бы вместе. И так всегда. Я изучила ее взрывчатый характер и на взрывы всегда имела комплект хозяйственно-бытовых предметов, которые сразу гипнотизировали ее мощную натуру. Это были сковородки и кастрюли, необыкновенные и сказочные клеенки, ковровые тапочки, велюровые халаты, немецкие часики с прыгающей девочкой на них, колготки «Леванте», перчатки, чайник со свистком.

Сели пить чай. Кладу в чашку заварку. Она следит за моей рукой неодобрительным взглядом. Я наливаю кипяток и кладу сахар — кусочками. Взгляд становится злым и осуждающим. Я поднимаю голову и выразительно смотрю на нее.

— Да! — отвечает она. — Я жадная!

— Ничего, — говорю я. — Вам на том свете два куска сахара и ложка чая зачтутся!

— А того света нет!

— Есть! — говорю я.

— Нет!

— Есть!

— Оттуда еще никто не возвращался! — кидае
она мне в лицо доказательство.

— Вы рассуждаете как последний совок! — говорк
я.— А Иисус Христос? Его Воскресение? Если вы в эт
не верите, вы совок.

— А я в детстве в храме Христа Спасителя при
чащалась, а вы нет! И я наизусть знаю символ веры
а вы нет!

Сцена кончается.

Через неделю она мне рассказывает трепещущим
голосом — есть такая краска в ее характере, и она е
часто использует:

— Прежде чем лечь спать, я каждый вечер захожу
к ним в комнату, молюсь и разговариваю: «Андрюша
Саша, помогите!» И вы знаете, Таня, мне легче
помогают.

Кто бы мог подумать! Я получила приглашение
и собираюсь в Америку! Каждый день стою в очере
дях, которые начинаются с Москвы-реки и разворачива
ются на Садовое кольцо. Желающие выехать живут там
на раскладушках. Все переменилось — наш ОВИР вы
пускает нас свободно на все четыре стороны, а во
американцы нет. Моя очередь подошла, я у входа в по
сольство мне кричат: «Впиши детей, дура! У тебя ж
никого нет! Не выпустят! Впиши детей, дура!» Я никого
не вписываю и получаю визу в Америку. Наконе
впервые оказываюсь в капиталистической стране.

Прилетаю из Нью-Йорка, рассказываю Марье:

— Встречалась с эмигрантами, была на двух пас
хах — еврейской и русской, на роскошном «Линко
льне» меня возили в Коннектикут на открытие дома
О'Нила. Напечатала в «Новом русском слове» статьк
об Андрее. Вообще там все летает, жужжит, вертится
подпрыгивает, скачет, поворачивается. Америка — эт
большой луна-парк! Или — индейцы сели жопой на
компьютер и развлекаются. Самое главное, никто н
звонит из КГБ — хоть сама беги докладывай.

— С вами не соскучишься, всегда что-нибудь но
венькое узнаешь. Вы же не работаете? Откуда у ва
деньги?

— Бог посылает, потом у меня пьесы покупают, я давно так не жила — у меня в кармане водятся деньги и я никому не должна!

И еще один подарок судьбы — в июне вылетаю в Севастополь сниматься на корабле «Федор Шаляпин» в фильме Вадима Абдрашитова «Армавир» и есть там черешню в невозможных количествах.

21 июня шел длинный дождь. Дом на углу Рахмановского переулка и Петровки, где жил Андрей. На стене дома выпуклость, покрытая белым шелком. Голов не видно — одни разноцветные зонтики. Сейчас... вот... уже... Мария Владимировна разрезает ленточку ножницами, играет оркестр, гимн Советского Союза, шелк падает, и перед нами на стене дома Андрюша в бронзе. Открытие памятника — городской скульптуры — состоялось! Вчера — Андрюша, Дрюся, Дрюсечка, а сегодня бюст в бронзе, скорбное лицо.

В июле пошли с Марьей на кладбище. Я перебирала цветы, протерла памятник, зашли к директору, чтобы помог с дерном на могиле к 16-му. Ведь уже три года! Приехали на Танеевых, поджарила я картошку, отбила отбивные, на столе появилась «Бехтеревка». Выпили. Глаза набухли от слез. Тут вдруг она и говорит:

— Вы знаете, Таня... я была так против вас тогда... Вы с Андрюшей очень похожи. Вы были ему настоящим другом. А вы знаете, единственный, кто будет ходить на могилку, когда меня похоронят,— это вы. Его только двое и любили — я да вы.

У меня все дрожит. У нее блестят глаза — лирическая часть окончена.

— Зачем вы это все купили? — начинает орать она.— Деньги некуда девать? Широко шагнешь — портки порвешь!

— А что я такого купила? — оправдываюсь я.— Цветы к Андрюшиному портрету, вам купила сахару, чтобы мне с ним чай пить, зелени, огурцы... А-а-а-а-а-а! Что это? — изумляюсь я, глядя на стену кухни, которая украшена ну просто живой жанровой картиной под названием «В бане» из глины шамот. Я дотрагиваюсь до нее руками, щупаю, Марья орет не своим голосом от страха, что я испорчу:

— Не трогай! Тронешь — портки сронишь!

— Да что вы сегодня про портки-то целый день?

Насладились бурной сценой, запили ее чаем, и я иду домой. Иду и думаю: «Господи, я ей заменяю его потому, что похожа, а как она мне заменяет его, потому что, ой, как похожа!»

На меня падает с неба двухкомнатная квартира — за неделю я оформляю юридический обмен и уезжаю к себе в имение. Когда приезжаю из Щелыкова — в стране переворот. Еду к хозяйке квартиры, с которой я обменялась (пьянчужечка, ей надо было скрыться из этого района от преследования милиции). Встречает она меня на пороге голая, пьяная и кричит: «Никуда не поеду! Меняться не буду! А если будешь сопротивляться, дам тебе толченого стекла и пройдусь по твоей спине раскаленным утюгом!» Я ухожу, полагаюсь на время, которое как надо разыграет эту тему.

Горбачев свергнут. По Москве идут танки, бронетранспортеры, по ящику показывают «Лебединое озеро». Все три дня я участвую в революции. У Белого дома ору до хрипоты: «Свобода или смерть!», «Пока мы едины, мы непобедимы». На танке — Ельцин, вокруг баррикады, подтягивается на площадь со своей дивизией генерал Лебедь. Записалась в народное ополчение, а тут и победа!

Вечерами сижу у Марьи. У нее глаза горят, как у рыси. Она ненавидит советскую власть.

— Отца посадили,— с горечью говорит она.— Он самым честным человеком был, ему миллионы доверяли под честное слово, чудом выпустили. Ослеп. Потом они с мамой умирали в одной больнице, на разных этажах. Я весила 43 килограмма. Ненавижу, люто ненавижу эту власть! Что-то я себя плохо чувствую.— Звонит Тоньке:

— Тонька, узнай, пусть Мария Савельевна на
пичках погадает, как у меня там? Мы еще не пред-
тавляем и недооцениваем, каких размеров урон нанесла нам эта власть за 72 года! — говорит она,
качая головой. — Как вы вилки вытираете! — вдруг
кричит она. — Давай покажу!

— Да знаю я!

Вырывает у меня из рук вилку с полотенцем, проде-
вает полотенце сквозь гнездо вилки и долго возит
го — туда-сюда, туда-сюда.

— Это надо восемьсот лет жить, как Мафусаил,
чтобы так вилки вытирать! — заявляю я.

— Вам просто лень! — не снижая накала, кричит
она.

— Ой, я забыла... — говорю я.

— Что? — она вся внимание.

— Я же купила картины на Арбате.

Марья тут же бросает вилки, полотенца, поучения,
шлепает быстро в сторону моей сумки: скорей, скорей
показывай! — выражают вся ее фигура и бойцовский
нос. Достаю две картины — себе и ей. На картинах —
бабы метут улицу, кто-то идет с ведром, кто-то на
скамейке сидит с лопатой, и у каждой сзади белые
крылья до земли.

— Художник, — говорю я, — объяснил, что русская
женщина дошла до такой степени мученичества, что
у нее выросли крылья. — И заплакала..

— Кто сказал? — потребовала она от меня ответа.

Слава Богу, позвонила Тонька:

— Машенька, Марья Савельевна погадала вам сейчас на спичках с молитвами. Выходит, Машенька, вы
царица Семузар! У вас спичка не горит и не тонет!
Быть, Машенька, большому счастью!

7 января в день Машенькиного 80-летия Олег Табаков по-гусарски заехал за ней на тройке лошадей
с санями и под пушистым снегом через всю Москву
прокатил ее до самых дверей театра, где ждал ее
банкет.

В марте она исколесила на автобусах всю Америку
с гастролями театра Олега Табакова. Права была

Марья Савельевна: «Спичка не горит и не тонет! Быть, Машенька, большому счастью».

Марья привезла из Америки новомодный телевизор и приставку. Втроем — Марья, Тонька и я — собираемся смотреть фильм Дзеффирелли «Отелло».

— Машенька,— говорит Тонька,— вы царица Семузар, Роза Джайпура.

— Я — ведьма с голубыми глазами, меня так звали в молодости,— задумчиво произносит Машенька.— И вдруг низким голосом: — А теперь кто-то звонит каждый день ровно в 12 ночи и спрашивает: «Ты еще в трубу не вылетела?» — Пристально смотрит на Тоньку.— Кто бы это мог быть? Ты-ы-ы-ы, Тонька?

— Машенька, что ж я — узкопленочная? В это время я уже сплю... В это время, Машенька, «незабудку голубую ангел с неба уронил».

— Знаю я вас,— говорит Марья,— кум, кум, а потом ребеночка об угол!

Я достаю газету и протягиваю ей:

— Вот статья об Андрее к 50-летию, мне позвонили и попросили написать.

— Кто это вам позвонил?

— Из редакции, меня посоветовала моя подруга из журнала «Театр» Ольга Дзюбинская.

— Подруга! А у меня нет подруг!

— Конечно,— говорю я, глядя на Тоньку,— вы и сейчас одна, мы вам только кажемся.

И она начинает читать статью под названием «Андрей».

— Таня,— обращается ко мне Мария Владимировна,— купите мне, пожалуйста, книгу Вертинского, она только что вышла, сейчас везде продается.

Через несколько дней иду к Марье с двумя книгами Вертинского — купила себе и ей. Садимся и начинаем листать, она — свою книгу, я — свою.

— Какое хорошее издание, все его песни,— говорю я, продолжая листать. И вдруг, это невероятно, неправдоподобно! У меня из глаз брызжут слезы, долетая до кухни, и я кричу: — О-о-о-о-й! Ой, как он меня обманул!

— Да что вы, спятили? — спрашивает меня Марья.

— Здесь песня, которую Андрюша мне сочинил, лично мне. Ой, как он меня обманул, пел мне ее каждый день, всегда, а это песня Вертинского! А я-то убивалась, что я ее не записала и не могу вспомнить! А это — песня Вертинского! — сказала я и засмеялась.

Его задевало, что я сочиняю стихи, а он нет. Порылся, видно, в нотах у Менакера и тоже «сочинил». Три года как его нет, а он мне все приветы посылает.

— Какая страница? — спросила Марья.

— Триста пятнадцатая. Называется «Личная песенка».

> Все пройдет, все прокатится.
> Вынь же новое платьице
> И надень к нему шапочку в тон.
> Мы возьмем нашу сучечку
> И друг друга за ручечку...

Марья долго и внимательно изучала эту песню, потом искоса посмотрела на меня и уставилась вдаль через оконное стекло.

События продолжают сыпаться как из рога изобилия.

— Мария Владимировна, я еду в Египет! К брату! Это страна моей мечты!

— А что с квартирой? Юридически поменялись, а фактически сидите на узлах.

— Приеду, все утрясется в какую-нибудь сторону.

Самолет приземлился в каирском аэропорту. Светает. Из окна лайнера я вижу араба в черном военном костюме с автоматом, на его голове, как у нас в деревне бабы ходят, завязан платок-арафаточка, и он с удовольствием ковыряет в носу. Мы мчимся с братом на «Вольво» в Александрию. Египетская земля пульсирует древними таинственными знаниями. Я стою у пирамид, которые видели у своего подножия Наполеона, Святого Иосифа, Александра Великого. На этой же машине едем на Синайский полуостров, гранитные розовые горы которого упираются в небо, в монастырь Святой Екатерины, к горе Хорив, на которой сам Господь Бог разговаривал с Моисеем, а внизу, у подножия, евреи, выведенные им из рабства, из Египта лили золотого тельца. Наконец, Красное море с коралловыми букетами на дне и... Москва.

Опять втроем сидим у Марьи на кухне, привезла кучу подарков — восточные сладости, которые тают во рту, апельсинные корки в шоколаде, фотографии и буклеты с видами Синая и монастыря. Наелись этих сладостей. Марья и говорит:

— Середка сыта — концы играют!

— Танечка,— вступает Тонька,— Ледечка, когда умирал, просил меня: «Тонька, если ты меня любишь, выучи за ночь мое любимое стихотворение Лермонтова «Когда волнуется желтеющая нива». И я выучила. Утром прихожу в больницу, он еле дышит, но спрашивает: «Выучила?» — «Выучила, Ледечка». Руки по швам и прочла: «И счастье я могу постигнуть на земле, и в небесах я вижу бога!» А я ведь уже старая, Танечка, пустой футляр... Помпеи...

— Белье и дам переменить! Так говорили в старину купцы в ресторанах,— встревает Марья, меняя тему и «отодвигая» Тоньку.— Когда эту куклу уберут из центра Москвы? Пока ее не уберут, нам ничего хорошего не ждать. У меня к вам просьба,— обратилась она ко мне.— Когда я сдохну, сожгите меня и похороните урну в могилу Андрея.

— Вашу просьбу я могу исполнить только в том случае, если я вас переживу. Это — первое. Второе. Я вас жечь не буду! Что вы, индус? И развеять пепел по реке Ганг? Да?

— Мне Певунья не даст там похорониться. Эта же могила записана на нее.

— Даст, даст, с удовольствием даст, — продолжаю я.

— Машенька,— говорит Тонька,— все, все иконы, все, Машенька, надо отдать теплыми руками, а то потом здесь такое будет! Вы там вся в гробу перевернетесь!

— Кому я должна отдавать? — гремит Машенька.

— Но не возьмете же вы с собой все? — урезонивает ее Тонька.

Мы уходим, оставив Машеньку озадаченной. Уже темно. Идем с Тонькой по Гоголевскому бульвару.

— Ох, Танечка, мысли драматические ночью присылают. Жизнь... вся в полоску, по телевизору одни узкопленочные и натюрморды. Сейчас, говорят, молодые девицы прямо в машинах отдаются туловищем мафиозным структурам.

Звонит по телефону хозяйка двухкомнатной квартиры, с которой я поменялась:

— Тань, давай переезжать, только ты меня опохмели.

Я приезжаю ее опохмелять, она, как всегда голая, выпивает водку, закусывает ее куском сахара и смотрит телевизор. Там многосерийная история Жозефины и Наполеона.

— Почему же я родилась алкоголичкой, а не Жозефиной? — сетует она.

Мы с ней мирно обо всем договариваемся: она в хорошем настроении. В качестве любезности и особого расположения провожает меня в лифте до первого этажа совершенно голая.

Дом актера получает здание на Арбате, и Маргарита Эскина, директор Дома актера, предлагает Марии Владимировне стать председателем общественного совета. Мария Владимировна ныряет с головой в общественную деятельность. Теперь уже несутся письма со всей страны: «Москва, Арбат, Марии Мироновой».

— Вот! Вы видели? — тыкает мне в нос темпераментно газетой «Машенька».— Ваша подруга Тонька на старости лет одурела!

И показывает в газете портрет Утесова с Тонькой. И подпись: «Последняя любовь Утесова».

— Я их поженила! — кричит Марья. — Она у них всегда шестеркой была. Любовь! Рембрандт с Саскией! Надо знать слово на букву «Э». Этика.

— Да что вам, жалко? — говорю я. — Вы в славе, и ей хочется, пусть потешится немножко, она вас все голубочкой называет, котлетки приносит, что-то все время выдумывает. Да кому мы все нужны?! Что вы все время в конфликт идете? Правильно она говорит: «Машенька, меняйтесь, а то одна останетесь!» Вы уже со всеми перессорились. Смотрите, что в газете написано о состоянии власти и общества: «импотент на фригидной женщине».

То и дело совершают налеты на дачу Марии Владимировны. Бьют стекла, разоряют дом, выворачивают все наизнанку, и на полу — разбитый портрет Андрея. Марья ездит туда с Кузьмой Федор Иванной, так называл ее отец всех прислуг, которые были в доме. У Марьи есть тоже своя Кузьма Федор Иванна, правда, они периодически меняются. У нее разрывается сердце от всех этих разбоев, налетов, от осквернения дачи. Она пьет сердечные лекарства и говорит:

— Продам дачу! Кому мне ее оставлять? Машка исчезла, не появляется! Таня, пустыня! — кричит она. — Певунья тоже исчезла, как будто она меня никогда не знала. Всунула мне квитанцию на могилу и сказала «Платите за своего сына!» Все должно было остаться Андрюше, а теперь кому? Я совсем одна!

Я начинаю:

— Мне на днях подарили попугая.

— И вы молчали?

— Такой хорошенький, весь голубой, ходит по мне, ручной, по рукам, по голове, целует меня в ухо своим загнутым клювом, а поет! Как соловей!

— Разговаривает? — с лютым интересом спрашивает Марья.

— Нет, не разговаривает... пока.

— Везите мне его немедленно!

Привезла попугая Ромку на Танеевых в клетке. Марья посмотрела на него и затрепетала от радости.

...ак Ромка стал членом семьи. По часам вставал, ...о часам ложился, на ночь Марья его накрывала ...иним вафельным полотенцем. Каждый день чистила ...летку и кормила его деликатесным «Триллом». По-...ядок был как в армии. Наконец она обрела объект, ...которым могла разговаривать, конфликтовать, ру-...аться, а он молчал, не обижался, не хлопал дверью ... не бросал трубки.

В нецензурных выражениях она жаловалась ему ...а Думу, на ход экономической политики, на всех ...накомых подряд. Когда Ромке это все осточертевало, ...н поворачивался в клетке к ней спиной и сидел так ...о поздней ночи. Потом, когда это «огненное брюз-...ание и пламенное ворчание» наконец доводило его ...о истерики, он кричал скрипучим голосом и больно ...левал ее в пальцы, когда она ему ставила еду в клет-...у.

— Таня! Это же жуткая сволочь! Кого вы мне ...одбросили? Сидит сутками, повернувшись жопой ко ...не, и еще кусает! В кого он такой? — И я вижу из-под ...е ресниц хитрющий взгляд на меня — что я отвечу, ...оюсь я ее или не боюсь?

— Мария Владимировна,— собравшись с духом, ...оворю я,— все животные всегда в своих хозяев.

И вижу, как у нее в голове происходит мучительный ...ыбор: кричать на меня или смеяться. Она выбирает ...торое: смеется так заразительно, что собираются ...орщинки на ее носу.

— Я еду в Париж! На свое 50-летие. Я делаю себе ...тот подарок! Надо брать реванш, виза у меня уже ...сть, вот только квартиру надо сдать.

— Как? — говорит Марья.— Вы хотите сдать ...вартиру? Вы ее только обрели, сделали ремонт, до ...ровавых рук, как вы говорили, а теперь сдать.

— Мне нужны деньги на Париж и я хочу построить ...овый дом в имении!

Встречаемся с Антурией, она вся в мехах, в облаке ...ухов. Взявшись под руки, идем с ней в маленький ...нтикварный магазин. У нее уже двое взрослых детей, ...аленький внучок, но она, «дыша духами и тумана-

ми», продолжает источать из себя красный цвет сво
ей женской природы. В магазине она обаятельней
шим образом покупает ненужные вещи: крохотну
лягушечку из венской крашеной бронзы, два стеклян
ных граненых флакончика (XIX век) для дочки Маш
на Рождество, бинокль с ручкой — темно-синий ин
крустированный перламутром, маленькую вазочк
«Гале» — дивную, два жирандольчика. Идем обрат
но, она вручает мне пухлый пакет «на дорогу, н
день рождения», от которого так и веет свежей зе
ленью.

— Поезжай в Париж, погуляй, посмотри, позвони
как ты там,— говорит она и целует меня на прощань
в благодарную соленую щеку.

Париж! Друзья. Друзья-памятники — Бомарш
Дюма, Гюго... Лувр, откуда невозможно уйти, музе
д'Орсей... Музей Родена... Бисквитные дома, красны
и синие елки на Рождество, русское кладбище — Сен
Женевьев-де-Буа. На могилу Бунина принесла в боль
шом целлофановом кубе розовую орхидею и письмо
Письмо зарыла в землю. И наконец — Шартр!

— Танечка,— звонит мне Тонька в Москве,— Ма
рья Савельевна гадала на Машеньку на спичках, спич
ка ее сгорела, согнулась и пошла ко дну. Не к добру.

Весной Мария Владимировна перенесла тяжелу
операцию, но она стоик, выдюжила и тут. Лето
оправилась и осенью уже репетировала в театре у Рай
хельгауза новый спектакль на двоих с Михаилом Глуз
ским «Уходил старик от старухи».

А я летом принялась за строительство нового до
ма. Строители сделали фундамент, поставили сру
и подвели под него крышу. Первый этап строительств
окончен, на будущий год все остальное. Экстерно
у себя дома кончаю строительный институт.

В свои 84 года Мария Миронова держит руку н
пульсе времени: постоянно царит на всех заседания
и встречах Дома актера, ее портретами и статьям
усеяны все газеты, ее приглашают в Кремль на встреч

с интеллигенцией... А в Доме актера — беда! Дом на Арбате дали, а потом отобрали. И вот стоит она, маленькая 84-летняя женщина на территории Кремля и видит — поодаль возвышается Ельцин, окруженный «девяткой». Она тихонько подошла к этой группе, сложила две ручки лодочкой и нырнула прямо к Ельцину. Стоит с ним рядом — ростом ему по карман — и говорит:

— Как же это так, Борис Николаевич? Сначала дали нам дом, а потом отняли. Не по-людски это.

Через некоторое время она сидела в приемной президента до глубокой ночи, чтобы удостовериться, что он подписал бумагу о передаче дома на Арбате во владение Дома актера.

Звонит Тонька:

— Малюсенькая моя,— говорит она мне,— завтра в Доме актера вечер памяти Ледечки Утесова. Что-то я боюсь идти. Машенька мне подвох готовит, чувствую я это: у меня наметан не глаз, а сердце.

На следующий день ночью раздается звонок. Тонька ревет в трубку:

— Ой, сказать мне не дали, посадили в угол, ленточку не пустили разрезать, унизили! А Машенька из микрофона дышала ядом, сладострастно смаковала, как он ее провожал... Ледечка, не тонко намекая, что я не только провожал...— Бросила трубку, потом опять позвонила, рыдая: — Мне с ней так трудно, она все время голосом прокурора спрашивает, что я делаю. А я лифчик стираю и трусы!!! Танечка, и Изабелла Юрьева — хоть ей и 98 лет, она в уме — меня против Машеньки поддерживает!

Так оборвались отношения Машеньки и Тоньки, которая написала мемуары о Ледечке, чем и вызвала раздражение у властной Марии Владимировны.

В один год они обе покинут этот мир. Вечером в канун 1997 года я принесла Марье от Тоньки подарок — книгу об Утесове, которая только что вышла, с надписью... Это была не надпись — эпиталама Машеньке. Марья прочла, разволновалась, схватила телефонную трубку:

— Тонька, это я, Маша...

Они поговорили тепло и сердечно — примирились, а 20 февраля 1997 года Машенька пошлет на похороны Антонины Сергеевны знатный букет белых цветов в знак любви и прощания.

Летом я достраивала свой дом, и Марья, участвуя в моей жизни, с оказией прислала мне письмо и посылку. «Танюша, милая моя. Спасибо за хорошие письма и за хорошее отношение к старикам. Я очень скучаю. Мне не хватает ваших «потусторонних» разговоров. Без вас я не знаю, в какой я «фазе», а когда не знаешь точно «фазу», то и крыша едет не туда куда надо. Я не жалуюсь, но все-таки все обстоит не так как надо. Дом актера уходит в отпуск, и я остаюсь совсем одна. Это, как вы понимаете, трудно. Сейчас посылаю вам посылочку. Сидит Женя и ждет, когда я напишу, а писать я ужасно не люблю. Наверное, потому, что не умею. Я рада, что вы живете в красоте. У меня на даче красоты нет. Недавно ограбили еще три дачи, в том числе и Гилельса, у него насрали на столе слоеным пирогом с прокладками газетой. Кроме того, разбили все окна и выбили дверь. Вот такие дела, мой ангел. Целую вас. Ваша бабушка Маша».

Я построила дом, баню, сложила русскую печку в доме, привезла осенью Марье фотографии. Она долго разглядывала их.

— Еще хочу сад заложить.

— Замыслы Наполеона, а свод печника Ермилы, — иронично ответила она мне. Потом помолчала и сказала: — Я бы так не смогла, дом и все остальное... Вы ведь совсем одна.

— Не могу жить в городе, — говорю я ей, — порчусь.

— А я не порчусь, ведь я неподнятая целина.

Пьем чай, угощает печеньем.

— А вы живите у меня на даче, что вам скитаться, вы же все равно сдаете квартиру. И вам хорошо, и мне спокойно.

Пока думаю, ем печенье:

— Что в нем такое, что мне напоминает? Что это за вкус? — интересуюсь я.

— Да что вы все время под юбку заглядываете? — кричит она.

Смотрю на нее — мужественная маленькая женщина, носик загнулся, а я знаю эту примету. И цвет лица — не тот! Не тот! И ворочаются булыжники в горле. Сидим, учим с ней роль изо всех последних ее сил — чтобы быть на плаву, чтобы не дать себя жалеть, чтобы еще и еще раз выходить на сцену.

Отдыхаем от разучивания роли, говорим о политике. Я на все ее проклятия:

— Ой, Мария Владимировна, политика — дело тонкое.

— Вы хуй у комара видели? — спрашивает она меня.

— Нет, не видела.

— Так политика,— говорит Мария Владимировна,— еще тоньше.

Встречаем новый, 1995 год вдвоем. На столе — ботанический сад: гиацинты, рождественская звезда, декабрист, розы. Как обычно, встретили Новый год торжественно, стоя выпили шампанского, а потом калиновой. Сидим с ней, обнявшись, как король Лир с Корделией в последнем акте, и она говорит мне: «Ангельчик мой...» На кухне кукует кукушка, прокуковала уже 29 лет со дня нашей первой встречи.

— Дитя мое,— говорит она мне, не разнимая рук,— вы столько радости, столько счастливых минут доставили моему сыну...

А я думаю — ты сама мое дитя...

Утром разговариваю с Ромкой: «Любимый мой, птичка моя ненаглядная, самый умненький и самый красивый-прекрасивый».

— Сюсюканец несчастный,— кричит мне Марья выходя из своей комнаты.— Сюсюканец! Восхищалка, небесная гляделка!

Новое событие — я еду жить на дачу. Марья показала мне всю систему, как открываются все краны и замки, и на машине укатила скорей к своему возлюбленному Ромке. Я стою одна в осеннем саду, смотрю на дом и вспоминаю Андрюшины слова: «Ты еще приедешь на дачу, Танечка». Подхожу к сараю, открываю замок, вхожу: лежат наши лыжи в обнимку, его — с красной полосой, мои — с синей. Лежат лыжи в обнимку в сарае как свидетельство нашей любви. Сплю в его маленькой комнате, просыпаюсь ночью от звуков собственного стона. Андрюша смотрит на меня с портрета добрыми живыми глазами. Непостижимо все. Большое, важное событие внутренней жизни — мой приезд в этот дом. Ощущение, что здесь я под защитой, и на авансцену сознания выходят тайны его души.

10 февраля Мария Владимировна с Михаилом Глузским сыграли премьеру. Опять успех! А 8 марта едем на Ваганьковское кладбище к Андрюше. Возле Марии Владимировны не осталось никого из близкого Андрюшиного окружения. Всех сдуло временем.

Не забывает Марью только Магистр — всегда звонит, поздравляет, приглашает, окружает вниманием. Да два школьных друга — Саша Ушаков и Лева Маковский. Последние годы они близко сошлись с Андреем, в них нет цинизма, они никак не могут смириться с его потерей и всегда рядом с Марией Владимировной. Ведь ей скоро 85 лет, она нуждается в помощи, и они ей помогают.

Вот мы подошли к могиле — Марья, Саша, Света, Лева, Наташа. Стоит Леночка Ракушина — Андрюшина поклонница, горят свечи, лежат конфетки шоколадные, стоят иконки, его портреты...

Вернулись на Танеевых и уже который год этой компанией сели за стол — помянуть. Первый тост — за Андрея! Всегда. А после тоста Мария Владимировна взяла слово, подняла свою серебряную рюмочку:

— Второй тост — за Таню! — сказала она четко.— За Таню, которую одну-единственную любил Андрюша всю жизнь! А эти... были просто так, и пора наступило время сказать это вслух.

И все это через 30 лет. Поистине долготерпение лучше храбрости.

— Звонила Машка! Внучка! — говорит таинственно Мария Владимировна.— Сейчас придет.

На бесстрастном ее лице краска испуга — не видала свою внучку несколько лет.

Звонок в дверь. Входит эффектная тоненькая высокая барышня с длинными белыми волосами. Улыбнулась — копия Андрей! В норковой шубке-свингере, джинсы обтягивают красивые длинные ноги. Тут же вкатился двух лет от роду и правнук Марии Владимировны — Андрей Миронов. За свое отсутствие Маша успела родить сына, дала ему папины имя и фамилию, вышла замуж, вот-вот окончит институт кинематографистов, будет артисткой. Разделась. Марья сидит в «книгах», как обычно, с сеточкой на голове, в стеганом халате и вся в красных пятнах от волнения. Пристально смотрит на малютку, как рентген, а он тут же бросился к ней и приложился к руке. Поцеловал, еще, и еще, и еще раз. Глядя на это, я подумала, что Марья сейчас действительно вылетит в какую-нибудь трубу. Потом малютка стал бегать по квартире, с наслаждением упал на ковер, возле прабабушки, стал на нем валяться, увидев огромное зеркало до полу в прихожей, стал лизать его языком. Извилистые брови Марии Владимировны стали напоминать линию Маннергейма.

— Ах! — воскликнула Маша.— Мне надо позвонить.

Бабушка кивнула глазами на телефон, стоящий рядом, но Маша подошла к раздевалке, достала из кармана шубы рацию, стала звонить.

— Нет, размагнитился,— сказала она, тут же достала из другого кармана другой телефон, нажимала, нажимала кнопки, сказала два-три слова и засунула телефон опять в карман шубы. Села на стул. Бабушка и прабабушка смотрела на поколение «младое незнакомое» с превеликим изумлением.

— У нас сейчас ремонт в квартире,— рассказывала Маша, не обращая внимания на сына, который уже вылизал два квадратных метра зеркала.

— Какая у тебя ванная? — спросила я Машу, чтобы поддержать разговор.

— У меня джакузи,— сказала Маша.

Мария Владимировна вздрогнула. И вдруг спросила в упор:

— Зачем ты ко мне приехала? Лучше сразу скажи, что вам от меня надо?

Маша сняла напряжение, достала из сумки гору продуктов, подарки, выложила все на стол и сказала:

— Бабушка, я позвоню и заеду.

— Как ты поедешь? — спросила я ее, потому что мне тоже надо было уходить.

— Я? На «БМВ», как у папы!

Надела норковый свингер, и они с Андрюшкой выпорхнули за дверь.

— Вы видели? — стала яростно комментировать приход внучки Марья. — В кармане телефон! В жопе телефон! А этот все зеркало вылизал! Я вообще такого никогда не видела. Вы слышали, какая у нее там ванная?

— Джаку́зи.

— Жопу́зи! — переиначила Марья, ошарашенная приходом родственников, и крепко задумалась.

— Таня, кому мне оставить дачу, квартиру? Если я сдохну, вы представляете, что здесь будет? Все пойдет с молотка! На тряпки и сумочки. Я этих жен видеть не могу! — яростно продолжала она.

У нее всегда были невидимые информаторы, и она, как разведчик, всегда знала все обо всех, тем более о ненавистных ей женах.

— Русалка продала квартиру матери, — продолжала она. — На эти деньги купила себе шубу, вышла замуж и эту мать — так ей и надо! — спихнула в дом для престарелых. А? Хорошая дочка! А теперь перекрасилась в богомолку. Страшные люди. Ряженые. А Певунья? Вы видели у нее большой палец на руке? Вы знаете, что это значит?

— Видела и знаю, — сказала я и внутренне ахнула. Откуда она, Марья, знает про большой палец? Это я прошерстила все книги по хиромантии, а она-то откуда знает? Ну, партизан!

Она сидит вся красная, у нее поднялось давление, и она в растерянности: как распорядиться своим имуществом?

— Так, Мария Владимировна, чтобы вы не мучились, я предлагаю вам: оставьте эту квартиру музею. У вас уж и табличка на двери есть. Будет память, и эта память будет охраняться. И не надо никому «теплыми руками» ничего отдавать. Доживайте спокойно свою жизнь в своем доме. А потом будет музей.

У нее заблестели глаза: ох как ей понравилась эта идея!

— А дачу? — прогремела она.— Кому? Давайте я вам оставлю.

Это было бы очень кстати. Я бы ее продала, потому что мне ее не вытянуть, и на старости лет за все мои мытарства были бы у меня деньги. И поехала бы я в Таиланд, в Индию, в Южную Америку к ацтекам, в Грецию. Купила бы себе кисти, холсты, натянула бы их на подрамники и стала писать картины! И главное — круглый год есть клубнику! — пронеслось в моей голове, и на сцене моих фантазий появился мой друг Сенека:

— Сколько раз тебе говорить,— обиделся на меня он.— Жизнь надо прожить правильно, а не долго.

— Мария Владимировна,— начала я,— оставьте дачу Маше, ведь она дочь Андрея. Это родовое имение, и Андрюша так бы хотел. Ведь он ее очень любил — я же видела, и столько недодал, жил в другой семье. Она так страдала, ведь вся ее жизнь прошла на моих глазах в театре, я даже видела, как ее из роддома выносили. А вам это как нужно! Вы ведь для нее ничего не сделали. Для вас всегда был важен только театр. Слава Богу, вы встретили Менакера — он вам подарил свою жизнь...

— Да. Он был главным художественным руководителем моей жизни. Ах, Саша, Саша.— И на ее глазах появились слезы.

— А что я? У меня есть своя дача. Я ее сама построила. Зачем мне чужое? Так уж получается в моей жизни, что я сама все своим горбом. А в Евангелии сказано: входите узкими вратами, тесными. Почему так сказано, как вы считаете?

Мария Владимировна подумала и сказала:

— Чтобы со мной никто вместе не прошел, чтобы вошла только я одна! — интерпретировала она по-своему евангельскую притчу.

В Кремле президент Ельцин награждал ее орденом «За заслуги перед Отечеством». Она бодро вышла на трибуну и сказала:

— Я эту награду «За заслуги перед Отечеством» делю на троих — на себя, на мужа и сына!

Приближается новый, 1996 год. Марья сдает не по дням, а по часам. В театре 7 января готовится 85-летний ее юбилей. А мы с ней через день ездим к зубному врачу. «Надо менять профессию!» — заявляет она после каждой примерки. Только управились с зубами, в декабре она слегла с вирусным гриппом. Кашляет и днем и ночью, не спит, волнуется — ведь на носу юбилей. Меня качает от усталости и от того, что она банками пьет из меня кровь.

Наконец 7 января! В театре у Райхельгауза на Трубной площади состоялся юбилей Марии Мироновой. Все торжественно, театр заполнен до отказа, в зале высокие гости — Наина Иосифовна Ельцина, члены правительства. Наина Иосифовна сказала теплую, умную речь, на следующий день она была напечатана во всех газетах. Марья царила в венке из цветов, с билибинскими алмазами в ушах. Она воспользовалась случаем и попросила правительство о том, чтобы Бахрушинский музей как кладезь нашей культуры получил статус музея народного достояния.

Утром у нее дома — цветы, цветы, цветы... Во всех вазах, ведрах стоят орхидеи, и в этом полумраке бродит, шатаясь от славы и от усталости, с распущенными седыми волосами Король Лир, доведенный до абсурда.

Мы сидим, пьем чай. Она обсуждает юбилей. У нее в голове амбарная книга, в которую она записывает всех обидчиков и кому должна не прощать, а мстить, мстить и мстить.

— А я не могу жить в злобе, — говорю я. — Я просто заболею.

Она патетически кричит:

— Вам просто лень!

После всех бурных событий еду на дачу как в спасительную обитель.

В феврале месяце 1996 года Мария Владимировна официально оформила завещание. Квартиру — музею, а дачу, тут она попросила всех выйти, чтобы никто не знал, что дачу она отписала Маше. Потом морочила всем голову, намекая: мол, есть вероятность, что я и вам отписала дачу. Она не доверяла людям, боялась, что ее, старую, бросят, и заодно оберегала сильно полюбившуюся ей внучку от злых языков и наветов. Маша часто навещала бабушку, и я видела, как в этой каменной глыбе рождается чувство любви.

— Как мне ее погладить?! — кричала она мне, когда та уходила.— Таня! Я не умею! Как это делается?

— Тренируйтесь на мне или на Ромке,— советовала я ей и уходила спать. Рано утром я заставала Марью в ночной рубашке рядом с клеткой, в которой сидел Ромка. Она повторяла мой текст с сюсюканскими интонациями:

— Маленький ты мой, птичка моя ненаглядная, умненький, любимый, сладкий-пресладкий...

Так на 86-м году жизни она училась любить на этом смешном голубом попке.

Живу на даче в Пахре, в полном одиночестве, написала пьесу по рассказам Бунина — подарок ему в честь юбилея — и теперь пишу новую — «Прекрасная дама» — Блок, Белый и Любовь Дмитриевна Менделеева. Андрюша неотлучно рядом, всегда присутствует невидимо. Приснился сон. Открытая дверь в сад. В саду снег. Зима. На пороге стоит транзистор. По дому ходит Андрей, подбрасывает поленья в камин и говорит тихо: «Танечка, ничего не исчезает в этом мире, а любовь — она всегда жива. Ты должна знать это и понять, почему я тебе посвятил последний спектакль». Я слышу по транзистору песню, как тогда, когда устраивали свадьбу и танцевали в снегу. Звучит как будто издалека:

Из-за вас, моя черешня,
Ссорюсь я с приятелем.
До чего же климат здешний
На любовь влиятелен!

Мы несемся в валенках почти голые по саду в полечке.

Очнулась я не в постели. Я стояла в большой комнате, два кресла были повернуты к камину. Удивилась тому, что я стою, на ощупь добрела до кровати и канула в сон. Утром я почти забыла про видение, но подошла к камину — там пепел от прогоревших дров, а камин-то я не топила. Оделась, с ощущением обострившейся ностальгии по прошлому вышла в сад. Там на белом снегу все вытоптано! Как будто мы и впрямь ночью, не во сне, танцевали полечку.

Начинается предвыборная кампания 1996 года. У Марьи очень сильно развито чувство гражданственности. Она болеет за Россию, страдает, ведь она помнит дореволюционное время, когда все ломилось, начиная от продуктов и кончая «мозгами», которыми всегда была так богата наша родина.

— А теперь что?— говорит она.— Как говорят в Думе: «Ни о чем не подчеркивает и не играет значения!» Ведь выбрали президента первый раз после Василия Темного и ссут против ветра! Так ведь и глаза может выжечь!

Неожиданно для всех Ельцин полетел в Чечню. И неожиданно для Марии Владимировны раздался звонок в ее дверь. Она, как обычно, в халате, в сеточке, варила постный суп рататуйчик. Шлеп, шлеп к дверям. На пороге — жена президента Наина Иосифовна.

— Мария Владимировна, извините, что я без звонка. Борис Николаевич улетел внезапно, ничего не сказал, я очень волнуюсь.

Сели с Наиной Иосифовной за стол на кухне. Марья поставила серебряные рюмки, рябиновую, налила супчику, поели, выпили, поговорили, душу отвели. Потом еще налили — и супчику, и рябиновой.

— Только мне без сметанки,— попросила Наина Иосифовна.— Я со сметаной вкуса не чувствую.

Мария Владимировна — умная — отвела все мысли жены президента от Чечни. Тут и охрана звонит — мол, прилетел! Простились они как лучшие подруги — приникли сердцем друг к другу за эти два часа.

— Какая же она умница,— говорила после встречи мне Марья.— Как скромно одета, как просто себя ведет, и главное для нее не она сама, а человек, который сидит напротив. Это настоящая высота!

В октябре месяце Марья мне сообщила: «Едем на открытие театра имени Андрея Миронова в Санкт-Петербург. Рудольф Фурманов сделал этот театр. Вот, Таня, не в Москве, а в Петербурге!»

И вот мы на Ленинградском вокзале с сопровождающим. Он провожает нас до вагона и вручает билеты — мне и Марье. Я разворачиваю билет, а там написано «Миронова Татьяна». Она смотрит на мою реакцию искоса, испытующе. Я делаю бесстрастное лицо, а сама думаю: что же она за такая озорница? Удочерила она меня или женила? Вот в чем вопрос! Ложимся спать в двухместном купе. Я не взяла ночную рубашку, потому что она не вошла в сумку.

— Голыми спят только проститутки! — комментирует она.

Я пью снотворное.

— Что вы пьете?

— Как будто вы не знаете? Снотворное. Я же никогда не сплю.

На ночь она молится полушепотом, а утром мне заявляет:

— У вас свиной сон! Вы так дрыхли!

На перроне нас встречает с цветами городской сумасшедший Рудольф Фурманов. И вот мы в «Астории». В той «Астории», в которой она 30 лет назад запрещала жить нам с Андрюшей. Городской сумасшедший Фурманов устроил нам все бесплатно — и гостиницу, и завтраки, и обеды! Вечером открытие театра — будет весь театральный Петербург и Москва. Фурманов — взлохмаченный, с безумными глазами, на лице кожа да кости от усталости, рукава пиджака, если его можно так назвать, полностью закрывают кисти рук. Он сидит на стуле и кричит:

— Вы должны говорить только обо мне на вечере. Потому что я жизнь свою положил на этот театр (при этом он еще шепелявит и не выговаривает ни одной буквы), посмотрите, на кого я похож! Говорите только обо мне!

— Вы сумасшедший! — говорит ему Мария Владимировна.

— Да, сумасшедший! Но я построил театр имени Андрея и сделал вам гостиницу бесплатно, и завтраки, и обеды! — стал махать рукавами пиджака без кистей рук и выскочил вон. Потом вбежал и крикнул:

— Вам еще будет машина каждый день, в любую сторону, говорите только обо мне!

Мария Владимировна облюбовала себе кресло в углу, села, задумалась, а я пошла пока в другую комнату посмотреть, где мы будем спать. О боже! Две кровати рядом с тумбочками, будем спать как муж и жена. Вошла в гостиную, где, задумавшись, сидела Марья.

— Вы должны дать ему в морду! — приказным тоном сказала она мне.

— За что?

— Вы должны ему набить морду и должны с ним драться! Андрей бы дрался!

— Да это уж непременно! — сказала я.— Но тогда не будет открытия театра. Я знаю, что вам не понравилось — вас задели бесплатные обеды и завтраки! Платите! Только вам всей жизни не хватит расплатиться. Это же «Астория», здесь все на доллары.— И быстренько врубила ей ящик с мультфильмами. Там прыгали зайчики, белочки, грибочки. Она немедленно перестроилась с хулиганства на умиление.

«На Петроградской стороне, Большой проспект, дом 75/35, семнадцатого октября в 19 часов состоялось торжественное открытие театра «Театр русской антрепризы имени Андрея Миронова». В воздух «бросала чепчики» вся верхушка санкт-петербургского общества. В честь веселого, вдохновенного и на удивление родного всем артиста. Состоялся концерт. А перед началом действия в фойе — галерея портретов Андрея в ролях, аквариум с рыбами, в честь его знака зодиака, где безмятежно плавают его красивые «тезки». Звонки к началу спектакля прозвучали фрагментами мелодии его песни, затем его вынимающий душу голос в шлягере «Падает снег». Плакали все. По Андрюше. Потому, «что не может быть, что его нет». В зале присутствовали два мэра города — Анатолий Собчак, предыдущий, и Владимир Яковлев, настоящий, которые с рвением помогли осуществлению этого события. На сцене блистательно выступали В. Ковель, Е. Лебедев, М. Козаков, В. Лановой, Л. Чурсина и много других известных артистов. Мария Владимировна Миронова с царственной осанкой, прекрасная 85-летняя дама, актриса, днем присутствовала при освящении театра отцом Вадимом, а вечером под замирающие звуки сердца, под звонкие хлопки всех присутствующих разрезала голубую ленточку перед входящим в историю Российского театра ее сына Андрея Миронова.

И наконец, Рудольф Фурманов — главный двигатель состоявшегося события. Свойство темперамента — холерик, даже слишком холерик, амплуа — антрепренер, гениальный организатор, друг (он проработал с Андреем двадцать лет). Что бы мы делали без таких, как он? Как выражается Мария Миронова: «Смотрели бы шалаш в Разливе».

Через год после смерти Андрея Фурманова посещает рыцарская и конструктивная мысль, и он создает труппу с названием «Театр русской антрепризы» имени Андрея Миронова. Но нет помещения, на культуру отпущено 0,3 процента бюджета, театры, библиотеки и другие очаги культуры закрываются и находятся в состоянии «мерзости запустения».

В санкт-петербургском архиве Фурманов откапывает документы, в которых удостоверяется, что дом на Большом проспекте до революции принадлежал деду Андрея. И отважный антрепренер на девять лет отправляется в «крестовый поход» сражаться за свою мечту.

Театр родился, и наконец-то у него появилась крыша — в добрый час!»

Эта заметка была напечатана сразу по приезде

в Москву мной в Париже, в газете «Русская мысль». Но мы с Марьей пока в Петербурге. Городской сумасшедший Фурманов предоставил нам машину, и вот мы несемся с Марьей в Павловск. Она знает, что это ее последняя поездка. В Павловске оказался выходной день, но перед нами открылись двери, и мы в полном одиночестве с экскурсоводом Наташей проскользили по волшебным залам этого дворца.

Следующий день — Царское Село. К ней подходят люди, ее узнают все музейные работники. Кто-то ей целует руки, она резко их отдергивает и говорит: «Я же не священник!»

А вот на скамье сидит Пушкин, возле которого Андрей когда-то читал его стихи, взлетая в вихре желтых листьев.

— У вас есть какая-то семейная тайна,— говорит Марье одна тетка.— У вас только один сын? А дочери нет?

— Нет, только сын.

— А это кто с вами стоит рядом? Посмотрите, как похожа.

Марья смотрит на меня и заключает:

— Характер только другой!

«Слава богу»,— думаю я.

Поздно вечером я ложусь спать на свою половину в белом халате, гостиничном, чтобы она меня не жучила, что я голая проститутка. Заснула. Просыпаюсь от какого-то странного звука, от громкого скреба. Тихонько подглядываю — где Марья? Она лежит на своей половине, возле нее горит настольная лампочка, и, выдвинув ящик из тумбочки, она скребет по его дну и незаметно подглядывает: как я буду реагировать?

— Мария Владимировна, что вы делаете? — говорю я, сдерживая гомерический хохот.

— Лампочку не могу выключить,— с беззащитными нотами в голосе говорит она.

— Таня! — вспоминает она, стоя на ступеньках Исаакия.— Здесь, на этих ступенях, мы с Менакером,

Лидией Руслановой и Гаркави отмечали десятилетие нашей свадьбы. Накрыли белую скатерть из «Астории» и все остальное! Как я люблю этот город!

Приехала с гастролей из Израиля. Еле жива, но держится.

— Все города мира ничто рядом с Иерусалимом! Мне там устроили 85 лет! Ходила по розам, взошла на Голгофу, Господи, с моими-то ногами!

Привезла мне со святого места золотую мадонну на золотой цепочке, а себе — керамического, покрытого синей глазурью еврейчика, с огромными черными очами, со скрипкой в руках — шагаловский романтический персонаж.

— Это мой любимый еврейчик! — говорит Марья и сажает его рядом с собой в «книгах».— Это индивидуальная работа! Вы знаете, сколько он стоит? Состояние! Но когда я его увидела, не могла не купить! — И смотрит на него прямо со сладострастием. Пауза.

— Вот, Таня,— говорит она скорбно,— проходят годы, а вместо них приходят мысли и люто меня терзают: какая я плохая мать... жена... Саше со мной было очень трудно... бабушка...

— Такие мысли к плохим людям не приходят,— успокаиваю я ее.— Это нормальное, здоровое состояние покаяния. Таких всего на свете двое и было — вы да Пушкин. Помните — «И с отвращением читая жизнь свою...»

— Таня, я серьезно: я для Андрюши так мало сделала...— Она намекает на все то, что она сделала для Андрюши, ей это необходимо как воздух, и я, уже в который раз, начинаю перечислять:

— Одна книга «Глазами друзей», вторая книга о творчестве Андрея Висловой, вы помните, сколько лет вы ее пробивали? Памятник на кладбище сделали? Сделали. Головку на Рахмановском...

— А ведь знаете, Таня,— говорит она,— когда я еду после спектакля, всегда прошу шофера проехать через Рахмановский переулок. Останавливаемся, и я кладу Андрюше цветы.

Через несколько дней звоню в дверь на Танеевых. Открывает Марья, и вместо лица я сразу вижу ее зад, а на мое бодрое «здрасьте» — немое «да пошли вы...». Раздеваюсь, чувствую атмосферу — накал, как в доменной печи. Крадусь на кухню — там стоит она и трагически смотрит в окно.

— Что случилось, Мария Владимировна?

Молчание. Ох уж эти мне семейные сцены! — думаю я, и иду в ванную мыть руки. Вхожу, а там! На краешке ванной сидит, вся сжавшись, Кузьма Федор Иванна. Она дрожит, на ней дрожат очки и стучат зубы.

— Да что случилось? — спрашиваю я.

Она, заикаясь, рассказывает:

— Я пппылесссоссила ииии еввввврейчика разбила вдребезги. Мнннне нннннечем ппплатить.

Я начинаю метаться из ванной в кухню, из кухни в ванную. Мария Владимировна отказывается поменять статичную позу и взгляд в окно на что-нибудь другое, а Кузьма Федор Иванна отказывается выйти из ванной. Я кручусь, как волчок, у меня 32 рацпредложения, и я кричу:

— Нет безвыходных ситуаций! В конце концов, я сама поеду в Израиль и куплю точно такого же синего еврейчика!

Спасает Иосиф Райхельгауз, главреж театра, в котором играет Марья. Она замогильным голосом сообщает ему о постигшей ее утрате.

— Я вам своего отдам! — кричит Иосиф в трубку.— Мы же их вместе покупали!

— У вас не такой! — начинает капризничать Марья.— У вас прозаический, а у меня был романтический! — Но уже заблестели глазки, она вышла из статики, уже с нетерпением ждет прихода в свой дом нового еврейчика. Врубила телевизор — стала смотреть. Кузьма Федор Иванна по-пластунски проползла из ванной к вешалке и, одеваясь, спрашивает меня шепотом:

— Танечка, скажите, а в кого был характером Андрей? В Менакера? — с надеждой спрашивает она.

— Характером в Менакера, а поведением в мать,— говорю я.

Летом у себя в имении в 19 часов всегда включаю телевизор. Слушаю погоду — накрывать мне огурцы или не накрывать? И вдруг вижу на сцене Дома культуры Иванова два знакомых лица: выступают в концерте, видно, за большие деньги, Шармёр и Корнишон, или просто — Ширвиндт и Державин. Они зарабатывают тем, что рассказывают глупые, пошлые байки о покойниках — артистах театра Тусузове, Папанове и своем трагически погибшем «друге» Андрее Миронове. Ширвиндт смеется, и под подбородком у него трясется «вымя». Вот уж они не предполагали, что я их увижу за такой позорной и непристойной деятельностью.

Лето 1997 года. На даче у Марьи, в Пахре. Она — уходящая. Нервничает. Стучит ногами и кричит:

— Где вы будете жить, когда я умру? — А потом с воплем: — Таня! Из меня жизнь уходит!

У меня разрывается сердце, я не хочу с ней расставаться и предлагаю: давайте петь! Мы всегда поем, когда нам плохо.

Я начинаю, она подхватывает:

> Утро красит нежным светом
> Стены древнего Кремля,
> Просыпается с рассветом
> Вся советская земля.
>> Кипучая, могучая, никем непобедимая,
>> Страна моя, Москва моя.
>> Ты самая любимая...

Настроение улучшается. Я варю курицу, а она смотрит «Санта-Барбару» и держит ручку на сердце. У Келли — выкидыш, она хорошо играет — орет, кричит, стонет, вокруг нее близкие. Марья нервно сосредоточивается и говорит мне:

— Таня, вы помните, что вы тогда говорили, когда хотели с Андрюшей завести ребенка?

Слезы подступают к моему горлу, и я отвечаю жестко:

— Я ничего не помню!

— Простите меня,— говорит она тихо,— прости-

те, простите, простите, простите, простите, простите...

Это не дает ей покоя, она боится умереть с грехом.
Я беру ее за руку, она ее крепко сжимает. Она понимает, что я давно ее простила. Мы сидим у телевизора
вдвоем, взявшись за руки, и поем вместе с ведущим
детской передачи: «Спят усталые игрушки, мишки
спят, одеяла и подушки ждут ребят».

Последняя Пасха — апрель 1997 г. В половине
двенадцатого ночи она с трудом встала, оделась, и мы
пошли в близлежащую недавно открывшуюся церковь. Ей сразу поставили стул. Молодые парни, девушки, дети, горящие свечи, «Воистину Воскресе»! Она
чувствовала, что следующей Пасхи для нее не будет...
В глазах стояли слезы. «Господи, что стало с Россией?
Какая бедная церковь!» — и ком в горле.

— Таня,— обращается ко мне с просьбой Марья.— Купите мне иконку — Воскресение Христово!

Веранда. Перед верандой — сад. Через два дня ей
уезжать в Москву — открывается ее 71-й сезон в театре. Сидит на веранде и смотрит, если сказать вдаль —
ничего не сказать. В галактику, в бесконечность. Ощущение, что она выпала из времени — это был ее истинный, ее настоящий монолог, о котором нельзя говорить, можно только молчать.

— Мария Владимировна,— спрашиваю я.— О чем
вы думаете?

— А вам какое дело?

— Почему какое дело?

— По кочану! — А потом тихо: — Не надо сад
вырубать... деревья... Ведь когда мы построились,
здесь ничего не было. Все посадила я сама. Елки,
березу, рябину, липу, сирень, жасмин, черемуху, яблони. Я тридцать ведер таскала под каждую яблоню —
руки немели. Это были все прутики, а теперь, чтобы
увидеть верхушки голубых елок, надо задрать голову,
да как! А яблони такие высокие, такие старые — как я,
ведь любят меня, стараются, плодоносят. Ждут каждую весну. В прошлом году треснула яблоня перед
домом, и огромная ветка упала на крышу. Рану зале-

чили, замазали, а в благодарность сколько принесла она яблок. А есть совсем сломанная, осталась ветка, я ее перебинтовала — и та родит, хоть три яблочка в год, а родит... Помнит добро, старается. Сойдет снег, расцветут примулы, земля покроется незабудками — сад будет меня ждать. В каждом дереве, в каждом кустике — моя душа. Ах, мои яблони, яблони, придет время, когда выйдет ваш срок — перестанете цвести и давать плоды, но пока будем стараться вместе прожить хоть еще одну весну, постараемся... хоть еще одну весну!

Мария Владимировна умерла 13 ноября 1997 года от болезни сердца. Уезжая в больницу, ключи она доверила мне. Мы с Машей, Марьей Андреевной, внучкой, пришли в Дом актера. Маргарита Эскина со свойственной ей деловитостью и энергией устраивала похороны.

Появилась Певунья. Маша подошла к ней и громко сказала:

— Я вас очень прошу, не подходите к гробу бабушки, вы ее предали. Ей было бы это неприятно.

Маша вышла характером в Марию Владимировну — та же бескомпромиссность, решимость и смелость.

Пройдет год, и эта тоненькая эффектная блондинка возьмет на себя дело переустройства памятника, потому что он сел, заплатит за это немыслимые деньги, «выбьет» звезду своему отцу — Андрею Миронову — на площади Звезд, вопреки тем же «друзьям», которые делали все, чтобы этой звезды не было. И теперь мы с ней будем ходить вдвоем под ручку на Ваганьковское кладбище, на могилу, где похоронены вместе Андрюша и Мария Владимировна.

На поминках было очень много людей. И каждый говорил, сколько она сделала добра — устраивала в больницы, выхлопатывала пенсии, устраивала путевки, устанавливала телефоны, давала деньги в долг... Ей писали: «Москва. Кремль. Мироновой» — просили, чтобы помогла шахтерам, учителям, колхозникам...

— У-у-у, народ, — говорила Мария Владимиров-на, — сами должны себе помогать, а то все держатся хвостом за ветку — не оторвать.

Наина Иосифовна приехала из Китая и уложила могилу красными розами. Друг.

Я осталась доживать на даче, теперь у Маши, до осени. Приехав после сорокового дня в дом, от-крыла дверь, вошла и выла так, что, думала, меня разорвет на части от рыданий. Открывала шкафы, засовывала туда голову и вдыхала уже улетающий запах — Андрюши, Марьи и всей моей прожитой с ними жизни.

«Господи, — думаю, — спасибо тебе, что ты дал мне сил довести до конца такую трудную и такую любимую мою Эпоху Владимировну».

В Новый год сижу одна на этой даче, в ее кресле и понимаю: окончился длинный, мучительный, но та-кой счастливый период моей жизни. Все!

Звонит Маша из Парижа:

— Танечка, — слышу я родной голос, — я звоню с Эйфелевой башни! Танечка, поздравляю вас с Новым годом!

А маленький Андрюша Миронов дарит мне рису-нок на 8 Марта с надписью: «Тетье Танье от Ондрьея!»

13 мая в штормовой ветер, холод и дождь Наина Иосифовна, Маша и я идем на кладбище — полгода со дня смерти бабушки. Эту дату по правилам не отмеча-ют, но мы скучаем! Мы хотим прийти к ним. И Наина Иосифовна опять укладывает всю могилу розами. По-том сидим в доме-музее, еще не открытом, Маша заказала яства из Дома актера, пьем водку и помина-ем, вспоминаем. Наина Иосифовна для такого случая испекла торт, который мы в шутку называем прези-дентским.

Наступила осень. Конец сентября. Я переехала с да-чи в свою квартиру. Вернулась сюда на один день, чтобы с тряпкой и метлой навести чистоту и порядок. Все кончено. Я запираю двери. Иду в сарай, в послед-ний раз посмотреть на наши лыжи...

— Ну что ж, Андрюша, я написала семь пьес, семь наших детей, о которых мы мечтали, и все они Андревичи и Андреевны.

Иду по дороге к соседке попрощаться и думаю: вот что значат слова Андрюши: «Я этот спектакль посвящаю тебе!» Он ушел из жизни и вывел меня из этого ада — театра. И иду я теперь по дороге свободная от зависетей и сведения счетов, здоровая, сильная, улыбающаяся, счастливая оттого, что извела все свои пороки, выполнила свой долг, и оттого, что Господь послал мне столько глубоких переживаний в жизни. Вот для чего был тот спектакль — он поменял мне Чашу, он меня спас, потому что истинная любовь — поднять другого духовно выше, даже ценой жизни.

Передо мной калитка. Открываю. Меня встречает соседка — красивая молодая Вера, по кличке Веритас (истина). Дача ее стоит на высоком обрыве, над рекой Десной. Время около пяти часов. Светит теплое сентябрьское солнце. Природа переходит ото дня к вечеру, я перехожу от одной главы жизни к другой. Сквозь ветки деревьев виднеется мост, на котором мы танцевали с Андрюшей, мост — тоже переход с одного берега на другой.

> Цвет небесный, синий цвет
> Полюбил я с малых лет.
> В детстве он мне означал
> Синеву иных начал...

Поднимаюсь на открытую веранду, смотрю вдаль.

> Этот легкий переход
> В неизвестность от забот...

Веритас накрывает на веранде маленький столик, клетчатая скатерть, шампанское «Император» в честь моих проводов, рыбный суп.

— Да что ж мы будем рыбный суп с шампанским? — смеюсь я.

— Подумаешь,— говорит Веритас,— у меня еще на второе тушеная капуста — пальчики оближешь!

— Ну что ж, давай шампанское с рыбным супом! — и наливаю по бокалу искрящейся жидкости.— А что над нами? Огромные ветки — это клен?

— Нет,— говорит она.— Это такой сорт дуба,

с острыми листьями. Вон желуди валяются. Ты его очень любила?

— Я и сейчас его люблю — это же не кончается они обе вечны — любовь и душа.

В воздухе, прощаясь, парят желтые листья березы Светящийся диск солнца приближается к горизонту Переход... И вдруг я слышу голос Андрея, он пое где-то далеко.

— Это тот мост, — спрашивает Веритас,— на ко тором вы танцевали?

— Да, тот мост, отсюда, сверху, так хорошо его видно.

Голос Андрея приближается: «Отцвели уж давно хризантемы в саду... А любовь все живет! А любовь все живет! А любовь все живет!» — эхом разносится по всей окрестности... Вдруг рванул ветер, посыпались яблоки с деревьев, поскакали желуди по земле, в воз духе метались желтые листья разных форм, и я уви дела...

— Веритас! Смотри, Веритас! На мосту!

И мы увидели в длинных плащах мужчину и жен щину: он — с голубым шарфом на шее, она — с крас ным. Они были совершенно седые. На безлюдном пространстве, на мосту через Десну, две фигуры крути лись в балетных пируэтах с таким озорством, и танец достигал такой порывистости и свободы движений что, как крылья, развевались полы допотопных пла щей и встречались на мосту в танце с бурной нежно стью два шарфа — красный и голубой.

— Смотри,— кричала я под звук падающих желу дей и яблок,— смотри! Ты видишь? Ты видишь? Это мы на мосту, Веритас! Ничто не исчезает! — кричала я и ветер уносил мой голос далеко-далеко...— Ничто не исчезает! Мы танцуем уже седые и будем танцевать здесь и петь этот самый короткий романс... всегда Всегда!

ДЕЙСТВУЮЩИЕ ЛИЦА И ИСПОЛНИТЕЛИ

Акробатка	— Нина Корниенко
Антурия	— Людмила Максакова
Балерина	— Майя Плисецкая
Ворон	— Михаил Воронцов
Галоша	— Татьяна Васильева
Директор	— Александр Левинский
Драматург	— Эдвард Радзинский
Жора	— Георгий Мартиросян
Жорик	— Георгий Менглет
Зеленоглазая Зина	— Зинаида Плучек
Инженю	— Наталья Защипина
Клара	— Маргарита Микаэлян
Корнишон	— Михаил Державин
Магистр	— Марк Захаров
Певунья	— Лариса Голубкина
Пепита	— Наталья Селезнева
Пудель	— Павел Пашков, муж Лили Шараповой
Русалка	— Екатерина Градова
Сатирики	— Аркадий Арканов и Григорий Горин
Синеглазка	— Наталья Фатеева
Спартачок	— Спартак Мишулин
Стукачка	— Регина Быкова
Субтильная	— Лиля Шарапова
Сценарист	— Александр Шлепянов
Травести	— Броня Захарова
Толич	— Анатолий Папанов
Ушка	— Владимир Ушаков, муж Веры Васильевой
Цыпочка	— Вера Васильева
Чек	— Валентин Плучек
Червяк	— Александр Червинский
Шармёр	— Александр Ширвиндт
Энгельс	— Игорь Кваша

ОГЛАВЛЕНИЕ

Татьяна Николаевна Егорова родилась 8 января 1944 год[...] в Москве. В 1962 году окончила школу и поступил[...] в Театральное училище имени Щукина. По окончани[...] училища в 1966 году была принята в труппу театр[...] Сатиры. В 1989 году ушла из театра. Татьяной Егорово[...] сыграно в театре 20 ролей, она много снималась в кин[...] и на телевидении, написала семь пьес, множество эсс[...] и «портретов».

Татьяна Егорова

АНДРЕЙ МИРОНОВ И Я
Любовная драма жизни

Текст на стр. 441 не достоверен.
Директор И. Е. Богат

Редактор
И. Е. Богат

Художник
А. В. Кокорекин

Корректор
Л. О. Кройтман

ISBN 5-8159-0101-6

9 785815 901018 >

Подписано в печать 06.06.2000 г. Формат 84х108 ¹/₃₂.
Печать офсетная. Бумага газетная. Усл. печ. л. 28.
Гарнитура «Таймс». Тираж 15 000 экз. Заказ № 230.

Издатель ЗАХАРОВ
Лицензия ЛР № 06779 от 1 апреля 1998 г.
103104, Москва, Сытинский тупик, д. 6-2.
Директор И. Е. Богат.
Телефон дирекции: 203-03-82.

Отпечатано с готовых диапозитивов
на ГИПП «Уральский рабочий».
620219, г. Екатеринбург, ул. Тургенева, 13.

СПРАШИВАЙТЕ В МАГАЗИНАХ И ПОКУПАЙТЕ

КНИГИ СЕРИИ
БИОГРАФИИ И МЕМУАРЫ

Лидия Яковлевна Гинзбург. Записные книжки.
Как жили в советские времена — и как выживали,
не потеряв образа человеческого, — герои этой книги,
типичные и нетипичные интеллигенты,
в том числе Ахматова и Шкловский, Зощенко и Маяковский,
Мандельштам и Чуковский.
Описан быт, мысли и чувства.
Место действия — Москва и Ленинград.
Время действия — с 1925 по 1989 год.

Мария Арбатова
«Мне сорок лет...» Автобиографический роман.
Эта книга описывает историю успеха, историю женщины,
которой с самого детства было лень притворяться.
Фанатизм откровенности я отношу не к личным заслугам,
а к тому, что принадлежу к первому поколению,
родившемуся без Сталина.
Надеюсь, что книга эта — не только обо мне,
но и о времени: эдакий стриптиз
на фоне второй половины двадцатого века.

Кора Ландау-Дробанцева
Академик Ландау. Как мы жили.
Воспоминания жены гениального физика Льва Ландау.
Эту рукопись уже в наше время пытались уничтожить академики и их
жены, которые ханжески возмущались откровенным текстом,
шокирующими подробностями
и нелицеприятными оценками «неприкасаемых».

Телефон издательства ЗАХАРОВ: 203-03-82
Телефон реализации (АСТ): 215-43-48, 215-0101